꽃의 짐승

꽃의 짐승 2

초판 1쇄 찍은 날 | 2019년 04월 16일
초판 1쇄 펴낸 날 | 2019년 04월 29일

지은이 | 조례진
펴낸이 | 서경석

편 집 책 임 | 이은주
편   집 | 이예진

펴 낸 곳 | 도서출판 청어람
등록번호 | 제387-1999-000006호
등록일자 | 1999. 5. 31
어람번호 | 제11-0101호

주소 | 경기도 부천시 부일로 483번길 40 서경B/D 3F (우) 14640
전화 | 032-656-4452 팩스 | 032-656-4453
http://www.chungeoram.com
E-mail | chungeorambook@daum.net

ⓒ 조례진, 2019

ISBN 979-11-04-91962-6   04810
ISBN 979-11-04-91960-2   (SET)

II

꽃의 짐승

조례진 장편소설

The Beast of the Flower

도서출판 청어람

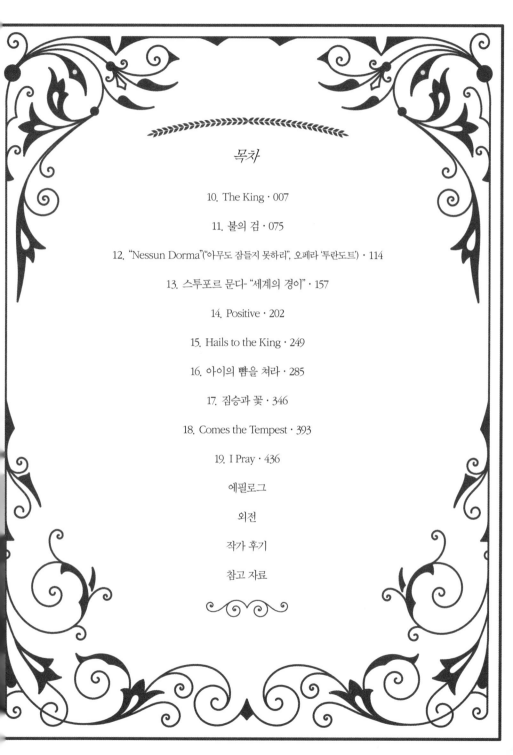

목차

10

The King

'내가 진짜 미친년이구나.'

규하는 정말 낯을 들 수가 없었다. 아무리 마음이 급했다지만 애들이 다 보는 앞에서 그 난리를 치질 않나, 아무리 애들이 무사한 걸 확인했다지만 아직 보호자들에게 인계도 하지 않았는데 남자랑 그런 짓을 하질 않나……. 그것도 병원 물품 보관실에서.

둘 다 너무 느껴서 그런지 실제 시간은 얼마 걸리지 않았다. 하지만 응급실로 돌아온 자신을 걱정하는 아이들을 보니 규하는 양심이 너무 아팠다.

'다 저놈 탓이야.'

규하는 입구에 서 있는 렉스를 노려보았다. 멀끔한 모습이 꼭 아무일도 없었던 것 같았다. 아직도 몸속에 뭉근한 열기가 남아 있는 건 그녀뿐인 모양이었다. 그녀는 한동안 의자에 앉기도 힘들 만큼 진정이 되질 않는데.

첫 경험을 하는 십대들처럼 물품 보관실에서 다급하게 치른 것이 하필 인생에서 가장 짜릿한 섹스였다는 게 아이러니했다. 짧고 굵은 섹스 한 번이 준 만족감은, 여태까지 규하가 겪어온 경험을 다 합쳐도 비슷한 수준에도 가지 않았다.

규하는 꿍 신음을 삼켰다.

'나 같은 게 계속 선생질을 해도 되는지 의구심이 든다.'

"선생님."

그때 가연이 불렀다.

"어? 어. 왜 그러니?"

규하는 놀라 돌아보았다. 두 사람은 응급실 앞 복도 의자에 같이 앉아 있었다.

"말투가 왜 그러세요?"

가연은 미간을 찌푸리고 물었다.

"내 말투가 어때서?"

"꼭 찔리는 게 있는 사람처럼. 선생님 원래 끝에 니 같은 말 안 쓰시 잖아요."

찔리는 게 있는 규하는 헛기침을 삼키고 화제를 돌리기 위해 응급실 입구를 돌아보았다. 어스름이 깔리고 있었다.

"아버지가 늦으시는구나."

다른 학생들은 모두 부모님에게 인계한 후였는데 아직 보호자가 도착하지 않은 아이는 가연뿐이었다. 하지만 가연은 개의치 않는지 다른 이야기를 꺼냈다.

"아까요."

"어?"

"선생님이 부른 이름……. 그때 말한 쌍둥이분 성함이에요?"

규하는 아까 여자를 떠올렸다. 그건 정말 환각이었을까. 너무 보고 싶은 사람을 본 것뿐이었을까…….

영안실 침대에 누운, 푸르고 깨끗한 연하가 생각났다. 그래, 그건 분명히 연하였다. 그 시신이 연하가 아니라는 증거를 찾기 위해 얼마나 들여다보았는지 모른다. 하지만 시신 인식 코드가 새겨진 띠가 둘러진 엄지발가락에 작은 점조차 규하가 아는 대로였다.

그런데 자신은 왜 아직도 연하의 죽음을 받아들이지 못하고 있는지 규하는 알 수 없었다. 참 끈질기게도. 머리로는 연하가 죽었다고 애써 납득했지만 제 가슴은 조금도 설득된 것 같지 않았다. 그래서 연하에 대한 흔적이 조금이라도 나타나면 이성적으로 생각하기 전에 정신을 차리지 못하는 것 같았다.

가연이 기다리고 있으므로, 규하는 애써 웃었다.

"주마등이 스쳤었나 봐. 아무래도 우리 사지에서 살아 돌아왔잖아?"

가연은 잠깐 생각하는 눈치였다.

"그 사람들은 뭐였을까요?"

갑자기 나타나 공격한 뱀파이어들을 말하는 것 같았다.

"글쎄……."

그에 대해서는 규하도 대답해 줄 수 있는 말이 없었다. 사실 지금으로서는 어떤 것에도 대답할 수 없었지만.

그런데 가연이 입구 쪽을 빤히 보았다. 규하는 따라 시선을 돌렸다. 그러자 가연은 그녀에게 고개를 기울이고 속삭였다.

"근데 저 뱀파이어 오빠 멋있지 않아요? 뭔가 비현실적이에요."

아직 응급실은 분주했고, 보이진 않아도 수술실에 들어간 의사들은 격전을 치르고 있을 터였다. 따라서 군인들도 교대할 뿐 여전히 자리를 지키고 있었다. 그리고 렉스는 아무래도 현장의 책임자쯤 되어 보였다.

규하로서는 현장에 있기에는 지나치게 계급이 높은 렉스가 일부러 이곳의 책임자를 자처하고 있다는 걸 알 리 없었기에 그렇게 생각할 뿐이었다.

"오빠는 무슨. 저 얼굴로 나이를 얼마나 먹었을지 알고……."

규하는 말하다 말고 미간을 좁혔다.

'그러고 보니 저 녀석 실제로는 몇 살이야?'

스물일곱이야 뱀파이어라는 걸 알기 전 이야기고…….

규하는 렉스를 보았다. 그래, '저건' 뱀파이어란 말이지. 요즘 말로 루아스.

"뱀파이어가 밉지 않아?"

선생이 할 질문은 아니겠지만 규하는 전혀 거리낌이 없어 보이는 가연이 신기해 물었다. 어쨌든 가연은 어머니를…….

그리고 오늘 그들을 공격한 것도 뱀파이어였다. 트라우마를 자극할 만한 일이었는데도, 가연은 생각보다 아무렇지 않아 보였다.

"미워요."

가연은 태연하게 말했다.

"저희 엄마를 죽인 뱀파이어는요. 다시 만난다면 내 손으로 죽이고 싶을 만큼. 하지만 모든 뱀파이어를 미워할 순 없잖아요. 모든 인간을 미워할 수 없는 것처럼요. 그런 건 내가 불행해지는 일이거든요."

아이가 빨리 어른이 되어야 하는 게 옳은 세상은 아니겠지만 규하는 똑바로 정면을 응시하는 얼굴을 보고 알았다. 이 아이는 괜찮다는 걸. 살면서 무슨 일이 있어도 담담히 다시 일어나 걸을 수 있는 아이라는 걸.

"저희 아버지처럼."

가연은 쓸쓸하게 웃었다.

"우리 아버지도 옛날에는 멋있었어요."

규하는 말없이 가연의 머리를 쓰다듬었다. 그러자 가연은 산전수전을 다 겪은 여자처럼 웃고는 그녀의 어깨에 고개를 기대었다. 규하도 가연의 정수리에 얼굴을 대었다. 그렇게 한동안 말없이 서로에게 기대어 앉아 있는데 입구에서 한 남자가 헐레벌떡 뛰어 들어왔다. 막 깼는지 벌집이 된 머리에 옷도 대충 꿰어 입고 있었다. 가연과 규하는 자리에서 일어났다.

"너, 이……!"

석주는 규하를 보자마자 멱살을 휘어잡았다.

"네년이 쓸데없이 수학여행이니 뭐니 하지만 않았어도!"

입구에 있는 렉스는 바로 뛰어가려다가 멈추었다.

"아버지!"

소녀가 소리치려는 몸짓을 먼저 읽었기 때문이다. 석주는 유순한 딸아이가 내지른 소리에 충격을 받은 눈이었다. 가연은 울먹이며 소리쳤다.

"우리, 선생님 아니면 다 죽었어요. 선생님이 빨리 버스에서 나가게 해줬기 때문에 살아 있는 거라고요! 이제 제발 그만하면 안 돼요? 나 너무 힘들어요."

"너마저……."

석주는 파랗게 질려 신음처럼 말했다.

"너마저 잃으면 살 수가……."

"하지만 지금 우리는 살아도 사는 게 아니잖아요. 이럴 거면 차라리 같이 죽어요. 다 끝나 버리게."

가연은 눈물이 글썽거리는 눈으로 석주를 보았다. 곧 쓰러질 것 같은 아버지를 안쓰러워하면서도 엄한 선생님처럼 단호한 눈이었다.

딸아이는, 막무가내로 학교에 보내지 않아도, 그가 매일 술에 절어 인사불성이 되어 있어도, 별것도 아닌 일에 목청부터 높여도 말대답 한 번 하지 않았다. 마치 아버지의 슬픔을 이해한다는 것처럼 조용한 눈빛으로 기다릴 뿐이었다. 딸아이가 어미를 잃은 슬픔을 삭이고 아내를 잃은 자신의 슬픔을 먼저 보듬는 모습을 볼 때면 석주는 더 화가 치밀었다. 하지만 그들을 이렇게 만든 세상을 증오하며 무작정 엉망이 되는 것 외에는 무엇을 해야 할지 알 수 없었다.

"내가 그 버스에서 빠져나온 걸 후회하게 하지 말아줘요."

딸이 토해낸 한 마디에 남자는 무너졌다. 아이는 그 앞에 무릎을 꿇고 앉아, 오열하는 남자를 조용히 끌어안았다.

"우리, 살아요."

가연과 석주를 배웅하고, 규하는 드디어 집에 갈 수 있게 되었다. 댐 뒤에 켜켜이 쌓아둔 피로가 이제는 댐을 넘어 밀려오는 것 같았다. 긴, 정말로 긴 하루였다.

규하는 짐을 챙기기 위해 돌아보았다가 챙길 짐이 없다는 사실을 깨달았다. 버스와 함께 강물 속에 잠들어 있을 테니.

'내 가방……. 큰맘 먹고 산 거여서 아직 할부 많이 남았는데.'

갑자기 멍해져서 지금 그녀의 인생에서 하등 중요하지 않은 생각을 하고 있는데 렉스가 다가왔다.

"저희 대원이 댁까지 모셔다드릴 겁니다."

규하는 다크서클이 짙은 눈으로 돌아보았을 뿐, 별말 없이 밖으로 나섰다. 입구에 차가 대기하고 있었다. 렉스는 뒷좌석의 문을 열어주었다. 규하는 차에 오르기 전에 그를 보았다.

'왜'라는 거대한 뱀이 머릿속에 똬리를 틀고 있었다. 왜 남들은 평생 한 번 겪기도 힘든 일이 자꾸만 자신에게 일어나는지, 왜 분명히 연하 같아 보이는 여자가 자신을 모른 체하는지, 왜 렉스는 여자를 잡으려는 자신을 막았는지…….

하지만 규하는 묻지 않았다. 애초에 묻는다고 대답해 줄 것 같았으면 이미 대답해 줬을 테니까. 그리고 오늘은, 너무 피곤했다.

규하가 인사 없이 차에 오르자, 렉스는 문을 닫았다. 규하를 태운 차는 금세 병원을 벗어나 어두운 도로로 들어섰다. 차가 사라지는 모습을 보고 있는데 갑자기 무전이 들려왔다.

[그런데.]

목소리로 보아 연하와 같은 팀에 있는 한 중사 같았다.

[아까 뭘 했기에 저 다혈질인 분이 새색시처럼 얌전해진 겁니까?]

렉스가 대답하기도 전에 무전 건너에서 타격 소리가 나더니 외침이
따라왔다.

[네 친구냐!]

대답할 가치도 느끼지 못한 렉스는 그냥 통신을 끊었다. 그리고 도로
를 돌아보았다.

'불안하군. 가만히 있을 성격이 아닌데…….'

그런데 순간, 귓가에 거칠어진 숨소리가 스쳤다.

"렉스."

거친 입에 비해 규하의 몸은 너무나 달콤했다. 오히려 그녀는 누구보
다 더 순종적으로 몸을 열고 렉스가 무엇을 하건 받아들일 태세였다.
그가 끝내려고 하자 온몸으로 휘감겨 오며 귓가에 칭얼거렸다.

"싫어, 그만두지 마."

숨이 끊어질 것 같다는 게 어떤 기분인지, 렉스는 그때 알았다. 입구
에 서 있는 내내 그는 규하를 다시 안고 싶다는 생각밖에 하지 않았다.

오랜 세월을 살면서도 렉스는 몸의 쾌락에 탐닉한 적이 없었다. 그냥
그는 그런 사람이 아니었다. 그런데 오늘은 머릿속이 그 생각으로만 가
득한 사춘기 소년처럼 진정이 되지 않았다. 사실 지금도, 규하를 그냥
보내고 싶지 않았다.

렉스는 허공을 쳐다보고 중얼거렸다.

"미치겠군."

"대체 뭘 했을까?"

옆자리에서 들려온 소리에, MCTC 서울 ERU 2팀 소속의 최 하사는 운전대에 팔을 걸치고 고개를 내저었다.

"아직도 그 소리십니까. 막말로 소장이 선생님을 고문했다 하더라도 저희 소관은 아니잖습니까?"

조수석에 앉아 봉지 과자를 먹고 있는, 오늘은 특수한 상황 때문에 경호 임무를 나온 한 중사가 미간을 찌푸렸다.

"그런 말은 좀 너무한 거 아냐?"

최 하사는 어깨를 으쓱였다.

"고문당할 분이 아니니까 그렇죠. 오히려 소장을 고문해서 직성이 풀린 거라면 모를까요."

한 중사는 킬킬거렸다.

"그건 그래. 이렇게 지켜보는 재미가 있는 대상도 드물다니까."

"타입은 다르지만 괜히 강 상사님 쌍둥이가 아니구나 싶죠."

최 하사는 말하다가 갑자기 운전할 자세를 갖추며 덧붙였다.

"나옵니다."

한 중사는 바로 차 유리 너머를 살폈다. 좀 떨어진 거리에 있는 아파트 단지 입구에서 규하가 걸어 나왔다. 한 중사는 시선을 떼지 않고 중얼거렸다.

"정장 차림인데. 오늘 학교 쉬는 거 아니었어?"

"그런 걸로 아는데요."

미리 불러뒀는지 규하 앞에 택시가 와 섰다. 규하가 올라타자 택시는 바로 출발했다.

"따라가."

한 중사가 말하자 최 하사는 신중하게 차를 출발시키면서 물었다.

"어디 가는 거죠?"

"어디 보자."

한 중사는 패드를 꺼내 택시의 예상 이동 경로를 확인했다. 하지만 결과가 채 뜨기 전에, 두 사람은 서로를 보았다.

"잠깐, 이 방향은······."

둘 다 번뜩 깨달은 얼굴이었다.

[MCTC로 간다!]

마침 무전 너머에서 외침이 들려왔다.

"어떡할까요?"

한 중사가 심각한 어조로 물었다. 최 하사는 앞서가는, 규하가 탄 택시를 보다가 말했다.

"청사로 가는 것 정도는 괜찮지 않을까요? 뭘 알 수 있는 것도 아닐 텐데."

[접점을 만들지 않는 게 좋아. 그리고 강 선생이 MCTC와 접촉하는 모습이 SN의 눈에 띄어서 좋을 게 없어.]

"하지만 이번에 막는다고 하더라도 다음에는 어떻게······."

[우리가 언제 다음 생각했어? 일단 지금······.]

택시 옆에 가던 승용차가 갑자기 방향을 틀었다.

[막아야지!]

쾅. 무전 너머로 소리가 나는 동시에 택시와 승용차가 부딪치며 멈추었다.

이어서 택시 기사가 뒷목을 붙잡고 내리더니 승용차 운전석으로 가서 소리치기 시작했다. 택시 후면 유리 너머 보이는 규하는 놀란 것 같았다. 두 대원은 차를 멈추지 않고 지나갔다. 그리고 우회전해서 길가에 차를 세우고 현장으로 달려갔다.

"아, 죄송합니다."

도로 한가운데서 소리치는 택시 운전사에게 승용차 운전자, 김 상사가 누차 사과하고 있었다. 평생 본 적 없는 웃음을 서글서글하게 지으면서 일단 차를 옮기자는 손짓을 했다. 아무튼 이로써 안심이었다.

'뭐야, 정말.'

규하는 생각하고 창문 너머로 고개를 내밀었다.

"아저씨, 그렇게 심한 것 같지 않은데 그냥 보험사 부르시고……."

"아, 손님은 가만히 계셔."

택시 기사는 승용차 운전자가 만만해 보였던지 팔까지 걷어붙이고 소리치기 시작했다. 규하는 한숨을 내쉬고 좌석에 등을 기댔다. 그리고 창밖을 보았다. 택시 기사의 고함 소리가 머리 아프게 울려왔다.

자신은 왜 12년 내내 연하의 죽음을 믿을 수 없었을까. 제 눈으로 시신을 봐놓고도, 직접 화장한 유골을 묻고도. 그 이유는 그냥 믿을 수 없기 때문이었다. 다른 이유는 없었다. 연하의 존재가 이렇게 선명하게 느껴지기 때문에.

규하는 갑자기 차 문을 열고 내렸다. 택시 기사를 달래던 승용차 운전자가 놀라 돌아보았다. 규하는 성큼성큼 도로로 나섰다.

"잠깐……!"

승용차 운전자는 앞으로 차가 지나가 규하를 따라오지 못하고 외쳤다. 빠아앙. 차들이 놀라서 경적을 울리며 지나갔다.

규하는 멈췄다. 차선 한가운데에, 일부러 제동거리가 짧은 트럭이 거의 다 다가온 자리에. 빠아아아앙. 트럭이 귀가 터질 듯한 경적을 울렸다. 실제로 트럭이 공기를 밀어내는 압력이 느껴졌다. 하지만 규하는 움직이지 않았다.

쿠웅, 콰아아앙.

굉음이 사방을 뒤흔들었다.

트럭은 절대 밀리지 않는 물질에 들이받은 듯이 딱 그만큼의 질량만 제외하고 앞으로 휘어 있었다. 그리고 다섯 걸음 떨어진 자리에, 규하는 그대로 서 있었다.

난데없이 솟아난 바위 덩어리처럼 트럭을 막아선 사람은 검은 마스크를 쓴 여자였다. 어제와 달리 후드에 청바지, 운동화 차림이었다.

여자는 규하를 노려보았다. 그리고 그녀가 울컥한 듯 손을 들어 올리자, 사방에서 달음박질 소리가 들렸다. 그리고 눈 깜짝할 새에 각 방향에서 나타난 세 사람이 여자를 휘어 감았다. 규하를 향해 날아오는 손을 막으려는 듯이. 하지만 장정 셋이 막고도 힘에 부치는지 앞으로 한 번 크게 쏠려 나왔다.

"미친, 너한테 맞으면 교통사고랑 다름없다고."

뒤에서 힘겹게 여자의 팔을 붙잡은, 언젠가 편의점 앞에서 본 적 있는 혼혈 남자가 말했다.

규하는 여자에게서 시선을 떼지 않고 다가섰다. 그러자 나머지 세 사람은 무언가에 압도된 것처럼 물러났다.

규하가 손을 뻗자 여자는 움찔했지만 피하지는 않았다. 규하는 그녀의 마스크를 벗겼다.

그리고 규하는 표정이 울 듯이 무너졌다. 세월의 흐름을 되돌린 거울을 보는 것처럼, 열아홉 그날에서 단 하루도 더 나이를 먹지 않은 자신의 얼굴이 입술을 깨물며 울음을 참고 있었다.

"신이……."

규하는 목이 메어 말을 잘할 수가 없었다.

"신이 있을 줄 알았어."

시계가 돌기 시작했다. 그날— 그녀의 반쪽을 잃어버린 순간 멈춰 버린 영혼의 시계가. 오랜 잠에서 깨어나 두텁게 쌓인 먼지를 털어내며.

"널 죽게 내버려 뒀을 리가 없으니까."

규하는 연하를 와락 끌어안았다. 연하는 숨을 몰아쉬고, 눈을 감았다. 눈물이 흘러내렸다. 아주 많은 말이 안에서 맴돌았지만, 어떤 것도 충분하지 않은 것 같았다. 그래서 그냥 규하를 마주 안았다.

한 덩이 같은 그들을 바라보는 모두의 눈빛이 안타까웠다.

규하는 눈물을 삼키고 고개를 들었다. 그리고 연하의 팔을 끌어당겼다.

"집에 가자."

연하는 이해하지 못하는 얼굴이 되었다.

"집?"

"그래, 우리 집."

"어, 하지만……."

연하는 무어라 해야 할지 알 수 없어 도움을 구하듯 세 대원, 도영과 한 중사, 최 하사를 둘러보았다. 하지만 세 남자는 모두 꿀 먹은 벙어리였다. 그 뒤에 택시 운전사는 영문을 몰라 하고 있었고, 트럭 운전사는 이게 대체 무슨 일인가 싶어 내다보고 있었다. 다행히 그는 많이 놀랐을 뿐 다친 곳은 없어 보였다.

규하는 세 대원에게 삿대질하며 이를 갈았다.

"MCTC? 당신들 다 고소해 버릴 거야! 사람을 12년이나 집에 못 가게 감금해 놔? 이거 지구촌 뉴스감이라고!"

세 대원들은 당황하여 서로를 보고, 연하는 어물거렸다.

"아니, 딱히 감금당하진……."

규하가 눈에 불을 켜고 돌아보자 연하는 움찔했다. 규하는 목에 핏대를 세우며 소리쳤다.

"너도 너야. 강연하 이 천치쪼다 같으니! 뭐라고 하면서 잡아뒀는지는 모르겠지만 12년이야, 12년! 머리를 좀 굴려볼 만한 시간은 되지 않아?"

연하는 울컥했다.

"네가 몰라서 그래."

규하는 충격받은 얼굴이었다. 착하고 공부밖에 모르던 어린 딸이 처음으로 반항하는 걸 본 부모처럼. 그러더니 애먼 세 대원들에게 소리치기 시작했다.

"당신들 대체 애를 어떻게 키운 거야? 당장 책임자 나오라고 해!"

"알겠습니다."

모두가 놀라 돌아보았다. 말한 것은 승용차 운전자, 김 상사였다.

"네? 하지만⋯⋯."

연하가 놀라는데 갑자기 검은 리무진이 옆에 와 서고, 문이 열렸다. 그러자 아까와는 표정부터 다른 김 상사가 말했다.

"모시겠습니다."

"이건 국장님 차⋯⋯."

연하는 반사적으로 말하다가 입을 다물었다. 김 상사는 대답하지 않았다. 규하는 눈썹을 추켜들었다. 오라 마라 하는 게 마음에 들지 않았지만 국장 정도 되는 책임자라면 이야기해 볼 만할 것 같았다.

결국 규하는 차에 올랐다. 이어서 연하, 도영, 김 상사 순서로 탔다. 나머지 두 대원은 김 상사가 현장을 정리하라고 남겨두었다.

막 출발하는 리무진의 후면창 너머, 한 중사가 택시 운전사에게 명함을 건네는 모습이 비쳤다.

연하는 차가 가는 방향을 보다가 물었다.

"청사로 가는 거 아니에요?"

"보안 때문에 다른 곳으로 모셔오라고 하셨습니다."

김 상사가 대답했다. 그를 유심히 보던 규하가 말했다.

"당신들, 대체 뭐죠?"

"만나러 가는 분께서 설명해 드릴 겁니다."

김 상사는 옛날의 모 침대 광고처럼 흔들리지 않는 차분함이 느껴지는 얼굴이었다. 규하는 옆자리에 앉은 연하를 훑었다. 시선이 닿자 연하는 손을 꼼지락거리면서 어쩔 줄 몰라 했다.

"이 녀석이 이런 꼴을 하고 있는 것까지 말이죠."

"이런 꼴이 어떤 꼴입니까?"

맞은편에 앉은 도영이 물었다. 규하가 쳐다보자 연하는 또 어쩔 줄 몰라 하다가 도영을 가리켰다.

"아, 얜 우리 팀 소령님이야."

무슨 개족보식 소개법인지는 알 수 없었지만 규하는 도영을 위아래로 훑었다.

"맞죠? 그때 그 편의점 앞에."

도영은 대답하지 않았고, 규하는 힘 있게 그를 보다가 관자놀이를 짚었다.

"이건 뭐 트루먼 쇼도 아니고."

도영은 연하를 돌아보고 물었다.

"뭔 쇼?"

연하는 대답했다.

"옛날 영화야. 규하, 옛날 영화 좋아하니까."

도영은 기억해 낸 듯 중얼거렸다.

"아, 그랬지."

규하가 심각한 눈으로 보자 두 사람은 슬그머니 말을 멈추었다. 꼭 선생님 앞에 죄지은 학생들처럼.

연하와 규하는 둘이서 엘리베이터를 타고 올라갔다. 어쩐지 어색해 대화 없이 서 있는데 규하가 연하를 보다가 물었다.

"열아홉 그대로인 거지? 네 얼굴."

연하는 고개를 끄덕였다. 규하는 다시 생각에 잠기는 것 같았다. 그때 엘리베이터가 도착했다. 문이 열리고, 앞에 렉스가 서 있었다. 사복 차림인 그는 웬일로 사이즈가 맞는 셔츠와 바지를 입고 있었다. 여자라면 눈이 밝아질 만한 모습이었지만 규하는 있는 힘껏 렉스를 노려보았다.

"역시 어제 일부러 날 막은 거였구나."

"소장님은……."

연하가 당황하며 말하려고 하자 렉스는 됐다는 듯 손을 들었다.

"기다리고 계십니다."

규하가 본인의 장점으로 꼽는 점이 있다면 우선순위를 가릴 줄 안다는 것이었다. 물론 어제처럼 예외일 때도 있지만.

규하는 렉스를 따라, 살면서 들어와 볼 거라고 생각하지 못했던 펜트하우스로 들어갔다. 그러자 거실의 창가에 등을 돌리고 서 있는 남자가 인기척을 느꼈는지 돌아보았다.

이런 상황에도 연하는 이반을 보자 부끄럽고, 어색하고, 두근거리고, 달아나고 싶기도 한, 온갖 반응이 올라왔다.

어제 그의 효과는 엄청났다. 규하에 대한 걱정, 이 상황에 대한 슬픔, 때로는 누굴 향한 것인지 알 수 없는 화 같은 게 올라오다가도, 국장과 차 안에서 있었던 일이 떠오르면 다른 건 아무것도 생각할 수가 없었다.

"다른 건 생각하지 마."

과연 그가 말한 대로.

밤새 머릿속에서 디테일 하나까지 재생되고 또 재생되었다. 팔목을 잡은 손, 감정을 숨김없이 드러낸 붉은 눈, 자신을 집어삼킬 것 같은 남자의 몸, 달아오른 입술…….

차가 작전 본부가 있는 부지로 들어서고 나서야 이반은 연하를 놓아주었다. 그리고 한동안 그녀를 응시했다. 연하는 그에게서 시선을 떼지 못했다. 차창 너머에서 활주로등이 빛을 뿜고, 이 대위를 포함해 작전 본부의 사람들이 달려오고 있었다.

그제야 이반은 연하를 놓고, 몸을 돌렸다. 그가 차에서 내리는 동작을 따라 코트가 흩어져 내렸다. 사람들은 국장에게 앞다퉈 상황을 보고하기 시작했다. 차창 너머로 이반을 위시한 사람들이 멀어져 갔다.

대강 일이 정리되고 연하는 겨우 쪽잠을 자기 위해 누웠지만 잠은 오지 않았다. 정말 머리 아프게 고민해 봤지만 그 키스의 의미를 알 수 없었다. 이성 간의 의미가 있는 건지, 단순히 규하에 대해 잊게 해주려는 대안, 혹은 위로의 의미인지…….

그러고서 연하는 이반을 만나는 게 처음이었다.

'하지만 일단.'

순식간에 이 긴 생각을 다한 연하는 규하를 돌아보았다. 규하는 뚫어져라 이반을 보고 있었다.

"이분은……."

연하가 말하려는데 갑자기 규하가 이반에게 다가갔다. 그는 그녀가 다가오는 것을 지켜보았다.

'때리진 않겠지.'

규하라면 충분히 그럴 것 같아 연하는 긴장했다.

"당신."

규하는 이반을 똑바로 올려다보고 말했다.

"본 적 있어요."

"뭐? 그럴 리가……."

연하는 저도 모르게 말했다. 하지만 정작 이반은 아무런 말도 하지 않았다. 규하는 떠오르지 않는 것을 떠올리려 하는 것처럼 의심스러운 표정으로 그를 뜯어보았다.

"수염……."

'갑자기 무슨 소리…….'

연하는 의아해하다가 잠깐 위쪽을 보았다.

'응? 수염?'

얼마 전에 자신도 수염 생각을 했던 것 같은데……?

"수염이 있으면……."

규하는 중얼거리다가 갑자기 무언가 깨달은 것 같았다.

"당신, 거기 있었죠."

"거기라니……."

연하는 궁금증을 참을 수 없어 끼어들었지만 규하는 12년 만에 재회한 제 쌍둥이에게는 전혀 신경을 쓰지 않았다.

"그날, 열차 테러 현장에."

규하는 확신조로 말하고 이반을 위아래로 훑었다.

"분명히 당신이었어요. 차림은 많이 달랐지만……."

"기억하는군요."

이반은 드디어 말했다.

"두 사람, 알아요……?"

연하는 얼떨떨해 중얼거렸다. 일이 이렇게 흘러갈 거라고는 생각지도 못했는데.

"당신이었어?"

규하는 한순간에 얼굴이 험악해졌다.

"당신이 연하를……!"

그리고 이반의 멱살을 잡으려는 것처럼 손을 내뻗었다. 하지만 다음 순간 렉스가 그녀의 손목을 잡고 있었다. 보통 인간이라면 놀랐을 텐데 규하는 바로 다른 손으로 그를 밀치며 벼락같이 소리쳤다.

"놔, 이 새끼야!"

그러나 렉스는 밀쳐지지도, 손목을 놓지도 않았다. 그는 규하를 똑바로 보며 말했다.

"이바노프 씨는 강 상사를 살려준 겁니다. 이바노프 씨가 강 상사를 감염시켰으니까요."

연하는 순간 자신이 무슨 말을 들었나 했다. 침묵이 흐르고, 연하는 번뜩 이반을 돌아보았다. 그는 난감한 얼굴이었다. 이렇게 될 줄 알았지만 역시 이렇게 되었다는 듯.

"네?"

연하가 할 수 있는 말은 그것뿐이었다.

규하가 엄청난 파워로 찻잔을 내려놓았다. 연하는 깜짝 놀랐다.

"부서졌……."

"그러니까."

규하는 한 자, 한 자 끊어 내뱉었다.

"왜 멀쩡한 집이 있는 애가 집에 못 가는 거냐고요?"

이반은 소파에 다리를 꼬고 앉아 팔걸이에 양 팔꿈치를 대고 손을 맞잡고 있었다.

"두 분의 나이로 봤을 때도 이미 독립했을 시기는 지난 것 같습니다만."

규하는 옆에 앉아 있는 연하를 찌를 듯이 가리켰다.

"하지만 앤 독립한 게 아니잖아요. 지척에 있는 집에도 못 가게 감금당해 있었다고요, 감. 금!"

다소 강한 단어 선택에도 이반은 흔들리지 않는 얼굴이었다.

"강 상사는 인신과 재산의 자유를 포함해서 모든 기본권을 누렸습니다. 하지만 특별한 사유나 면책권이 없는 한 모든 루아스는 MCTC에 귀속됩니다. 그게 법이죠."

규하는 그제야 뭔가를 깨달은 얼굴이 되었다.

"그럼 연하가 군인이라고요?"

"뛰어난 인재죠."

이반이 말하자 연하는 그것도 칭찬이라고 부끄러워했다. 그 모습에 규하는 기가 막혔다. 그러자 연하는 분위기를 풀어보기 위해서인지 화제를 돌렸다.

"그러니까 그때 넌 잠깐 깼다고?"

규하는 한숨을 내쉬고 찻잔을 들다가 부서졌다는 걸 깨닫고 다시 내려놓았다.

"그래."

"그때 국장님을 본 거고?"

그러니까 연하 자신이 죽고 규하는 의식을 잃었다가 어렴풋이 깼는데, 그때 이반을 봤다고 했다. 규하가 깨기 전에 렉스는 달아난 테러리스트들을 추격하기 위해 자리를 뜬 후라서 그녀도 보지 못한 것이었다.

규하는 위아래로 이반을 훑었다.

"알아본 내가 기특할 정도로 다른 모습이긴 했지만."

이반은 별 반응이 없었고, 연하는 고개를 갸웃했다. 다른 모습? 수염을 말하는 건가 싶었다. 기억이 나는 건 아니지만 아무래도 그때 국장은 수염을 기른 상태였던 것 같으니 말이다.

규하는 다시 말했다.

"그럼 제게 왜 연하가 살아 있다는 사실을 숨겼던 거죠?"

드디어 올 것이 왔다 싶어 연하는 긴장했다. 이반은 말했다.

"강 선생님께서는 SN의 타깃 리스트에 올라가 있습니다."

규하는 잠깐 어리둥절해하는 것 같더니 물었다.

"SN이라면…… 뱀파이어 테러리스트 그룹이요?"

"네. 특히 SN의 리더가 직접 지명한 상대라 좀 특수한 경우죠."

규하는 이반이 그렇게 말하는 걸 들어도 잘 이해되지 않는지 미간을 찌푸렸다.

"그런데 그게 왜요?"

연하가 나섰다.

"널 죽인다고 했어. 내가 네 앞에 나서면 무슨 수를 써서라도 널 죽이고 말겠다고……."

규하는 한동안 연하를 쳐다보다가, 연하가 말을 다 했다는 걸 깨달았는지 물었다.

"그게 다야?"

"응……?"

연하는 당황했다. 규하는 거의 예술적으로 보일 만큼 인상을 썼다.

"너 진짜 병신 아냐? 그딴 말 때문에 12년이나?"

연하는 살짝 입술을 깨물었다가 말했다.

"하지만 테러리스트들이 널 노리게 둘 수가 없었어."

"아무리 그래도 그렇지 어떻게 12년을……!"

규하는 기가 막히다 못해 너무 답답해서 언성이 높아졌다. 반면 연하는 아주 차분했다.

"널 위험하게 하는 건 감수할 수가 없었어."

"그래도 12년이야!"

연하는 고개를 저었다.

"그냥, 그럴 수가 없었어."

규하는 신음하며, 머리가 아픈 것처럼 머리를 감싸 쥐고 고개를 숙였다. 한동안 그러고 있더니, 무슨 생각이 난 것처럼 벌떡 고개를 들었다.

"그럼 내게 알리고 연기를 할 수도 있었잖아. 살아 있다고 알리는 것 정도는……."

이번에는 이반이 대답했다.

"그것도 서로 연기력이 부족하거나 때로 감정적이 되어 애써 숨기고 있던 게 들통 나는 위험을 감수해야 하기 때문에 권장할 만한 방법은 아니었습니다. 그리고 애초에 저희가 가장 확실하다 싶은 방법을 선택했던 이유는, 그 상태가 오래 지속되지 않으리라 판단했기 때문입니다."

"그런데 그게 12년이나 된 거고요."

규하는 가차 없이 빈정거렸다. 어조는 어쨌거나 그녀가 이해했다고 생각했는지 이반은 대답하지 않았다.

규하는 말했다.

"그럼 차라리 나도 군인이 되게 해서 연하 곁에 있게 했으면 됐잖아요?"

MCTC가 그런 일은 했을 리 없었다. 그건 연하도 바로 알았다. SN의 타깃리스트에 올라가 있는 대상을 MCTC 조직 내에 들이는 건 폭탄을 끌어안는 격이었기 때문이다. 테러를 할 만한 좌표를 찍어주는 거나 마찬가지였다. 물론 그만한 가치가 있다면 위험도 감수했겠지만, 객관적으로 말해 루아스도 아닌 평범한 인간인 규하는 MCTC로서는 위험을 감수할 만한 대상이 아니었다.

하지만 이반은 그런 구구절절한 이야기는 하지 않았다.

"두 분의 상황에 유감을 표합니다. 이런 말이 위로가 될지 모르겠지만 저희는 한정된 자원으로 최대의 효과를 내야 했기 때문에……."

규하는 이반이 말을 끝내기도 기다리지 않고 벌컥 말했다.

"맞아요. 전혀 위로가 안 돼요. 도대체 테러리스트 리더가 왜 우리가 만나는 걸 신경 쓰는 건데요?"

이반은 살짝 고개를 저었다.

"그건 저희도 알 수 없습니다."

규하는 곧 터질 시한폭탄처럼 입을 꾹 다물고 있다가, 터뜨리듯 말했다.

"기사화하겠어요. 전부. 아무것도 모르는 애를 꼬드겨서 입대시키고, 가족한테 생사도 알리지 못하게 하고, 이 정도면 공권력의 압제라고 해도 좋은 것 같은데요."

이반은 태연했다.

"그러지 않으실 겁니다."

규하는 눈썹을 추켜들었다.

"너무 확신하시는데요."

"강 상사가 곤란해지는 일은 하지 않으실 테니까요."

규하는 흉포한 눈으로 이반을 보고 있다가 말했다.

"예전에 봤을 때는 당신이 신 같은 게 아닐까 생각했지만 정확하게 나라의 높은 분이군요. 국민의 알 권리 따위는 아주 좆같이 생각한다는 점에서."

"규하야."

연하가 규하의 팔을 잡으며 말렸지만 이반은 신경 쓰지 않는 것 같았다. 자리에서 일어나며 말했다.

"오늘은 이곳에 머물러 주시기 바랍니다. 경호 문제가 있어서 말이죠."

이반이 소파를 돌아 나가자 연하도 규하의 눈치를 보면서 따라 일어났다. 그리고 문 앞에서 렉스가 건네준 코트를 걸치고 있는 이반에게 다가갔다.

"국장님⋯⋯."

"나중에 이야기하자. 오늘 밤은 서로 할 말이 많을 테니까."

이반은 규하 쪽을 눈짓했다. 규하는 둘을 탐탁지 않은 눈으로 보고 있다가 렉스와 눈이 마주치자 인상을 쓰고 고개를 돌려 버렸다.

"그럼 오늘 부대로 돌아가지 않아도⋯⋯."

연하가 말하는데 이반이 그녀에게로 고개를 기울였다. 규하에게 들리지 않게 하기 위해서였겠지만, 연하는 움찔 고개를 물렸다.

'헉. 너무 티 나게 피했나.'

이반도 그녀가 피했다는 걸 깨달았다고 알았지만, 지금 중요한 건 그게 아니라고 생각했는지 말했다.

"그래. SN에 대해서는 너무 많이 말하지 않도록 조심해. 괜한 불안감을 조성하는 것도 있겠지만……."

이반은 흘긋 규하를 보고 덧붙였다.

"당장 제대하라고 핏대를 세울 것 같으니."

연하도 동의하는 바라, 뭐라고 할 말이 없어 애매하게 웃었다. 이반이 엘리베이터에 오르자 렉스도 뒤따랐다. 그리고 두 남자는 닫히는 문 너머로 사라졌다. 엘리베이터가 내려가는 소리를 듣고 연하는 소파로 돌아왔다.

"너 혹시……."

그런데 규하는 의심스러워하는 얼굴이었다.

"저 국장인지 뭔지 하는 남자가 널 흡, 아니, 루아스로 만들었잖아. 그럼 뭐 아버지 같은 거 아냐?"

불현듯 무언가 깨달은 연하는 입가에 손을 대고 중얼거렸다.

"그럼 계속 아버지, 아버지 하던 게……."

"뭐라고?"

규하가 제대로 듣지 못해 되물었다. 연하는 규하를 보고 강한 어조로 말했다.

"절대 아냐. 루아스 사이에 부모, 자식이 어디 있어?"

그건 아무래도 좋았는지 규하는 손을 내젓고 연하를 보았다. 연하는 무언가를 두려워하는 것처럼 몇 걸음 떨어진 곳에 서 있었다. 규하는 손을 내밀었다.

"이리 와."

연하가 머뭇거리며 다가가자 규하는 그녀를 안았다.

"보고 싶었어."

규하는 한숨 같이 내쉬며 더 깊이 그녀를 끌어안았다.

"네가 죽었다고 생각하지 않았어. 도저히 그렇게 믿을 수가 없었어."

주저하던 연하도 결국 규하에게 팔을 둘렀다. 어른이 된 규하는 좀 더 볼륨감이 있고 뼈대가 굵어진 느낌이었지만 팔이 기억하고 있는 느낌 그대로였다.

"미안해."

연하는 할 수 있는 말이 그것밖에 없었다. 적어도 자신은 멀리서나마 지켜볼 수 있었지만, 규하는 그 지옥에서 자신만 살아나왔다는 죄책감에 하루하루를 애끓는 심정으로 살았을 것이다. 웃으며 살 수도, 따라 죽을 수도 없이.

"뭐가 미안해?"

규하는 연하를 조금 밀어내고 물었다. 연하는 말했다.

"그냥, 전부."

"아무것도 미안해하지 마."

규하는 다시 연하를 안았다.

"살아 있어줘서 고마워."

연하는 꾹 눈을 감았다. 규하와 만나게 되는 순간에 대해 여러 번 공상했다. 그날이 오기를 손꼽아 기다리는 마음과는 반대로, 조금은 자신을 꺼려 하거나 무서워할지도 모른다고 생각했다. 하지만 그녀가 여전히 그녀이듯이 규하도 그대로 규하였다.

규하는 갑자기 무슨 생각이 난 듯 다시 연하를 조금 떼어냈다.

"분명히 네 시신을 봤는데 그건 어떻게 된 거야?"

"어, 그건 위조였을 거야. 그런 거 잘 만들거든. 기술이 너무 좋아서

나도 가끔 놀라. 아예 내 몸을 스캔해서⋯⋯."

규하는 미간을 찌푸렸다. 여태까지 자신이 봐온 걸 어디서부터 의심해야 할지 생각하듯. 연하는 입을 다물고 머리를 긁적였다. 그러다 생각나 말했다.

"참, 열차 테러 날 어떻게 된 건지 좀 더 자세히 이야기해 줘."

시간상 간략한 이야기를 들었을 뿐으로, 아직 자세한 사정은 알지 못했다.

규하는 한숨을 내쉬고 소파에 앉았다. 연하도 옆에 앉았다. 규하는 천천히 말문을 텄다.

"그러니까⋯⋯."

규하는 잠이 오지 않아 눈을 떴다. 퀸 사이즈 침대에 같이 누운 연하는 잠들어 있었다. 살짝 정줄을 놓고 자는 모습까지 어쩌면 이렇게 변한 게 없는지 신기할 정도였다. 그래서 그럴 리 없다는 걸 알고 있으면서도 규하는 사실 자신도 아직 열아홉 살인 건 아닌지 거울을 한번 돌아봤다.

규하는 잠든 연하를 계속 쳐다보다 그녀의 볼을 살며시 만져 보았다. 부드럽고, 따뜻했다. 이제야 연하가 정말 살아 있다는 사실이 가슴에 무게를 가지고 내려앉기 시작했다.

몰랐다, 뱀파이어도 인간처럼 피부에 온기가 있을 줄은. 생각해 보면 뱀파이어도 심장이 뛰니까 당연하겠지만 말이다. 그러고 보면 렉스는 델 것같이 뜨거웠는데⋯⋯.

규하는 갑자기 고개를 돌려 창을 보았다가 다시 연하를 보았다. 얼굴 위로 손을 흔들어보아도 연하는 조용했다. 규하는 살며시 일어나 방을 나왔다. 그리고 거실을 가로질러 복도 끝에 있는 방으로 들어갔다.

방은 깔끔했고, 팽팽한 침대 시트에 파르스름한 긴장감이 흘렀다. 방을 가득 채운 달빛 덕분에 따로 불을 켤 필요는 없었다.

규하가 양쪽으로 열리는 창문을 활짝 열자 시원한 밤바람이 쏟아졌다. 규하는 다시 몇 걸음 물러나서 말했다.

"거기 있지?"

잠깐은 밤바람 외에는 아무도 듣는 이가 없는 것 같았다. 그런데 밤바람보다도 가벼운 몸짓으로, 검은 그림자가 위층에서 창가로 내려섰다.

차가운 달빛 아래 붉은 눈동자가 불길했다. 마치 달이 밝은 밤 처녀의 피를 마시기 위해 숨어든 드라큘라 백작처럼—

렉스는 바닥에 발을 디디고, 천천히 다가왔다. 두 사람은 서로의 열기가 느껴질 정도로 가까워졌다.

규하는 렉스를 올려다보았다. 달빛을 등진 남자는 아름다웠다. 이만큼 아름다운 것에는 악마적이거나 주술적인 힘이 있을 거라고밖에 느껴지지 않을 정도로. 왜 옛날 사람들이 너무 아름다운 여자를 마녀라고 생각했는지 알 것 같았다.

규하는 손을 뻗었다. 손바닥에 와 닿는, 매끈한 대리석 같은 볼이 따뜻했다. 오랜 시간 눈보라 속을 헤매다가 겨우 따뜻한 오두막에 들어온 사람처럼 색이 짙어지는 붉은 눈에서 실제로 온기가 느껴지는 것 같았다.

렉스가 내려와, 규하는 그를 맞이했다.

이내 규하는 천천히 몸이 뒤로 넘어갔다. 잠깐 무중력상태를 경험하듯이 몸이 허공에 떴다가, 침대에 내려앉았다.

규하는 기분 좋은 무게감을 느끼며 입속으로 파고드는 열감을 받아들였다. 마치 이 순간을 위해 자신이 여자로 태어난 것 같은 기분이 들었다. 두 사람의 무게를 받아내는 침대가 희미하게 울었다.

규하는 자세를 바꾸어 렉스의 위로 올라갔다. 그리고 자연스럽게 그녀의 허리를 쓰다듬으며 가슴으로 다가오는 손을 잡아 눌렀다.

"가만히 있어."

그러고서 규하는 렉스의 셔츠 단추를 하나하나 푸르기 시작했다. 그가 타오르는 눈으로 지켜보는 동안 규하는 셔츠 사이로 드러난 가슴을 손바닥으로 문질렀다.

그러고 보니 한 번도 몸을 볼 기회가 없었는데…….

"그 촌스러운 남방 안에 꽤 볼만한 걸 숨겨놨었구나."

규하는 말하고 고개를 내렸다. 가슴에 부드러운 입술이 닿자 렉스는 나직한 숨을 내쉬고 물었다.

"이제 용서해 주시는 겁니까?"

"아니."

규하는 단호하게 대답하고 더 아래쪽으로 내려갔다.

"지금 넌 일종의 그런 거라고 할 수 있지. 섹스 토이."

조각칼로 파놓은 것 같은 복부에 움찔 힘이 들어갔다. 규하는 음영이 더 짙어지는 부분을 혀로 핥았다.

'이 녀석은 어떻게 피부도 맛있는 거야.'

신기해하며 생각하는데 렉스가 그녀의 한쪽 볼을 쓰다듬고 말했다.

"여태까지 많은 이름으로 불려왔지만 가장 마음에 드는 이름이군요. 강규하의 섹스 토이."

이런 반응은 예상하지 못했던 듯, 규하는 눈을 굴렸다.

"너도 정상은 아냐."

하지만 렉스는 더 말할 새가 없었다. 규하가 더 고개를 내려, 서늘한 머리카락이 그의 복부를 쓸며 따라갔다. 렉스는 움찔했다. 입술을 깨물었다가, 낮은 숨과 함께 토해냈다.

"규하……."

렉스가 규하의 어깨를 잡으려고 하자 그녀는 가만히 있으라고 말하듯 손톱으로 배를 긁었다. 그녀의 입은 바빴기 때문이다.

"섹스 토이는 주장할 자격이 없어."

규하는 아주 살짝만 입을 떼고 속삭이고는 다시 하던 일에 몰두했다. 점액이 부딪치는 젖은 소리가 올라왔다. 렉스는 숨을 몰아쉬었다. 다른 사람들은 부지기수로 쇼크사 한다는 감염도 버텼고, 검에 배가 관통당하기도 하고, 수족이 잘린 적도 있는 육체가 그녀가 주는 자극에는 속수무책이었다.

규하는 정말 장난감을 가지고 노는 아이 같았다. 천진난만한 호기심까지 느껴질 정도로 마음껏 그를 가지고 놀았다. 그러면서 그의 복부가 마음에 드는지 계속해 만지작거렸다.

렉스는 입술을 깨물며 버티려고 애썼으나 머릿속 어딘가가 무너지는 것 같았다. 더 이상 참지 못하고, 막 입맛을 다시며 입을 떼는 규하를 잡아 올렸다. 그리고 그녀를 침대와 그의 사이에 파묻고, 그의 것을 단번에 그녀의 속에 파묻었다.

"아……!"

조금 갑작스러웠는지 규하는 목을 젖히며 울었다. 하지만 이미 과할 정도로 젖어 있는 곳은 무리 없이 그의 것을 받아들였다. 오히려 그가 들어서는 순간 빨아들이듯이 감싸왔다. 렉스는 지체 없이 움직이기 시작했다. 침대가 삐걱거리며 우는 소리 사이로, 규하는 겨우 말했다.

"어디서 섹스 토이가 멋대로……."

렉스는 규하가 신음을 참기 위해 깨물고 있는 입술을 핥았다.

"결국 당신의 이곳을."

그러면서 허리를 쳐올려, 이미 환희에 젖어 울고 있는 그곳을 찔러 올렸다. 규하는 참을 새도 없이 비명에 가까운 소리를 냈다. 다급하게 입을 막았지만 렉스가 움직일수록 벌어지는 손가락 사이로 신음이 넘쳐흘렀다. 렉스는 그 손가락을 핥으며 속삭였다.

"즐겁게 해드리는 게 섹스 토이의 본분이니까요."

"너……."

어쩐지 즐거워하는 것 같았다. 규하는 괘씸해 입을 열었지만 렉스가 그녀의 허벅지를 누르며 더 깊이 파고들었다.

어제는 스트레스가 극에 달한 상황이었고, 또 장소 탓에 그렇게까지 느낀 거라고 생각했다. 하지만 한 번의 마찰에도 여성은 거의 절정에 이를 것처럼 전율하며 조여들었다.

"당신은 너무 많이 젖습니다."

렉스는 허리를 멈추지 않고 속삭였다. 그의 말을 증명이라도 하듯이 액체가 너무 흥건해서 질척거리는 소리가 따라왔다.

"하지만 네가 그런 식으로…… 아, 앗……."

규하가 말하는 사이에 렉스는 허리를 일으켜 세우고는 그녀의 양팔을 잡고 계속해 밀어붙였다. 규하는 그의 허벅지 위에 올라탄 채로 몸이 반쯤 들린 자세가 되어 그의 것이 불가능할 정도로 깊이 느껴졌다. 쾌감의 꼬챙이에 꿰뚫린 것처럼 잔인하도록 강렬한 쾌감이 밀려왔다.

그 상태로 렉스는 평소와 다르지 않은 그러나 명백하게 즐거워하는 투로 물었다.

"그런 식으로?"

너 이 자식, 기고만장하지 마……. 규하는 말하고 싶었지만 역시 말 대신 신음밖에 터져 나오지 않았다.

연하는 눈도 깜빡이지 못하고 얼어 있었다.

'소장님, 알고 있는 거 맞지? 내가 들을 수 있는 거?'

잠깐 잠들긴 했지만 연하는 규하가 그녀의 볼에 손을 댔을 때 깨어났다. 하지만 곧 깨어날 꿈인 듯이 자신을 보는 시선이 안타까워 일어난 티를 낼 수 없었다. 그런데 갑자기 규하가 정말 자신이 깨어 있는지 살피는 눈치여서 뭐 하려고 이러나 싶어 가만히 있어봤다. 그러자 규하는 다른 방으로 가더니…….

렉스……. 읏, 렉스…….

갑자기 신음 소리가 들리기 시작했다. 누가 들어도 마사지를 받는 건
아니라는 사실을 알 수 있는 신음이.

연하는 벌떡 이불을 걷고 일어났다.

벗어나야 해. 이곳을 벗어나야 돼!

연하는 곧바로 침대를 뛰쳐나와 단번에 옷을 꿰입었다. 그리고 창가로
달려가다가 신발이 없다는 사실이 생각났다. 그래서 방문을 열고 군인
의 영혼 깊숙이 새겨져 있는 포복 전진으로 기어갔다. 마침 현관에서 운
동화를 집어 드는데 내내 억눌려 들려오던 소리가 폭발하듯이 커졌다.

아, 아……! 좋아, 더…… 아아……!

연하는 루아스가 된 이래 그렇게 빨랐던 적이 없는 것 같았다. 신발
을 찾은 순간 문으로 나가는 건 포기하고 당장 창문을 열고 뛰어내렸다.

그런데 아무도 다니지 않는 밤의 도로에, 누군가가 서 있었다. 위에서
뛰어내리는 인기척을 느낀 듯 올려다보는 남자를 보고 연하는 놀랐다.

"국장님……?"

그 순간 자세가 흐트러지면서 몸이 뒤집혔다.

"앗!"

이대로라면 얼굴로 착지할 판이라, 연하는 건물 외벽에 튀어나온 장
식을 붙잡아 멈추었다. 그때 몸이 흔들리는 충격으로 손에서 떨어져 나
간 운동화가 제각각 도로로 떨어졌다. 이반은 마침 옆에 떨어진 한 짝
을 주워 들고는 말했다.

"신데렐라의 구두가 하늘에서 떨어진다는 이야기는 들어본 적 없는
데."

"여기서 뭐 하고 계세요?"

연하는 장식을 붙잡고 매달려 있는 채로 얼떨떨해 물었다. 이반은 웃고는 팔을 벌렸다.

"이리 와."

연하는 잠깐 이반을 보다가 장식을 놓았다. 물처럼 그녀를 안아드는 허공의 품을 지나 그의 품에 안착했다. 연하는 그를, 이반은 그녀를 보았다.

'당신이었구나. 내 몸을 지배하는 힘의 근원.'

연하는 생각했지만 어쩐지 진심으로 놀라지는 않았다. 본능은 알고 있었기 때문인지도 모른다.

이반은 연하의 허벅지 아래를 받쳐 안더니 몇 걸음 떨어진 곳에 널브러져 있는 나머지 운동화 한 짝도 주웠다.

"제가 주워도 되는데……."

연하는 머쓱해 중얼거렸다.

"맨발이잖아."

그러면서 이반은 계단에 연하를 내려주었다. 그리고 몸을 숙이고, 운동화를 명품 구두인 양 정성스럽게 신겨주었다. 관사에 갔다가 다시 나왔는지 코트 안쪽은 가벼운 니트와 면바지 차림이었다.

연하는 이반이 내미는 손을 잡고 계단에서 내려왔다. 에스코트라는 걸 처음 받아봐서 어색하고 쑥스러웠다. 그래서 화제도 돌릴 겸 물었다.

"언제부터 여기 계셨어요?"

"일단 좀 걸을까?"

이반은 말하고 위를 눈짓했다.

"어쨌든 저쪽은 바쁜 것 같으니."

연하는 조금 놀랐다. 아무리 루아스의 청력이 좋다 해도 여기까지는 들리지 않는데 청력 반경이 얼마나 되기에……. 아무튼 그건 그렇다 치고.

"그…… 둘 다 성인이니까…… 충분히……."

연하는 뭐라고 해야 할지 몰라 어물거렸다. 그런데 이반이 그저 지켜보고 있기에 말려드는 혀와 함께 말이 목구멍 뒤로 넘어갔다. 결국 연하는 꿀꺽 말을 삼키고 얼른 거리 쪽을 손짓했다.

"아닙니다. 갈까요?"

이반은 피식 웃고 대답했다.

"그래."

얼른 이 자리를 벗어나고 싶은 연하는 먼저 몸을 돌렸다. 따라가면서 이반은 마지막으로 호텔 건물을 보았다.

'천 년 중에 저 녀석이 가장 쓸모 있는 순간이군.'

그렇게 생각하며.

어쩐지 분위기가 어색했다.

연하는 눈을 굴렸다. 이반이 먼저 말을 꺼내길 기다렸지만 그는 조용히 보조를 맞춰 걷고 있을 뿐이었다. 어쩐지 돌아볼 수가 없어서, 그가 어떤 표정을 짓고 있는지도 알 수 없었다.

"저희."

어느 순간 연하는 용기 내어 돌아보았다.

"술 한잔할까요?"

길가의 술집이 눈에 띈 김에 충동적으로 제안했다. 원래 술은 거의 마시지 않음에도 불구하고. 거친 남자들과 어울리면서 마셔볼 기회가 적진 않았지만 언제 호출이 울릴지 모르기 때문이었다.

이반은 네온사인이 빛나는 술집을 한 번 보고 제안에 동의했다.

"그래."

그래서 둘은 가게로 들어갔다. 어둑한 내부에 손님은 많지 않았다.

"어서 오……."

바에 서 있는, 바텐더로 보이는 중년 남성은 인사하다가 연하를 보고는 미간을 찌푸렸다.

"미성년자는……."

그러다가 뒤따라 들어오는 이반을 발견하고 멈칫했다. 붉은 눈이 의미하는 바를 아는지 그는 더 말하지 않았다.

이반은 연하에게 말했다.

"주문하고 갈게. 앉아 있어."

"네."

연하는 벽 쪽 테이블에 앉았다. 벽에 붙은 오래된 사진 같은 것들을 보고 있는데 이반이 앞에 와 앉았다. 연하는 그를 보고 말했다.

"그러고 보니 국장님이 술 마시는 모습은 본 적 없는 것 같아요."

"끊었어. 가끔 폭음하는 버릇이 있어서."

"국장님이요?"

믿기지 않았다. 그는 자신의 모든 것을 통제할 줄 아는 사람 같았는데. 마치 매끄러운 금속 표면 같은 느낌이라 거칠고, 제어되지 않고, 폭발하는 것과는 전혀 상관이 없어 보였다.

이반은 조금 웃었다.

"세월은 많은 걸 바꾸니까."

"어, 그럼 지금……."

연하가 괜찮은 건가 싶어서 말하려고 하자 이반이 먼저 말했다.

"괜찮아. 가끔이니까."

그때 직원이 술을 가져다주었다. 연하는 맥주, 이반은 위스키였다. 연하는 차가운 잔에 서리가 끼어 시원하니 맛있을 것 같은 맥주를 마셔보았다.

생각보다 괜찮았다. 한 모금 더 마시는데 이반이 가만히 보고 있기에 연하는 맥주잔을 내려놓았다. 자리도 갖춰졌겠다, 더 에두를 것 없이 물었다.

"절 루아스로 만든 게 국장님이었어요?"

이반은 주저하지 않고 대답했다.

"맞아."

"왜요?"

왜라……. 어디서부터 이야기를 해야 할지 너무 많은 생각이 밀려와, 이반은 한동안 연하를 바라보았다. 연하는 그의 대답을 두려워하지 않는 눈이었다.

"원래는 그럴 생각이 없었어."

마침내 이반은 말했다.

"그냥 널 죽게 내버려 둘 생각이었지."

너무 시끄럽다고, 이반은 생각했다. 전쟁이니 뭐니 다들 왜 이 난리인지 알 수 없었다. 그는 단지 쉬고 싶을 뿐인데.

다들 그만큼 살아보면 알게 될 것이다. 종내에는 아무것도 의미가 없다는 걸. 어차피 남는 건 잿더미뿐이었으니까. 모든 건 찰나의 영욕, 그 덧없음조차 덧없었다.

어쨌든 그는 불평할 수 없을 만큼 오래 살았고, 이제 슬슬 모든 걸 끝내고 싶은 참이었다. 다만 스스로 뭔가를 하는 것도 귀찮았다. 사실 할 필요도 없었다. 알아서 파멸해 가고 있는 세상이었으니까.

'잘해보라지.'

이반은 달을 보던 시선을 내렸다. 큰 문제는 아니지만 잠깐, 같이 노숙하던 노인들이 마음에 걸렸다.

"세상이 망하면 어떨 것 같습니까?"

옆에 둘러앉아 술 한 병을 여럿이 나눠 마시고 있는 노숙자 무리가 그를 보았다. 이 친구 또 헛소리한다는 듯.

한 노숙자가 껄껄 웃고는 말했다.

"그거 좋구먼. 차라리 싹 다 죽어버리면 속 시원하겠네. 어지간히 시끄러운 세상이라야지. 뭐, 술을 더 못 마시는 건 좀 원통하겠지만."

"술은 마실 만큼 마시지 않았습니까?"

이반은 진심으로 물었다. 하지만 노숙자는 가당치도 않는다는 얼굴이었다.

"예끼, 마실 만큼 마셔본 술이란 게 있겠나?"

갑자기 이반이 일어나자 노숙자들이 돌아보고 물었다.

"어디 가나?"

"산책 갑니다."

"조심하게. 요즘 이 주변이 유난히 흉흉하거든. 여럿 당했어."

이반은 희미하게 웃었다.

"다시는 그러지 못할 겁니다."

미소에 홀려서 멀어지는 모습을 보다가 한 노숙자가 중얼거렸다.

"묘한 친구야."

"인간이 아니니까."

노숙자들은 목소리가 들려온 곳을 한 몸처럼 돌아보았다. 백발이 성성한 한 노인이 구부정하게 앉아 있었다. 여러 겹으로 껴입은 지저분한 차림은 다른 노숙자들과 다를 것이 없었다.

"뭔 소리야? 인간이 아니면 뭐라는……."

한 노숙자는 말하다가 뭔가 깨달은 듯 움찔했다.

"설마?"

노인은 그들을 쳐다보지 않은 채 술을 홀짝이고 말했다.

"저 친구랑 같이 지낸 지 얼마나 됐는데. 조금이라도 나이를 먹었던가?"

그러고 보니……. 노숙자들은 서로 시선을 교환했다.

"그럼 내가 여태까지 흡혈귀 옆에서 먹고 자고 했다고?"

노인은 코웃음을 쳤다.

"자네를 먹으려면 이미 먹었겠지. 그런 냄새 나는 몸뚱이, 십 년을 굶주렸다고 한들 먹고 싶겠어? 나라면 백 년을 굶어도 사양이야."

"그럼 우리 몰래 누구를 습격해서 먹고 온 거 아냐?"

한 노숙자가 의심스럽다는 듯 말하자 노인은 바로 뭐 씹은 표정이 되더니 종이컵을 바닥에 내던졌다.

"거 진짜 무식해서 같이 술 못 먹겠네. 무식 옮아! 꺼져! 요즘 흡혈귀들은 피가 아니라 꽃의 수액을 마신다는 것도 몰라?"

다른 노숙자가 고개를 갸웃했다.

"그럼 그게 흡혈귀야?"

노인은 다시 태연히 다른 종이컵을 꺼내 소주를 따랐다.

"그래서 아니라잖아. 뭐 다른 이름으로 부른다던데. 아무튼 피든 수액이든 저 친구는 한동안 먹은 일이 없을걸."

"그걸 자네가 어찌 알아?"

"항상 굶주린 눈을 하고 있으니까."

노인은 말할 것도 없다는 듯이 말했다.

"피인지, 아니면 또 다른 뭔지, 어찌 그리 굶주린 눈을 하는지……. 세상이 망하면 어떨 것 같으냐고? 내 보기엔 그런 일이 일어나면 가장 아쉬운 사람은 저 친구일걸."

굶주린 눈이라……. 자신이 그런 걸 했던가. 이반은 생각했다.

눈앞에 먼지가 뽀얗게 쌓인 선반에 위스키 병 하나가 서 있었다. 주변 물건들은 원래 형체가 불분명할 정도로 깨지거나 부서져 있는 와중에 유일하게 멀쩡한 병이었다.

거기에 비치는 남자는 구멍이 난 후드 모자 아래로 수염이 무성했다.

이 상태로는 젊은 남자인지 나이든 남자인지, 오랫동안 피도, 꽃도 먹지 않아 수척해진 얼굴도 알 수 없었다.

이반은 병을 집어 들었다. 깨진 유리창 너머로 불어든 먼지가 화산재처럼 쌓여 있어, 불이 나간 어스름한 편의점은 마치 아포칼립스 이후 세계에서나 볼 수 있을 것 같았다. 이반은 먼지와 흩어진 물건들로 어지러운 카운터에 지폐 한 장을 올려놓고, 주유소에 딸린 편의점을 나왔다.

따르릉. 그런데 갑자기 옆에 붙어 있는 공중전화가 울리기 시작했다. 이반은 전화를 쳐다보았다.

따르릉. 따르릉. 오랫동안 벨소리는 끊어지지 않았다. 결국 이반은 약하게 숨을 내쉬고 다가가 수화기를 들었다.

[도와주십시오.]

상대는 대뜸 말했다. 이반은 한숨을 삼켰다.

"페인. 멋대로 위치추적하지 말라고 했잖아. 스토킹으로 신고할 수도 있어."

물론 그런 게 무서웠다면 애초에 그를 상대로 이렇게 끈질기게 굴지도 않았겠지만 말이다.

"그리고 MCTC는 노나?"

이반은 약간 빈정거리며 덧붙였다. 하지만 페인은, 늘 그렇듯이 진지했다.

[저희는 정보원 쪽을 쫓고 있습니다. 이번에는 대공이 직접 나서서, 저쪽 상황이 좋지 않은 것 같습니다. 마침 근처에 계시니 한 번만⋯⋯.]

이반은 잠깐 말이 없었다. 아무래도 이번에는 진지하게 대해줘야 할 것 같았다.

그는 귀찮았다. 이 모든 일들, 죽고 죽이고, 욕망하고 갈구하는 인생사가 전부. 할 수만 있다면 바위나 자갈 같은 것이 되어 닳아 없어지고 싶은 마음뿐이었다. 그만큼 살아보면 누구라도 이런 마음을 이해할 수 있을 것이다.

"이래봤자 아무것도 바뀌지 않아."

이반은 말했다.

[그걸 결정하는 쪽은 당신이 아닙니다. 아무리 당신이어도 말이죠.]

부탁하는 쪽이라고 생각할 수 없을 정도로, 차갑고 단호한 목소리였다.

처음 만났을 때 페인은 매끄러운 턱에 갓 푸르스름한 기운이 피어나는 청년이었다. 폐허가 된 이라크 모술의 한 거리……. 조금은 겁에 질린 것 같은, 유난히 맑은 눈빛으로 그를 보았다.

이반이 동행한 ISLE의 조사단에 의해 서방 세계로 건너온 청년은 영국의 한 명문가에 입양되었다. 그리고 환경이 변하자 기다렸다는 듯이 두각을 나타내어 이튼칼리지, 육사 샌드허스트를 거쳐 엘리트 군인의 길을 걷기 시작했다. 은사의 딸과 결혼해 슬하에 두 자녀까지 두고 누구도 부럽지 않은 삶을 살았다. 그때만 해도 페인이 가슴 속에 어떤 불꽃을 품고 있는지 아무도 알지 못했다.

이반이 말이 없자 수화기 너머에서 페인은 조금 다급하게 말했다.

[이바노프 씨. 당신이 세상에 많이 실망하신 것 압니다. 하지만 다른 이들에게도 기회를 달라고 부탁드리는 것입니다.]

"역시, 내 일은 아냐."

[하지만……!]

"라디프."

오랜만에 이름으로 부르자 페인은 멈칫했다. 이반은 말했다.

"자네는 어차피 오래 살지 못하잖아."

[어떻게…….]

페인은 허를 찔린 듯 말하다가 의미 없는 질문이라고 생각했는지 말을 멈추었다.

수년 전 SN의 테러로 그는 아내와 두 자녀를 잃었다. 그리고 췌장암은 아직까지 치료제가 없었다. 그에게 이 세계는 더 이상 아무 의미도 없었다.

"이 모든 게 무슨 의미가 있나?"

이반은 차분한 어조로 물었다.

[어떻게 제 불행이 남들에게도 불행이기를 바라는 마음이 없겠습니까.]

페인은 탄식처럼 내뱉었다. 그는 거의 고통을 느끼는 것 같았다.

[하지만 마지막까지 발버둥 치는 걸 그만둘 수가 없습니다. 무사가 그랬듯이.]

IS가 점령한 도시 모술에 살던 평범한 청년 무사는 어느 날 우연히 한 뱀파이어를 만났다.

무사는 한 가지 철학적 문제에 천착하는 학자처럼 IS의 압제에 고통받는 제 고향을 해방시킬 방법을 골몰하고 있었다. 그런데 천운처럼 뱀파이어를 만나 그 뛰어난 육체 능력을 보고, 자신도 그 같은 존재로 만들어달라고 부탁했다. 그간 생각해 왔던 괴물의 이미지와 달리 신사적이었던 뱀파이어는 무사의 의지를 알고 그를 감염시켜 주었다. 아마 지나가던 평범한 뱀파이어였을 것이다. 특별히 악하지도, 선하지도 않은.

뱀파이어는 무사에게 감염을 이길 가능성은 극히 희박하다고 경고했지만 무사는 감염을 이기고 일어났다. 그리고 제 몸에 흐르는 새로운 힘을 느끼고 기뻐하며 집으로 돌아갔다.

집에 기다리고 있었던, 그의 형제 라디프는 기절할 지경이었다. 며칠 동안 모습을 보이지 않아 걱정하고 있던 형제가 전혀 다른 존재가 되어 돌아온 것이다.

무사는 그날부터 IS의 악몽이 되었다. 라디프는 밤마다 사라지는 형제를 위험하다며 말렸지만 무사는 듣지 않았다. IS를 자신의 고향에서 몰아내기 전까지 멈추지 않을 거라고, 모든 일이 다 잘될 거라고 라디프를 안심시켰다.

그런데 문제는 주민들이 제 동네에 사는 '구울'[1]에 대해 수군거리기 시작한 것이었다.

그러던 어느 날, IS가 무사의 집을 급습했다. 한 주민이 IS에게 알려 준 것이다. 그들에게는 IS보다 자기 집 뒷골목을 배회하는 괴물의 그림자가 더 낯설고 무서웠다.

"달아나!"

무사는 라디프를 뒷문으로 내보내며 소리쳤다.

"무사! 같이 가!"

라디프는 무사의 옷을 끌어당기며 외쳤다. 하지만 무사는 라디프로서는 도저히 어떡해 볼 수 없는 강한 힘으로 그를 집밖으로 밀어내며 말했다.

"인간은 내 상대가 되지 않아. 곧 따라갈게. 도시를 벗어나."

무사는 문을 닫았다.

불행히도 무사는 혈혈단신의 어린 뱀파이어였고, IS는 현대중화기와 비인간적인 심성으로 무장한 테러리스트 무리였다.

IS는 무사를 죽여 끌고 가 이교의 석상에 못 박았다. 전 세계에 보라고 이야기하듯이. 그들의 신이 내리지 않은 괴물의 존재를.

새벽빛 속에, 악마에게 영혼을 팔아서라도 고향을 지키고 싶어 했던 청년은 새로운 악마의 전형이 되어 세상의 눈앞에 내던져졌다. 뱀파이어가 실존한다는 첫 번째 증거로서.

---

1) 아랍 신화에 나오는 식인 요괴

"무언가를 증오하기만 하는 일은 너무 쉽습니다."

어느 날, 라디프는 이반에게 말했다. 각자 앞에는 따듯한 김이 올라오는 찻잔이 놓여 있었다. ISLE 장학재단의 전산 문제로 장학금 입금이 늦어지고 있어서 라디프가 런던 시부를 찾아왔다가 다른 일로 그곳을 들른 이반을 만나 한 카페에서 마주 보고 앉았을 때였다.

"IS나, 뱀파이어나, 혹은 저희 집을 IS에게 알려준 동네 사람들이나 그저 미워하는 건 너무 쉬운 일이죠."

라디프는 조용히 이어 말했다.

"가장 어려운 일은, 일이 그 지경이 될 때까지 난 평범한 인간일 뿐이라고 아무것도 하지 않은, 하지만 이제 겨우 뭔가 해 보려고 해도 누군가의 도움 없이는 아무것도 할 수 없는 제 나약함을 인정하는 일이죠. 그래도 주저하거나 하진 않을 겁니다."

이반을 바라보는 청년의 검은 눈동자가 불을 뿜는 것 같았다. 이반은 그날 처음으로 라디프가 가슴에 품은 불꽃을 보았다.

"제가 할 일은 제 힘에 대해 절망하거나 누군가를 미워하거나 하는 소모적인 게 아니니까요. 전 무사가 살 수 있는 세상을 만들 겁니다. 무사가 아직 살아 있었더라면 뱀파이어가 되는 일을 일부러 선택할 필요도, 설사 우연히 뱀파이어가 되었다고 하더라도 상관없는 세상을. 오직 선하거나 악한 개인의 의지만이 중요한 세상이요."

이반은 조용히 그러나 단호히 말했다.

"그런 세상은 오지 않아."

라디프는 조금 웃었다.

"아마도요. 하지만 그렇다고 별을 쫓는 일을 그만둘 수는 없잖습니까?"

별을 따라…….

이반은 고개를 돌렸다.

저 지평선 너머 희미한 은빛으로 빛나는 세계의 끝을 보고 싶은 열망으로 가슴이 터질 것 같은 때가 있었다. 하지만 노을빛이 잦아드는 세계의 끝에는 마치 평평한 지구가 끝나는 낭떠러지처럼 시커먼 나락만이 그를 반겼다.

이반이 이곳에는 아무것도 없다고 소리쳐도 뒤이어 오는 자들은 믿지 않았다. 그만큼 가진 못하더라도 가능한 만큼 가겠다고, 오히려 신발 끈을 고쳐 매는 것이다.

하기야, 자신이 뭐라고 그들의 안일한 희망을 꺾겠는가.

"알렉스는?"

이반은 물었다. 페인은 기다렸다는 듯이 대답했다.

[나이트 스토커즈[2])와 이동 중입니다.]

정신을 집중하자, 귓가에 강한 바람 소리가 들려왔다. 육해공으로 대규모 전투라도 치를 수 있는 병력이 이동하고 있었다.

도착했습니다.

알렉스가 말하고, 경고음과 함께 수송기의 램프 도어가 열리는 소리가 들렸다. 강하하려는 것 같았다. 동행한 예거들 모두.

이반은 다시 주의를 전화로 돌렸다.

"누누이 이야기하지만, 끝엔 아무것도 없을 거야."

[이바노프 씨도 그곳이 끝이라고 단정 짓지 마십시오.]

페인의 목소리에 웃음기가 있었다.

[별은 아직 빛나고 있으니까요.]

이반은 고개를 내젓고 철컥, 수화기를 내려놓았다.

"낙천주의도 그 정도면 오글거려."

---

2) 특수부대 운송을 전문적으로 담당하는 항공부대

이반은 고개를 내렸다. 피 웅덩이에 잠겨 누워 있는 아이는 숨이 끊어지기 직전이었다. 이미 그가 제대로 보이지 않으리라.

"네가 여긴 어쩐 일이야? 안 그래도 근처에 있다고 해서 일 끝나고 인사나 하러 갈까 했는데."

몇 걸음 떨어진 곳에 서 있는 대공이 웃으며 물었다. 태연한 체했으나 긴장하고 있다는 걸 알 수 있었다.

"예거."

그때 흡혈귀들 중 누군가가 신음처럼 내뱉었다.

"예거다."

어느새 사방에 새까맣게 포진해 있는 검은 제복을 입은 자들이 돌아보았다. 하나같이 붉은 눈들이, 아직 어린 것들이 섞여 있어 갖가지 눈동자 색을 가진 테러리스트들을 담았다. 그 가운데, 사나운 사냥개들의 왕이 일어섰다. 눈부신 금발 아래 붉은 눈이 타올랐다.

"쫓아."

렉스가 나직하게 말한 순간, 모든 것이 사방으로 퍼져 나갔다. 제 목숨을 다해 달아나는 테러리스트들, 그리고 사냥감을 쫓는 예거, 마지막으로 렉스가 사라졌다.

휑히 비워진 무대 같은 곳에 남은 흡혈귀는 몇 되지 않았는데, 딱 두 부류였다. 지나친 자신감에 넘치거나 달아날 타이밍을 놓치고 얼떨결에 남았거나. 그리고 대공과 그의 클리엔테스인 마르코프뿐이었다.

대공은 고개를 절레절레 저었다.

"하여간 저것들 때문에 우리 애들 씨가 마른다니까."

그때 주변에 주춤거리던 흡혈귀들이 시선을 교환하고 외쳤다.

"잡아!"

그러고는 말릴 새도 없이 남은 흡혈귀들이 혼자 서 있는 이반을 덮쳐 들었다. 대공은 깜짝 놀랐다.

"잠……!"

이반은 움직이지 않는 것 같았다. 그런데 한 흡혈귀가 거의 닿는 순간—

이반이 휘두르는 모습도 보지 못한 위스키 병이 어느새 한 흡혈귀를 후려쳤다. 엄청난 소리가 났다. 흡혈귀는 그대로 바닥에 뒷머리를 박으며 넘어졌다. 동시에 이반이 술병을 허공에서 돌려 잡는 모습이 그 흡혈귀가 마지막으로 본 것이었다.

굉음, 그리고 정적이 찾아왔다.

이반은 술병의 목을 잡은 손을 들어 올리며 자세를 폈다. 바닥은 거대한 낙석이 떨어진 것처럼 파여 있었다. 그 바로 옆에 쓰러져 있는 흡혈귀는 기절한 것 같았다. 만약 제대로 맞았더라면 어지간한 바위도 깨부수는 흡혈귀 머리통이 바닥에 떨어뜨린 젤리 꼴이 되었을 것이다. 하지만 안에 색 좋은 위스키가 찰랑거리는 술병은 멀쩡했다.

대공은 기가 막혀 중얼거렸다.

"뭐로 만든 술병이야."

물론 술병은 그냥 술병일 뿐이란 걸 알았지만 말이다. 타격하는 순간에 귀신같이 충격을 분산시킨 것이다.

"구해, 주세요."

그때 들려온 작은 목소리에, 이반은 뒤를 보았다. 연하가 숨을 몰아쉬며 흐릿한 눈을 뜨고 그를 보고 있었다. 본능적으로 그가 적이 아니라는 사실을 깨달았는지 피에 젖은 입술을 달싹여 말했다.

"구, 해주세요……. 규하……."

미물의 발악에서는 영웅적인 결기마저 느껴졌지만 아이는 살 가능성이 없었다. 감염은 아이를 더 고통스럽게 죽게 할 뿐이었다. 이반이 여타 뱀파이어에 비해 많은 이들을 감염시킨 건 아니었으나 그나마도 감염을 이겨낸 건 렉스와 필립 단둘이었다. 그것도 그들은 육체 능력이 절정에 이른 건장한 사내들이었다.

이반은 대공을 보았다.

"쌍둥이만 보면 괴롭히지 않고서는 견디지 못하는 버릇은 아직 못 고쳤군."

대공은 웃음기를 잃진 않았지만 대답은 하지 않았다.

"네 쌍둥이를 죽인 건……."

이반이 말하려고 하자 처음으로 대공에게서 웃음기가 사라졌다.

"말하지 마."

물론 이반은 말했다.

"너잖아."

그가 이 말을 할 때마다 대공은 곧 울 것처럼 입을 다물었다. 붉은 눈에 반짝이는 물기가 도는 것 같았다. 하지만 이반은 그게 눈물이라고 믿지 않았다. 살육자의 안광이라면 몰라도.

"그건 사고였어."

대공은 이를 악 물고 말했다. 이반은 무심히 대답했다.

"내가 들은 말과는 다른데."

대공은 무어라 발작적으로 말하려다가, 무슨 생각인지 빙긋 웃었다.

"아니, 이번엔 화내지 않을 거야. 어쨌든 알 수 있거든. 가말은 살아 있다고."

대공은 제 가슴께를 짚었다.

"내가 그렇다고 느끼니까. 무엇보다 뱀파이어잖아. 분명히 어딘가에 살아 있어. 찾아내서, 오해를 풀 거야."

그러더니 이반에게 손가락질하고 말했다.

"그땐 나한테 사과할 준비나 하라고. 계속 가말이 죽었다고 이야기해서 미안하다고."

녀석에게는 새로운 인류로서 세상을 다스리겠다거나, 인간들을 공포로 지배하겠다거나, 심지어는 세상을 멸망시키겠다는 제 나름대로의 야망 같은 건 하등 없었다. 지극히 개인적인 욕망이 있을 따름이었다. 제 쌍둥이를 찾아내고 말겠다는. 그걸 위해서는 뱀파이어의 정체가 밝혀지거나, 전쟁이 일어나거나, 지구가 쑥대밭이 돼도 아무 상관이 없었다.

하지만 그런 무자비한 점을 '리더의 덕목'으로 여긴 정신 나간 녀석들이 적잖이 있는 모양이었다.

"하긴."

이반은 갑자기 다른 말을 하고 돌아섰다.

"너 같은 정신병자도 기회를 얻었는데."

마음이 바뀌었다. 죽어가는 이 아이라고 기회를 얻지 못하란 법은 없다 싶었다. 이것을 기회라고 할 수 있을지는 모르겠지만, 역시 결정하는 사람은 그가 아닌 것이다.

이반은 술병을 내려놓고, 연하를 안아 바닥에 양반다리를 하고 앉았다. 그리고 그녀를 무릎 위에 올려놓았는데 한 줌의 무게도 느껴지지 않았다. 거꾸로 쏟아 텅 비워낸 물병처럼.

그를 보는, 백내장 환자처럼 흐린 연하의 눈이 계속 까라지려는 듯 파르르 떨렸다.

"구해……."

연하는 온 힘을 짜내 중얼거리고 눈을 감았다. 이반은 입을 열었다. 송곳니가 자라는 게 느껴졌다.

"너 설마……?"

대공은 눈을 찡그리고 중얼거렸다.

흡혈은 생각보다 내밀한 것이었다. 자신의 본성을 드러내고 짐승처럼 피를 빠는 모습을 남에게 모습을 보여주고 싶어 하는 뱀파이어들은 많지 않았다. 어쨌든 게걸스럽게 식사하는 모습 자체가 남에게 보여서 유쾌한 모습은 아니니까.

이반은 제 손에 다 차지도 않는 연하의 얼굴을 모로 돌리며, 고개를 내렸다. 그녀의 몸이 반사적으로 퍼뜩 떨렸다.

주변 공기가 숨을 죽였다. 그때만큼은 대공도 입을 놀리지 않았다.

조금 후, 이반은 입을 떼고 고개를 들었다. 간만에 마신 피로 온몸이 뜨거웠다. 연하가 아니라, 마치 그가 다시 태어나는 것처럼. 연하는 이제 핏기 한 점 없었다. 그는 제 손목을 물어 피를 빨아내고 연하에게 입을 맞추었다. 그리고 힘없이 벌어진 목구멍 깊이 피를 모두 흘려 넣었다. 두 번, 세 번……

이반은 입을 떼고 연하를 내려다보았다. 얼굴은 섬뜩하도록 하얗게 질렸고, 입가에는 핏물이 번져 있는 모습이 그로테스크했다. 하지만 아이러니하게도, 그 모습이 처연하면서도 색정적인 공기를 뿜었다. 지옥에 떨어진 대지의 딸, 페르세포네처럼.

"어이, 네 피를 그렇게 아무한테나 퍼줘도 되는 거야?"

대공은 기막혀 했다.

"천금을 주고라도 사려는 인간들이 있을 텐데."

그때였다.

"연하……"

목소리가 들려왔다. 이반은 목소리를 따라 돌아보았다. 저 멀리 예거 하나가 지키고 있는 규하가 얼핏 눈을 뜨고 이쪽을 보고 있었다. 의식이 제대로 돌아왔는지도 알 수 없을 만큼 가물가물해 보였지만, 애써 입술을 달싹였다.

"연하, 살려……"

대공도 규하를 보고 있었다. 뭐가 마음에 들지 않는지 입술을 난폭하게 비틀었다. 이반은 대공을 보고 말했다.

"예전부터 말해주고 싶었는데, 아무리 많은 쌍둥이한테 물어봐도 제 쌍둥이 대신 자기를 살려달라고 한 사람은 없지 않나? 이제 의미 없는 질문은 그만해. 네가 뭘 확인하고 싶은 건지는 모르겠지만."

아마 제 쌍둥이를 목 졸라 죽여 늪에 던진 게 자신만이 아니라는 걸 확인하고 싶은 거겠지만.

대공은 볼 한쪽이 경련이 일어나는 것처럼 꿈틀거렸다.

"그 아이."

대공은 이반이 안고 있는 연하를 가리켰다.

"어차피 감염을 이기지 못하겠지만, 혹시라도 살아난다면 자기 쌍둥이를 만나러 가지 않는 편이 좋을 거야."

그러고는 대공은 빙긋이 웃었다.

"만약 그런다면 내가 무슨 수를 써서라도 저 쌍둥이를 죽이고 말 거니까. 나도 가말을 만나지 못하고 있는데 그래야 공평하지. 안 그래?"

갑자기 마르코프가 울부짖으며 열차의 잔해를 집어 던졌다. 쿠웅. 바람을 일으키며 날아간 잔해가 떨어지며 먼지와 파편의 폭풍을 일으켰다. 그 틈을 타 대공은 사라졌다. 예거들은 잔해를 피해 바로 대공을 쫓아가고, 나머지는 남은 흡혈귀들과 교전하기 시작했다. 특히 마르코프는 작정한 것처럼 날뛰었다.

이반 뒤로 헬기가 내려앉았다. 사방으로 공기가 밀려났다. 이반은 얼핏 뒤를 보았다. 예거에게 안겨 있는 규하는 이제 의식이 없어 보였다.

헬기 승무원이 소리쳤다. 이반은 천천히 돌아섰다. 그 순간 한날한시에 같은 배에서 태어난 쌍둥이는 다시 건널 수 없는 강을 건넜다.

연하는 복잡한 얼굴이었다.

"진짜로 부녀 사이가 성립하는 건 아니죠?"

"아니."

이반은 단호하게 말하고 덧붙였다.

"그렇다면 좋겠지만."

연하는 머릿속이 복잡했다. 아주 많은 생각들이 왔다가 사라졌다. 하지만 머릿속의 소용돌이가 심해질수록 오히려 역류에 휩쓸려 떠오르는 난파선처럼 한 가지 생각이 더욱 선명하게 드러났다.

"전 싫어요."

연하는 이반을 똑바로 마주 보았다.

"이반의 딸 따위 되고 싶지 않아요."

이반, 이라고……. 이반은 쓰게 웃고 말았다.

"그만둬, 이런 남자."

이반이 말하는 바를 깨달은 연하는 얼굴이 붉어졌다. 하지만 용기를 내기로 했다.

"이반이 어때서요?"

"아내가 있었어. 더 정확하게는 아내들이."

연하는 애써 충격을 숨기는 얼굴이었다. 그래서 이반은 정말 자신을 단념하라고 말할 셈이었다면 덧붙일 필요가 없는 말을, 무표정하게나마 덧붙이고 말았다.

"옛날 사람이었으니까."

연하는 한참 무슨 말을 해야 할지 고민하다가 주저하며 물었다.

"사랑, 했어요?"

이반은 살짝 고개를 저었다.

"그건 중요한 게 아니었어. 더 넓은 땅, 더 많은 금, 더한 명예……."

연하가 지켜보는 앞에, 그늘에 잠겨 검붉게 보이는 눈동자에 많은 것들이 지나갔다. 정확한 형태는 알 수 없어도 그의 과거들이란 점은 알 수 있었다.

어두운 눈을 한 남자는 중얼거렸다.

"어쩌면 신이 되고 싶었는지도 모르지."

쏟아지는 금, 그 금보다도 값진 향신료, 위대한 건축물들, 빛나는 창끝, 콧김을 뿜어내는 군마들, 그리고 오로지 정복할 일만 남아 있는 저 땅들……. 그때 그는 신의 아들이라 칭송받았고, 다음으로 정복할 곳은 하늘 위밖에 없는 것 같았다.

이반은 연하를 보고 희미하게 웃었다.

"그래서 벌을 받았는지도."

철퍽. 발밑에 늪지의 걸쭉한 땅이 밟혔다.

"전하."

부르는 소리에 이반은 돌아보았다. 그때는 다른 이름이었지만 별로 그때 이름으로 자신을 칭하고 싶지는 않았다.

횃불이 내뿜는 빛 때문에 얼굴이 보이지 않는 사내가 배에서 내려 뒤따라왔다.

"또 그렇게 앞서가시는군요."

"미안하군."

이반은 순순히 말했다. 그러자 곁에 다가온 친위대원은 난감해하는 웃음을 지었다.

"사과를 듣고자 한 게 아니라…… 저번에 워낙 가슴을 졸였으니 드리는 말씀입니다. 혼자 성벽을 타고 올라가셔서 정말 전하를 잃는 줄 알았으니 말입니다."

그날도 이반은 어김없이 최선전의 병사들 사이에 섞여 사다리를 타고 성벽을 기어 올라갔다. 보병 부대가 급히 뒤따라오려고 했지만 사다리가 부러져, 그는 고작 아군 세 명과 적군들 사이에 고립되고 말았다. 옆구리에 화살을 맞았을 때는 그로서도 정말 딱 죽는 줄 알았으니, 친위대원이 이렇게 불평하는 것도 이해했다.

이반은 조금 짓궂게 말했다.

"갈 땐 가더라도 준비한 원정은 끝내야지."

"전하."

이반은 정색하는 친위대원의 어깨를 짚었다.

"진정하라고. 그렇게 쉽게 죽지 않으니까."

며칠 전에 성으로 들어오기 전에 까마귀들이 서로 싸우며 짖어댄 일을 여전히 불길하게 생각하는 것 같았다. 하여간 예언자라는 것들이 불길한 징조니 뭐니 떠들어대니 문제였다.

이반은 횃불을 건네받아 주변을 비춰보았다. 워낙 수로가 잘 건설되어 있는 도시긴 하지만 갑자기 물이 불어나서 도시 외곽에 홍수 방비가 제대로 되어 있는지 확인하러 나온 참이었다.

그때 한 친위대원이 날카롭게 돌아보고 외쳤다.

"거기 누구냐?"

누군가가 어두운 늪 앞에 앉아 있었다. 친위대원들이 모두 허리에 찬 검으로 손을 가져가며 긴장했다. 어둠 속에 떠오른 형체는 현지인 복장을 한 남자였다. 꽤 왜소한…….

남자가 천천히 돌아보자, 이반을 포함한 모두 말을 잃었다. 붉은 눈동자였다. 마치 어둠속에서 불타오르는 횃불 같은. 그리고 무슨 까닭인지 남자는 울고 있었다. 이십대 중반쯤 돼 보였는데 그 외에 눈에 띄는 점은 없었다.

"이런 곳에서 뭘 하고 있지?"

친위대 사이에서 이반이 묻자, 물기에 젖어 윤기를 발하는 것 같은 붉은 눈동자가 그를 향했다.

"당신은……."

남자는 오랫동안 말을 하지 않아 잔뜩 쉰 것 같은 목소리로 말했다. 신음인지 말인지 알 수 없을 정도였다.

"붉은 눈동자라니 희한하군요."

한 친위대원이 남자를 보며 중얼거렸다. 친위대원이 들고 있는 횃불이 옆에서 몸을 비틀며 일렁거렸다.

"별의별 것을 다 봤다고 생각했는데 이런 붉은 눈동자를 가진 자는 또 처음이군요."

"아무튼 이런 곳에 왜 혼자……."

친위대원들이 한마디씩 하는 가운데 계속 말이 없던 남자가 중얼거렸다.

"그래, 당신이라면……."

의미 모를 중얼거림이었음에도 불구하고 친위대는 단번에 무언가 수상한 기색을 눈치챘다.

"첩자다!"

친위대원들이 한 몸처럼 금속성을 울리며 검을 내뽑은 찰나였다. 남자가 엄청난 속도로 그들을 제치고 이반을 덮쳐 왔다.

이반은 놀랐지만 몸이 먼저 반응했다. 수없이 사지를 헤쳐 나온 반사신경으로 남자의 옷을 틀어잡으며 검을 겨누었다.

"뭐냐."

하지만 생면부지의 남자는 대답하지 않고 이반을 원망하듯이 노려보았다.

"전하, 물러서십시오!"

친위대원이 외쳤다. 그때 남자가 턱, 하고 이반의 팔을 잡았다. 엄청난 힘에 이반은 손을 뺄 수가 없었다.

그 찰나 남자가 그의 손을 깨물었다.

"……!"

그야말로 짐승 같은 턱 힘이었다. 무엇보다 이반은 손을 깨물기 직전 남자의 입안에서 빛나는 짐승 같은 이빨을 보았다. 손이 바스라질 것 같았다.

친위대원이 당장 남자의 등을 베었다. 하지만 퍽 소리가 나며 검은 들어가지 않았다. 마치 바위를 친 것처럼. 오히려 남자는 이반의 손을 물고 있는 입에 힘을 주며, 피를 빨기 시작했다.

그대로 남자가 이반을 밀어붙여, 그는 바닥에 디딘 다리에 힘을 주며 버텼다. 하지만 남자는 기이하리만치 힘이 셌다. 이반은 압도적인 힘에 밀려 뒤로 넘어지고 말았다. 친위대원들이 미친 듯이 소리치며 남자를 떼어놓으려고 발길질까지 했지만 남자는 거대한 바위덩어리처럼 꼼짝도 하지 않았다.

남자가 피를 마실 때마다 목에 울대가 꿀럭꿀럭 요동쳤다. 이반은 당장 허리춤에 꽂아둔 단검을 뽑아 들었다. 남자는 역시 엄청난 힘으로 덥석 그의 손을 잡았다. 그리고—

제 목을 찔렀다. 전혀 예상치 못한 행동에 이반은 눈을 크게 떴다. 남자는 거기서 멈추지 않고 검을 옆으로 그었다.

툭, 투둑, 투두둑……. 목을 가로지르는 검을 따라 검붉은 액체가 이반의 얼굴로 쏟아졌다. 피가 온 입안에 퍼져 비릿한 맛이 났다.

"왕이시여."

그런데도 남자는 말을 했다. 잘린 성대에서 바람이 새는 끔찍한 목소리로.

"세상을 모두 가졌다고 생각하겠지만 무엇을 가져갈 수 있을 것 같습니까?"

그리고 피로 물든 이를 드러내며 웃었다.

"당신을 기다리는 앙그라 마이뉴[3]는 자비가 없는 신입니다."

이반은 이를 악물었다. 그리고 외쳤다.

"아래서 위로 찔러!"

전사의 본능이라고 할지, 남자를 찌른 게 본의는 아니었어도 이반은

---

3) 고대 조로아스터교의 악의 신

검이 살갗을 뚫고 들어갈 때 각도를 기억하고 있었다. 아주 나중에야 알았지만 그게 그 뱀파이어 피부의 '결'에 맞는 방향이었던 것이다.

픽. 뒤에서 검이 남자의 얼굴을 뚫고 나왔다.

이반의 얼굴에 살점과 핏물이 튀었다. 남자는 푸르륵 경련하더니 마침내 모든 움직임을 멈추었다. 이반은 지나치게 무거운 남자를 옆으로 밀쳐 냈다. 남자는 무른 땅에 거의 쿵 소리를 내며 넘어갔다.

"전하!"

친위대가 호들갑을 떨며 이반을 불렀다. 그는 남자를 돌아보았다. 간담이 서늘했다. 아마 난생처음으로.

손에 물어뜯긴 자국이 욱신거렸다.

"괜찮으십니까?"

친위대원들이 부축하려 하는 것을, 이반은 손을 들어 막고 일어났다. 그리고 얼굴에 진득한 피를 닦아내고, 피인지 침인지 모를 것을 한 번 뱉었다. 얼마간은 남자가 쏟아낸 피를 마신 것 같았다.

이반은 말했다.

"괜찮아. 손을 좀 물렸을 뿐이야."

"상처가 심각해 보입니다."

친위대원이 말해 손을 쥐었다 펴보았지만 다행히 뼈는 이상이 없는 것 같았다.

"술이나 한잔하면 나아지겠지."

이반이 가볍게 말하자 친위대원은 말문이 막힌 것 같았다.

"정말 전하는 무슨 간담이……."

갑자기 침묵이 흐르고, 모두 바닥에 늘어진 남자를 돌아보았다. 얼굴이 사라진 것은 돌덩이만큼이나 차갑게 식어 아무 반응이 없었다.

"실성한 자일까요?"

한 친위대원이 중얼거렸다. 아무리 봐도 인간의 형태를 한 것이 정말 인간이 아닐 거라고는 누구도 생각지 못했다. 그 당시 이반을 포함해서.

"첩자인지 광인인지 알아보면 되겠지. 시신을 챙겨."

이반이 말하자 친위대원들이 시신을 수습하기 시작했다. 이반은 응급 처치를 받으며 그 모습을 지켜보았다. 그런데 어째서인지, 그런 느낌을 받았다. 남자가 자살하려 했다고.

친위대원들이 이상하게 무거운 시신을 겨우 배에 싣고, 이반도 배에 올라섰다. 손이 욱신거렸지만 화살에 허파가 뚫렸던 통증에 비하면 사소했다.

늪지를 뒹군 모습으로 상처를 입고 돌아온 이반을 보고 왕궁은 발칵 뒤집혔다. 하지만 그는 오랫동안 고대해 온 원정을 앞두고 성문 앞에 진지를 세운 군사들 사이에 불안감이 퍼지기 바라지 않았다. 그래서 자신이 상처를 입었다는 사실을 알리지 말라고 명령했다. 친위대원들에게도 그날 있었던 일에 대해 함구시켰다. 남자가 단순히 첩자였다면 오히려 첩자에게 당했다는 소문이 퍼지게 둘 수 없었기 때문이다.

그리고 그날 밤이었다. 측근들과 소소하게 가진 연회에서 이반은 원인 모를 열병으로 쓰러졌고, 혼수상태에 빠졌다. 의원들은 하나같이 소생 가능성에 대해 고개를 내저었다.

이반은 꿈도 아니고 현실도 아닌 몽롱한 경계 속에서 밤낮을 앓았다. 스스로 죽어가고 있다는 걸 알았다. 불가능을 가능으로 만드는 건 그의 특기였지만 죽음 앞에서는 잔재주에 불과했다. 아마 반쯤은 그도 살아나는 일을 포기하고 있었을 것이다.

그런데 달이 뜨지 않아 사방이 검은 물을 부어놓은 것처럼 깜깜한 어느 흐린 날 밤— 눈을 떴을 때, 몸이 아주 가벼웠다. 그 어느 때보다.

"벌을 받았다고 생각해요?"

연하는 슬퍼하는 눈으로 물었다. 이반은 고개를 들고 말했다.

"한때는 기회라고 생각한 적도 있었어. 어쨌든 불로불사……. 어떤 위대한 왕도 얻지 못했던 걸 얻었으니까."

하지만 점차 그런 생각이 들었다. 대체 무엇을 위한 기회인가? 흡혈귀 군단을 모아 세계 정복이라도 하라고? 그리고 인간을 지배하며 그들의 피를 빠는 모습을 상상해 보았다.

끔찍했다. 그가 정복하고 싶었던 것은 오히려 그 자신이었다. 이 육체와 정신이 무엇까지 해낼 수 있는지 시험해 보고 싶었던 쪽에 가까웠다. 하지만 단 한 번도 그 곁에 사랑하는 자들이 없는 모습은 상상해 본 적 없었다.

하지만…….

"괴물이다!"
"가짜야!"
"죽여!"

왕의 껍질을 뒤집어쓴 가짜라며, 얼마 전까지만 해도 그를 위해 싸웠던 창끝들이 그를 향했다. 이반은 인간으로서 최상의 기량을 발휘하던 육체로도 불가사의에 가까운 힘을 이용해 왕궁을 탈출하고 나서야 알았다. 그의 죽음을 기정사실화하고 모든 걸 나눌 준비를 한 자들에게, 그가 소생하는 일은 아주 곤란했다고.

왕이 정체를 알 수 없는 존재가 되었다는 건 사실 그다지 중요한 이야기가 아니었을지도 몰랐다.

기묘하게 밝아진 귀에 모든 소리가 들려왔다. 비밀, 음모, 불평, 한숨, 그리고 신실하다 믿었던 아내의 부정……. 그녀의 배 속에 있는 유일한 자식마저 자신의 것이 아님을 알았을 때, 이반은 실소하고 말았다.

세상을 가졌다고 생각했다. 그런데 정말 다음 생으로 가져갈 것이 단

하나도 없었다.

그리하여 이반은 어둠 속으로 사라지는 길을 택했다. 분노하지 않았다면 거짓말이었다. 하지만 그들은 형제였다. 형제와 다름없는 이들이었다. 함께 웃고, 마시고, 말을 달렸다. 사랑하고 신뢰하고, 사랑받고 신뢰받고, 그것이 얼마나 근사한 감각인지, 더 위대한 일을 해내게 하는 원동력인지, 이반은 알고 있었다. 그러나 그 모든 게 혼자만의 착각이었다는 차갑고 예리한 깨달음은 되살아난 심장에 내리꽂히는 비수였다.

연하는 이 모든 이야기에 지독한 우울감을 느끼는 얼굴이었다. 이반은 그녀가 그러길 바라지 않았다. 그래서 입을 다물자 연하는 물었다.

"그 사람…… 그 루아스는 누구였어요? 이반을 감염시킨."

이반은 고개를 저었다.

"시신은 그냥 시신일 뿐이었지."

그것도 얼마 지나지 않아 썩어 없어져 버린.

주민들 중에는 남자를 아는 자가 하나도 없는 것 같았다. 대개 주민들은 '여기 사람인 것 같긴 한데……'라고 말끝을 흐렸다. 지금 생각하면 현지인은 맞았던 것 같았다. 다만 그를 아는 자가 하나도 남아 있지 않을 정도로 옛날 사람이었을 뿐.

어쨌든 이반, 그의 파트로네스라고 할 수 있는 자였지만 지금까지 이름조차 알지 못했다. 어쩌면 그야말로 기증을 받은 '수혜자'라고 할 수 있을지도 몰랐다.

이반은 조금 길게 숨을 내쉬고 말했다.

"옛날에는 그리 드문 일이 아니었거든. 뱀파이어에 대해서 모르기 때문에 실수로 감염되는 게."

그래서 자신이 무엇이 되었는지 몰라 혼란 속에서 자살하거나, 미치거나, 피를 마셔야 하는 생물이 된 것을 버티지 못하고 절벽에서 뛰어내리기를 선택한 이들……. 생각보다 긴 시간을 살아남은 뱀파이어가 적은 이유가 있을 것이다.

그래도 이반은 한때 자신이 이렇게 된 의미를 찾기 위해서 부단히 남자의 흔적을 쫓았지만, 어느 순간 중요하지 않다고 깨달았다. 그건 단순한 정이었으니까. 자신이 깨어지지 않는 단단한 고체라고 믿은 삶에 박아 넣어져 균열을 일으킨 정.

연하에게도 그는 단순한 정이었을 뿐이다.

"솔직히 네가 정말로 감염을 이길 거라고 믿진 않았어."

유리벽 너머에 누운 연하는 나흘간 감염을 버텼다. 이반은 그동안 자리를 지켰다. 숨을 거두는 순간까지 지켜봐 주는 것이 감염시킨 사람으로서 의무라고 생각했기 때문이다. 렉스나 필립만 아니라, 결국 살아 돌아오지 못한 모두에게 그랬듯이. 어쨌든 그들은 대체로 무덤을 만들어 줄 사람이 그밖에 없었기 때문이다.

하지만 나흘이 지나도 아이는 숨을 거두지 않았다. 감염을 버티는 기간은 개인차가 있었지만 어느 정도 지나면 성공인지 실패인지 여부 정도는 알 수 있기 마련이었다. 감염이 성공하면 몸이 재조직되기 시작하니까. 그런데 연하는 실패도 성공도 아닌 상태로 무한정 버티고 있었다. 안 되는 것을 억지로 붙잡고 있었기 때문일 것이다.

'구제불능일 정도로 착한 아이.'

이반은 그렇게 생각했다. 연하는 천국으로 향하는 계단을 오르다가도 신경이 쓰여서 계속 거기서 주저하고 있는 것이리라. 어쨌든 위쪽에서도, 물론 위쪽이 있다면 말이지만, 섭섭하게 대하진 않을 텐데.

하지만 마침내 바이털사인이 멈췄을 때, '드디어 가는구나.' 정도밖에 생각하지 않았다.

의사들이 달려 들어가 숨이 멎은 아이에게 심폐소생술을 실시했다. 유리 너머 아이는 차갑고 푸르렀다. 모든 생명의 기운이 탈색된 한겨울처럼.

삐— 바이털사인은 오랫동안 무표정했다. 의사들도 포기하고 하나둘 손을 떼는 기색이었다. 그때쯤엔 이반도 아이가 정말 살아날지도 모른다고 조금은 기대했지만 그렇게 되지 않았다고 실망은 하지 않았다. 세상의 일이란 것들이 원래 그렇게 기대에 어긋나기 마련이니까. 그는 그걸 배울 정도로는 충분히 살았다.

의사가 연하의 얼굴에 흰 천을 덮으려는 순간이었다.

"잠깐."

이반이 말하자 의사들은 멈칫했다. 이반은 아이를 빤히 보았다. 그녀를 비춘 빛 속에서 먼지가 반짝이며 헤엄쳤다. 그러다가 먼지가 조금 내려앉은 순간이었다.

뜀박질 소리……. 이반은 정말 계단을 돌아서서 뛰어 내려오는 소리를 들은 것 같았다. 아마 그건 다시 뛰기 시작한 심장박동 소리였겠지만.

갑자기 바이털사인이 다시 돌아오기 시작했다. 의사들은 놀라 모니터를 쳐다보았다. 인간보다 훨씬 느린 그건, 뱀파이어의 심장박동 수였다.

연하는 아직 의식은 없었지만 빠르게 혈색이 돌아오고 있었다. 마치 꽃이 피듯이……. 혹한의 끝에 봄이 돌아오듯이.

"저는, 이반이 좋아요."

유리벽 너머 겨울 같은 연하가 사라지고, 봄 전부를 가져다 놓은 것처럼 화사한 연하가 말했다.

"물론 아버지로는 아니지만…… 조금은 아버지처럼도 있고, 있잖아요, 존경심 같은 거. 가끔 어른스러운 오빠 같기도 하고, 의지할 수 있는 상사님 같기도 하고…… 어…… 남자……."

그 부분에서 연하는 못내 부끄러워하는 얼굴로 시선을 내리깔았다. 손도 갈피를 잡지 못하고 꼼지락거렸다.

"……인 것 같아요."

이반은 묘한 일이라고 생각했다. 그녀에게 어떤 것도 되어줄 수 없었기에 떠났는데 오히려 그를 그 모든 것으로 여긴다니.

"제게 중요한 건 그것뿐이에요."

연하는 똑바로 이반을 보고 말했다. 어두운 술집 안인데도, 그는 어쩐지 눈이 시렸다.

"물론 지금 이반이 유부남이거나 그랬으면 좀 문제가 있겠지만……."

연하는 이어 웅얼거리면서는 탁자를 보고 엄지손가락을 탁자 표면에 문질렀다. 그러다가 살짝 눈을 들어 눈치를 보았다.

"지금은, 아니잖아요?"

거의 기원하는 것 같은 눈빛, 긴장감에 붉어진 입술이었다.

"그죠?"

연하가 약간 불안해하며 다시 물어, 이반은 정신을 차리고 대답했다.

"응."

연하는 안도했다. 사실 이반이 유부남이었다고 해도…… 알 수 없었다, 그렇다 해도 포기할 수 있었을지.

왠지 그러지 못했을 것 같았다. 그러니까 그런 상황이 아니어서 진짜 다행이었다. 여자 몇쯤은 물리칠 수 있었을 것 같지만……. 솔직히 말하자면 취임식에서 봤던 그 여자가 이반을 좋아하는 듯해서 초조해지기도 했다. 빨리 이 남자를 잡아야 할 것 같은 느낌.

그제야 연하는 제가 터진 입으로 뭐라고 지껄였는지 인식되어, 얼굴이 화끈거렸다.

"그, 그럼 마실까요?"

연하는 이반이 말하기 전에 얼른 맥주잔을 들어 마시기 시작했다. 한 입, 두 입……. 속에 붙은 열을 끄려는 듯이 한 잔을 단숨에 꿀떡꿀떡 들이켰다.

"천천히 마셔."

너무 급하게 마셔대기에 이반이 잔을 잡아 내렸지만 이미 거의 다 비운 후였다. 그리고 연하는 잔을 들어 올리면서 바텐더에게 말했다.

"한 잔 더 주세요."

바텐더는 바로 맥주를 따르기 시작했다. 그 모습을 보고 고개를 내린 연하는 움찔했다. 그제야 탁자에 놓인 제 손을, 이반이 아까 잔을 잡아 내릴 때 잡은 그대로 놓지 않고 있다는 사실을 깨달았다. 그도 놓는 걸 잊어버렸다는 듯이.

연하는 자꾸만 얼굴이 붉어져서 점점, 점점점, 시선을 내렸다. 그럼에도 불구하고 이반은 의뭉스럽게 잡은 손을 놓지 않았다. 그런데 꼼지락거리다가 마침내 그의 엄지손가락을 슬며시 잡아오는 손이, 그 수줍은 끄덕임 같은 동작이 너무 귀여워서 이반은 돌이 된 줄 알았던 심장이 덜컥했다.

뭔가…… 정말 연애를 하는 기분이었다, 그의 생애 처음으로.

연하는 제 몸이 둥실 떠오르는 것을 느꼈다. 마치 공기에 안긴 것처럼 안락했다. 어렴풋한 시야에 코트를 입은 남자의 어깨와 턱이 보였다. 바로 누구 것인지 알았지만 몽롱하고 기분이 좋아 연하는 오히려 더 몸을 기대었다.

제법 술이 들어가기에 체질인가 싶었는데 그렇지는 않았던 모양이다. 특별히 술주정을 부리진 않았지만 어느 순간 잠들어 버렸다. 역시 뱀파이어가 되어도 알코올 분해 능력은 똑같다는 게 아쉬웠다. 반면 지금 와서야 깨달았지만 이반에게 폭음하는 버릇이 있었다는 건 그만큼 주량이 받쳐 준다는 이야기였으리라.

등에 푹신함이 닿았다. 안아 드는 거라고 생각했는데 내려놓는 것이었나 보다. 이불이 서늘하고 부드러웠다. 왠지 이반이 가버릴 것 같아 연하는 생각나는 대로 말을 걸었다.

"아이도 있었어요?"

"하나. 진짜 내 아이는 아니었지만."

이반이 대답해, 연하는 눈을 떴다. 그는 아까 차림 그대로 침대에 걸터앉아 있었다.

"그게 무슨 말이에요?"

연하는 술기운이 다 달아난 것처럼 물었다. 하지만 이반은 태연히 대답했다.

"나는 밖의 것에 더 관심이 많았고, 거의 집에 있지 않았으니까. 이해는 해. 외로웠겠지."

그리고 기록에는 한 명 더 그의 자식이었다고 남은 모양이지만, 사실은 아니었다. 어쨌든 그가 말년에는 예언자들의 말에 좌지우지되었다거나 미신을 맹신했다거나 하는 근거 없는 이야기까지도 멋대로 기록되어 있으니까 별로 놀랍지 않았지만 말이다.

연하는 인상을 썼다.

"그런 거 이해하지 말아요."

이반은 웃었다. 그리고 연하의 흐트러진 머리카락을 정리해 주며 말했다.

"이제 모두 땅속에 묻힌 이야기야. 나만 남았지."

연하는 이반을 보다가 천천히 말했다.

"어떻게 들릴지 모르겠지만…… 전 좋아요. 덕분에 이반을 만날 수 있었잖아요."

밤의 그늘에 잠긴 눈이 어두운 빛을 띠고 있었다. 이반은 한동안 그녀를 보다 얼굴을 감싸 안았다. 피부의 솜털 하나하나가 독립된 감각기관처럼 연하는 맞닿는 감각이 예민하게 느껴졌다.

이반이 다가와 연하는 눈을 감았다. 그의 입술은 부드러웠다. 남자의 입술이 이런 느낌일 거라고는 생각하지 못했다.

그런데 뭉클한 혀가 입술을 벌리고 예상보다 깊이 밀려들었다. 그리고 입안에서 움직였다. 젖은 것들이 뒤얽히는 소리가 나서 연하는 부끄러웠다. 하지만 그런 것들은 모두 상관없을 정도로 기분 좋다는 것이, 더 부끄러웠다.

무얼 해야 좋을지 몰라 이반의 등을 끌어안았다. 손바닥 아래 미끄러지는 단단한 근육의 감촉이 그녀를 더욱 흥분시켰다. 처음 만난 날부터 탐만 내보았던 것이 드디어 제 손에 들어온 느낌이었다. 연하는 꿈틀거렸다.

이반은 낮은 숨을 내쉬며 입술을 떼었다. 그리고 입술이 스치는 거리에서, 나중에 생각해도 몸이 전율할 정도로 섹시한 목소리로 속삭였다.

"가서 토해."

말이 떨어지기 무섭게, 연하는 퉁기듯 일어나 달려갔다.

쾅, 쿠웅, 쿵, 탁. 이리저리 부딪치는 소리가 나더니 격렬하게 쏟아내는 소리가 따라왔다. 이반은 한숨을 내쉬었다. 역시 너무 잘 마신다 싶을 때 말릴 것을.

한동안 화장실 쪽이 조용했다. 그래서 코트를 벗어두고 화장실로 가보자 연하는 마지막 힘을 끌어 모아 닫은 것 같은 변기통 뚜껑을 붙잡고 바닥에 쓰러져 있었다.

"연하야."

"네에……."

부르자 연하는 꿈틀거리며 대답했다. 아직 의식은 있는 모양이었다. 그리고 이반이 허리를 안아서 들어 올리니 그녀는 무의식중에 세면대 쪽으로 버둥거렸다. 세면대로 데려다주자 연하는 더듬더듬 수도꼭지를 틀고 입과 얼굴을 씻었다. 그동안 이반은 산발이 돼서 흘러내리는 머리를 잡아주었다.

다 씻은 연하가 다리 힘이 풀리는지 다시 주저앉으려고 하기에, 이반은 그녀의 무릎 아래에 팔을 넣어 안아 올려 방으로 돌아왔다. 침대에 내려놓자 연하는 아직 속이 불편한지 침대에 몸을 비비면서 꿈틀거렸다. 이반은 말했다.

"술이 약하구나."

"별로 마셔본 적이 없어서……."

연하는 흐릿하게 눈을 뜨고 웅얼거리더니 잠들었다. 혹시 의식을 잃은 게 아닌가 싶었는데 그건 아닌 것 같았다. 이반은 한숨을 삼키고 손으로 젖어 있는 얼굴을 닦아냈다.

오늘 당장 무언가를 하려는 작정은 아니었지만, 그래도 아쉬운 마음은 어쩔 수 없었다. 받을 거라고 예상하지 못한 케이크를 받았지만 오늘은 들고 있기만 해야 한다는 말을 들은 것처럼.

아마 딸기 생크림 케이크.

하얀 얼굴에 붉은 입술이 생크림 위에 장식된 과일 같았다. 얼굴을 닦아주다가 어느새 엄지손가락으로 입술을 쓰다듬고 있다는 걸 깨닫는데 연하가 인상을 썼다.

"응……."

그리고 잠결에 혼자 있다고 생각하는지 더듬더듬 청바지 버클을 풀었다. 꽉 끼는 청바지가 갑갑한 것 같았다.

연하는 엉덩이를 구물거려 바지를 허벅지까지 끌어 내리더니 힘이 다했는지 더 벗지 못하고 엎드려 누웠다. 바지를 끌어 내리던 손이 아래 깔리면서 엉덩이만 치켜들고 있는 모양새가 된 것도 모르고. 이반은 난감한 웃음을 삼켰다.

'이 녀석은 정말 날 웃기려고 작정하고 있는 것도 아니고.'

이반은 연하의 바지를 벗겨주었다. 그러자 이번에 연하는 목에 밀려 올라간 후드가 덥고 불편한지 끌어 내리며 뒤척거렸다. 그래서 이반은 후드도 잡아 위로 벗겨내 주었다. 그제야 연하는 모든 걸 이룬 듯이 침대에 폭 파묻혀 잠들었다.

얇은 티셔츠 아래 봉긋한 가슴이 천천히 부풀어 올랐다가 내려갔다. 티셔츠 아래쪽에 하얀 배가 조금 보였다. 작은 골반을 감싼 검은 팬티는 부대 지급품인 것 같았다. 이반은 그것을 빤히 쳐다보았다.

'군용 속옷 아래가 궁금해지는 날이 올 거라고는 생각 못 했는데.'

갑자기 연하가 돌아누우면서 한쪽 다리를 그의 허벅지에 척 걸쳐 놓았다. 이반은 눈썹을 추켜들었다. 누가 이런 적은 처음이었다.

이반은 피식 웃고는 침대에 누웠다. 의식을 아예 내려놓은 것처럼 달게 자는 연하를 보고 있으려니 그도 서서히 졸려지기 시작했다. 어쨌든 사귀는 사이쯤이 된 것 같으니까 이 정도는 괜찮겠지 싶어, 허리를 안아 당겼다. 그러자 연하는 오히려 그에게 팔을 감으며 거의 휘감기듯이 안겨왔다.

아, 이건 좀— 생각하는데 연하는 무의식중인 듯 웅얼거렸다.

"따뜻해……."

정말로, 따뜻했다.

"강연하!"

갑자기 큰소리가 나 연하는 깜짝 놀라 깨어났다.

"뭐……."

침대 옆에, 규하가 학교 갈 시간이 되도록 일어나지 않는 사춘기 딸을 깨우는 엄마처럼 엄한 표정으로 서 있었다. 연하는 비몽사몽간에 혼란스러운 표정을 지었다. 왜 규하가 여기 있는지 알 수 없었다.

'어, 그럼 어제는 꿈…….'

아니, 주변을 둘러보니 어제 술을 마시고 이반에게 안겨 들어온 호텔 방이 맞았다. 규하는 아침에 자신이 펜트하우스에 없자 렉스를 통해서 그들이 묵은 호텔로 찾아온 모양이었다. 바깥쪽에서 기척이 느껴지는 걸 보니 두 남자는 부엌에 있는 것 같았다.

상황을 이해하고 안심한 연하는 다시 돌아누웠다.

"너 왜 여기서 자고 있어?"

규하는 말도 없이 외박한 딸을 대하듯이 따져 물었다.

"잘 수가 없었어……."

연하는 잠결에 웅얼거렸다. 규하는 연하가 파고드는 이불을 홱 젖혔다.

"부사관 관사에 네 방 있다며? 왜 굳이 여기서 잔……."

연하는 잠에 취해 알지 못했지만 규하는 티셔츠에 팬티만 입고 있는 연하를 보고 눈이 튀어나오도록 크게 떴다.

"술 한잔하고……."

연하가 웅얼거리고 있는데 갑자기 엉덩이 쪽에서 속옷 속으로 손이 쑥 들어왔다. 단번에 잠이 달아난 연하는 기겁하고 일어났다.

"왜, 왜 이래!"

규하는 피부의 모공이 보일 정도로 연하에게 얼굴을 들이밀고 물었다.

"했어?"

"뭘……."

아무리 꿈에라도 다시 만나길 그린 제 쌍둥이라지만 이 거리는 몹시 부담스러워, 연하는 고개를 물렸다. 규하는 눈을 부릅뜨고 다시 물었다.

"했냐고."

"그러니까 뭘……."

연하는 말하다가 순간 어제 일을 기억해 냈다. 악 소리가 절로 나올 뻔했다.

'왜 거기서 잠들어 버린 거야?'

규하는 그 반응을 다르게 해석한 모양이었다.

"이 자식, 밤중에 애를 꾀어내서……!"

연하는 정말 이반에게 달려가려는 규하의 팔을 얼른 붙잡고 말했다.

"네가 뭘 생각하는지 모르겠지만 아무 일도 없었어. 설사 있었다 하더라도 나 열아홉 아니야."

"아니긴. 몰래 빠져나가서 남자를 만나는 게 꼭 열아홉 살짜리가 할 만한……."

규하가 코웃음까지 치면서 어린애 취급하는 데 연하는 조금 울컥했다.

"잠도 못 자게 소리친 게 누군데."

"내가 언제……."

규하는 멈칫하고 되물었다.

"뭐?"

연하는 아차 싶었다.

"아무것도 아니……."

"지 않아. 뭐야, 당장 말해."

연하는 규하의 박력에 압도당해 어물거렸다.

"아니, 그냥, 그게……. 루아스는 청력이 좋다고 해야 하나……."

그때 노크 소리가 들렸다. 규하가 열어놓고 들어온 문을 렉스가 두드리고 있었다.

"아침 식사 하세요."

규하는 창백한 얼굴로 렉스를 보았다.

"들을 수 있다는 거…… 알고 있었어?"

연하는 조마조마해했고, 렉스는 태연했다.

"예."

규하는 거의 숨을 멈추는 것 같았다. 그리고 목이 졸린 듯이 물었다.

"근데 왜……."

하지만 렉스는 역시 태연하게 대답했다.

"알아서 자리를 비켜주실 거라고 생각했습니다."

이반은 식탁에 앉아 메일을 확인하고 있었다. 진지한 눈으로 집중하고 있는데 갑자기 괴성이 집을 뒤흔들었다. 그리고 알아듣지도 못할 화려한 욕설 중간중간 들리는 말을 겨우 조합해 보면 '다시 내 눈앞에 나타나면 죽여 버릴 줄 알아.' 정도인 것 같았다. 이어서 안쪽에서 마구 달려 나오는 소리가 들렸다.

달려 나온 규하는 김이 올라올 것 같은 시뻘건 얼굴로 있는 힘껏 이반을 노려보고–그는 왜?– 가버렸다.

"규……."

따라 나온 렉스가 부르려고 했지만 규하는 호텔을 나서면서 욕설을 한 번 더 날렸을 뿐이다. 이반으로서도 감탄할 수밖에 없는 레퍼토리로.

이반은 규하를 더 따라가지 못하고 어쩐지 의기소침하게 서 있는 렉스를 보고 고개를 내저었다.

"내가 평소에 널 데리고 다니지 않는 이유를 이야기해 줄 걸 그랬군."

평소에는 이도 들어가지 않는 원칙주의자인 주제에 이상한 부분에서 상식을 벗어날 때가 있었다. 누구나 천 년 정도 살면 머리 어딘가가 이상해질 수밖에 없는 법인지, 이 녀석을 유심히 지켜본 옛 친우의 말에 의하면—

"이 새끼도 은근히 또라이야."

11

불의 검[4]

그래, 오늘부터 '기구'를 끊겠다고 호언장담해도 정말로 갖다 버리는 사람은 한 명도 보지 못했다.

규하는 가쁜 숨을 몰아쉬며 생각했다. 온몸이 땀으로 미끈거렸다. 뒤에 맞닿은 남자의 몸도 여전히 뜨거웠다.

렉스는 규하의 허리를 안아 끌어당기며 어깨에 키스했다. 몇 번이나 절정에 올랐던 몸이 잔뜩 예민해져 있어, 가벼운 입맞춤이었는데도 규하는 전율하고 말았다.

"그냥 때려죽여. 더는 못 해."

규하는 손을 내저었다. 렉스는 몇 번 더 목덜미에 키스하고는 일어나 부엌으로 가서 냉장고에서 물을 꺼냈다. 냉장고의 불빛이 세밀하게 조각된 남체에 음영을 드리웠다.

저 몸을 그냥 말랐다고 생각했다니.

---

4) 창세기 3:24, "에덴 동산의 동쪽에 [...] 빙빙 도는 불칼을 두셔서, 생명나무에 이르는 길을 지키게 하셨다.", 새번역성경, 대한성서공회

'대체 그 위장 능력이 엄청난 남방이며 티셔츠들은 어디서 난 거야.'

규하는 기가 막혀 생각했다.

저녁, 그녀는 혼자 온갖 열분을 삭이며 맥주에 오징어를 씹고 있었다. 오징어를 누구 대신 잘근잘근 씹어대며. 그런데 초인종이 울렸고, 인터폰 화면에 렉스의 얼굴이 떴다.

'분명히 다시는 찾아오지 말라고 했는데!'

규하는 정말 녀석을 오징어처럼 씹어버리려고 잔뜩 독이 올라 현관문을 열어젖혔다.

"너!"

하지만 장전한 욕설이 민망하게도 한 마디 내뱉었나. 렉스가 대뜸 양 얼굴을 붙잡더니만 입술을 부딪쳤다. 참고로 그때 그녀는 오징어를 한창 씹는 중이었다. 이게 어디서 못된 짓만 배워왔다 싶어서 확 얼굴을 긁어줄 셈이었다. 그가 갑자기 양 허벅지를 잡아 들지만 않았더라면.

렉스는 거침없이 규하의 다리 사이에 흥분한 자신을 문질렀다. 가슴을 주무르는 손에도 주저란 없었다. 그것만으로도 규하는 또 가기 직전까지 치달았다. 문이 제대로 닫혔는지도 알 수 없었다. 몸이 눕혀졌다고 깨달았을 때는 이미 바닥이었다.

그래도 한 줌의 재가 된 이성을 겨우 끌어모아 말을 하려는 노력을 하지 않은 건 아니었다. 하지만 남자의 손가락이 안에서 꿈틀거렸다. 렉스는 마치 물 만난 물고기 같았다. 이렇게 능수능란할 수가 없었다. 정말 자존심 때문에라도 웬만하면 걷어차 줬을 텐데 규하는 오히려 다리를 벌리고 애걸하고 말았다.

손가락만으로도 한 번 절정에 오르고야 렉스가 들어왔다. 그때 규하는 감격해 거의 울었다. 그러고는 기억이 드문드문했다. 너무 많이 느껴서 몇 번을 갔는지, 어디서 했는지, 침대에 온 지는 얼마나 지났는지 알수 없었다.

'몸에 뭔가 문제가 있나.'

규하는 뒤늦게 머리가 지끈거렸다. 당당하게 밀치고 꺼지라고 말은 못 해줄망정, 녀석의 손만 닿으면 아주 나일의 여신이 따로 없었다. 어찌나 풍요롭게 범람하시는지.

그때 물을 다 마신 렉스가 몸을 돌리자 규하도 빠르게 고개를 돌렸다.

"물 마시겠습니까?"

규하는 대답하지 않았다. 렉스가 가져온 잔을 침대 옆 테이블에 내려놓는 소리가 났다. 그리고 비인간적인 무게에 눌린 침대가 깊이 내려앉았다.

렉스가 뒤에서 조용히 말했다.

"거의 저한테 화가 나 있군요."

규하는 돌아보지 않고 그대로 말했다.

"몸으로 해결하려 한 녀석에겐 자업자득이지."

그래, 솔직히 말하자면 꽤나 빠진 모양이었다, 이 녀석의 몸이란 것에. 궁합도 천 년에 한 번쯤인 확률로 잘 맞는 모양이고.

애초에 해결되지 않은 문제들이 산적해 있는데도 본능대로 몸부터 섞고 본 게 문제였는지도 모르겠다. 그런데 다시 그때 응급실로 돌아간다고 해도 멈출 수 있을지 자신은 없다는 게 더 문제일 것이다.

생각하고 있는데 어깨를 쓰다듬는 손길이 있었다. 규하는 조금 돌아보았다. 어둑한 빛이 렉스의 얼굴에 음영을 만들었다.

"하지만 안고 싶어서 참을 수가 없었습니다."

예상치 못하게 진지한 얼굴을 마주하고, 규하는 말문이 막혔다. 하지만 무언가 말하려다가 꾹 입을 다물어 버렸다. 그리고 일어나 렉스를 지나갔다.

"씻으러 간다."

렉스는 쌀쌀맞은 등을 보았지만 별말은 하지 않았다.

규하는 젖은 머리를 한 채 차를 끓이고 있었다. 샤워를 하고 나온 렉스는 그녀를 지켜보았다. 규하는 그가 보이지 않는 것처럼 무심하게 차를 끓여 테이블에 앉았다. 그리고 잔 두 개에 물을 붓고, 물었다.

"너 몇 살이야? 진짜로."

언젠가는 물어볼 거라고 생각을 하긴 했지만……. 힘이 잔뜩 들어간 눈을 보니, 빠져나가는 방법은 없는 것 같았다. 렉스는 대답했다.

"1096년에 죽었습니다."

규하는 어이가 없다는 듯이 보았다.

"그럼 거의 천 년은 됐잖아."

렉스는 대답하지 않았다. 규하는 생각하는 얼굴이었다.

"천 년……. 천 년이라. 혹시 마법 같은 거 쓸 줄 알아?"

렉스는 뜬금없는 질문이 의아했으나 일단 대답했다.

"아뇨."

규하는 어깨를 으쓱이고 차를 마셨다.

"그럼 천 년씩 산다고 해 봤자 별로 재밌는 일은 일어나지 않는구나."

"기본적으로 인간이니까요."

"천 년 넘게 산다는 점에서 이미 인간이 아니거든."

렉스는 또 대답이 없었다. 무표정한 얼굴이었지만 어쩐지…….

'의기소침한 건가, 이 녀석.'

쓸데없이 귀엽지 말라고. 규하는 표정이 들킬까 봐 차를 한 모금 더 마시고 잔을 내렸다.

"그래서 천 년 묵은 뱀파이어 오빠, 인간일 땐 뭐 하던 사람이에요?"

렉스는 잠깐 그녀를 보았다. 혹시 이거…….

"비꼬는 겁니까?"

"그럼 아닐까 봐? 이제 와서 오빠 행세하려고 해도 무효야."

렉스는 피식 웃었다.

"수사였습니다."

천 살이라는 말에도 크게 반응하지 않던 규하가 움찔하며 보았다.

"뭐? 나 혹시 고해성사할 만한 일을 저지른 거야?"

"천 년 전에 그랬다는 겁니다."

규하는 렉스를 위아래로 훑었다.

수사였을 거라고는 생각해 본 적 없지만 납득은 됐다. 차분하고 금욕적인 외형에 비해, 그녀로서는 일종의 재능으로 여기는 신앙심을 가질 만큼 감수성 깊은 내면이 드문드문 비쳤다. 인간의 성격 형성에 유아 시절이 중요한 것처럼 뱀파이어에게 인간 시절이 그렇다면 오히려 다른 대답이 믿기 힘들었을 것이다.

규하는 생각하고 맞은편에 앉으라고 손짓했다. 렉스가 따르자 그에게 찻잔을 밀어주며 물었다.

"수사님이 어쩌다 뱀파이어가 된 거야?"

렉스는 잠깐 찻잔을 보며 말이 없었다. 규하는 그게 이야기를 하고 싶지 않아서인지, 아니면 어떻게 시작해야 할지 고민하는 중이기 때문인지 알 수 없었다. 아마 후자인 것 같았다.

마침내 렉스의 붉은 눈이 그녀를 담았다.

"제가 신을 버렸고, 그분도 저를 버렸습니다."

붉은 눈이었다. 남자가 고개를 숙였기 때문에 다시 확인할 길은 없었지만 렉스는 생각했다.

'소문으로만 듣던 백색증인가 보군.'

그냥도 살기 힘들건만 눈에 띄는 특징까지 있다면 더욱 살기 힘든 세상이었다. 렉스는 안타까운 마음이 들어 말했다.

"더 드시겠습니까?"

다른 부랑자들과 함께 수도원 벽 바깥에 앉아 있는 남자가 눈을 들었다. 뒤집어쓰고 있는 넝마 때문에 한쪽 눈이 얼핏 보일 뿐이었지만 확실히 붉은색이었다.

"다른 이들이 먹을 것이 없어지지 않습니까."

그는 목소리로 따지자면 넝마보다 왕의 상징인 자색 망토를 두르고 있는 게 더 어울릴 법했다. 그렇게 생각하며 렉스는 말했다.

"하면 제 것을 드리죠."

"'무엇을 먹을까 걱정하지 말라'[5]……. 과연 그렇군요."

부랑자가 성경을 인용하여 렉스는 잠깐 놀랐지만 설교를 열심히 들었나 싶어 고개를 끄덕였다.

"'너희는 먼저 하나님의 나라와 의를 구하라. 그리하면 이 모든 것을 너희에게 더해주실 것이다.'[6] 잘 알고 계시는군요."

"감사하지만 괜찮습니다."

남자는 말하고 작게 덧붙였다.

"아직은 견딜 만해서 말입니다."

다른 이들을 생각해 주는 마음이 갸륵했으므로 렉스는 더 권하지 않고 옆에 있는 부랑자에게로 옮겨갔다. 렉스가 묽은 옥수수 죽을 떠주자 옆 부랑자는 허겁지겁 먹기 시작했다. 조용히 한 모금 떠먹는 남자와 대비되는 모습이었다. 렉스는 남자를 흘긋 보고 생각했다.

'어쩐지 묘한 부랑자군.'

게다가 몸집도 다른 이들에 비해 상당히 큰 것 같았다. 넝마를 뒤집

---

5) 마태복음 6:31

6) 마태복음 6:33

어쓰고 구부정하게 앉아 있어서 확실히는 알 수 없었지만 말이다.

어쨌든 기다리는 이들이 있었기 때문에 렉스는 배식하는 데 집중했다. 그리고 수도원 외벽을 따라 반대편에서 배식하면서 다가온 동료 수사 앤드라스를 중간 지점에서 만났을 때에야 허리를 들었다. 렉스는 언덕 아래를 내려다보고 말했다.

"어쩐지 소란하군요."

"십자를 진 자들이 지나가는 중이라더군요."

앤드라스가 대답했다.

작년에 열린 공의회에서 교황은 이교도에게 빼앗긴 성스러운 도시 예루살렘의 수복을 촉구했다.

운집한 관중들이 그에 호응해 한목소리로 신의 의지를 천명하는 모습은 가히 장관이었다고 들었다. 이런 시골에서는 주님의 대리인인 교황과 진홍의 수단을 입은 추기경들, 각 문장을 거느린 주교단이 모두 모인 위대한 회의를 상상해 볼 뿐이지만, 그 소식이 전 유럽으로 퍼져 나가자 각지에서 군대가 거병해 예루살렘을 해방하기 위해 출발했다. 그리스도인으로서는 고무될 수밖에 없는 소식이었다.

그런데 대체로 프랑스와 독일에서 출발한 '십자를 진 자들'이 예루살렘으로 가려면 그들의 왕국을 지나가야 했다. 불행인지 다행인지 이 마을은 국경의 베오그라드[7]로 가는 길목에서 비켜나 있었고, 애초에 군대를 먹일 만한 식량도 없는 벽지였다. 하지만 길목 위에 있는 도시나 마을들은 식량을 징발당해, 꽤 홍역을 치렀다는 것 같았다.

렉스는 앤드라스와 함께 수도원으로 들어가며 물었다.

"그런데 십자를 진 자들이라면 이미 지나가지 않았습니까?"

앤드라스는 대답했다.

"먼저 지나간 자들은 당나귀를 탄 정체 모를 은자를 따르는 어중이떠

7) 현재 세르비아의 수도. 당시 비잔틴 제국의 국경도시

중이들이었다더군요. 게다가 제문에서는 약탈을 하고 폭동을 일으켜서 국왕 전하께서 기병대를 보내 괴멸시켰다고 합니다. 그건 십자를 진 자들이 아니라 도적 떼와 다름없지 않습니까?"

그러고는 앤드라스는 꿈에 부푼 듯이 말했다.

"아무튼, 이번에는 제후들이 직접 이끈다나 봐요. 정말 예루살렘을 수복할 수 있을지도 모르겠어요. 그럼 순례길이 훨씬 편해지겠죠?"

렉스는 말했다.

"꿈같은 이야기군요."

"정말, 예루살렘이라뇨. 그래도 형제님께서는 무리가 아닐까 싶지만."

앤드라스는 렉스를 보고 특유의 사람 좋은 미소를 지었다.

"그렇게 아름다운 얼굴을 하셔서는 말이죠. 부랑자들이 모두 넋 놓고 형제님을 보던 것 보셨습니까?"

의도는 이해하지만 외모에 대한 언급을 별로 좋아하지 않는 렉스는 화제를 바꾸었다.

"마무리를 부탁드려도 되겠습니까?"

"예, 물론이죠."

어쨌든 수도원의 하루는 해야 할 일들로 빠듯했다. 특히 요즘처럼 '십자를 진 자'로서 진군했다가 낙오된 부랑자나 부상자들이 곳곳에서 흘러들어 오는 때에는.

렉스는 마당을 청소하고 있는 수사들과 인사를 나누고 회랑을 지나 수사들이 잠자는 곳인 도르미토리움에서 수도원장의 방으로 향했다. 그곳은 일반 수사의 방과 별다를 것 없는 단출한 방이었다.

침대에 앉은 원장은 막 일어나려고 하고 있었다. 렉스는 방으로 들어가며 물었다.

"원장님, 일어나시려고요?"

"마냥 누워 있을 수는 없지 않겠느냐."

말은 그렇게 하지만 원장은 일어나기가 쉽지 않은 것 같았다. 일평생 순종과 헌신으로만 살아온 성자도 세월은 이길 수 없는 것 같았다. 원장의 노구는 각종 병마에 시달렸다. 그제는 눈이 먼 것처럼 침침했고, 어제는 소화가 잘되지 않았고, 오늘은 바싹 마른 다리의 통증이 가시지 않았다. 하지만 누군가가 말린다고 듣지 않을 고집인 걸 알기에, 렉스는 쓸데없이 입씨름하지 않고 말했다.

"도와드리겠습니다."

렉스는 원장이 옷 입는 걸 도와주었다. 그리고 마지막으로 무릎을 꿇고 신발을 신을 수 있도록 돕는데 갑자기 원장이 그의 머리를 쓰다듬었다. 렉스는 의문이 담긴 눈을 들었다. 원장은 다정한 눈으로 그를 보고 있었다.

"잘 자라주었구나."

"새삼스러운 말씀을 하시는군요."

렉스가 수도원 앞에 버려진 갓난아기였던 것도 벌써 27년이나 된 이야기였다.

"하필 이런 아무 일도 일어나지 않는 곳에 버려져서 말이다."

원장이 한 말에 렉스는 가분한 웃음을 지었다.

"수도원 앞에 버려지지 않았다면 제 인생이 이보다 잘 풀렸을까요."

부모가 누군지 모르고 아마 앞으로도 알 일은 없을 것이다. 하지만 렉스는 개의치 않았다. 이곳이 그의 집이었고, 그의 삶이었다. 대체로 젊은 수사들은 수도원 생활을 숨막혀했지만 렉스로서는 충실하게 반복되는 삶의 시계를 축복이라고 생각하고 있었다. 그런 깨달음이 어디서부터 오는지는 몰랐다. 그래서 렉스는 마치 자신이 수사가 되기 위해 태어난 것처럼 느껴질 때가 있었다.

원장은 희미하게 웃었다.

"여전히 야망이 없는 젊은이로구나."

그러고는 원장은 침대에서 일어났다.

"나가보자꾸나."

두 사람은 방을 나섰다. 막 회랑을 나서는데 입구 쪽이 소란스러웠다.

"무슨 일이냐?"

원장이 묻자 웅성거리며 모여 있는 수사들이 비켜섰다. 그 가운데, 수도원으로 다급하게 뛰어 들어온 것 같은 사람들이 땅바닥에 엎드리거나 주저앉아 있었다. 열댓 명 정도로, 중년 남자가 둘, 중년 여성이 둘, 아주 늙은 여인이 하나, 다수의 아이들이 있는 구성을 보니 두 가족인 것 같았다.

개중 팔에 부상을 입은 중년 남자가 떨면서 말했다.

"살려, 살려주십시오……."

남자가 손에 쥐고 있는 고깔모자……. 유대인이라는 의미였다.

수사들은 예수를 죽인 부정한 민족이 수도원 내에 들어왔다는 사실만으로도 기겁하여 성호를 그었다.

"어찌 된 일입니까?"

원장이 물었다.

"저희는……."

유대인 남자가 말하려는 순간, 다시 시끄러운 소리가 들렸다. 말이 우는 소리와 철이 부딪치는 소리였다. 이어서 입구에서 갑옷을 입은 기사들이 들어왔다. 그러자 유대인 가족들은 기겁하며 몸을 움츠렸다. 기사들은 하나 같이 그들을 비웃는 눈으로 보았다. 기사들은 마치 도망친 노예에 대한 정당한 권리를 가지고 그것을 행사할 준비가 되어 있는 잔인한 주인처럼 보였다.

개중 한 남자가 렉스는 알아들을 수 없는 언어로 말했다.

"저희는 라이닝겐 백작님의 영도 아래 예루살렘을 이교도의 손에서 해방하기 위해 가는 중입니다."

나중에 동료 수사가 그건 신성로마제국에서 쓰는 언어였고, 그런 내용이었다고 알려주었다. 하지만 가문의 이름을 댄 사람은 그 한 명뿐이었기 때문에 다른 이들은 그의 사병이거나 도시의 불량배들 같다고 했다.

기사는 원장을 똑바로 보고 덧붙였다.

"'신께서 그것을 바라십니다.'"

Deus lo vult.

공의회에서 사람들이 십자를 질 것을 맹세하며 외쳤다는 말로, 그 말만은 라틴어였기에 렉스도 알아들을 수 있었다.

기사와 남자들이 가슴에 부착하고 있는 붉은 십자가 패치가 시선을 끌었다.

"주께서 그대들을 축복하시길 바랍니다."

귀족의 아들로 태어난 원장은 능숙한 제국어로 대답하고 말했다.

"십자를 지신 분들께서 어쩐 일로 이런 벽지를 방문해 주셨는지요."

기사는 잘 물었다는 듯이 고개를 끄덕이고 말했다.

"예루살렘은 세계의 중앙에도 있지만 우리 모두의 마음속에도 있는 것 아니겠습니까. 이자들은."

그러고는 기사는 유대인들을 가리켰다.

"우리 주 예수 그리스도를 배신한 유다의 민족입니다. 독사 같은 자들이라 여태까지 그 악한 핏줄을 이어왔으나 주님께서 성전을 명하셨습니다. 저희는 참으로 높으신 주님의 뜻을 받들고자 할 뿐입니다."

렉스는 떨고 있는 유대인들을 보았다. 비록 더러워지고 찢겨 있었지만 차림새가 훌륭했다. 병마와 접촉하는 더러운 의사 일이나 성경이 금지한 고리대금업을 하는 유대인들이 흔히 그렇듯이 도시에 사는, 제법 재산 있는 자들이 분명했다. 그러니까 이들이 죽으면 그 재산은······.

'삿된 생각이구나.'

렉스는 애써 생각을 떨쳐 냈다. 기꺼이 십자를 진 자들에게 그런 불순한 의도가 있으리라 의심하는 것조차 결례일 터였다.

"그리스도를 배반한 죄를 어찌 씻겠습니까마는."

원장은 차분하면서도 위엄이 느껴지는 어조로 말했다.

"그리스도의 보호를 구하는 자들은 보호받을 권리가 있습니다. 또한, 이곳은 수행하는 자들이 기거하는 곳이니, 소요를 원하지 않는 마음을 부디 이해해 주시기 바랍니다."

기사는 대답하지 않았다. 그저 수도원을 둘러보았다. 거친 옷감으로 수도복을 지어 입은 수사들, 잘 정리되어 있지만 허름한 건물, 텃밭에 푸릇하게 돋아난 채소들……. 문밖에서 말이 푸륵거리며 발을 굴렀다.

"그럼."

다행히 기사와 그를 따르는 자들은 발걸음을 돌렸다. 긴장이 탁 풀어지는 느낌이었다. 남자들이 수도원을 나서는 모습을 보고 렉스는 유대인들에게 다가가 물었다.

"괜찮으십니까?"

"원장님."

반면 한 수사가 원장에게 다가가 나직한 음성으로 말했다.

"부정한 자들입니다."

"상처 입은 자들이지."

원장은 단호하게 말하고 명했다.

"상처를 치료해 주어라."

렉스가 바로 움직이려고 하자 원장이 제지했다.

"자네 말고, 다른 형제들이 하시게."

유대인 가족의 딸이 공포에 질려 있다가도 렉스를 보고는 얼굴을 붉히는 모습을 보고 그러는 것 같았다. 렉스는 원장의 말대로 조용히 몇 걸음 물러났다.

원장은 형제들이 움직이는 모습을 한동안 지켜보고 있다가 걸음을 돌렸다. 렉스는 원장을 따랐다.

"신께서 그것을 바라신다, 라……."

원장은 회랑을 걷다 말고 중얼거렸다.

"하지만 결국 실행하는 것은 인간이지."

그때 렉스는 그 말을 이해하지 못했다. 만약 이해했더라면 무언가 달라졌을지, 알 수 없는 일이었다.

"십자군 거병으로 사방이 떠들썩해도 지금에 비하면 소식은 고통스러울 정도로 느리게 퍼지던 때였습니다."

렉스는 찻잔을 보며 말했다.

"그래서 저희는 그 지난달에 독일, 아니, 신성로마제국이라고 해야겠군요. 그곳에서 무슨 일이 있었는지 전혀 알지 못했죠."

차는 이미 식어버렸고, 집은 조용했다. 그곳에 렉스의 목소리만이 울렸다.

"라이닝겐 백작 에미코의 부대는 신성로마제국의 도시 보름스에서 유대인 공동체를 공격해 팔백 명을 학살하고 그들의 재산을 빼앗았습니다. 나중에 역사는 그 사건을 '보름스 학살'이라고 부르더군요."[8]

규하는 물어본 걸 후회하고 있었다. 더 듣고 싶지 않았다. 하지만 석연치 않아 하는 렉스가 이야기를 꺼내도록 한 이상 그녀에겐 끝까지 들어야 할 의무가 있었다.

렉스는 계속 말했다.

"하지만 라이닝겐 백작의 본대는 이미 지나간 후였습니다. 수도원에

8) "Anti-Semitic Massacre Kills 800 jews in Worms", New Historian, 2018년 8월 13일 접속. https://www.newhistorian.com/anti-semitic-massacre-kills-800-jews-worms/6502/

찾아온 남자들은 그 유대인 가족들을 쫓느라 뒤처진 자들이었죠. 지금 생각하면 라이닝겐 백작 부대에서도 질이 나쁜, 혹은 지도자의 행위를 보고 더 과격한 해석을 하게 된 자들 같았습니다. 예루살렘 탈환을 위해 십자를 진 자들은 어떤 죄에도 면죄가 있다는 식으로 말이죠."

렉스는 차분하면서도 우울한 어조로 덧붙였다.

"그야말로 '어떤 죄'에도 말입니다."

어떤 소란스러운 소리에 렉스는 잠에서 깨어났다. 몽롱하여 꿈을 꾸나 싶었다. 쨍그랑. 그런데 갑자기 날카로운 파열음이 밤의 정적을 해쳤다. 렉스는 흠칫 몸을 일으켰다. 같은 방을 쓰는 동료 수사도 깨어나 얼떨떨한 기색이었다.

렉스는 맨발로 일어나 창문 밖을 내다보았다. 저 멀리 햇불이 지나갔다. 경장을 한 가벼운 발걸음들이 밭을 가로지르고 있었다. 감이 좋지 않았다.

"원장님께 알려야겠습니다."

렉스는 동료 수사들에게 말하고 옷을 꿰입고 방을 나갔다. 그 짧은 새에 소란이 커지기 시작했다. 소리를 듣고 깨어난 수도사들이 밖으로 나와 침입자들과 마주친 모양이었다. 침입자들은 딱히 그들의 존재를 감추려 하지 않는 것 같았다. 십자를 졌다고 해도 낮에 찾아온 남자들이 보여준 행실이 무뢰배 같아 렉스는 걱정이었다.

'큰일이 없어야 할 텐데.'

원장의 방으로 다가갈수록 걸음이 급해졌다. 렉스는 건너편에서 이는 소란에 정신이 팔려, 방문이 열려 있다는 인식은 하지도 못하고 들어가며 외쳤다.

"원장님. 원장……!"

렉스는 멈추었다. 방 안에 있는 남자들이 동작을 멈추고 그를 돌아보앉다. 원장은 렉스를 마주 보고 있었다.

정확하게는, 테이블 위에 올려져 있는 그의 목이.

잠옷을 입은 원장의 몸은 바닥에 널브러져 있었다. 그리고 둘러선 두 남자가 웃으며 지켜보는 가운데, 한 남자는 유대인 가족의 딸을 원장의 몸 위에서 엎어놓고 범하고 있었다.

렉스는 지옥을 보았다고 생각했다. 이것은 현세의 풍경이 아니었다. 그럴 수가 없었다. 절규조차 올라오지 않았다.

주춤…… 렉스는 한 걸음 물러났다가 뒤돌아 달리기 시작했다. 뒤에서 남자들이 외쳤다.

"잡아!"

렉스는 무작정 뛰었다. 어디로 향하는지도 모르고 정신없이 달리다 보니 식당이었다. 달려 들어가 문을 닫고 뒷문으로 향하는데 아치 아래 어둠 속에서 사람이 쏟아졌다.

렉스는 반사적으로 그를 끌어안으며 무너졌다. 우당탕 소리가 났다. 허우적거리며 겨우 정신을 차린 렉스는 기겁했다. 처음에는 두려움과 공포에서, 다음에는 그것이 앤드라스라는 인식에서.

렉스는 외쳤다.

"형제님!"

"형ㅈ……."

앤드라스는 동공이 풀린 눈으로 힘겹게 입술을 달싹였다. 그도 급히 침대를 벗어났는지 수도복을 대충 걸친 차림이었다.

"무슨 일이십니……."

그의 상태가 심상치 않아 보여 렉스는 다급히 묻다가 멈칫했다. 앤드라스의 등이 칼자국으로 난자당해 있었다. 그리고 등에 똑바로 꽂혀 있는 단검.

사방이 어두워 악마의 침처럼 검게 보이는 액체가 렉스의 두 손에 흥건했다. 소름이 전신을 사로잡았다. 렉스는 그대로 주저앉아 버렸다. 앤드라스는 그의 무릎 위에 늘어졌다.

"어째, 어째서……."

렉스는 울먹이고 말았다.

"형제님, 저들은 저희와 같은 그리스도인이 아니었습니까? 어째서 수도원을……."

그 말에 앤드라스는 온 힘을 다해, 하지만 실제로는 생명의 기운이 빠져나가 걸치는 것에 불과한 힘으로 렉스의 팔을 잡았다.

"주님께선, 알고자, 할 뿐입니다. 욥의 믿음을……."

이내 앤드라스의 눈에서 빛이 꺼졌다. 렉스는 몸이 제어를 잃고 떨려왔다.

어느 쪽이야?

그때 벽 너머에서 먹이를 찾는 포식자의 불규칙한 발소리와 외침이 들려왔다. 발소리에서조차 피 냄새가 났다. 렉스는 다시 일어나 달리기 시작했다.

렉스는 어둠 속에서 손을 모으고 기도했다. 몸의 떨림이 멎지 않았다. 지독한 정적 가운데서 어렴풋하게 쇳소리가 들려왔다. 아니면 착각일 수도 있었다. 아무것도 믿기지 않았다. 자신이 보는 것, 듣는 것, 느끼는 것, 모든 것이.

'신이시여. 이것은 정말 욥에게 내렸던 것과 같은 시험입니까? 저의 믿음을 시험하시기 위함입니까?'

잇새로 새어 나가는 탄식을 막기 위해, 렉스는 입술을 모질게 깨물었다.

'그렇다면 어떤 고난 앞에서도 믿음을 지킨 욥에게 잃어버린 자식들을 돌려주셨듯이, 믿음을 증명하면 원장님과 형제님들을 돌려주시는 겁니까?'

하지만 욥의 잃어버린 자식들과 새로 태어난 자식들이 같지 않듯이 그들은 다른 사람들이 아닌가. 그렇게 생각하자 렉스는 숨이 쉬어지지 않았다. 너무도 갑작스러워서 현실로 받아들여지지 않았던, 자신이 목도한 지옥의 무게가 심장을 짓눌러 왔다.

'정말로 가셨다. 평생을 헌신하고 베풀며 사셨는데 이교도에게도 받지 않을 모욕을 받아…… 그렇게…….'

심장이 산 채로 녹아 흐르는 느낌이 이러할지, 육체를 압도하는 정신의 고통에 렉스는 옛 사람들이 가장 깊은 절망을 표현할 때 그랬듯이 옷을 찢으며 울부짖고 싶었다. 아니, 아니었다. 렉스는 애써 마음을 다잡았다. 주님의 뜻은 인간의 사고로는 이해할 수 없이 넓고 깊으니까, 이러한 고통을 주시는 데도 모두 의미가 있으리라.

'최후의 심판 날 천국의 문이 열리면 모두 그곳에 계시겠지. 그리고 영원히 복받은 삶을…… 삶을…….'

하지만 당신이 고통을 아십니까?

마음의 그늘에서, 흉포한 형태를 띤 질문이 모습을 드러냈다.

'전지전능하시어 이 땅의 고통과 슬픔을 직접 겪지 않은 분이니까 이런 고통을 보상받을 수 있다고 생각하는 겁니다. 잃어버린 자식을 다른 자식으로 대체할 수 있다고 생각하시는 겁니다.'

난폭한 생각의 탕이 끓어 넘쳤다.

이곳은 렉스의 에덴이었다. 다른 지상낙원은 필요하지 않았다. 이곳을 지키는 불의 검이 되라 한다면, 그는 기꺼이 될 수 있었다.

그때였다. 모퉁이를 돌아, 남자가 나타났다.

"여기 있……!"

'지켜야 한다.'

렉스는 생각했다. 악마가 되더라도, 그의 낙원을 지켜야만 했다. 그것은 부나 명예를 향하는 것보다도 강렬한 그의 야망이었다.

렉스는 손에 쥔 도끼를 온 힘을 다해 휘둘렀다.

퍽.

도끼날에 찍혀 폭발한 벽에, 피와 정체를 알 수 없는 조각들이 미끄러지기 시작했다. 렉스는 벽에서 도끼를 뽑아 들었다. 자신의 손으로 저지를 거라고 상상조차 해 보지 못한 끔찍한, 아주 끔찍한 일이었다. 그런데 몸의 떨림이 잦아들기 시작했다.

인기척이 느껴졌다. 렉스는 모퉁이를 도는 순간 도끼를 휘둘렀다.

캉. 이번에는 맞부딪치는 금속성이 울렸다. 다른 남자가 검으로 도끼를 막고 있었다. 낮에 보았던, 유일한 귀족으로 보였던 기사였다.

"너!"

기사는 적잖이 놀란 기색이었다. 그런데 그의 검에 핏자국이 흥건했다. 그것을 본 렉스는 분노했다. 그가 난생처음 진정으로 분노란 감정을 느낀 순간이었다.

렉스는 무작정 도끼를 휘둘렀다. 하지만 상대는 훈련된 기사였다. 마구잡이로 휘두르는 공격에 당할 리 없는지 날렵하게 몸을 피했다. 그리고 렉스가 앞으로 쏠린 사이, 뒤에서 검을 휘둘렀다. 렉스는 가까스로 몸을 숙여 피했다. 당시 그로서는 불가능한 반사 신경이었지만, 반추해 보면 아드레날린이 솟구쳐서 평소에는 불가능한 움직임이 가능했던 것 같았다.

캉. 기사의 검이 벽을 쳤다. 렉스는 당장 옆으로 굴러서 일어났다. 그리고 벽에 박힌 검을 잡고 있는 기사의 팔을 향해 도끼를 내리찍었다. 기사는 검을 놓고 훌쩍 물러났다.

그러고는 기사는 렉스가 생각보다 쉽지 않은 상대라는 걸 깨달았는지 주춤거렸다. 렉스는 도끼를 꽉 쥐었다. 훈련된 기사 정도는 아니지만 이래 봬도 각종 노동으로 단련된 몸이었다.

그런데 갑자기 뒤에서 인기척이 느껴졌다. 렉스가 흠칫 돌아보는 찰나였다.

"죽어!"

렉스는 숨을 들이켰다. 뒤에서 나타난 병사는 그의 배에 꽂은 검을 빼서 다시 한번 꽂아 넣었다.

"……!"

도끼는 쇳소리를 내며 바닥에 떨어지고, 렉스는 다리가 꺾이며 몸이 무너졌다.

"잘했어!"

기사가 웃으며 외쳤다. 병사는 뿌듯한 표정으로 기사를 보았다. 그 순간이었다. 무너지던 렉스가 병사가 입고 있는 갑옷의 목 부분을 잡고, 품에서 꺼낸 단도를 그 틈새에 찍어 넣었다.

"컥!"

단도는 앤드라스 형제의 등에 꽂혀 있던 것이었다.

병사는 바닥으로 무너져 죽었다. 그 옆에서 렉스는 천천히 도끼를 주워 들고, 기사를 돌아보았다. 기사는 다급하게 검을 벽에서 빼내 위협하듯 한 번 회전시켜 잡았다. 하지만 무언가에 압도된 듯이 선뜻 덤벼들지 않았다. 그래서 렉스가 먼저 걸음을 디뎠다.

기사는 주춤하더니 뒤돌아 달아나기 시작했다. 렉스는 그 방향을 향해 걷기 시작했다.

'배에 불이 붙은 것 같다.'

장막이 내려오는 무대처럼, 그의 생명이 끝나가고 있었다. 렉스도 그것을 알고 있었지만 멈추지 않았다. 제 것이 아닌 것처럼 둔한 다리를 끌며 계속해서 걸어갔다. 마침내 대성당의 문이 눈에 들어왔다. 문틈 사이로 그림자들이 어지럽게 움직였다. 렉스는 피에 젖은 손으로 옻칠이 된 두꺼운 나무문을 짚었다. 그리고 힘을 주어 밀었다.

끼이익.

문이 열리는 소리에 안에 있는 남자들이 일제히 돌아보았다. 렉스는 그들을 보았다.

대성당이라고는 해도 보물이라고 부를 만한 것은 전혀 없는 소박한 곳이었다. 그런데 남자들은 조금이라도 빛난다 싶은 것은 모두 뜯어내고 있었다.

이 수도원에서 가장 소중히 다뤄지는 제구들은 시신들과 함께 바닥에 나뒹굴고 있었다. 베르톨론 수사는 장의자 사이에 피를 흘리며 쓰러져 있었고, 토마스 수사는 제구들을 지키려고 한 모양 그대로 성합을 끌어안고 죽어 있었다.

'신이시여.'

렉스는 탄식했다.

'이들이 정말 당신의 투사입니까?'

한 남자가 장의자 사이로 달려들었다.

렉스는 분노를 재료로 비정상적인 힘이 타올랐다. 그는 도끼로 남자를 내리찍었다. 남자가 검을 들어 막았지만 기이할 정도로 강한 힘에 밀려 버티지 못했다. 퍽 소리가 나며 쪼개진 머리에서 피가 폭발했다. 하지만 렉스는 눈 하나 깜빡하지 않았다. 악마의 숨처럼 검게 타오를 것 같은 숨을 내뿜으며 앞으로 나아갔다.

렉스의 몸에서 넘실대는 검붉은 불꽃을 느낄 수 있는지 다음 남자가 주춤거렸다. 렉스는 그를 향해 번쩍 도끼를 치켜들었다.

퍽. 화살이 렉스의 가슴을 때렸다.

렉스가 반동을 일으키며 멈춘 찰나, 옆에서 기합을 내지르며 달려든 남자가 그의 옆구리에 검을 찔러 넣었다. 그러면서 그대로 밀쳐 렉스는 넘어졌다.

장의자에 부딪혀 시끄러운 소리가 났다. 하지만 통증은 느껴지지 않았다. 그런 건, 너무 사소한 아픔이었다.

억센 손아귀가 렉스의 머리카락을 휘어 감아쥐고 끌어 올렸다. 부들거리며 까라지는 눈꺼풀 사이로 아까 도망쳤던 기사가 보였다.

"예쁜 수사님이 제법이야."

차가운 칼날이 렉스의 볼에 닿았다. 기사는 피가 묻은 단검으로 그의 볼을 툭툭 치고 말했다.

"당신 때문에 예루살렘을 해방할 병력이 셋이나 줄었잖아. 알아? 당신, 지옥 갈 거야."

예리한 통증이 볼을 타고 미끄러졌다. 칼날에 갈라진 상처에서 핏물이 흘렀다.

"수사님만 아니었다면 죽을 때까지 귀여워해 줬겠지만 우리도 신앙심은 있어서 말이야."

기사가 렉스의 머리카락을 쥐고 끌고 가기 시작했다. 그가 지나간 자리에 붉은 길이 따라왔다.

기사는 제단 앞 시체 더미 위에 렉스를 던졌다. 그 아래에 있는 것은 유대인 가족의 늙은 어머니였다. 활짝 벌어진 동공에 그녀가 죽는 순간의 공포가 그대로 아로새겨져 있었다.

"다 챙겼으면 가자고!"

남자들은 구석구석 불을 놓기 시작했다. 기사는 횃불을 건네받아 렉스의 앞에 던지고는 말했다.

"수도원에 불을 지르다니, 이 얼마나 지독한 유대인들인가?"

남자들은 왁자지껄 웃음을 터뜨렸다. 제각각인 웃음소리를 따라 무거운 자루를 끌고 밀고 가는 소리가 점차 멀어져 갔다. 텅텅…… 텅……. 텅…….

곧 정적이 눈치를 보는 초식동물처럼 기어들어 왔다. 렉스는 힘겹게 유대인 여인의 눈을 감겼다. 그리고 자신도 눈을 감았다.

그런데 왜인지 모를 이유로 다시 눈이 떠졌다. 장면이 바뀐 것처럼 사방이 격렬한 불길로 타오르고 있었다. 화마가 요한계시록에 등장하는 붉은 말처럼 날뛰었다. 벌써 지옥에 도착했나 싶었다.

그런데 앞에 누군가 서 있었다. 넝마 자락······.

렉스는 천천히 눈을 들었다. 흐릿한 시야에 그를 내려다보는, 불보다 더 붉은 눈동자가 있었다.

넝마에 불이 붙었지만 남자는 개의치 않는 것 같았다. 순식간에 불 타올라 사라지는 넝마 사이로, 갑옷이 나타났다.

불이 너울거리는 손길로 갑옷을 훑었다. 빛나는 갑옷은 은색 같기도 검은색 같기도, 오히려 타오르는 불을 비춰서 불 그 자체 같기도 했다.

불의 갑옷을 입은 위대한 왕의 강림······.

"당신······ 이십니까?"

렉스는 물었다. 하지만 남자는 아무 말 없이 내려다볼 뿐이었다.

"살아 있는······ 사람이, 있습니까······?"

숨조차 제대로 쉴 수 없는 열기 속에서 겨우 물었지만 남자는 여전히 대답하지 않았다.

"누군가, 숨이······ 붙어 있다면······."

대답을 들을 수 없으리라고 깨달은 렉스는 말을 멈추고 숨을 몰아쉬었다. 그래, 어차피 대답하지 않는 분이시니까.

"저를, 버리십시오."

렉스는 힘겹게 말했다.

"이토록······ 잔인하신 당신의 섭리가, 다스리는 세계로 가고 싶지 않습니다."

렉스는 할 수 있는 한 울부짖었다.

"저를, 기필, 코 버리십시오."

쿵. 쿠우웅. 불길한 굉음과 함께 제단과 벽, 서까래가 무너져 내렸다. 그것은 렉스의 세상이 불타 무너져 내리는 것과 같았다. 그의 에덴, 그의 낙원이.

"신을 부르며 죽어가는 이는 많이 봤지만 당당하게 버리라고 이야기하는 녀석은 처음이군."

마침내 붉은 눈의 남자는 왕의 목소리로 말했다. 하지만 렉스는 이제 아무것도 들리지 않았다. 무너져 내리는 그의 세상과 함께, 그의 영혼도 타나토스로 향하고 있었다. 눈이 흐려지며 모든 것이 붉게만 보였다.

"돌아오는 것은 네 선택이다."

왕의 음성이 울리고, 붉음이 밀려와 렉스를 쓸어갔다. 세상이 무너지는 굉음이 울렸다.

눈이 오고 있었다.

'아직 동절기 준비를 하지 못했는데…….'

렉스는 멍하니 생각하다가, 뒤늦게 무거운 잿빛 하늘에서 휘날리는 것이 눈이 아니라 재라는 사실을 깨달았다.

렉스는 천천히 몸을 일으켰다. 온몸을 뒤덮고 있는 재와 함께 낡은 담요가 풀썩이며 떨어져 내렸다.

'이건……?'

렉스는 주변을 둘러보았다. 모든 것들이 불타 무너진 폐허에 그는 혼자 누워 있었다. 옆에 거의 무너진 벽 위로 솟아오른, 검게 그을린 들보가 잿빛 하늘을 배경으로 늘어져 있었다. 불길이 진화되고 나서 누군가가 덮어준 건지 불타지 않은 담요 아래로 그는 알몸이었다.

뭐가 뭔지 알 수 없었지만 렉스는 일단 몸을 일으켰다. 다친 곳은커

녕, 몸에는 생채기조차 없었다. 오히려 불 속에서 구워진 동양의 자기처럼 피부에 유난히 윤기가 도는 느낌이었다.

주변에 기척은 없었다. 마치 멸망한 세상에 홀로 서 있는 것 같았다. 부스럭. 그런데 소리가 들렸다. 마치 바로 귀 옆에서 들리듯이.

렉스는 소리를 따라 걸었다. 맨발바닥에 온갖 잔해들이 밟혔지만 이상하게 전혀 아프지 않았다. 얼마 가지 않아, 역시 전부 불타 무너진 폐허에 누군가가 앉아 있는 모습이 눈에 띄었다.

남자는 그 화난 속에서 어떻게 무사한 의자에 앉아 있었는데 여전히 갑옷을 입고 있었다. 하지만 주변에는 말 같은 이동 수단도, 몸을 지킬 검이나 봇짐도 없어서 유랑 기사라기엔 묘한 느낌이었다. 그리고 마치 제 안방에라도 있는 듯이 느긋하게 의자에 기대앉아 무언가를 먹고 있었다.

그때 붉은 눈이 렉스를 발견했다.

남자는 렉스를 시선으로 위에서 아래로 쭉 훑었다.

"처음이군, 진짜 돌아온 녀석은."

말은 그렇게 하지만 남자는 별로 놀라는 것 같지 않았다. 그러면서 뭔가를 다시 먹는데, 자세히 보니 찐 감자였다.

그 발치에, 감자를 보관해 둔 독이 파내져 있었다. 불 때문에 감자가 독채로 익혀진 것 같았다. 그러고 보니 원래 이 자리는 창고였다.

"그건 수도원의 재산입니다."

렉스는 생각나는 대로 말했다. 남자는 물끄러미 그를 보며 감자를 한 입 더 먹었다.

"고지식한 녀석이군. 이런 녀석이 첫 번째라니, 난 역시 운이 나빠."

불 속에서는 비인간적인 신비로운 느낌이 있었는데 지금 남자는 뭔가…… 버릇없는 도련님 같았다.

그때 렉스는 다리에 힘이 풀려 넘어졌다. 그런데 다시 일어날 수가 없었다. 너무 낯선 감각이어서 애써 무시하고 있었지만, 배가 고팠다. 그냥 고픈 게 아니라, 지금 눈앞에 살아 움직이는 유일한 생물인 남자를 공격하고 싶을 만큼.

갑자기 남자는 렉스에게 무언가를 던졌다. 앞에 풀썩이며 떨어진 것은, 헝겊 주머니였다. 렉스는 인슐린이 필요한 당뇨병 환자처럼 떨면서 고개를 들었다. 열린 입구 사이로 꽃잎이 보였다. 단 한 번도 본 적 없는 기묘한 붉은 꽃이었다.

"꽃…… 입니까?"

이런 건 왜…… 하고 생각하는데 이상하게 입에 침이 고였다. 남자는 말했다.

"일단 먹어둬. 그것만으로는 양이 되지 않겠지만."

저 멀리서 검은 구름이 몰려오고 있는 하늘이 불길하게 울었다. 곧 폭풍이 오려는 모양이었다. 그리고 지평선까지 펼쳐진 대지에 홀로 우뚝 앉아 있는 남자는 그야말로 폭풍의 왕 같았다.

긴 이야기를 끝내고, 렉스는 잠깐 틈을 두었다.

"그 당시 종교는 이데올로기였고, 저 역시 평범한 사람으로서 시대의 이데올로기에 편입되었지만 늘 미약한 이질감을 느꼈던 것 같습니다. 지금 생각하면 상황이 그렇게 되어 수사까지 되었을 뿐, 원래대로라면 수사 따위 맞지 않았는지도 모르죠. 아마 앤드라스 형제님은 자신에게 내린 수난을 감사히 여기며 가셨을 겁니다. 수난이 고통스러울수록 그리스도에 가까워지는 일이라고 생각하셨겠죠. 그런 분이셨으니까요."

탁자 위에 가볍게 깍지 껴 맞잡고 있는 렉스의 손이 왠지 고통을 참고 있는 것처럼 보였다.

"단지 제가 그런 사람이 아니었을 뿐입니다. 저는 납득할 수가 없었으니까요. 그 시대 사람답지 않게 제게 중요한 건 현세의 행복이었습니다.

그런 면에서 저는 신을 철저하게 제 이득을 위해서만 믿은 얄팍한 인간이었는지도 모르죠. 그래서 이렇게 된 건……."

렉스는 찻물에 비친 자신을 보았다.

"신이 기필코 절 버렸기 때문이라고 생각했습니다."

렉스를 감염시키고 얼마 지나지 않아 이반은 떠났다. 그때 렉스는 깨닫지 못했지만 신을 잃은 그가 본능적으로 이반을 신 대신처럼 대한 모양이었다. 하지만 평생을 누군가에게 헌신하고 순종하며 살아온 버릇을 한순간에 버릴 수 있을 리 없었다.

"난 네 신이 아니야. 사실 뭣도 아니지."

이반이 떠나기 전 마지막으로 한 말이었다.

혼자 남은 렉스는 깊은 숲속으로 들어갔다. 인간들 사이를 거닐 때 후각을 자극하는 피의 냄새를, 그걸 달콤하게 느낀다는 사실을 참을 수가 없었다.

결국 피를 마셔야 한다는 사실을 받아들인 건, 수년간 숲에 틀어박혀 가끔 동물의 피로 연명하다가 심각한 혈액 부족으로 손상을 입은 장기들이 피를 토해내기 시작했을 때였다. 그는 죽어가고 있었다.

렉스는 낮게 숨을 내쉬고 말했다.

"절 이런 생물로 만든 신의 의도를 수없이 생각했습니다. 하지만 알 수 없었고, 그래서 살기로 했습니다. 무언가를 알 수 있을 때까지."

"그래서 지금은?"

규하는 어두운 눈으로 물었다. 렉스는 차분히 대답했다.

"지금도 알 수 없습니다. 아마 영원히 알 수 없겠죠."

대답하지 않는 분이시니까. 사실 언젠가부터 이 세상이 끝날 때까지 살아도 그분에게서 대답은 얻을 수 없으리라고 납득했다.

"하지만 그보다 제가 무엇을 원하는가, 그게 중요해졌습니다."

"그게 뭔데?"

"사는 것입니다."

어쩌면 인간이었을 때부터 렉스가 바란 것은 그 하나였는지도 모른다. 사는 것. 그런 의미에서 이 세상은 또 하나의 수도원이었다. 그의 낙원, 그의 에덴. 그가 지켜야만 하는 곳.

집은 조용했다. 냉장고가 작동하는 소리, 수도꼭지에서 물방울이 떨어지는 소리가 들려올 뿐이었다. 그런데 규하가 갑자기 일어나 다가와 렉스의 얼굴을 감싸 들어 올렸다.

무엇을— 하고 렉스가 생각하는데, 그에게 키스했다. 기쁘긴 했지만 기대하진 않았기에 렉스는 조금 놀랐다. 렉스는 규하를 올려다보고 물었다.

"무슨 의미입니까?"

규하는 진지한 얼굴로 그를 내려다보았다.

"이보다 더 나은 위로는 생각나지 않아서."

어차피 천 년이나 된 일이어서 새삼 위로받을 건 없지만…….

떠나려는 팔을, 렉스는 잡아당겼다.

"잠깐……."

규하는 자세를 잡으려고 버둥거렸다. 하지만 역시 힘으로 이길 수는 없어서 결국 그의 무릎 위에 앉게 되었다.

"이거 놔."

어쩐지 부끄러워져 일어나려는데 렉스가 허리를 끌어안아서 일어나지 못하게 하고 말했다.

"더 위로해 주셨으면 좋겠는데요."

규하는 미간을 찌푸렸다.

"너 정말 기회를 놓치지 않……."

렉스는 지체하지 않고 규하에게 키스했다. 그녀는 반항하는 소리를 냈으나 곧 아무 소리도 들리지 않았다.

연하는 맞은편에 앉은 이반을 보고 고개를 갸웃했다.

"근데 갑옷은 왜 입고 있었던 거예요?"

이반은 '음' 소리를 냈다.

"혼자 돌아다니기엔 위험한 세상이었거든. 뒤에서 갑자기 찌르는 덴 장사가 없지."

"하지만 불 속에서 뜨겁지 않았어요?"

"안 그래도 괜히 입었다 싶었어."

뜻밖의 넉살에 연하는 피식 웃었다. 이반은 기본 안주로 나온 강냉이를 집는 그녀의 손을 가리켰다.

"그만 먹는 게 좋지 않아?"

"아, 영화를 보는 기분이어서 저도 모르게 그만……"

연하는 강냉이를 내려놓고 손을 털었다.

그들이 있는 곳은 청사 근처의 술집이었다. 팀원들과 가끔 오는 곳으로, 연하는 청사를 나오는 길에 어디선가 돌아오는 이반을 마주쳐서 자연스럽게 같이 걸음하게 되었다. 저녁은 조금 일렀고, 프랑스처럼 식전에 술 한잔하는 개념으로.

물론 오늘은 둘 다 술은 주문하지 않았다. 구석 자리에 자리를 잡고 이런저런 이야기를 하다가, 클리엔테스로 선택하게 된 계기에 대한 이야기가 나왔다. 그러다가 렉스의 이야기를 듣게 된 것이다.

"소장님도 그런 사정이 있었구나."

연하는 새삼스러운 기분으로 중얼거렸다. 이반은 잠깐 그녀를 지켜보다가 말했다.

"그러고 보니 반대하지 않는구나, 둘 사이."

"아……."

연하는 콜라 잔을 내려놓고 의자 등받이에 툭 등을 묻었다.

"모르겠어요. 규하가 아무 말 하지 않는데 제가 뭐라고 할 문제는 아닌 것 같아서요. 어쨌든 서로 어린애가 아니니까."

이런 말을 할 때에는 더없이 어른스러워 보였다. 하긴, 따지고 보면 이미 자식이 있어도 이상하지 않은 나이―

거기까지 생각하던 이반은 아이처럼 의자를 젖혀서 까딱거리는 연하를 웃으며 보았다. 저런 면이 귀여운 거라고 하면, 너무 팔불출일까.

연하는 무슨 생각이 났는지 의자를 원래대로 하고 물었다.

"그럼 전 뭐 때문에 선택하신 거였어요?"

사실 이반이 파트로네스라고 알게 돼도 변한 건 없었다. 그녀는 여전히 서울 지부 ERU 3팀의 상사였고, 그는 국장이었다.

자신에게도 파트로네스가 있고, 심지어 그게 이반이라 생각하면 뭔가 신나서 가만히 있을 수 없는 기분이지만 여전히 감염되는 순간은 기억나지 않았다. 그래서 그 황금색 형체와 이반이 잘 매치가 되진 않았다.

이반은 말했다.

"선택하지 않았어. 돌아오기로 선택한 건 너희들이었지."

"하지만 감염은……."

연하가 이해하지 못해 말하려고 하자 이반은 덧붙였다.

"모든 건 욕망의 문제야. 얼마나 무엇을 욕망하느냐. 난 그렇게 생각해. 살아나기를 간절하게 욕망한 자들이 감염을 이긴다고."

욕망이라……. 연하는 감염을 이긴 자신의 욕망은 뭐였을지 생각했다. 그러다가 무의식중에 앞에 있는 남자를 보고, 조금 다른 욕망에 대해 생각했다.

며칠 전 뭔가 굉장히 중요했던 것 같은 순간을 놓쳐 버린 이후 두 사람은 제대로 만날 틈도 없었다. 국장직은 원래 워낙 바쁘고, 연하도 대기 해제 전에는 청사 붙박이나 다름없었기 때문이다.

'그런데 이제 뭘 어떡해야 하는 거지.'

연하는 알 수 없었다. 역시 주먹으로 벽을 때려 부수는 건 쉬운데 남녀 사이의 벽을 허무는 일에는 감이 잘 잡히지 않았다.

그때 이반이 말했다.

"하지만 너희 셋 모두 감염되는 것 자체를 선택한 건 아니지."

연하는 얼굴이 어두워졌다. 필립 로스에 대한 이야기는 들었다. 이반은 모든 것을 담담히 이야기해 주었지만 필립에 대한 그리움은 숨기지 못했다. 그가 필립과 함께한 시간은 루아스 시간으로 따지면 '고작'이라 할 만한 십여 년 정도였으나, 제 클리엔테스 형제는 꽤 다정다감한 성격으로 이반에게 정말 아들 같았던 모양이다.

이반이 쓴웃음을 지었다.

"셋 다 죽어가고 있어서 감염되겠냐고 물어볼 만한 상황은 아니었지만, 만약 너희들이 대답할 수 있는 상황이었다면……. 글쎄, 모르겠구나."

연하는 바로 반박하려는 듯 입을 열었다.

"어, 상사님."

그때 목소리가 들렸다. 연하는 돌아보았다. 부른 사람은 한 중사였다. 그 외에도 도영과 3팀만이 아니라 익숙한 얼굴들이 꽤 보였다.

"누구랑 마시고 계시……."

한 중사는 말하다가, 연하 맞은편에 있는 조용한 붉은 눈을 발견하고 움찔했다. 그가 다가온 위치에서는 벽 때문에 이반이 가려져서 보이지 않았던 모양이다.

"국장님."

다들 움찔하며 인사할 기세이기에 이반은 손을 올렸다.

"괜찮습니다."

분위기가 어색해지려는 순간이어서 연하가 먼저 사람들에게 말했다.

"먼저 마시고 계세요."

"아, 네."

그들은 대답하고 바 쪽으로 이동했다. 가면서 속삭이는 소리가 들렸다.

"야, 저건 대체 무슨 조합……."

"조용히 해. 다 들을 수 있거든."

이반은 연하를 보았다.

"합류해도 될 것 같구나."

"일 있으세요?"

연하가 묻자 이반은 일어나서 의자 등받이에 걸쳐 둔 코트를 입고 웃었다.

"휴식 시간이었다는 쪽이 맞겠지."

연하는 엉거주춤 일어섰다.

"아, 신경 써주실 필요 없었는데……. 아무튼 조심히 들어가세요."

"나중에 보자."

그리고 이반은 가게를 나섰다. 옅게 비가 오는 모양인지 하늘을 잠깐 올려다본 그가 유리창 너머로 지나가고 나서 연하는 바에 자리한 팀원들과 합류했다.

"상사님, 요즘 저희랑은 전혀 놀아주시질 않네."

한 중사가 섭섭하단 듯 말했다. 연하는 어깨를 으쓱였다.

"저랑 별로 놀고 싶어 하시지도 않으면서."

루아스들이 영입되면서 이 바닥 분위기가 좀 변하긴 했으나 애초에 여성 루아스는 많지 않았다. 그래서 이 바닥의 마초적인 느낌 자체는 크게 달라지지 않았다. 그렇다고 팀원들이 이제 와서 연하를 무시하진 않았지만 남자 동료들처럼 불알을 치면서 놀 수 없는 건 사실이었다.

"음."

한 중사는 소리를 내며 제 턱을 짚었다.

"아무래도 우리 상사님을 보면 이 험악한 오빠들이 조심스러워진다고 해야 하나……."

"욕해 드려요?"

연하가 무심히 말하자 한 중사는 호탕하게 웃었다.

"또 이런 점은 좋아하죠."

그때 이반이 술집 밖으로 돌아왔다가 멈추었다.

사실 그는 이번 주말에 연하에게 데이트를 신청할 생각이었다. 이렇게 같이 있을 시간도 없어서야, 연하 때문에 시작한 국장 일인데 주객전도가 따로 없었기 때문이다. 무엇보다 이런 풋풋한 연애도 나쁘지 않았지만 역시 조금은…… 말이다. 그도 남자니까.

물론 순서는 모두 지킬 셈이었다. 연하가 준비되지 않았다면 무엇도 강요할 생각은 없었다. 그와 함께라도 경험이 많지 않은 그녀가 모든 과정을 겪길 원했다. 설렘, 마주 잡은 손의 떨림, 첫 키스…….

그런 것들을 생각하면 오히려 설레고 있는 건 그 자신인 듯도 싶었지만.

그런데 사람들이 오는 바람에 물어보는 걸 잊어버리고 가서 다시 돌아온 것이었다. 하지만 지금은 방해하지 않는 게 좋을 것 같았다. 다 같이 떠들썩하게 웃고 있는데 그가 들어가는 순간 얼어붙을 분위기를 예상할 수 있으니까.

'나중에 물어봐도 되겠지.'

이반은 웃고 있는 연하를 보고 피식 웃고는 돌아섰다. 질투가 나지 않는다면 거짓말이지만, 그래도 다행이었다. 연하가 떠밀리듯이 살게 된 지난 십여 년의 삶이 힘들지만은 않았던 것 같아서.

부슬거리는 빗속으로 이반의 뒷모습이 사라졌다. 한편 술집 안에서는, 도영이 바의 스툴에 앉아 말없이 맥주를 마시면서 사람들 사이에서 웃는 연하를 지켜보고 있었다.

도영은 왠지 모르게 마음에 들지 않았다. 뭐가? 라고 물으면, 그냥 전부.

"그만 놀리세요."

도영이 말하자 한 중사는 그를 가리켰다.

"이렇게 지켜주는 기사님도 있고 말이죠."

"힘은 제가 더 센데요?"

연하는 그냥 사실을 고지하는 투로 말했다.

"아, 상사님. 사내 마음에 스크래치. 그렇게 힘으로 남자들 겁주고 그러는 거 아니에요."

한 중사의 너스레에 연하는 피식 웃었다. 그리고 다시 말하려고 하는 순간이었다.

"힘은 조금 세졌을지 몰라도 머릿속은 여전히 열아홉 살짜리 계집애죠."

말소리가 뚝 멈추었다. 다들 잘못 들었나 싶어서 도영을 보았다. 도영은 별다른 말을 하지 않은 것처럼 기본 안주로 나온 땅콩을 집어 먹으면서 말했다.

"남자한테 빠져서 나사 풀린 얼굴이라니. 하여간 이래서 팀에 여자는 들이면 안 된다니까."

대원들은 시선을 교환했다. '이분 갑자기 왜 이러는지 아는 사람?'이라고 묻듯.

"소령님, 지금 뭐라고 했어? 다시 한번 말해봐."

연하는 제 귀를 의심하는 것 같았다.

"워, 두 분 진정하시고……."

한 중사가 얼른 둘 사이에 끼어들었다. 하지만 도영은 그만두지 않았다.

"왜? 내가 뭐 틀린 말 했어? 다음은 뭐야? 남자친구가 몇 시간 넘게 연락 안 된다고 질질 짜는 거냐?"

연하는 갑자기 옆에 놓인 500cc 맥주잔을 집어서는 도영에게 다가갔다. 설마 저걸로 후려치려는 건가 싶어서 대원들 모두 긴장했지만 일촉즉발의 공기에 아무도 섣불리 움직이지 않았다. 하지만 도영은 아무 일도 없는 것 같은 반응이었다.

연하는 도영 앞에, 온 힘을 다해 잔을 내려놓았다. 맥주잔이 단단한 목재 바에 깊숙이 박히면서 바 전체에 금이 일었다. 벼락에 맞은 나무가 쪼개지는 것 같은 소리가 나 다들 흠칫해 분분히 물러났다.

연하는 가까이서 도영을 노려보았다.

"조금 세진 힘은 아닐 텐데."

도영은 무표정한 얼굴로 술을 한 모금 더 마셨다.

"무식하게 힘자랑은."

연하는 내치듯이 유리잔에서 손을 떼고 일어났다.

"망가진 건 이쪽이 물어낼 거예요."

문을 밀치고 나가는 소리가 났다. 한동안 정적이 감도는 가운데 한 중사가 은근슬쩍 도영 옆으로 다가섰다.

"그래요. 옛날에 괜히 여자를 팀에 들이지 않았던 게 아니죠."

한 중사는 뒤로 돌아 바에 양팔을 걸친 채 고개를 끄덕였다.

"힘이 부족하거나 하는 문제를 다 제쳐 놓고라도, 남자 대원들 마음이 너—무 싱숭생숭해져서 말이죠. 나쁜 놈들은 막 뒤에서 총을 쏴대는데 괜히 기사도 정신이 불끈거려서 내가 저 친구를 보호해 줘야 할 것 같고. 그러다가 우리의 작고 귀여운 여자 대원이 죽기라도 하면 정신적인 대미지가 어마무시하고요."

자신의 직업을 진지하게 여기는 여군 부대원들만 봐도 '작고 귀여운' 이라는 형용사는 나오지 않을 테지만, 한 중사도 존경하는 마음이 담긴 반어법이었으므로 도영은 아무 말 없이 듣고만 있었다. 한 중사는 계속 말했다.

"그래서 이런 일이 있었어요. 소령님이 전출 오시기 전에. 한 부사관이 HVT[9] 작전 중에 몸을 날려서 거의 다 잡은 HVT 대신 위험에 처한 강 상사님을 구한 거죠. 물론 작전은 날아가고, HVT도 날아가고. 저 하늘 멀리."

그러면서 한 중사는 아련한 눈빛으로 허공에 손가락을 흔들며 손짓했다. 그러고 도영을 돌아보았다.

"그 부사관, 아마 겁나게 처맞았겠죠. 반주검이 돼서 침상에 누워 있지만 않았더라면. 상사님, 그날 이후로 배식도 자기한테 먼저 해주지 말라고 하는 분이시잖아요."

한 중사는 몸을 돌려 바에 양팔을 대었다.

"처음에는 얼떨결에 루아스가 됐을지도 모르죠. 하지만 제가 상사님을 존경하는 부분은 그런 거예요. 그래도 자기가 처한 상황에 최선을 다하려고 한다는 거. 그런데 이러시면 소령님 나쁜 사람, 안 나쁜 사람?"

다른 대원이 끼어들었다.

"드페르 소령님만큼 강 상사님 일에 핏대 세우던 사람이 또 어디 있다고. 괜히 질투 나서 저러는 거지."

"그럼 소령님이 상사님 좋아하는 거야?"

또 다른 대원이 어리둥절해하며 물었다. 그런 기색은 느끼지 못했기 때문인 것 같았다.

한 중사는 힐끔 도영을 보았다.

"그런 거예요?"

도영은 말없이 고개를 저었다. 한 중사는 알 만하다는 듯이 고개를 끄덕였다.

---

9) 고가치 표적. 즉, 적군의 중요인물. High Value Target

"알아요. 그거죠? 베스트 프렌드 뺏긴 기분."

도영은 고개를 끄덕였다. 다들 여기가 고등학교인 줄 안다고 그렇게 타박해 놓고 이 무슨 여고생 같은 심리인가 싶어서 차마 인정하고 싶지 않았지만, 아무래도 인정해야 할 것 같았다.

한동안은 혹시 자신이 연하를 좋아하게 된 건가 진지하게 고민했다. 자꾸만 국장과 연하가 함께 있는 모습에 화 같은 감정이 불끈거렸기 때문이다.

국장 자체는 싫어하지 않았다. 처음엔 거부감이 있었지만 솔직히 같은 남자가 봐도 인정할 만한 구석이 있었으니까. 하지만 솔직히 말해야겠다. 도영은 연하가 변하는 것이 싫었다. 무생물 같은 강연하가 '여자'의 눈빛으로 국장을 보는 것도 싫었고, 매일 같이 웃고 떠들던 녀석이 거리감이 느껴질 정도로 저 멀리 성큼 가버린 것도 싫었다. 그들은 항상 함께 있었는데.

도영은 뒷머리를 흐트러뜨렸다.

'쪽팔리게, 진짜.'

하지만 팀원들끼리 워낙 동고동락하는 바닥이기 때문에 이런 감정싸움이 생각보다 흔하다는 게, 변명이 될 수 있다면 해둬야 할 것 같았다.

그때 한 대원이 손을 들고 말했다.

"난 딸내미 뺏긴 기분."

"아, 그 기분은 나도 좀 있는데."

다른 대원이 거들었다.

"오, 너도?"

보아하니, 상대가 국장이어서 그렇지 어디 같잖지도 않은 놈이었으면 ERU 3팀과 진솔한 면담을 가졌어야 할 것이다.

팀원들이 웃고 떠드는 사이, 도영이 갑자기 일어나 뛰어나갔다.

"오, 청춘 영화 같아."

뒤에서 웃음소리와 소란스러운 휘파람 소리가 따라왔다. 그러거나 말 거나 문을 나서자 찬 공기와 부슬거리는 비가 얼굴을 때렸다.

"강연하!"

멀리서 연하는 돌아보았다. 안개 같은 비 때문에 부옇게 번지는 빛 아래 검은 눈동자가 조용히 이쪽을 응시했다. 흩날리는 빗방울 너머로 불빛이 수런거렸다.

"미안하다. 난……."

도영이 애써 말하려는데 연하는 가운데 손가락을 세우고 가버렸다. 이번엔 정말 화가 났으니 사과 따위 받아주지 않겠다는 듯. 도영은 피식 웃었다. 저렇게 반응한다는 것 자체가 이미 화가 풀렸다는 의미기 때문 에.

'하여간 속도 없는 자식.'

도영은 연하가 가는 모습을 좀 더 지켜보다 가게로 돌아갔다. 대원들 은 어느새 테이블에 둘러 앉아 있었고, 개중 하나가 도영을 능글맞게 보면서 빈자리를 탁탁 쳤다. 그리고 도영이 가서 앉자 대원은 그에게 새 맥주를 건네주면서 말했다.

"잘했어요. 이별을 받아들이고 한 단계 성장하셨군요. 다 그렇게 커 가는 거죠."

도영은 고개를 내젓고 술잔을 들었다.

"술이나 드세요."

그러다가 목재 바에 박혀 있는 맥주잔을 보고, 뒤늦게 간담이 서늘해 졌다.

"저 지금 죽을 뻔했던 거 맞죠?"

대원들은 쓰게 웃었다.

"그러니까요. 솔직히 전 뱀파이어 여자친구 같은 거 감당할 자신이 없어요. 사랑싸움이라도 한 번 했다가는 목숨이 위험할 거 아니에요."

규하는 긴 머리를 들어 올려 묶었다. 은은한 불빛에 뒷덜미의 솜털이 반짝거렸다. 이미 온 집 안이 습해질 정도로 몇 번이나 뜨겁게 사랑을 나누었지만 렉스는 아직도 부족한 것 같았다. 곧 돌아가 봐야 하지만 않았더라도…….

규하가 그를 돌아보았다. 뒤에서 빛을 받은 검은 눈동자가 연하고 깊어, 아름답다고밖에 생각되지 않았다.

규하는 말했다.

"이제 가."

렉스는 규하를 빤히 보았다. 착각이 아니라면, 아직 서로의 온기가 남은 침대에 누워 있다고 생각할 수 없을 정도로 밀려난 느낌이었다. 그 생각을 읽은 것처럼 규하는 어깨를 으쓱이고 침대에서 일어나며 말했다.

"나 원래 선약 있었어. 연하랑 저녁 먹기로 했거든."

어차피 그도 가야 하긴 했기 때문에, 렉스는 일어나 옷을 입었다.

"가보겠습니다."

현관에 서서 말하자, 부엌 테이블에 앉아 있는 규하는 대답하지 않고 손을 저었다.

문이 열렸다가 닫히는 소리가 났다. 아주 한참 후에야 규하는 턱을 괴고 중얼거렸다.

"차라리 듣지 말걸."

어쨌든 렉스라는 사람을 싫어하지 않고, 그와 함께 있으면 시간 가는 줄 모르겠고, 모성애 잔뜩 자극하는 사연까지 들었다고 한들 어쩔 것인가. 같이 검은 머리 파뿌리 되도록 백년해로할 것도 아닌데. 이쪽은 검은 머리 파뿌리가 되어도 저 녀석은 천 년 전이나 오늘이나 천 년 후나 똑같을 테니까.

어쩐지 렉스의 이야기를 들을 때보다 우울해져 한참 앉아 있다가, 규하는 벽시계를 보았다.

"그나저나 앤 왜 안 와?"

12

"Nessun Dorma"
("아무도 잠들지 못하리", 오페라 '투란도트')

"저기."

가리킨 곳은 도로 건너편의 인파였다. 하지만 거리에 특별한 것은 없어 보였다. 손끝이 가리키는 방향에는 한 무리의 대학생 뒤로 젊은 여자가 걸어가고 있을 뿐이었다.

그 모습을 보던 남자는 어디론가 전화를 걸었다.

"보고 있어?"

상대는 작게 '아아' 소리를 내었다.

[보고 있어.]

"청재킷을 입은 여자야."

한동안 전화 건너편에서 아무 소리도 들리지 않았다. 심사숙고하는 것 같았다. 남자는 조금 초조해져 물었다.

"어때?"

[좋아. 저걸로 하자. 실수하지 마.]

"알아. 기회는……."

[한 번뿐이니까.]

전화를 끊은 남자는 옆을 돌아보고 말했다.

"가자."

후드를 깊이 눌러쓴 상대는 고개를 끄덕였다. 남자는 먼저 인파 사이로 사라졌다. 후드를 쓴 사람은 다시 길 건너편을 돌아보았다. 자신에게 닥칠 일을 상상도 하지 못하고 있는 여자를 보는, 후드 아래 검은 눈동자가 묘하게 빛났다.

목적지를 가진 평온한 발들 사이로 갈피를 잡지 못하고 헤매는 것 같은 다급한 발소리가 울렸다. 그 소리에 이질감을 느낀 연하는 고개를 돌렸다. 스쳐 가는 인파 가운데 한 소녀가 울먹이며 주변을 둘러보고 있었다. 도움을 구하는 눈동자였다.

"저기!"

소녀는 외치면서 한 청년의 팔을 잡았다. 청년은 이어폰을 빼고 '네?' 물었다.

"도와주세요!"

소녀가 말하자 청년은 바로 귀찮은 일이라고 생각했는지 이어폰을 끼고 가버렸다. 소녀는 정신없이 뒤에 오는 아주머니를 잡았다. 그녀는 '어휴, 됐어요.' 말하며 보지도 않고 소녀를 내쳤다. 하지만 소녀는 상처받을 틈도 없는 것 같았다. 바로 다음에 오는 대학생 무리에게 달려갔다.

"저기……!"

막 말하려던 소녀는 깜짝 놀라 옆을 보았다. 연하가 그녀의 팔을 잡고 있었기 때문이다. 연하는 심각하게 물었다.

"무슨 일이에요?"

대학생 무리는 웅성거리면서 그들을 지나갔다. 소녀는 찬물, 더운물 가릴 처지가 아닌지 당장 연하를 붙잡고 울먹였다.

"도와주세요. 제 친구가 어떤 남자들한테 끌려갔어요."

다리 아래는 조용했다. 검은 강물이 역청처럼 기름진 빛으로 출렁였다. 한쪽 구석에 장작불을 태운 것 같은 드럼통과 흔적이 남아 있고, 곳곳에 어디선가 주워온 것 같은 소파와 의자들이 널려 있었다. 지금은 아무도 없지만 이 공간을 주로 이용하는 사람들이 있다는 의미였다.

"어떤 남자들이었다고요?"

연하가 묻자 소녀는 불안한 눈으로 주변을 둘러보았다.

"폭주족, 그런 거 같았어요. 조직폭력배라기엔 어리고……."

남아 있는 흔적으로 짐작컨대 생각보다 규모가 커 보였다. 아무래도 지원을 넣어야 할 것 같아 연하가 전화를 하려는데 소녀가 다급히 팔을 잡았다.

"아, 안 돼요! 경찰을 부르면 친구를 죽인다고 했어요. 제발요. 남자들 몇 명 정도는……."

"이건 얼마나 안전하게 친구를 구출할 수 있느냐 하는 문제……."

연하는 말하다가 멈칫하고 소녀를 보았다. 남자들 몇 명 정도는? 그럼 그녀가 루아스라는 사실을 알고 있다는 의미…….

"지금 뭐라고……."

부르릉. 그때 오토바이 소리가 들렸다. 그리고 사방에서 헤드라이트를 빛내는 오토바이들이 밀려 들어왔다. 걸어 들어오는 사람들도 많았는데 다들 각자 무기라고 할 수 있을 만한 것들을 들고 있었다. 각목이나 야구방망이, 쇠파이프도 있었지만 몇몇은 경찰용 T자봉, 단검 같은 본격적인 무기까지, 어느 것을 들고 있든 단단히 준비한 모습이었다.

연하는 반사적으로 소녀를 등 뒤로 숨기고 물었다. 소녀가 자신이 루아스인 걸 알고 있어도 그녀에게 도움이 필요한 상황이라는 건 변하지 않았기 때문이다.

"친구 어디 있어요? 보여요?"

소녀는 목을 빼고 보는 것 같았다.

"저기!"

그리고 황급히 오른쪽을 가리키며 소리쳤다. 연하는 따라서 시선을 돌렸다.

그 순간 믿을 수 없다는 듯이 다시 소녀를 돌아보았다. 정확하게는 제 허리에 박힌 테이저의 전극을.

"미, 미안해요."

소녀는 떨면서 사과했다. 테이저를 든 채로.

엄청난 전류가 습격해, 연하는 온몸의 근육이 경직되어 그대로 넘어 졌다. 그녀를 내려다보는 소녀는 죄책감과 승리감이 범벅된 기이한 표정 이었다. 자신이 해냈다는 성취감이 섞인—

소녀는 거친 숨을 몰아쉬며 말했다.

"하지만 뱀파이어니까 괜찮잖아요."

남자들이 무기를 들고 하나둘 오토바이에서 내리기 시작했다. 연하 는 몸에 힘을 주었다. 극한까지 수축이 된 근육이 펴지느라 근섬유들이 파열되는 것만 같았다.

연하가 허리춤에서 글록을 꺼내 겨누자 남자들은 흠칫하며 멈추었다. 연하는 빛에 멀어버릴 것 같은 눈으로 그들을 훑었다. 인간, 인간⋯⋯. 모두 인간이었다.

"지금! 쏴!"

누군가가 외친 순간이었다. 퉁. 압축 질소가 발사되는 소리가 나고 익 막을 펼친 날다람쥐처럼 무언가 날아와 연하를 덮쳤다. 연하는 휘청했 다. 뒤늦게 남자들이 넷건을 쐈다는 걸 깨달았다. 연이어 넷건이 발사되 는 소리가 나고 두 번째, 세 번째 그물이 덮쳐 왔다. 연하는 더 버티지 못하고 넘어졌다.

해일에 휩쓸린 듯이 정신을 차릴 수가 없었다. 일어나려고 허우적거릴수록 그물이 몸에 감겨들었다.

그때 누군가가 몸을 뒤집어, 빛이 눈을 때렸다. 연하를 올라탄 누군가가 눈에 플래시 라이트를 쏘고 있었다. 그 옆에서 오토바이 재킷을 입은 다른 남자가 그녀를 들여다보았다. 모자에 마스크까지 쓰고 있어 생김새는 알 수 없었지만 눈만 봐도 상당히 어리다는 사실을 알 수 있었다.

"좋아! 가져와!"

그가 말하자 그의 동료들이 일사불란하게 무언가를 쿵, 연하 옆에 내려놓았다. 길쭉한 합판에 허리 벨트를 직접 잘라 끼워놓은 것 같은 물건이었다. 조악하다는 사실을 제외하면 고문실에서나 볼 법한 물건이었는데, 두 남자가 연하의 왼팔을 올려놓고 벨트를 잠갔다. 역할을 분담해 동선까지 고려해서 연습을 거듭한 것 같았다. 하지만 아직 무얼 하자는 건지 알 수 없어 연하는 혼란스러웠다.

"어때?"

그때 연하를 올라타 있는 남자가 물었다.

'이 목소리는······.'

잊을 수 있을 리 없었다. 육성으로 들은 건 딱 한 번이었지만, 영상으로 수없이 반복해 들었으니까.

연하는 눈을 크게 뜨고 돌아보았다. 빛이 잦아들며 그녀를 올라타고 있는 사람의 얼굴이 보였다.

"인간한테 공격당하는 기분이?"

후드를 쓰고 있는 대공이었다. 컬러 렌즈를 끼고 있는지 검은 눈이었고, 외모를 빼면 너무 평범해 보여서, 길거리에서 마주친다면 그인지 모르고 지나갈 수 있을 것 같았다.

대공은 씩 웃었다.

"영생을 누구보다 간절히 원하는 애들이야. 네 쌍둥이를 구했을 때처럼 영웅적인 태도로 기꺼이 베풀어보라고."

연하는 세차게 버둥거렸지만 대공이 누르고 있어 움직여지지 않았다. 대공은 이죽거렸다.

"넌 봐. 네 쌍둥이를 살리겠다고 목숨을 바쳤지. 운이 좋아서 되살아났지만 그래놓고 고작 한다는 게 군인? 또 네 쌍둥이를 지키기 위해? 호구도 이런 호구가 없어."

연하는 대공을 노려보았다.

"대체 네가 하고 싶은 말이 뭐야?"

대공은 연하에게 고개를 가까이했다. 그리고 입술이 닿을 정도로 가까운 거리에서 나직이 속삭였다.

"넌 흡혈귀야, 피도 눈물도 없는. 그럼 그렇게 행동해."

"난 너 같은 것들이 제일 짜증 나거든. 지킬 힘도 없으면서 어쭙잖은 영웅 흉내라니. 마음만으로는 충분하지 않아, 이 친구야. 이게 만용을 부린 대가라는 거야."

12년 전, 대공이 자신에게 했던 말이 떠올랐다. 연하는 떨리는 숨을 내쉬고, 떨리지 않는 목소리로 그의 귓가에 말했다.

"왜? 네가 그랬으니까?"

대공은 흠칫하는 것처럼 몸을 들었다. 미간이 심하게 꿈틀거렸다. 녀석에게 드디어 한 방 먹인 것 같아서 연하는 속이 시원했다.

"이봐, 무슨 말을 하는 거야?"

둘이 숙덕거리는 것처럼 보였는지 한 남자가 묻자 대공은 몸을 일으키고 말했다.

"귀엽게 굴면 겁만 줄 생각이었는데…… 넌 역시 이바노프야. 신경을 제대로 긁을 줄 알아."

대공은 남자들에게 고갯짓했다.

"시작해."

그러자 한 남자가 칼로 자신의 손을 그어 상처를 내고는 연하의 턱을 잡았다. 그리고 입을 벌리려고 했지만 연하가 입을 열지 않자 나무토막을 이 사이에 끼웠다. 남자가 손을 쥐어짜듯이 피를 흘려내자 다른 사람들도 그를 따라 했다.

핏방울이 얼굴에, 입술에, 혀에 떨어졌다. 처음으로 맛보는 인간의 피는, 오히려 기묘했다. 혀가 타는 것 같은 느낌이었다.

"멍청한 자식들."

그들이 뭘 하려는 건지 깨달은 연하는 사납게 소리쳤다.

"죽고 싶은 거야?"

남자는 기이해 보이는 웃음을 지었다.

"반대야. 살고 싶은 거지. 너같이 어린 여자애가 가능했다면 우리도 되지 않으리란 법은 없잖아?"

연하는 이를 갈며 소리쳤다.

"대다수는 죽어!"

그들은 더 듣지 않았다. 몇몇이 비켜서고, 다른 사내가 나타났다. 다른 사람들에 비해 몸집이 큰 그는, 손도끼를 들고 있었다.

연하는 무언가를 깨닫고 발버둥 치기 시작했다. 하지만 남자가 어깨에 다시 테이저를 쐈다. 연하는 울부짖었다. 남자들이 그녀의 팔과 합판을 바닥에 눌러 고정했다.

그런데 아무 일도 일어나지 않자 남자들이 도끼를 들고 있는 사내를 돌아보았다.

"뭐 해? 어서 해."

"하지만 너무 어린……."

사내는 막상 상황이 닥치자 내키지 않는 모양이었다. 그를 보는 연하의 검은 눈에 고인 눈물이 관자놀이를 타고 흘러내렸다.

"영원히 살고 싶다며?"

사내가 주저하자 대공은 반쯤 흥미를 잃은 것 같은 어조로 물었다.

"해!"

옆에 있는 남자가 사내의 어깨를 밀치며 재촉했다. 하지만 여전히 도끼를 들고 있는 사내는 주저했다.

"하지만⋯⋯."

"기회는 다시 오지 않아! 이렇게 우리가 잡을 수 있을 만한 뱀파이어를 또 발견할 수 있을 것 같아?"

남자가 사내의 볼을 후려치며 일갈했다. 그 말에 도끼를 쥐고 있는 사내는 마침내 결심한 것 같았다. 도끼를 높이 쳐들었다.

"내려쳐!"

도끼가 공기를 가르며 하강했다. 연하의 눈이 팽창했다. 그 눈 속에, 이 모든 난리를 무심히 내려다보는 다리가 있었다.

패널에 다리를 내려다본 위성 이미지가 떠 있었다. 그 앞에 서 있는 김 중령이 말했다.

"이 인근은 최근 수상한 움직임을 보이는 젊은 폭주족 그룹의 근거지입니다. 그룹 내에서 세 명의 사망자가 발생했는데 한 명은 심장마비로 사망했고."

패널에 눈을 감지 못하고 죽은 시신의 사진이 떴다. 이어서 두 번째 시신 사진이 떴다. 온몸의 구멍으로 피가 빠져나간 것 같은 끔찍한 모습이었다.

김 중령은 계속 말했다.

"나머지 한 명은 급성 출혈로 사망했습니다. 그런데 둘 다 감염 증세를 보여서 부검해 본 결과, 루아스의 혈액을 복용한 흔적이 있었습니다."

"루아스가 되려고 했다는 말입니까?"

책상에 걸터앉아 있는 이반이 물었다. 안 그래도 얼마 전에 메일로 보고받은 사안이었다.

김 중령은 고개를 끄덕였다.

"그렇게 보입니다. 루아스의 신체를 통해 순환하지 않는 혈액은 그냥 독과 다름없지만 약장수들 말솜씨에 따라 수은도 만병통치약이 되는 법이니까요. 그래서 한동안 블랙마켓에서 유통되는 양이 상당했습니다. 최근에는 법이 강화돼서 거의 근절됐는데 회수하는 과정에서 누락된 재고가 어린애들 손에까지 들어간 모양입니다. 자세한 경위는 아직 조사 중입니다."

김 중령은 패널에 떠 있는 첫 번째 사진을 가리켰다.

"첫 번째 사망자는 감염에 의한 심정지가 사인이었습니다. 일반적인 사인이죠."

이어서 두 번째 사진을 가리켰다.

"두 번째 사망자는 섭취한 혈액의 농도가 훨씬 옅어서 직접적인 사인은 아니었지만, 감염이 혈우병처럼 제8혈액인자를 모조리 파괴시켜서 과다출혈로 사망했습니다. 혈액을 무언가에 섞어 마신 것 같더군요."

"실험을 했군요."

이반이 중얼거리자 김 중령은 고개를 끄덕였다.

"저희 의견도 그렇습니다. 혈액을 섭취하는 방법을 바꾼 걸 보면 말이죠. 그리고 세 번째 사망자가 중요한데 DNA가 변이된 혈액을 동맥으로 직접 맞았더군요."

세 번째 시신 사진이 떴다. 이 자리에 있는, 온갖 꼴을 다 봤을 사람들도 가차 없이 인상을 썼다.

이반은 숙고하는 눈으로 사진을 보았다.

"그거야말로 어린애들이 가지고 있을 물건은 아니군요."

"네. 만약 누군가가 이걸 제공해 줬다면……."

갑자기 벨소리가 울려 모두 돌아보았다.

"실례합니다."

뒤쪽에 서 있던 렉스는 말하고 밖으로 나갔다.

"네."

렉스는 문밖에서 전화를 받았다. 차분한 목소리였지만 기뻐하는 기색은 감추지 못했다. 바로 전화 상대가 누군지 알 수 있을 것 같아, 이반은 못 말린다는 듯이 고개를 내저었다.

[혹시 연하랑 같이 있어?]

그런데 전화 건너에서 규하가 물었다. 이반은 반사적으로 문을 돌아보았다. 문 너머에서 렉스가 의아해하며 물었다.

"같이 저녁 먹는다고 하지 않았습니까?"

[응. 그랬는데 오지 않아서. 연락도 되지 않고. 뭐 갑자기 작전에라도 나간 건가 싶어서.]

"잠시만 기다려 주십시오."

렉스는 말하고 문을 열었다. 하지만 이반은 이미 책상 모니터에 손을 대고 있었다. 패널에 지도가 뜨고, 연하의 위치를 표시하는 붉은 점이 반짝였다. 무슨 일인가 싶어 같이 시선을 돌린 김 중령은 움찔했다.

"저긴……."

붉은 점은 조금 전까지 그들이 보던 다리에서 움직이지 않았다.

"다시 전화하겠습니다."

렉스는 규하에게 말하고 전화를 끊었다. 미간에 심각한 빛이 스민 이반은 바로 말했다.

"드페르 소령 연결해."

신호가 가고, 스피커 너머에서 도영이 대답했다.

[예. 드페르입니다.]

"드페르 소령. 강 상사는?"

[강 선생님께 갔다고 알고 있습니다.]

"알았어."

이반이 전화를 끊고 손짓하자 프로그래머가 바로 실시간 위성 이미지를 띄웠다. 하지만 다리에 가려져서 아무것도 보이지 않았다. 이반은 이미지에서 시선을 떼지 않고 물었다.

"가장 근거리에 있는 UAV[10]가 가는데 얼마나 걸립니까?"

"22초입니다."

눈치가 빠른 프로그래머는 이어서 무언가 작업하더니 말했다.

"FRS[11]가 선별해 낸, 강 상사님이 포착된 CCTV 화면 띄우겠습니다."

선명한 화면에 길을 걷는 연하의 모습이 떴다. 화면 속에서 연하는 갑자기 어딘가를 유심히 보는 것 같았다. 그리고 화면 밖에서 한 소녀가 뛰어와 그녀 앞에 오던 대학생 무리에게 매달렸다. 아니, 그러려는 찰나, 연하가 사라졌다가 소녀 옆에 나타나 팔을 붙잡고 무어라 물었다.

폐쇄회로 화면이 전환되면서, 가로등에 달린 CCTV가 찍은 것 같은 둘의 모습이 나타났다. 연하와 소녀는 다급히 달려가고 있었다. 그리고 그들의 이동 경로에 따라 화면은 계속 전환되었다. 굴다리 밑으로 들어가는 모습을 마지막으로 화면이 멈추었다.

프로그래머가 말했다.

"여기서부터는 CCTV가 없습니다."

렉스는 지도를 확인하고 물었다.

"있어야 하는 곳이지 않습니까?"

"네, 하지만 전부 부서진 것 같습니다."

---

10) 무인정찰기, Unmanned Aerial Vehicle
11) 얼굴인식시스템, Facial Recognition System

"강 상사는 어째서 지원 요청을 하지 않고……."

렉스는 말하며 미간을 찌푸리고 돌아보았다. 그런데 이반이 있던 자리가 비어 있었다. 창문은 열려 있었다.

"국장님?"

다른 사람들도 당황하여 주변을 둘러보았다. 그때 주변에 무슨 일이 있건 제 임무에 충실한 프로그래머가 말했다.

"UAV 도착했습니다. 영상 띄우겠습니다."

패널 가득 무인정찰기가 촬영하는 영상이 떴다. 반사적으로 그것을 쳐다본 렉스는 눈을 부릅떴다. 모두 같은 반응이었다.

아무도 감히 말을 꺼내지 않았다. 자신들이 보고 있는 게 묵시록의 한 장면은 아닌지 눈을 의심하고 있을 따름이었다.

렉스는 패널에서 눈을 떼지 않고 귀 뒤쪽을 짚고 말했다.

"TF(Task Force)-08 출동시켜. 당장."

김 중령은 흠칫해 렉스를 보았다.

"TF-08이라면……."

렉스는 김 중령의 말은 신경 쓰지 않고 덧붙였다.

"학살극을 막고 싶다면."

좀비 떼 같은 인간들이 우글거리는 패널을 비춘 붉은 눈이 심각했다.

그들은 피를 마시기 시작했다. 처음에는 주저하는가 싶더니, 제 혀끝에 묻은 것이 영생으로 가는 열쇠라는 깨달음이 들자 조금이라도 더 마시기 위해 덤벼들었다. 그 모습을 오랜 갈증 끝에 인간성마저 잃어버린 아귀들이라고 해야 할지, 불벼락이 내리기 직전 소돔과 고모라의 주민들이라고 해야 할지, 연하는 일종의 정신적인 충격까지 받아버리고 말았다.

'하느님.'

연하는 탄식했다. 빠져나가는 피와 함께 의식도 멀어졌다.

비켜.

갑자기 마치 각자의 귀에 대고 말하는 것 같은 기묘한 목소리가 울렸다. 사람들은 멈칫하고 하나둘 돌아보기 시작했다. 그 가운데 대공은 혀를 내찼다.

"십분도 버티지 못했군."

이반은 눈이 부실 정도로 환한 헤드라이트 속에 서 있었다. 갓 사무실에서 나온 샐러리맨처럼 넥타이를 조금 푼 와이셔츠 차림이었다. 하지만 와이셔츠는 얼핏 보면 화려한 무늬처럼 보일 정도로 핏자국이 튀어 있었고, 양손은 아예 핏물에 담갔다 뺀 것처럼 검붉었다.

대공은 한숨을 삼켰다. 막을 수 있을 거란 생각은 하지 않았지만 그래도 상당히 많은 녀석들을 오는 길에 포진시켰는데……. 보아하니 한 놈도 이반 이바노프라는 지옥을 살아 걸어 나오지 못한 것 같았다.

대공은 고개를 돌리고, 창백하게 질려 정신을 잃은 연하를 보았다.

"난 가말을 해방시켜 준 거야, 이 더럽고 추한 세상에서."

대공은 갑자기 무슨 소리를 들은 것처럼 흠칫 고개를 돌렸다. 그리고 중얼거리고는 사라졌다.

"아, 씨. 예거 이것들은 잠도 안 자나."

반면 사람의 바다 가운데로 난 길의 끝, 이반은 연하를 보았다. 정신을 잃은 그녀의 옆에 나뒹구는 도끼가 오히려 그의 심장을 내리찍은 것만 같았다. 실제로 그러지 않고서야, 이렇게 고통스러울 수가 없었다.

이반은 사람들 사이로 걸어갔다. 아무도 감히 움직이지 않았다. 이반이 바로 앞을 지나가자 몇 사람들이 무언가에 압도된 듯이 주춤거렸다.

이반은 연하 곁에 무릎을 꿇고 앉았다. 연하에게로 뻗는 손끝이 떨려와, 손에 힘을 주어 떨림을 진정시켰다. 그리고 연하를 얽매고 있는 그물을 거미줄보다도 손쉽게 찢어내고 그녀의 볼을 감싸 쥐었다.

"연하야."

불렀지만 연하는 새파랗게 질려 반응하지 않았다.

"연하야."

넌 언제나 상처 입은 모습이구나.

연하를 담은 이반의 눈이 흐려졌다. 그리고 이반이 당장 지혈할 만한 것을 찾는데 머리 뒤에 서늘한 것이 느껴졌다. 이반은 곁눈으로 어깨 너머를 보았다. 한 남자가 그에게 총을 겨누고 있었다.

"천천히 일어나."

남자가 말하는 대로 이반은 일어났다. 남자는 따라 총구를 올렸다. 그런데 쫓기듯이 눈을 깜빡이는 찰나에, 이반이 사라졌다. 남자는 깜짝 놀랐다. 하지만 바로 뒤통수를 짓누르는 위압감에 휙 고개를 돌렸다. 그곳에 자신을 물끄러미 내려다보는 붉은 눈이 있었다.

남자는 기겁해서 뒤로 총을 겨누었다. 그런데 이상했다. 물리적인 힘이 작용하는 것도 아닌데 막상 방아쇠를 당길 수가 없었다. 식은땀이 온 모공에서 솟아났다. 총구가 갈피를 잡지 못하고 떨려왔다. 그러자 이반은 무표정한 얼굴로 총을 잡았다. 남자의 손째로.

뼈와 총이 한 번에 우그러지는 소리가 울렸다.

남자는 비명을 질렀다. 하지만 이반의 표정은 바뀌지 않았다. 남자는 무릎을 꿇으며 그야말로 돼지 멱을 따는 것 같은 소리를 냈다. 공기를 찢어발기는 소리에 몇몇의 얼굴이 창백하게 식었다. 개중 한 남자가 부들부들 떨고 있다가 인파를 헤치고 뛰어나가, 이반을 쇠파이프로 내려쳤다.

"죽어!"

하지만 다음 순간, 이반의 손이 쇠파이프를 잡고 있었다. 그리고 그에

게 쇠파이프를 빼앗겼다 싶은 찰나, 남자는 총에 맞은 것 같은 충격과
함께 엄청난 거리를 날아갔다. 남자에게 부딪힌 사람들이 우르르 넘어
졌다.

겨우 정신을 차린 남자는 제 어깨에 검처럼 똑바로 박혀 있는 쇠파이
프를 발견하고 고통에 찬 비명을 터뜨리고 또 터뜨렸다.

"악! 아악! 아아악!"

아직 이반에게 잡혀 있는, 손과 총이 한 덩어리가 된 남자가 눈을 까
뒤집고 입에서 거품을 토하며 늘어졌다. 하지만 그를 내려다보는 붉은
눈에는 어떤 감정도 살아나지 않았다.

"이렇게 어린 녀석들이라니……."

이반은 중얼거리고 눈을 들었다. 붉은 눈이 횃불처럼 빛났다.

"언제 도망가야 할지조차 모르잖아."

현실감이라는 망치가 후려친 듯, 모두 비명을 내지르며 사방으로 달
아나기 시작했다. 아비규환이었다. 서로 밀치고 덮치며 정신없이 달렸다.

쩍. 그런데 발밑으로 균열이 일었다.

온갖 불길한 소리를 내면서 바닥이 갈라졌다. 균열은 이반의 발아래
서부터 시작되고 있었다. 오로지 다리의 힘만으로. 거미줄 같은 균열이
사방으로 폭발했다. 바닥이 액체가 된 것처럼 울렁거리고, 사람들은 비
명을 지르며 넘어졌다.

쿠우웅, 쿵. 머리 위의 다리가 울면서 잔재들이 떨어져 내렸다. 마치
신의 분노 앞에 바빌론 탑이 무너지려는 듯이.

"다들 멈춰!"

우렁찬 외침이 울렸다. 사람들은 오토바이 재킷을 입은 남자가 높이
들어 올린 것을 보고, 저도 모르게 움직임을 멈추었다. 그가 들고 있는
것은 원격기폭장치였다. 남자는 이를 갈았다.

"여길 한꺼번에 날려 버릴 수 있는 양이야. 한 놈도 움직이지 마. 싹

다 없애 버릴 거……."

"당신도 움직이지 마십시오."

목소리가 들린 순간이었다. 사복을 입은 렉스가 어느새 남자 앞에서 있었다. 붉은 눈을 보고 남자가 흠칫할 새도 없었다. 렉스는 파란 윤기가 흐르는 검을 아래서 위로 올렸다.

"다른 곳은 무사하고 싶다면."

검이 우아하다고 할 수 있을 만큼 기민하게 공기를 갈랐다. 그리고 팔이 떨어진 남자는 고통에 찬 비명을 내질렀다. 렉스는 그대로 검을 돌려 팔을 쳐 날렸다. 야구공처럼 날아간 팔을 누군가가 정확하게 캐치했다.

검은 제복, 검은 마스크를 쓴 붉은 눈의 남자.

사방으로 그 같은 사람들이 나타나 있었다. 사람들은 놀라서 주변을 두리번거렸다. 누구도 그들이 언제 나타났는지 모르는 얼굴이었다.

그런데 예거들은 갑자기 한 몸처럼 이반을 향해 돌아섰다. 마치 그를 공격하기라도 할 것처럼.

이반은 철저한 무표정이었다.

사무실 옷장에서 검을 꺼내는 렉스를 보며 김 중령은 납득을 할 수 없다는 얼굴이었다.

"TF-08은 상설 디비전들마저 어쩔 수 없는 비상상황을 대비한 SN 전담 대기팀 아닙니까? 저긴 인간들밖에 없는데 어째서 지금……."

"적을 제압하기 위한 게 아닙니다."

"네? 그렇다면 더 문제입니다. 민간인을 사살하는 일은……."

렉스는 문을 나서기 직전에 서늘하게 돌아보았다.

"지금 저분이 민간인 사살 같은 문제를 신경 쓸 것 같습니까? 저도 별로 막고 싶지 않습니다만."

김 중령은 더는 아무 말도 하지 못했다.

말은 그렇게 했지만 렉스는 오랜만에 긴장이라는 걸 하고 있는 상태였다. 그럴 마음만 있었다면 그가 도착하기도 전에 이미 이 자리에 숨을 쉬는 존재는 남아 있지 않았을 것이다. 오는 길에 난자당해 있는 테러리스트들처럼.

도시 전체가 비상사태였다. 이 어린 것들은 도구일 뿐이지만, 그것도 이반에겐 그다지 중요한 문제가 아닐 터였다. 다행히 학살이 시작되기 전에 도착할 수 있었다. 렉스로서도 딱히 이 잔악한 어린 것들의 목숨이 걱정돼서는 아니었다. 다만 일이 잘못되면 그들만 아니라 연하까지 인간 사회에서 추방되는 일이 생길지도 모르기 때문이었다.

"이바노프 씨."

렉스가 신중하게 불렀지만 이반은 움직이지 않았다. 미동 없는 눈 너머에 일렁이는 것에, 렉스는 짐승으로서의 본능이 요동치는 것을 느꼈다.

"강 상사의 부상을 처치하는 일이 먼저입니다."

올바른 단어 선택이었던 모양이다. 이반은 언제 이 자리를 아예 없애버릴 생각을 했냐는 듯, 바로 돌아서서 연하 곁에 앉았다. 그때 폭풍 같은 바람을 일으키며 닥터 헬기가 내려앉았다.

쿵, 철컹. 랜딩기어가 바닥에 닿기 무섭게 문이 열리고 리웨이를 선두로 의료팀이 달려왔다. 사방이 소란스러워졌다. 그 소리를 들었는지 연하가 얼핏 정신을 차렸다. 그녀는 떨리는 눈꺼풀을 들고, 이반을 보았다.

"이반……."

바로 눈을 질끈 감으며 고통스러워했다. 이반은 연하의 얼굴을 감쌌다.

"괜찮아."

연하는 이반의 팔을 움켜쥐고 거친 숨을 몰아쉬었다. 그리고 제 팔을 돌아보려 하자 이반이 얼굴을 감싼 손에 힘을 주어 돌아보지 못하게 했다.

"괜찮아. 아무 일도 아니야."

렉스는 정말로, 이반 이바노프의 목소리가 떨리는 것은 처음 들었다. 그때 리웨이가 달려와 외쳤다.

"어서!"

그녀의 명령에 따라 의료팀은 신속하게 움직였다. 리웨이가 절단면을 지혈하는 동안 응급구조사가 절단된 팔에 생리식염수를 들이붓고 거즈로 싸서 이송용 장기 보관 냉장함에 넣었다.

"리웨이."

그런데 연하가 갑자기 리웨이의 옷을 움켜잡고 말했다.

"저 사람들, 저 사람들부터……."

리웨이는 기가 막힌다는 얼굴이었다.

"너……!"

"난."

연하는 단호했다. 리웨이가 무슨 말을 할 줄 안다는 듯이.

"죽지 않아. 하지만 저 사람들은, 죽어. 내 피로 누군가가 죽지…… 않게 해줘."

결연한 빛을 뿜는 검은 눈동자를 마주하고, 리웨이는 이를 악물었다. 하지만 이내 돌아보며 외쳤다.

"저 새끼들, 게워내게 해! 아주 오장육부까지!"

리웨이는 로터 블레이드 바람에 의사 가운을 휘날리며 연하를 돌아보았다. 그녀의 피부는 거의 보랏빛을 띠는 푸른색으로 질렸고, 눈가 쪽에 혈관이 불거지고 있었다. 하지만 연하를 둘러싸고 있는 이반과 의료진은 아무 말도 하지 않았다. 잘린 팔에 거즈를 두르고 있는 의사도, 링거액과 옥시코돈 진통제 팩을 들고 있는 응급구조사도 어쩐지 숙연한 얼굴이었다.

"고마워."

연하는 말했다.

"호구 자식 같으니."

리웨이는 거칠게 중얼거리고 가버렸다. 곧, 피를 마신 사람들이 이송되는지 닥터 헬기가 하늘로 날아올랐다.

"연하야."

연하는 밤하늘로 날아오르는 헬기를 보다가 시선을 돌려 까맣게 패인 눈으로 이반을 보았다. 이반은 그녀의 얼굴을 한 번 더 쓰다듬었다.

"피를 마셔야 돼. 할 수 있지?"

연하는 고개를 저었다.

"다치게…… 할 거예요."

피가 부족한 루아스가 얼마나 짐승과 다름없는 존재인지는 여러 사건을 처리하며 익히 봐왔다. 이렇게 피를 잃은 상태에서 흡혈하기 시작하면 그가 다치지 않기 전에 그만둘 자신이 없었다.

"연결하세요."

하지만 이반은 말씨름할 시간이 없다는 듯 의사에게 고갯짓하고 팔을 걷었다. 연하는 그의 팔을 잡았다.

"이반……."

이반은 나머지 손으로 그녀의 손을 잡았다.

"괜찮아. 내 피를 모두 네게 준다고 하더라도, 난 괜찮아."

연하는 더 이상 말을 할 힘조차 없는 것 같았다. 튜브를 타고 피가 흐르기 시작했다. 연하의 시야가 하얗게 빛났다.

그녀는 죽어가고 있었다. 열아홉 그날에. 배에 난 구멍으로 제 몸을 빠져나가는 생명력을 느낄 수 있었다. 하지만 그 당시 그녀를 괴롭혔던 고통, 아픔, 공포 같은 감정들은 소리와 영상을 분리해 편집해 놓은 비디오처럼 제거되어 있었다.

눈앞에 그림자가 어른거렸다. 늘 초점이 맞지 않는 비디오처럼 뿌연 그림자……. 그런데 어쩐 일인지, 시야가 명료해지기 시작했다. 그리고 빛 사이로, 물기가 짙은 붉은 눈동자가 그녀를 응시하고 있었다.

후드를 쓰고 있는 이반은 꼭 중세의 수도자처럼 보였다. 은둔자 이 반. 이제야 그 별명이 어울려 보였다. 정장 차림과는 느낌이 천지 차이였지만, 노숙자 스타일의 묘한 레이어드룩도 잘 어울려서 신기했다.

'노숙자 스타일을 하고도 섹시해 보이는 사람은 드문데.'

연하는 어쩐지 태평하게 생각해 버렸다. 빛이 잦아들며, 그녀를 내려다보는 지금 이반과 모습이 겹쳐졌다. 검은 머리, 심각한 붉은 눈, 피로 물든 와이셔츠……. 연하는 희미하게 웃었다.

"금발도 잘 어울려요."

이반은 무슨 말인지 알아듣지 못하다가 곧 깨달은 모양이었다.

"너 그때 기억이……."

연하는 더 말하려는 이반의 볼을 손등으로 쓰다듬었다. 그의 뒤로 헬기가 날아오며 빛이 쏟아졌다.

열아홉 그날, 빛 속에서 얼핏 지나갔던 얼굴이 기억났다. 보지 못했다고 생각했지만, 그녀는 보았다. 전혀 상관없는 돌멩이쯤을 보는 것처럼 무심한 눈을. 이후 충격 때문에 잊어버린 것 같았다. 그때와 달리, 지금 그녀를 보는 눈에는 이쪽이 안타까워질 정도로 애절한 빛이 돌았다.

현장은 여전히 바로 옆에서 울리는 소리도 분간하지 못할 정도로 시끄러웠는데 그들 주변은 묘한 정적이 감돌았다.

"그런 눈 하지 말아요. 죽어가는 나에게 물어봤더라도……."

말을 잇기 힘들어, 연하는 한 번 숨을 삼켰다.

"난 이 삶을 선택했을 거예요."

그리고 연하는 눈을 감았다. 하지만 이번에는 눈을 감기가 두렵지 않았다. 다시 눈을 뜨면 이반이 기다리고 있을 걸 알기에.

도영은 군병원의 입구 옆 벤치에 앉아 있었다. 어차피 이 인근은 출입이 통제되었기 때문에 전투복과 무장 모두 그대로였다.

　계속 한 지점을 응시하고 있는데 자동문이 열리고, 한 사람이 옆에 와 섰다. 피가 말라붙은 수술복 차림을 한 리웨이였다. 두 사람은 한참 동안 아무런 말하지 않았다.

　"내가 인간인 게 싫어진 적은 오늘이 처음이었어요."

　도영은 시선을 돌리지 않고 중얼거렸다.

　"다행이네요."

　리웨이는 언뜻 차갑게 들릴 정도로 말했다. 그녀답지 않은 어투가 의아해 도영이 돌아보자 리웨이는 수술복 주머니에서 담뱃갑을 꺼내 들며 말했다.

　"오늘에서야 싫어졌다고 하시니까요. 전 늘 싫었거든요."

　그리고 꽤 손에 익은 모습으로 담배를 꺼내 물고 불을 붙였다. 도영은 의외라는 듯이 그녀를 보았다.

　"담배 피웠었습니까?"

　"끊었는데 갑자기 굳이 그럴 필요가 없을 것 같아서요."

　리웨이는 담배를 도영에게 내밀며 물었다.

　"소령님도 줄까요?"

　도영은 고민했다. 나중에 생각해 봐도 이 순간만큼 담배를 시작하기에 알맞을 때도 없었으리라. 하지만 도영은 말했다.

　"됐습니다."

　그러면서 고개를 젖히자 조명을 비춘 잿빛의 푸른 눈에 이채가 돌았다.

　"그래도 계속 달릴 수 있어야 하니까."

　눈을 뜨자 낯선 천장이 보였다. 연하는 한참 멍하니 누워 있었다. 이마에 흘러내린 머리카락이 간지러워 무의식중에 치웠다가, 흠칫 팔을 보았다. 왼팔이 붙어 있었다. 잘렸던 자국도 없이. 연하는 손가락을 하나씩 접었다가 펴보았다. 아무 이상도 없어 보였다.

침대를 짚고 일어나 보니 처음 보는 방이었다. 온통 하얀 벽에 천장이 높았고, 햇빛이 차단된 전면 창 너머에는 바다가 바로 보였다. 꼭 바다 위에 집을 지어놓은 것처럼.

"여긴……."

자기도 모르게 중얼거리는데 갑자기 목소리가 들려왔다.

[강 상사님, 일어나셨나요?]

연하는 깜짝 놀라 천장을 보았다.

"어, AI?"

[오늘은 5월 20일, 현재 시각은 17시 32분입니다. 날씨는 맑음, 습도는 54%로 쾌적합니다.]

그녀가 의식을 잃은 날로부터 나흘이나 지난 상태였다.

연하는 침대에서 내려와 창가에 서서 넘실거리는 바다를 바라보았다. 투명한 바닷물의 색깔이 왠지 국내가 아닌 것 같았는데 확실히는 알 수 없었다.

이반은 어디 있는지 알 수 없었지만 귀를 기울여도 집에서는 아무 소리가 들리지 않는 걸 보니 집에 없는 것 같았다.

"여긴 어디야?"

연하는 AI에게 물었다.

[이바노프 씨께서 말씀해 주실 거예요.]

그렇다면 이반의 집이라는 의미였다. 사실 AI가 말하지 않아도 방을 보고 어쩐지 이반의 집 같다고 생각하던 참이었다. 딱히 이유가 있어서라기보다, 그냥 느낌이.

"이반은?"

[곧 돌아오실 겁니다.]

그러고 보니 창에 비친 제 몰골이 엉망이었다. 나흘간 씻지 못했을 테니 당연하지만 머리가 거의 떡이 되어 있었다. 이 와중에도 이반이 이런 모습을 봤겠다 싶어 살짝 신경이 쓰이는 건 어쩔 수가 없었다.

연하는 돌아서며 물었다.

"욕실 좀 써도 될까?"

연하는 수도꼭지를 잠그고 샤워 부스에서 나왔다. 그리고 막 타월로 머리를 말리는데 멀리서 헬리콥터 소리가 들렸다. 이반이 돌아왔구나 싶어서 마음이 급해졌다. 그래서 일단 한쪽 벽에 걸린 가운을 둘러 입고 거실로 나갔다.

사방이 유리여서 바다가 거의 벽 무늬인 듯한, 거대한 온실 같은 집이 보였다. 헬리콥터 소리는 뒤쪽에서 들려왔다. 연하는 아래층으로 내려가 뒷문을 열고 나갔다. 집과 바로 연결된 헬기장에 막 헬리콥터 한 대가 내려앉아 있었다.

문이 열리고, 이반이 내려섰다.

그는 흰 티셔츠에 재킷을 걸친 편안한 차림새였고, 바닷바람에 흩날리는 머리도 자연스럽게 내린 상태였다.

그런데 어째서인지 붉은 장미 꽃다발을 들고 있었다. 그것도 다른 사람이 들고 있었다면 낯부끄러울 만큼 크고 화려한. 하지만 그는 푸른 바다를 배경으로 꽃다발을 들고 있는 모습까지도 자연스러워 보여서, 이제는 어쩌면 그럴 수 있는지 신기할 지경이었다.

이반은 연하에게 시선을 떼지 않고 다가왔다. 그녀도 마치 오늘 처음 그를 보는 것처럼 눈을 돌리지 않았다.

"일어났어?"

이반은 연하가 낮잠을 자고 깨어난 것처럼 호들갑 떨지 않고 조용히 물었다.

"네. 샤워 좀 했어요."

젖은 머리끝을 매만지며 대답하는데 이반이 꽃다발을 내밀었다. 연하는 조금 놀랐다.

"저…… 주시는 거예요?"

"지나가는데 예뻐서. 네 생각이 났어."

그의 목소리가 유난히 낮고 부드러워, 왠지 모르게 연하는 얼굴이 붉어지려고 했다.

"감사합니다."

연하는 품에 겨우 들어오는 꽃다발을 받아 들고 버릇처럼 거수경례하려다가 뭔가 아니다 싶어 손을 거두고 꾸벅 허리를 숙여 인사했다. 이반은 희미하게 웃었다.

"들어가자."

그가 어깨를 감싸 안으며 말했다. 뭔가 모르게 부끄러워진 연하는 세상 조신한 여자처럼 꽃다발을 안고 함께 안으로 들어갔다. 그러다 갑자기 뭔가가 떠올라 다급히 물었다.

"이반, 그 사람들은 어떻게 됐어요?"

이반은 재킷을 벗어서 의자 등받이에 내려놓다가 멈칫했다. 하지만 곧 마저 내려놓고 돌아보고 말했다.

"다 살아 있어. 처치가 빨랐던 덕분이라고 하더구나. 몇은 장애가 좀 남겠지만."

"장애라면……."

"여기가 어딘지는 묻지 않는구나."

이반이 화제를 돌려 연하는 깨달았다.

"아, 그러고 보니 어디예요?"

"낙소스 근처의 섬."

연하는 눈을 깜빡였다. 국내가 아닌 줄은 알았지만…….

"저 바다가 지중해라고요?"

"정확하게는 에게해지만."

이반은 연하에게 다가왔다.

"팔 좀 보자."

그가 다친 부위를 확인하려고 하는 게 처음도 아니었으므로, 연하는 팔을 내밀었다. 여전히 장미 꽃다발을 피난민 봇짐처럼 안은 채.

이반은 팔을 유심히 보았다. 한 손은 팔 아래쪽을 살짝 받치고, 감정사의 전문적인 진지함까지 느껴지는 태도로. 그런데 그가 다섯 손가락을 모두 깍지 껴와 연하는 숨길 새도 없이 흠칫하고 말았다.

"제대로 움직여져?"

이반은 물리치료사처럼 깍지 낀 손가락을 가볍게 뒤로 밀며 물었다.

'아, 그것 때문에.'

연하는 지레 놀란 가슴을 다스리며 고개를 끄덕였다. 심장박동이 빠르게 뛰는 걸 들을 수 있을 텐데. 진정, 진정.

이번에 이반은 연하의 팔을 따라 손끝을 미끄러뜨렸다. 그의 손끝이 잘렸던 부위에 닿았다. 팔꿈치 안쪽의 조금 위, 지금은 흔적도 없는 상처를 쓰다듬는 손길에서 안타까움이 묻어났다. 그렇게 정신이 없는 와중에도 연하는 떨리던 그의 목소리만은 기억이 나서 미안해지고 말았다. 반대로 이반이 그랬다고 생각하면 자신이 느꼈을 감정이 너무 생생하게 와 닿았기 때문이다.

그런데 하필이면 그가 쓰다듬는 부분이 바로 혈관 위여서……. 연하는 흠칫거리는 몸을 억눌렀다. 그러고 있는데 갑자기 꽃다발이 휙 옆으로 넘어갔다.

"어, 어……."

놀라서 붙잡고서야 꽃다발 아래쪽이 여러 번 쥐어짠 걸레가 되어 있는 것을 발견했다. 연하는 민망해져 웅얼거렸다.

"간지러워서……."

이반은 피식 웃고는 꽃다발을 받아 들었다.

"이리 줘."

그리고 꽃다발을 아일랜드 탁자 쪽으로 가져가며 말했다.

"배고프지? 옷 갈아입고 와."

그제야 연하는 자신이 목욕 가운 하나만 걸친 상태란 걸 깨달았다. 그리고 그렇다는 인식이 없었으니 막 움직여서 가슴께가 거의 풀어져 있는 상태라는 것도. 놀라서 이반을 봤지만 그는 꽃다발을 보며 말했다.

"줄기를 다 잘라 버리는 게 낫지 않을까?"

이쪽은 전혀 신경 쓰지 않는 것 같았다. 연하는 가운을 슬며시 여몄다. 예전에는 짧은 바지 하나 입었다고 속옷 같다고 뭐라고 하더니……. 그것도 그렇고, 오늘 왠지 이반이 좀 다른 느낌이었다. 정확히 뭐가 다르다고 할 수는 없지만 그냥 어쩐지…….

"이반."

연하는 계단을 올라가다 말고 불렀다. 이반은 돌아보고 말하라는 듯이 웃었다. 하지만 연하는 정확히 무슨 말을 해야 할지 몰라 고개를 내저었다.

"아무것도 아니에요."

그리고 연하는 계단을 올라가 욕실로 가서, 화장품이 여기 있으려나 싶어 찬장으로 손을 뻗었다. 순간 섬광이 치듯 어두운 이미지가 지나갔다.

빛, 피…… 번들거리는 눈들.

연하는 흠칫 손을 거두었다. 그리고 얼굴이 조금 파랗게 질려 잘렸던 부위를 잡았다.

그런데 온기가 닿자 왠지 그 부위에 큰 손의 흔적이 느껴졌다. 연하는 제 팔을 보았다. 어렴풋한 기억이지만 붕대 너머 다친 부위를 계속 감싸 쥐고 있는 온기가 떠올랐다. 가슴이 진정되기 시작했다.

'그래, 괜찮아. 공격당한 경험이 처음도 아니잖아.'

이렇게까지 위험한 적은 처음이었지만 아무래도 약해 보이는 외모 때문인지 종종 표적이 될 때가 있었다. 하지만 그건 연하만이 아니라, 많은 여성 루아스들이 겪고 있는 문제이기도 했다. 존재가 공개되면서 인간 사회에서 자리 잡고 살 수 있게 됐지만, 남자들에 비해 포획하기 쉽다고 생각하는지 영생을 노리는 인간들이 떼를 지어 덤비는 일이 적잖았기 때문이다.

사실 루아스는 성별에 따른 힘 차이가 크지 않았다. 오히려 혈통에 따라 다른 편이었다. 그래서 여자가 아니라 남자라 하더라도 떼를 지어 기습하는 데는 별수가 없었지만, 남자보다 약할 거라는 인식 때문에 여자 루아스를 노리는 빈도수가 훨씬 높았다. 안 그래도 같은 여성 루아스인 윤 중령이 관련 법을 제정하기 위해 동분서주하고 있다고 들었는데…….

연락해 봐야겠다고 생각하며, 연하는 화장품을 바르기 시작했다. 그러다가 갑자기 화장품을 보고 중얼거렸다.

"이거 내 건데?"

연하는 욕실과 방을 가볍게 둘러보았다. 그러고 보니 그녀의 물건들이 있었다. 꼭 방을 고스란히 옮겨온 것처럼. 덕분에 불편함 없이 본인의 화장품을 쓰고 본인의 옷을 입을 수 있었으나 궁금해서 아래로 내려가며 말했다.

"이반, 제 물건이 왜 다 여기에…….."

부엌에는 막 식사를 준비하려는 듯 재료들을 꺼내놓았는데 이반이 보이지 않았다. 연하는 주변을 둘러보며 불렀다.

"이반?"

이쪽이야.

멀리서 목소리가 들렸다. 연하는 목소리를 따라갔다. 부엌 너머에 아래로 내려가는 계단이 있었다. 역시 사방이 유리여서 어떻게 보면 수족관 같은 통로를 지나가니, 좀 더 아늑한 거실 공간이 나오고 오른쪽 벽 너머에서 빛이 흘러나왔다. 연하는 그쪽으로 가보았다.

거기에는 정말 바다 위에 떠 있는 것 같은 널찍한 공간 가운데 욕조가 놓여 있었다. 그리고 은은한 조명 빛을 받은 수면에 장미꽃들이 연꽃처럼 떠 다녔다. 물비늘이 흐릿하게 흔들리는 수면의 끝에는, 이반이 장미들을 띄우고 있었다.

"욕조…… 아니에요?"

연하는 장미꽃들이 수면을 느릿하게 떠다니는 모습을 보며 물었다.

"어차피 오래 살아 있진 못할 것 같아서. 다 띄울 만큼 큰 그릇도 없고."

장미에 시선을 뺏겨 연하는 뒤늦게 이반이 앞에 서 있는 걸 깨달았다. 그는 어스름한 조명 아래 짙어진 눈으로 그녀를 보고 있었다.

"이반, 오늘……."

연하가 무작정 말하다가 멈추자 이반은 말하라는 듯이 웃음기가 도는 눈으로 물었다. 왠지는 모르지만 그녀는 조금 소름이 돋았다.

연하는 갑자기 물었다.

"그때 제가 이반을 따라서 2층에 가서 찾은 게 뭐였어요? 이반이 맛있는 걸 준다고 관사로 초대했을 때."

이반은 고개를 조금 옆으로 젖혔다.

"무슨……?"

"뭐였어요?"

"청소기."

이반은 일단 대답했다. 연하는 고개를 끄덕이고 중얼거렸다.

"본인은 맞는데……."

"싱거운 녀석."

이반은 연하의 머리를 쓰다듬고 밖으로 나갔다. 그제야 평소 이반인 것 같아 그녀는 안심했다. 그리고 이반을 따라가며 물었다.

"저희 뭐 먹어요?"

"그리스에 있으니까 그리스 음식을 하려는데 먹어본 적 있어?"

"아뇨. 그리스 사람들은 뭘 먹는데요?"

그리스 사람들은 맛있어 보이는 걸 먹었다. 요리의 이름은 무사카라고 했다. 갈은 감자와 고기의 층이 섞인 라자냐 같았다.

요리하는 이반을 옆에서 지켜보고 있는데 그가 말했다.

"원래 들어가는 돼지고기는 콩고기로 바꿨어."

예전에 고기를 별로 좋아하지 않는다고 했던 걸 기억해 줬구나 싶어서 연하는 웃었다.

"고마워요."

이반도 조금 웃었다. 요리를 하는 그는 평소와 같았다. 역시 달라 보였던 건 기분 탓이었구나 싶었다.

"테이블에 그릇 좀 놔줘. 오른쪽 찬장에 있어."

이반이 말했다.

"네."

연하는 대답하고 돌아서서 찬장을 열었다. 그때 이반이 뒤에 다가왔다. 온기가 느껴질 정도로 가까운 거리에 연하가 흠칫 돌아보자 같은 찬장 위층에서 샐러드 볼을 꺼낸 이반이 내려다보고 물었다.

"왜?"

"아뇨……."

연하는 어물거렸다. 이반은 이상한 녀석 다 보겠다는 듯 웃고는 가스레인지로 돌아갔다. 연하는 뒷머리를 긁적였다.

'일부러 그런 거 같은 건 기분 탓, 이겠지……'

좀 의심스럽긴 했지만 그렇다고 주리를 틀면서 자백을 강요할 수도 없어서, 마저 테이블에 그릇을 세팅했다. 그러고 나서 두 사람분의 식기가 놓인 테이블을 보니 기분이 묘했다. 루아스가 되고 나서는 누구와 요리해서 저녁을 먹어본 적이 없었기 때문이다. 늘 식당에서 식사가 제공되니 애초에 요리를 하지 않았을뿐더러 함께 먹을 만한 상대도 없었으니까. 도영과는 어쩐지 같이 요리를 해 먹는 모습이 상상되지 않았다. 남자친구들끼리 그러는 걸 상상할 수 없는 것처럼.

연하는 이반을 돌아보았다. 계속 그러고 있자 시선을 느꼈는지 그가 돌아보았다.

"왜?"

"저희 진짜 가족 같아서요."

"가족은 가족이지."

또 그, 속이 들여다보이지 않는 묘한 미소였다.

이반이 불투명한 유리 너머에 서 있는 것 같아 연하는 초조하다고 해야 할지, 불안하다고 해야 할지, 어쩔 줄 모르는 기분이 들었다. 그래서 이반에게 다가가 팔에 손을 얹었다. 그는 그녀를 보았다.

역시 저 눈 때문일까, 자꾸 그가 달라 보이는 건. 평소보다 짙은 눈동자……. 몸에 희미한 열기를 일으켜 연하는 내내 이상한 기분이 가시지 않았다.

이반이 음식을 내밀었다. 맛을 보라는 것 같았다. 그것 때문에 온 건 아니었지만, 사실 무슨 말을 하고 싶은 건지도 몰랐으므로 연하는 입을 벌렸다. 혀에 그의 손가락이 조금 닿았다.

"어때?"

연하는 자신이 뭘 먹었는지 알 수 없었다. 이반이 자신의 손가락에 남은 소스를 가볍게 빨아먹으면서 물었기 때문이다.

"맛있어요."

연하는 기계적으로 대답했다. 뭔가의 조각은 맛을 볼 새도 없이 통째로 넘어가고 난 후였는데. 사실 불의 조각을 삼킨 건 아니었는지, 배 속이 뜨거웠다.

"컵은 어디 있어요?"

연하가 몸을 돌리면서 묻자 이반이 대답했다.

"그건 왼쪽에 있어."

연하는 찬장을 열었다. 신경은 온통 뒤로 향해 있어 이번에는 이반이 다가오면 바로 알 수 있었다. 하지만 이번에 그는 요리를 마무리할 뿐이었다. 연하는 안도하면서도 어딘가 섭섭한, 묘한 기분으로 컵을 식탁에 올려놓았다. 왜 이렇게 긴장이 되는지 알 수 없었다. 평소에는 이반과 둘이 있으면 오히려 편하다는 느낌인데…….

하지만 이반이 메인 요리를 식탁에 올려놓자 뜨끈한 김을 풍기는 음식의 자태에 연하는 잠시 긴장감을 잊었다. 이반은 그녀의 몫을 떠서 앞에 놓아주었다.

"잘 먹겠습니다."

연하는 인사하고 한 입 떠서 맛보았다. 그리고 아직 옆에 서 있는 이반을 보고 거의 경이에 차서 말했다.

"맛있어요."

그때 그녀를 보는 이반은, 정말 아이가 밥을 맛있게 먹는 모습을 보는 아버지 같았다.

"묻었어."

이반은 웃으며 말하고는 연하가 스스로 뗄 틈도 주지 않았다. 그녀의 얼굴을 쥐고, 허리를 숙였다.

연하는 눈을 휘둥그레 떴다. 지금……? 하지만 이반은 아무렇지 않게 허리를 일으키고 맞은편 자리에 앉았다.

"물 줄까?"

이반은 정말로 아무 일도 없었다는 얼굴이기 때문에 연하는 자신이 눈을 뜬 채로 꿈을 꿨나 싶었다. 하지만 분명히 볼에 감촉이 남아 있었다. 이게 무슨 상황인지 알 수가 없어서, 연하는 말없이 음식을 먹었다.

달칵. 달그락. 한동안 식기가 부딪치는 소리밖에 울리지 않았다. 연하는 왠지 모르게 죄지은 것처럼 식사를 하다가 흘긋 맞은편을 보자, 이반이 눈을 들었다. 그 순간 연하는 저도 모르게 손에 힘을 주고 말았다. 포크가 우그러졌다. 그에 깜짝 놀라 손을 펴는 바람에 포크가 떨어졌다.

쨍그랑 소리가 나고, 연하는 다급하게 몸을 숙였다.

"제, 제가 주울게요."

이제 힘 조절 정도는 숨 쉬듯 할 수 있는데 꼭 처음 루아스가 되었을 때처럼 제어가 되지 않았다. 뭔가, 너무, 전부, 당황스러웠다.

"아직 손이 제대로 움직이지 않아?"

이반이 걱정스럽게 물으면서 일어나 다가왔다.

"아니, 그게……."

연하는 어물거리며 일어났다. 그런데 이반도 포크를 주워주기 위해 몸을 숙이고 있었는지 그녀는 일어나면서 그의 품속에 들어간 것 같은 자세가 되었다. 연하는 흠칫하며 그에게 닿지 않기 위해 몸을 돌렸다. 그러면서 의자에서 떨어질 듯 휘청거리자 이반이 허리를 안아 지탱해 주었다.

입술이 바로 지척이었다. 빛을 등진 그의 눈빛이 어두웠다.

그때 이반이 연하가 쥐고 있는, 완전히 우그러진 포크를 보았다.

"손은 제대로 움직이는 것 같구나."

"새거 가져올게요."

연하는 갑자기 차갑게 말하고는 일어났다. 그리고 이반을 스쳐 지나 서랍이 아닌 냉장고를 열고는 움직이지 않았다. 이반은 그 등을 의아하게 보았다.

"연하야."

이반이 연하 뒤로 다가가자 그녀는 홱 돌아보고 말했다.

"하지 마세요."

거의 울 듯한 얼굴이어서 이반은 놀랐다.

"뭘……."

연하는 대답하지 않고 다시 돌아섰다. 그리고 냉장고에 포크를 집어넣고 새 포크를 찾는 것처럼 손으로 더듬거리며 말했다.

"전부요. 보는 거, 말하는 거, 숨 쉬는 것도."

이반은 잠깐 연하를 지켜보았다. 얼핏 보이는 둥그런 볼이 약하게 떨리고 있었다.

"내가 뭐 잘못했어?"

이반이 묻자 연하는 떨리는 숨을 내쉬고 말했다.

"자꾸 기분이 이상하단 말이에요. 어딘가 간지러운 것 같고, 덥고…… 꼭, 꼭……."

그러고는 적합한 표현을 찾는 것처럼 더듬거렸다.

"꼭 이반이 유혹하는 것처럼……."

뒤에 있는 이반이 조용히 연하의 양어깨를 잡았다. 위로해 주는 거라고 생각한 연하는 계속해 말하려고 했다. 그때, 그가 그녀를 돌려서 키스했다. 냉장고에 밀어붙이며.

부딪치는 소리가 났다. 무언가 떨어지는 소리가 났지만 연하는 신경 쓸 겨를이 없었다. 거의 냉장고에 못 박힌 채 그를 받아들이고 있었기 때문이다. 숨이 막혀왔다.

"이……."

연하가 부르려고 했지만 이반은 재차 입술을 겹쳤다. 이렇게 강압적인 건 버스 사고가 일어난 날 이후 처음이었다. 아니, 이반은 그때보다 더 자신을 쏟아내듯이 키스했다. 하지만 연하는 거부하지 않았다. 오히려 바라마지 않던 일이었기 때문에, 본능적으로 그를 끌어안고 키스를 받아들였다.

키스는 점차 부드러워졌다. 점액이 부딪치는 소리가 울렸다. 연하는 제 볼을 감싸고 있는 커다란 손과 얇은 천 사이로 맞닿은 몸, 은은한 삼나무 향을 느꼈다. 연하는 살면서 처음으로 남자의 몸이 이렇게 단단하다는 것을 인식했다.

"맞아."

입술이 조금 떨어지고 이반이 속삭였다.

"유혹하는 거."

연하는 눈을 크게 떴다. 빛을 등져 그늘에 잠긴 그는 진지한 얼굴이었다.

"순서 같은 거 모르겠어."

"네? 무슨 순서……."

연하는 알 리 없는 이야기여서 어리둥절해하며 물어보려고 했지만, 이반은 몸으로 그녀를 더 밀어붙였다. 열기가 올라 뜨거운 몸을 느낀 연하는 볼이 붉어졌다.

이반은 속삭였다.

"네가 눈이 뒤집혀서 내게 달려들었으면 좋겠어."

연하는 놀란 것처럼 입을 열었다가 다물었다. 그러고는 불쑥 그의 얼굴을 감싸 당겼다.

"모르겠어요? 이미 눈은 뒤집혔어요."

치켜뜬 채 그를 노려보는 눈이 도발적이었다. 귀여운 연하, 사랑스러운 연하, 도발적인 연하……. 생각해 보면 그는 한때 세상을 가지고 싶어 했다. 터무니없이 큰 그 욕심은 사라진 것이 아니었다. 다른 곳을 향하고 있을 뿐이었다.

연하는 자신이 어디까지 바라는지 알 길이 없겠지만, 이반은 괜찮았다. 그녀도 그가 원하는 만큼 원하게 만들 테니까. 어쨌든 그는 늙고 교활한 흡혈귀이지 않은가?

이반은 연하의 볼을 감싸고 깊이 키스했다. 연하도 그를 맞아들였다. 입맞춤은 점점 진해졌다. 하지만 연하는 부끄럽다는 생각도 잊어버렸다. 맛있는 음식 말고도 이렇게 식감을 자극하는 것이 있으리라고는 상상하지 못했다. 연하는 애가 닳아 이반을 더 끌어안으며 졸랐다.

"기분 좋아……. 더 해줘요……."

"기분 좋아?"

이반은 귓속에 뜨겁게 속삭였다. 연하는 달팽이관마저 전율하는 느낌이었다. 홀린 듯이 고개를 끄덕였다. 그러자 입술이 다시 겹쳐졌다.

그런데 어느 순간 가슴을 감싸 쥐는 손길에는 조금 움찔하고 말았다. 하지만 지금 두 사람은, 어, 그렇고 그런 짓을 하는 중이니까, 당연한 순서겠지 싶어 연하는 애써 의연한 체했다.

이반이 옷 너머로 단단해진 가슴 끝을 문질렀다. 연하는 침착하려 해도 숨이 가빠지고 입안에 침이 고였다. 아랫배에 뭉근하던 열기가 온몸으로 퍼져서, 너무 더웠다. 볼이 타오르는 것 같았다.

'어지러워…….'

"연하야."

그때 이반이 불러, 연하는 질끈 감은 눈을 떴다. 그가 볼에 살며시 키스했다. 그의 숨결도 뜨거웠다. 그것만으로도 연하는 긴장이 풀리는 느낌이었다.

이반이 연하가 입고 있는 추리닝바지의 허리에 손을 걸었다. 그리고 벗겨 내리기 시작하는 것을, 그녀는 깜짝 놀라 잡았다.

"꼬…… 꼭 벗어야 돼요?"

자신이 생각해도 한심한 질문이었지만 어쩐지 부끄러워서…….

"응."

이반은 진지했다. 연하가 우물거려도 가만히 보면서 기다렸다. 결국 연하가 살짝 손에 힘을 빼자, 그는 바지와 속옷을 동시에 끌어 내렸다. 하지만 연하는 더 이상 그곳에 신경 쓰고 있을 수 없었다. 그가 키스하면서 손을 미끄러뜨렸기 때문이다. 엉덩이 사이 젖은 곳으로.

정수리에 벼락이 내리는 것 같았다. 연하는 흠칫 물러나려고 했지만 그가 등에서 티셔츠를 끌어 올린 손으로 잡고 있어 불가능했다.

이반은 손가락으로 이미 폭 젖어 미끈거리는 곳을 확인하고, 속삭였다.

"젖었어, 많이."

그를 담은 눈동자가 졸아붙었다. 연하는 다급하게 숨을 삼켰다. 손가락이 움직이고 있었다. 미끈거리는 곳을 문지르면서 깊이 미끄러져 들어왔다.

"이반, 그만……."

왠지 이상한 소리가 나올 것 같아 연하는 입술을 깨물었다. 이반은 대답하지 않았다. 귓불을 깨물고 핥으며 손가락을 움직일 뿐이었다. 치적거리는 소리가 났다.

지금 자신이 어떤 모습인지 볼 수는 없지만 티셔츠만 입고 서서 엉덩이 사이에는 남자의 손이 꿈틀거리는 모습이란 상상만 해도…… 감당하기가 힘들었다.

"너무…… 야해…… 야해요."

힘껏 힘이 들어간 허벅지가 떨려왔다. 아니, 온몸이 떨리는 것 같았다. 전신의 모공이 열린 것처럼 식은땀이 솟아났다.

갑자기 이반이 연하를 들어 단번에 조리대에 올려놓았다. 연하는 기겁하여 다리 사이로 티셔츠 끝을 눌렀다. 그가 다리 사이에 들어와 있어 다리를 오므릴 수 없었기 때문이다.

"이런, 저, 정숙하지 못한……."

이건 감당할 수 있는 '야함'의 강도를 넘어도 너무 넘어가는 일이라, 연하는 아무 말이나 내뱉었다. 이반은 그녀의 양옆으로 손을 짚고 물끄러미 보았다.

"정숙하지 못한 건 시작도 안 했는데."

"시작도 안 했다고요?"

연하는 눈을 동그랗게 떴다. 이반이 조금 웃고는 몸을 기울여 왔다. 연하는 흠칫하여 물러났다. 그가 허벅지를 잡아당겨 몸이 쭉 딸려갔다. 덕분에 이제 조리대에 반쯤 드러누운 자세가 되었다. 이반이 허벅지를 잡아 벌리려 하기에, 연하는 오히려 분분히 다리를 오므렸다.

"안 돼요. 이건…… 너무……."

"보고 싶어."

연하는 입술을 깨물었다. 너무 부끄러워서 이마에 땀이 솟아났다. 하지만 뚫어져라 그녀를 보는 그의 눈이…….

명령이라도 들은 것처럼, 거부할 수가 없었다. 서서히 벌어지는 허벅지가 바들거리며 떨려왔다. 도중에도 몇 번이나 오므리고 싶었지만 겨우 힘을 주었다. 타인에게 자신을 이렇게 적나라하게 드러내는 날이 올 거라고는 상상도 하지 못했다. 심지어 조리대에 누워서.

보고 싶다더니, 이반은 정말 그곳을 빤히 보았다. 연하는 씨근거리는 숨이 새었다. 급히 팔꿈치를 짚고 상체를 일으키려 했다.

"이반, 역시 이건……."

"가만히 있어."

이반이 허벅지를 꾹 눌렀다. 꼭 강아지에게 명령하는 것 같아서, 연하는 바들거리면서 말했다.

"개가 아니에요."

이반은 웃었다. 부끄러움 때문에 물기가 그렁한 눈으로 대차게 말하는 그녀가 감당하기 힘들 만큼 귀여웠다.

"더 귀여워."

볼에 뽀뽀하면서 말했지만 연하는 왜 이 맥락에서 귀엽다는 말이 나오는지 이해할 수 없어 어리둥절해하는 얼굴이었다. 그러다가 흠칫했다. 그가 더 깊이 손가락을 미끄러뜨렸기 때문이다. 손가락이 벌어진 부분을 가르고 미끄러져 들어오자 배에 음영이 질 정도로 힘이 들어갔다.

"이반……."

목이 졸린 것처럼 이반을 불렀다. 이반은 연하의 볼에서 귓불, 목덜미로 입술을 떼지 않고 내려갔다. 손가락은 거의 일을 치르는 것처럼 움직였다.

"이반, 제발……."

연하는 너무 정신이 없어서 이반이 더 아래로 내려가는 것을 알지 못했다. 그가 수풀을 헤치고 정점을 츕 빨아 흠칫 깨달았다.

"이반."

연하는 다시 일어나려 했지만 이반이 한 손으로 배를 누르고 다른 손으로는 허벅지를 단단히 붙잡고 있었다. 연하는 이러지도 저러지도 못해 질끈 눈을 감았다. 억눌린 숨이 터져 나왔다.

몸이 절절 끓었다. 몸을 떨며 몇 번이고 이반을 불렀지만 대답은 돌아오지 않았다. 그는 오히려 더 정성껏 집중했다. 너무…… 너무 야한 소리가 나서 눈물이 날 것 같았다. 겨우 조리대를 짚고 있는 발가락이 파들거렸다.

겨우 이반이 떠나는 느낌이 나 연하는 몽롱한 눈을 떴다. 그가 집요하게 애무한 곳이 타오르는 것 같았다. 너무 뜨거워서, 그곳밖에 남아 있지 않은 것 같았다.

이반이 조금 웃음기를 띠고 말했다.

"맛있어."

연하는 도저히 참을 수가 없어서 위로 기어 올라가려고 버둥거렸다. 그러자 이반이 허리를 잡아 끌어 내리면서 웃었다.

"어디 가."

"너무…… 부끄러워요."

"괜찮아."

"괜찮지 않……."

뒤에서 철컥거리는 금속성이 들려 연하는 아래쪽을 보았다. 이반이 벨트를 풀어내고 있었다. 그리고 검은 드로즈 속으로 손을 넣어 손등으로 드로즈를 밀어내며 꺼내 들었다.

연하는 조금 놀랐다. 저런 게 들어온다는 게 어떤 느낌일지 기대감과 두려움이 동시에 들었다. 그래서 저도 모르게 호기심에 눈을 떼지 못하고 있는데 이반이 나직하게 웃었다.

"정말, 이렇게 귀여워서……."

연하는 흠칫 고개를 들었다. 커다란 것이 좁은 곳을 벌리면서 밀려들었다. 골반이 벌어지는 느낌이었다.

"아……."

이반이 끝까지 밀고 들어오고, 연하는 몸이 떨려왔다. 입이 다물어지지 않아서, 침이 고였다. 연하는 그가 들어왔을 뿐인데 처음이라고 믿을 수 없을 만큼 잔뜩 느끼고 말았다. 이렇게 크고 단단한 게 들어왔는데 아프지 않을 뿐 아니라 오히려 좋다는 게 믿어지지 않았다.

"웃, 나…… 이상하게 좋아요……. 좋아……."

아프지 않을까 걱정될 정도로 여성을 조이면서 토해냈다. 이반이 몸을 기울여 뒤를 점령하고 귓가에 속삭였다.

"좋아?"

"좋아요……."

이반이 빠져나갔다가 들이닥쳤다. 폭풍이 치는 것 같았다. 연하는 앞으로 무너지며 비명 같은 소리를 냈다. 그의 힘에 밀려 조리대에 젖가슴이 뭉그러졌다. 그는 거의 그녀를 짓누르며 밀려들었다. 아래 캐비닛 문이 그들 무릎에 채여 덜컹거렸다.

연하는 배 속이 섬뜩했다. 이 표현이 맞는지는 모르겠지만 배 속이 텅 비어서 허기가 지는 것처럼 무언가를 갈구하고 있었다. 그 느낌이 소름이 올라오는 것같이 느껴졌다. 여성이 전율하며 그를 쭉쭉 쥐어짰다.

이반이 연하의 머리카락을 쓸어 치우고 관자놀이에 키스했다. 관자놀이에 닿는 숨이 뜨거웠다. 연하는 온몸이 용암 속에서 녹아내리는 것 같아, 바닥에 닿은 발이 철퍽거리며 뭉그러지지 않는 게 신기했다.

갑자기 쾅 소리가 났다. 연하는 깜짝 놀라 정신을 차렸다. 아래쪽을 보니, 캐비닛의 문이 누가 걷어찬 것처럼 부서져 있었다. 이반이 그녀를 아일랜드에서 떼어내며 물었다.

"괜찮아?"

"제가…… 그런 거예요?"

연하는 정신이 없어서 뭐가 뭔지 알 수 없었다. 이반이 물었다.

"방까지 갈 수 있겠어?"

"방…… 이요?"

"응."

그러고 보니 그들은 아직 부엌에 있었다.

전혀 방까지 갈 수 있을 것 같지 않았지만 연하는 마지막 이성을 모아 고개를 끄덕였다. 그러자 이반이 빠져나가고 티셔츠가 내려와 아래쪽을 살짝 가려주었다. 연하는 거동이 힘든 노인처럼 한 걸음, 내디뎠다. 발바닥이 바닥에 닿는 느낌마저 자극이 되어 올라왔다.

자꾸 몸이 떨려오면서 땀과 식은땀이 동시에 솟아나는 것 같았다. 더운 것 같으면서도 춥고, 또 그 반대이기도 했다. 연하는 2층으로 향하는 계단이 오르페우스가 올라갔던 지옥의 계단보다도 길게 느껴졌다. 결국 올라가다 말고 다리가 꺾여 휘청하자 이반이 잡아주었다.

"못 가겠어요."

연하는 울먹였다.

"바로 앞이야."

어쩐지 이반이 일부러 이렇게 애를 태우는 게 아닌가 하는 생각이 들었지만, 이미 그 시점에서 이성이 시원하게 끊긴 연하는 그의 목에 팔을 감으며 애원했다.

"못 가겠다고요. 어서, 응? 해줘요, 제발."

연하는 다급하게 이반의 입술을 찾았다. 그의 입술이 조금 웃는 것 같았지만 확실히 알 수는 없었다.

연하는 이반을 밀어뜨려 계단에 앉게 하면서 무릎 위에 올라탔다. 그리고 개가 땅에 묻어둔 물건을 찾듯이 그의 것을 드로즈에서 꺼냈다. 아까 그가 한 것처럼 제 안에 넣으려고 했지만 어쩐지 잘 되지 않았다.

"안, 안 돼요……."

"서두르지 마."

이반이 엉덩이를 잡아 벌리면서 미끄러져 들어왔다. 연하는 목을 젖히며 신음했다. 다리 사이가 작고 단단한 돌멩이처럼 뭉치는 느낌이었다.

이반이 등줄기를 쓸어 올렸다. 연하는 동작에 따라 천천히 움직였다. 신기했다. 다음에 뭘 해야 할지 이성은 모르는데 본능은 알고 있었다. 선대로부터 물려받은 비전이라도 머릿속에 있는 것처럼.

"이반, 이반……."

그를 부르는 음성이 전혀 자신의 것 같지 않았다. 허스키하면서도 가늘고, 황홀경에 젖어 있었다.

"좋아…… 좋아요……."

계단에 반쯤 누운 이반은 목줄에 매인 크고 위험한 짐승 같았다. 한껏 사나워져 있는 상태지만 굵고 단단한 줄로 겨우 붙들고 있는.

연하는 끓어올라 넘치는 것을 참을 수 없었다. 그에게 입맞춤을 퍼부으며 생각나는 대로 쏟아냈다.

"이반…… 섹시해요, 너무. 전부. 눈빛도, 목소리도, 몸도…… 다. 특히 가슴이…… 섹시해."

잘 알아들을 수 없을 만큼 거친 숨 사이로 정신없이.

이반은 이 와중에도 웃음이 난다는 사실이 놀라웠다. 정말로 귀여워서, 한입에 삼킬 수 있을 것 같았다. 그리고 아무래도 그래야 할 것 같았다. 그는 그대로 몸을 돌려 연하가 계단을 짚고 엎드리게 했다. 경사진 계단 때문에 무게가 아래로 쏠리면서 그가 더 깊이 느껴지는지 연하는 신음했다.

이반은 허벅지로 연하의 허벅지를 지탱하고 밀고 들어가기 시작했다. 연하는 놀란 듯 여성을 조이면서 신음을 냈다. 작고 귀여운 엉덩이가 힘에 밀려 출렁거리고, 허리가 잔뜩 휘었다.

"아앗……."

연하는 목을 젖히고 울었다. 이반은 신음을 토해냈다. 경이가 다 고갈될 만큼 살고도, 이렇게 이성을 잃을 것 같은 순간이 처음이라는 사실이 경이로웠다.

연하는 단번에 잡아채지듯이 절정에 올랐다. 머릿속에서 핵이라도 터진 것 같았다. 두개골을 송두리째 흔드는 감각의 폭발에, 정말 시야가 하얗게 비워졌다. 연하는 전율했다.

짧게 기절했었는지 정신을 차리자 이반이 그녀를 안아 들고 있었다. 막 2층으로 올라선 참이었다. 이반은 연하의 관자놀이에 깊이 키스했다.

연하는 눈을 감았다. 그 순간 자신이 영원히 산다는 사실이 고마웠다. 이때 받았던 느낌, 냄새, 감각의 흔적이라도 가지고 살 수 있다면 영원히 살 가치가 있다는 생각이 들었다. 뼛속까지 사랑받는 느낌……

이반은 방으로 들어가 연하를 침대에 내려놓고, 제 티셔츠를 잡아 동작 한 번으로 벗어던졌다. 미켈란젤로의 손길이 닿지 않고는 불가능할 것 같은 몸이 드러났다.

이반이 낮게 웃어, 연하는 정신을 차렸다. 그제야 자신이 무의식중에 이미 그의 몸을 쓰다듬고 있다는 사실을 깨달았다. 완벽하게 조각된 토르소를 손바닥으로 느끼며 경탄하듯이. 이반은 온기가 도는 눈으로 그녀를 지켜보고 있었다.

연하는 아까 정신이 없는 와중에 자신이 무어라 지껄였는지 기억났다. 뒤늦게 주체 못할 부끄러움이 밀려왔지만 그것이 더 이상 그녀를 주저하게 하진 않았다.

"만져도 돼요?"

"네 거야."

이반은 다가왔다.

"전부."

그는 여름날의 소나기처럼 쏟아졌다. 생명을 틔우는 따뜻하고 싱그러운 빗줄기. 강하면서도 부드러운 흐름을, 연하는 온몸으로 맞았다. 피부를 타고 흘러내리는 싱싱한 물방울들. 모든 것을 촉촉하게 적시는 해갈의 단비. 그 속에서 춤을 추는 것 같은 자신의 몸짓.

나의 생명. 나의 근원. 나를 살게 하는 축복의 물.

손안에 고인 빗물을 한껏 들이마시듯, 연하는 이반을 받아들였다.

13

스투포르 문디-"세계의 경이"

연하는 숨을 몰아쉬었다. 섹스라는 게 이렇게 체력을 많이 쓰는 거였는지 체력에는 자신이 있는데도 어지간한 운동보다 힘들었다. 특히 같은 부위더라도 평소에 쓰지 않은 것 같은 근육들이 욱신거렸다. 허벅지 깊은 안쪽이나 허리도 미묘하게 아래쪽, 계속 이반을 붙잡고 있느라 들고 있던 팔 안쪽 같은 곳들이. 하긴, 어지간한 운동보다 더 오래, 힘들게 몸을 썼으니까.

점차 몸이 나른해져 침대에 녹아들 것만 같았다. 그때 그녀를 안고 있는 이반이 등허리를 쓰다듬으며 말했다.

"씻을까?"

연하는 고개를 끄덕였다. 그리고 일어나려고 자세를 잡는데 이반이 그녀의 몸 아래로 팔을 넣더니 안고 일어났다. 연하는 깜짝 놀랐다.

"제가 갈 수 있는데……."

"알아. 그냥 내가 그러고 싶어서."

이반은 웃고는 그대로 방을 나섰다. 연하는 살짝 볼을 붉혔다. 알몸으로 안기는 게 부끄러웠지만 얌전히 안겨 있었다.

이반은 네댓 사람이 한 번에 씻기에도 충분한 샤워 부스로 들어가 연하를 내려놓고 샤워기를 들었다. 연하는 슬그머니 시선을 벽 쪽으로 옮겼다. 계속 알몸을 맞대고 있었지만 어쩐지 환한 빛 아래서 그의 몸을 직접적으로 보는 건 부끄러웠기 때문이다. 게다가 자신도 알몸이었기 때문에 괜히 샤워 타월을 들고 만지작거리며 슬쩍 몸을 가렸다.

이반은 연하를 돌아보았다.

"이리 와."

한 걸음 다가가자 이반은 샤워기로 직접 연하에게 물을 끼얹어주었다. 정수리에 따뜻한 물이 쏟아졌다.

"고마워요."

눈에 물기를 닦아내고 보자 이반은 온화한 눈으로 그녀의 볼에 뽀뽀했다. 그렇게 부끄러운 행동을 여러 번, 여러 각도에서 해놓고도 이런 작은 애정 표현에 연하는 못내 수줍어졌다.

연하는 마침 들고 있는 샤워 타월에 거품을 내어 몸을 문지르고 돌아보았다.

"이반, 이거……."

샤워 타월을 전해주려는데 그녀가 거품을 칠하는 동안 자기 몸과 얼굴에 물을 끼얹고 있던 이반이 젖은 머리를 쓸어 올리고 웃었다.

"나도 닦아줄래?"

"네."

연하는 별생각 없이 이반의 몸에 거품을 칠하기 시작했다. 어쩐지 굉장히 친밀한 사이가 된 것 같았다. 단단한 가슴과 팔, 복부까지 칠하고, 허리를 굽혀 허벅지, 종아리까지 칠해주었다. 그리고 이반이 들고 있는 샤워기 아래 샤워타월을 씻으려고 가져가는데 그가 샤워기를 빼고는 말했다.

"한 군데 빠졌는데."

"네?"

"제일 많이 쓴 곳을 안 닦으면 어떡해?"

연하는 반사적으로, 개인적인 부분이라 생각하고 당연한 듯이 빼놓은 곳을 쳐다보았다. 거품에 가려져 보이진 않았지만…….

당혹감이 올라왔다. 하지만 괜히 주저하면 이상한 생각을 한 것 같을까 봐 손을 뻗었다. 진지한 얼굴로 주저주저 손을 뻗는 그녀를 이반이 즐거워하는 눈으로 지켜보고 있다는 것도 모르고.

말랑한 상태인 것은 생경한 느낌이었다. 부들부들하면서도 안에 대가 있는 것처럼 단단하고……. 연하는 갑자기 살짝 붉어진 얼굴로 이반을 노려보듯이 올려다보았다.

"지금 저 놀리는 거죠."

"왜?"

이반은 짓궂은 사내애 같은 얼굴이었다. 연하는 머뭇거렸다.

"근데 왜 딱딱…… 해져요."

"네가 만지는데 당연하지. 뒤돌아. 씻겨줄게."

이반은 태연히 말하고는 연하를 돌려세웠다.

"어, 제가 해도……."

연하가 샤워기로 손을 뻗자 이반은 다시 샤워기를 빼며 웃었다.

"씻겨줬으니까."

"그게…….."

"어서."

연하가 어쩔 수 없이 돌아서자 이반은 그녀의 어깨에 샤워기로 물을 부었다. 물이 거품을 쓸어내며 다리를 타고 내려갔다. 이반은 연하의 앞쪽에도 물을 끼얹기 시작했다. 거품을 쓸어내며 손바닥으로 가슴을 문지를 때는 조금 흠칫했지만 씻기는 것 이상의 행동은 하지 않았다. 꼼꼼히 거품을 씻겨내고 샤워기를 아래로 움직였다.

'어, 잠깐, 이러면…….'

그제야 생각하는데 이반이 거웃을 문지르며 거품을 씻겨냈다. 연하는 그것만으로도 젖꼭지가 뭉치는 느낌이었지만 애써 기색을 숨겼다. 너무 밝히는 것 같으니까.

그런데 손과 물은 유난히 그쪽에서 떠나지 않았다.

"전부…… 씻겼어요……."

연하는 떨리는 몸을 억누르고 말했다. 하지만 이반은 대답하지 않았다. 대신 손가락이 수풀을 헤치고 있었다.

이내 샤워기는 고정대에 올라갔지만 손은 그곳에 그대로 머물러 있었다.

손바닥으로 꽃잎 사이 뾰족한 중심을 문지르며 손가락이 이미 질척거리는 안쪽을 타고 내려가 밀려들었다. 연하는 자신을 안은 두 팔에 손을 짚고 몸을 떨었다.

"씻겼는데……."

손가락이 빠져나갔다. 안심할 새도 없이 이반이 연하를 부드럽게 밀어 벽에 등을 기대게 했다. 연하는 숨을 몰아쉬었다. 그가 다가와, 머리 위로 어둠이 드리워졌다. 수세에 몰리는 기분이 좋게 느껴지는 날이 올 거라고는 예상하지 못했다.

"응. 하지만 또 더럽힐 거니까."

이반은 연하의 허벅지를 잡아 제 허리에 걸치게 하고 중심 부위를 가져다대었다. 그리고 가볍게 문질러 자리를 잡았다. 연하는 숨을 멈추었다.

"욕실에선 싫어?"

이반은 이미 밀려들어 오며 물었다. 더운 김으로 후끈거리는 욕실의 온도가 단번에 몇 도 더 올라간 것 같았다.

"좋아요……. 어디든……."

남성이 밀려드는 느낌에 연하가 더듬거리며 대답하자 이반의 웃음이 짙어졌다.

"남자를 기고만장하게 만들면 안 되는데 우리 연하가 잘 모르는구나."

안 그래도 이반이 들어왔을 뿐인데 느끼는 얼굴을 들킬 것 같아 연하는 그를 끌어안았다. 손바닥 아래 등 근육이 꿈틀거리고, 그가 힘차게 파고들기 시작했다.

이반이 움직일 때마다 질척이는 소리가 났다. 욕실이라 소리가 더 울렸다. 그리고 지금에야 깨달았지만 반대쪽 사선에 있는 거울에 그들이 비쳐서……. 김이 서려 흐릿했으나 근육이 넘실거리는 남자의 뒤태가 보이고, 그 아래 잔뜩 벌린 한쪽 다리를 그에게 감고 있는 여자가 있었다.

그때 이반이 어딘가에 닿았다. 연하는 흠칫 몸을 떨었다. 처음 했을 때와는 조금 다른 느낌이 밀려왔다.

"읏……."

"여기가 좋아?"

이반은 그곳을 좀 더 공략하며 속삭였다. 젖은 것 같은 목소리가 물처럼 귓속을 채웠다. 연하는 물에 빠진 것처럼 숨을 쉴 수가 없었다. 어지럽고 기묘한 느낌이 몸을 휘감았다. 힘이 들어간 발가락이 뻣뻣했다. 하지만 그는 보란 듯이 더 그곳을 쳐올렸다. 연하의 입에서 터져 나온 숨이 수증기와 섞여 후덥지근한 공기 속으로 녹아들었다.

"그만…… 이상, 이상해요……."

이반도 뜨거운 숨을 내쉬며 연하를 보았다. 붉은 눈이 거의 검게 보일 만큼 짙었다. 욕망으로 뜨겁고 끈적끈적하게 몰아치는 석유 같았다.

그가 귓속에 속삭였다.

"녹고 있어."

어찌할 바를 몰라 벽을 휘젓는 손이 욕실 타일과 마찰하는 소리가 났다. 그때까지만 해도, 연하는 누가 듣는 것도 아니지만 신음을 참아야 한다는 의식이 있었다. 하지만 어느새 그런 의식조차 없었다. 배 속 깊은 곳에서 끓어오르는 소리를 치받히는 대로 토해냈다.

이반도 그녀가 모든 걸 놓아버리는 지점을 아는 것처럼 거세게 밀려들었다. 모든 것의 경계를 알 수 없었다. 그와 그녀, 쏟아지는 물, 욕실을 덮은 수증기, 숨 막히도록 뜨거운 공기…….

연하는 배 속이 폭발하는 것 같다고 생각했다. 전율이 일었다. 도저히 참을 수가 없어서, 평범한 인간 남자였다면 큰일 날 정도로 그를 한껏 조이고 말았다. 순간 뜨거운 것이 배 속에서 폭발했다.

이반은 한동안 연하의 목덜미에 대고 깊이 숨을 몰아쉬었다. 그리고 여러 번 그녀에게 키스했다. 이내 그가 몸을 빼자 연하는 겨우 발이 바닥에 닿았다. 다리가 후들거렸다. 힘이 빠져서라기보다 여성에 남은 느낌 때문이었다.

이반이 다시 샤워기를 들었다. 그 모습을 보고 연하는 손을 뻗었다.

"이반, 제가…….”

"내가 더럽혔으니까.”

이반에게는 무궁무진한 이유가 있는 것 같았다. 하지만 씨름할 여력이 없었기 때문에 연하는 그가 씻겨주는 동안 가만히 있었다. 다행히 이번에 그는 정말 씻겨주기만 하고, 수건으로 몸을 닦고 머리까지 말려주었다. 그리고 다시 그녀를 안아 들었다. 침대로 가는 줄 알았는데 이반은 아래층으로 내려갔다.

"이반?”

의아해 보자 이반은 조금 웃었다.

"보여주고 싶은 게 있어서.”

거실엔 불이 꺼져 있지만 사방의 유리벽 너머로 달빛이 쏟아져 그

리 어둡게 느껴지지 않았다. 이반은 연하를 거실 소파에 내려놓고 옆에
앉았다.

"여기서 보는 밤 풍경이 아주 멋있거든."

창밖에는 밤바다가 넘실거리고 있었다. 그곳에 달이 내려와 유유히
목욕을 즐기는 것 같았다. 신선놀음을 하는 것 같은 풍경을 멍하니 바
라보다 연하는 이반을 돌아보았다.

"멋있어요."

"그렇지?"

이반은 희미하게 웃었다. 사실 연하는 밤 풍경 같은 건 눈에 들어오
지 않았다. 다정한 눈으로 자신을 보는 그가 너무 멋있어서…….

이반이 다가와 연하는 받아들였다. 혀가 부드럽게 뒤얽혔다. 이번에
이반은 전혀 급할 것 없이 키스했다. 느긋하게 입안을 훑고, 입술을 깨
물었다가 다시 깊이 입술을 겹쳐 왔다. 연하는 온몸이 말랑말랑해지는
것 같았다.

어느 순간 가운 사이로 손이 들어와 한쪽 가슴을 감싸 쥐었다. 연하
는 조금 움찔했다. 이반은 계속 키스하면서 부드럽게 가슴을 주물렀다.

"이반……."

연하는 입을 떼고 숨을 헐떡였다. 이반은 대답하지 않았다. 그녀가
입고 있는 가운을 여민 끈을 끌어당겨, 풀어냈다. 가운이 스르륵 벌어
졌다. 이반은 이제는 목덜미에 키스하면서 거칠 것 없이 가슴을 주물렀
다. 뜻은 분명했다.

"여기서…… 해요?"

연하는 불안한 시선을 창밖으로 던졌다.

"여긴 너무…… 트여 있는데…….

이반에게 밀려 연하는 천천히 뒤로 누웠다. 그는 위를 점령하고, 힘
이 들어가 살짝 안쪽으로 옴폭한 배를 쓰다듬어 내려가며 속삭였다.

"아무도 볼 사람 없어."

연하는 흠칫 고개를 젖히고, 이반은 고개를 내렸다.

"나밖에."

이반은 연하를 안은 채 욕조에 앉았다. 몇 번이나 그를 받아들이느라 예민해져 있는 곳에 따뜻한 물이 닿자 연하는 신음이 났다. 물이 허리를 휘감으며 가슴까지 올라왔다. 그 느낌마저 자극적이어서 몸을 떨었다.

이반은 그녀의 볼에 키스하고 물었다.

"괜찮아?"

연하는 몽롱한 얼굴로 고개를 끄덕였다. 은은한 수증기로 찬 욕실이 꼭 꿈같았다. 그리고 젖은 머리를 쓸어 넘긴 이반은 섹시했다. 주황빛 조명 아래 와인 같은 색을 띠는 눈동자에 웃음기가 천천히 소용돌이쳤다.

창 너머로는 바다가 가까웠다. 마치 그들이 욕조가 아니라 바다에 들어가 있는 것처럼 느껴질 정도로.

계속해서 이반을 받아들이느라 연하는 몸속 깊은 곳 어딘가가 열린 것 같은 느낌이었다. 욕실로 그녀를 안아 들고 오는 짧은 순간을 제외하고, 그는 잠시도 그녀에게서 빠져나가지 않았다. 지금까지도. 욕조에 앉으며 자연스럽게 찾아들어 왔다.

연하는 벌어진 다리 사이가 떨려왔다. 그녀의 배에 이반의 배가, 가슴에 가슴이 닿아 있었다. 거실 소파에서도 두 번이나 관계를 맺었지만 이반은 아직 만족한 것 같지 않았다. 게다가 그의 한 번은 너무 길어서, 이제는 체력적으로도 한계였다.

"귀여워."

이반은 나직하게 웃고는 연하의 볼에 뽀뽀했다. 뽀뽀는 거의 볼을 씹는 것으로 바뀌었다. 그리고 다시 입 맞추었다. 그가 젖은 소리를 내며 혀를 빨자 전류가 연하의 배 속을 휘저었다. 너무 느껴서 분명히 어딘가가 마비됐을 줄 알았는데 그렇진 않았던 모양이다.

"응……."

이반이 턱을 핥으며 젖꼭지를 지분거리는 손길에도 여성이 움찔거렸다. 너무 크고 단단한 것이 안에 버티고 있어서 도저히 가만히 있을 수가 없는 기분이었다. 배 속이 근질거리고, 다리 사이가 안절부절못했다.

떨리는 몸 옆으로 장미꽃이 유유히 지나갔다. 연하는 뜨거운 무언가로 그렁거리는 눈을 들었다.

"이반, 저……."

"못 참겠어?"

연하가 초조해한다는 걸 눈치챘는지 이반은 그녀의 어깨에 입술을 문지르며 속삭였다. 연하는 전율이 배 속을 어지럽혀서, 점차 스스로 움직이는 모양새가 되어갔다. 그에게 제 몸을 비비면서 위아래로 움직였다.

이반은 욕조 가장자리에 등을 기대었다. 그리고 곡선을 그리는 허리를 쓰다듬으며 그녀가 하는 대로 맡기고 있었다. 정말 후궁이 제 몸 위에서 움직이는 모습을 지켜보는 왕 같았다.

물이 출렁였다. 연하가 내려앉으며 소용돌이가 일자, 수면을 유영하는 장미꽃들이 어지럽게 군무를 췄다.

이반이 깊이 들어오는 느낌에 연하는 허리를 펴면서 신음했다. 작게 출렁이는 젖가슴 끝에서 물방울이 떨리다 떨어졌다. 그리고 땀인지 물인지 알 수 없는 줄기가 둔덕을 타고 흘러내려 와 다시 젖꼭지 끝에 물방울로 고였다. 하얀 피부가 물로 번들거려서 유난히 음란해 보이는 모습을 지켜보던 이반이 갑자기 젖꼭지를 입에 물고 빨았다.

"아, 웃…… 너무 ㅅ……."

연하는 밭은 숨인지 말인지 모를 것을 토해냈다. 이반은 가슴을 움켜쥐고 거의 씹듯이 빨았다. 아픈데 쾌감 같기도 한 이상한 감각이 연하를 휘감았다.

"아파?"

이반은 가슴을 쥐고 젖꼭지를 혀 전면으로 핥으면서 물었다.

"아파요……."

"하지만 좋지?"

연하는 고개를 끄덕였다. 정신을 차릴 수가 없어서 부끄럽다고 생각하기 전에 그냥 솔직한 대답이 나왔다. 이반은 그런 그녀가 귀엽다고 말하는 것처럼 나직이 웃었다. 그리고 젖가슴을 잔뜩 핥으며 타고 올라와 어깨까지 핥더니, 몸을 돌려 욕조 가장자리에 그녀를 밀어붙였다. 물이 해일을 일으키며 크게 욕조를 넘어갔다.

"아……!"

여성이 안달하며 남성을 붙잡았다. 이반은 빠져나갔다가 다시 깊숙이 들이쳤다. 빛에 비춰 윤기가 흐르는 폭포를 타고 장미꽃들이 미끄러져 내렸다. 이반은 옆을 스쳐 가는 장미꽃 하나를 잡아 연하에게 쥐어주었다.

'이건 왜…….'

어렴풋이 생각하는데 이반이 온 욕조의 물을 비울 듯이 들이닥치며 속삭였다.

"망가뜨리지 마."

그 말을 따라 손에 힘을 주지 않자니 아래에 잔뜩 힘이 들어갔다. 이반은 귓가에 잠긴 숨을 토해냈다. 연하는 점차 가장자리로 무너져 젖가슴이 눌려 뭉개졌다.

"아, 하아, 이반……!"

"할 것 같아."

이반이 중얼거리고 끝까지 밀고 들어왔다. 연하는 전율하며 절정에 올랐다. 뒤이어 이반이 따라왔다. 배 속에 퍼지는 뜨거운 감각이 그녀를 더 전율하게 했다.

마침내 모든 게 끝나고, 연하는 욕조 가장자리에 한쪽 팔을 걸친 채

축 늘어졌다. 몸이 침몰하는 배처럼 물속으로 가라앉고 있었지만 끌어올릴 힘조차 남아 있지 않았다. 그러자 이반이 바다에서 조난자를 끌어올리듯이 그녀를 안아 돌렸다. 연하는 여전히 축 늘어져 있었다.

"더 이상 못 하…… 못 하겠어요……. 살려주세요……."

거의 의식을 놓고 웅얼거리자 이반은 볼에 뽀뽀하며 속삭였다.

"너무 괴롭혔구나. 미안해. 오래 참아서……."

이반이 뭐라고 하고 있었는데 연하는 자신이 기절하는 건지 잠드는 건지 알 수 없는 가운데 까무룩 의식을 놓았다. 마지막으로 속삭이는 소리를 들었다. 고마워. 잘 자, 라고.

연하는 몽롱한 눈을 떴다. 창 너머로 푸른 바다가 일렁였다. 마지막으로 기억하는 건 욕조였는데 지금은 이불을 휘감고 푹신한 침대에 잠겨 있었다. 느낌으로 보아 티셔츠와 팬티를 입고 있었다. 이반이 입힌 모양이었다.

이반은 보이지 않았다. 대신 문밖에서 희미한 말소리가 들리는 걸 보니, 전화하고 있는 것 같았다. 그녀가 부스럭거리는 소리를 들었는지 전화를 끊고 이반이 들어왔다. 그는 일찍 일어난 듯 이미 셔츠에 면바지 차림이었다.

"일어났어?"

연하는 몸이 너무 나른해서 고개만 끄덕이고 다시 눈을 감았다. 몸이 나른하다니 얼마 만에 느껴보는 느낌인지 알 수 없었다…… 생각하는 순간, 모든 기억이 떠올랐다. 연하는 벌떡 상체를 일으켰다. 그사이에 침대에 와 앉은 이반이 크고 따뜻한 손으로 그녀의 머리카락을 쓸어넘겨주었다.

"잘 잤어?"

묻는 목소리가 그야말로 달았다.

"그게……."

일단 무작정 입을 열긴 했는데 연하는 볼이 너무 뜨거웠다. 그런 밤을 보내고 아침에 얼굴을 마주했을 때 어떻게 행동해야 한다고 말해준 사람은 없었다. 결국 연하는 주섬주섬 일어나 무릎을 모아 앉고는, 그런 그녀를 의아한 눈으로 보는 이반에게 일본 사무라이처럼 꾸벅 허리를 숙여 인사했다.

"가, 감사했습니다?"

"뭐?"

이반은 황당한 얼굴이었다. 연하는 '이게 아닌가?' 싶어져 상체를 일으켜 세우고 우물거렸다.

"뭐라고 해야 할지 모르겠어서……."

이반은 기가 막혔다. 하여간 이 녀석은……. 그렇게나 겪고도 또 황당했지만, 부스스한 머리를 하고 어쩔 줄 몰라 하는 모습을 보니 웃음이 났다. 그는 한 손으로 침대를 짚고 말했다.

"키스해 줘."

"네?"

연하는 눈을 동그랗게 떴다. 이반은 웃음기 띤 얼굴을 하고 기다리고 있을 뿐이었다. 그러자 연하는 누가 있기라도 할 것 같은지 슬그머니 주변을 둘러보았다. 그리고 다른 사람이 없다는 확신이 들자 무릎걸음으로 슬금슬금 다가오더니, 꽤나 비장하게 앉아서는 그의 볼을 감싸고 조심스럽게 키스했다.

여러 번 생각했지만 이반의 입술은 부드러웠다. 남자의 입술이 이 정도로 부드러울 거라고 생각해 보지 못했다.

연하는 키스를 끝내고 떨어졌다. 창문의 코팅 덕분에 특유의 눈부심이 없는 햇살 속에서 이반은 마치 광고 속에나 나올 것 같은 완벽한 모습이었다. 눈에 온화한 빛이 감돌아, 연하는 어쩐지 얼굴이 붉어질 것 같았다. 이반은 그녀의 머리카락을 쓸어 넘겨주고 말했다.

"배고프지? 씻고 내려와. 아침 먹자."

그리고는 이반은 일어나 먼저 방을 나갔다. 연하도 따라 침대에서 일어났다. 그런데 문득 시선이 닿은 침대 테이블에, 장미꽃 하나가 올려져 있었다. 갑자기 어젯밤 기억이 떠올라 연하는 결국 볼을 붉히고 말았다.

'그런 건 줄 몰랐어.'

누군가와 그런 행동들을 할 수 있을 거라고는 상상해 본 적도 없는데 전혀 몰랐던 세계로 통하는 문이 열린 것만 같았다. 처음에는 너무 부끄럽고 혼이 빠진 것같이 정신이 없었다. 하지만 어느 순간부터는 그녀가 스스로 움직이기도 하고 오히려 더 조르기도 했다.

어쨌든 계속 이러고 있을 수는 없어 세수하고 아래로 내려가자 부엌 테이블에는 이미 호텔 조식 같은 아침 식사가 차려져 있었다. 연하는 놀라고 말았다. 아침이라고는 했지만 이 정도일 줄은……

"이걸 혼자 다 준비하셨어요?"

이반은 역시 그림에나 나올 것 같은 깔끔한 모습으로 차를 따르면서 말했다.

"즐거웠어. 네가 먹을 거라고 생각하니까."

연하는 아까와는 다른 의미로 살짝 얼굴이 붉어졌다.

"고마워요."

이반은 지그시 그녀를 보았다. 눈에 감도는 온기에 어쩐지…… 몸이 다시 뜨거워지려는 느낌이었다. 또 어젯밤 장면들이 생각나 얼굴이 화끈거리려는데 다행히 이반이 돌아서며 말했다.

"앉아."

각자 자리를 잡고, 두 사람은 식사를 하기 시작했다.

"많이 먹어."

"이반도요."

식사하는 동안 분위기는 편안했다. 식사를 끝내고 이반이 식기를 치우려고 하기에 연하도 일어났다. 하지만 이반이 말했다.

"앉아 있어."

"네? 하지만……"

"앉아 있어."

연하는 어쩔 수 없이 자리에 앉았다. 그리고 이반이 식기를 치우는 모습을 보다가 파도치는 창밖을 돌아보았다.

이렇게 있으니까 모든 일이 다 꿈이었던 것 같았다. 며칠 전 일만 아니라, 루아스가 된 것부터. 거기에 생각이 미친 순간, 연하는 움찔했다.

"참, 규하는요? 저녁 먹기로 했었는데……"

이제야 생각났다는 게 믿기지 않았다. 연락도 없이 사라져서 걱정을 많이 했을 텐데…….

"걱정하지 마. 급한 작전에 투입됐다고 해뒀어."

이반의 말에 연하는 안도했다. 규하 성격에 만약 이 일을 알게 되면 당장 군인 따위 그만두라고 길길이 날뛸 테니까. 사실 얼떨결에 군인이 되긴 했지만 연하는 생각보다 일이 적성에 맞았다. 팀원들과도 정이 많이 들었기 때문에, 이제 와서 일을 그만두고 싶은 생각은 없었다.

"부대엔 언제 돌아가야 해요?"

그래서 물었는데 이반은 갑자기 표정이 묘해졌다. 연하는 왜 그런 얼굴인가 싶었다가 팔 때문이라는 걸 깨달았다.

"팔은 처음 있는 일도 아니니까요."

이번처럼 위험한 적은 처음이었지만 그 말까지는 하지 않았다. 이반은 대답하지 않고 식기를 마저 정리했다.

'화가…… 났나?'

연하는 눈치를 살폈다. 하지만 이반은 특별히 그런 기색은 없었다.

따로 할 일이 없어 이반을 지켜보고 있는데 그가 고개를 들고 찬장에 그릇을 넣기 시작했다. 그때 마침 창을 관통해 들어온 햇빛이 그를 비춰, 결이 좋아 보이는 피부가 옅은 윤기를 발했다.

만지고 싶다고 생각했다.

누군가를 넋 놓고 멍하니 쳐다본다는 게 어떤 느낌인지 몰랐는데 연하는 '베아트리체 첸치의 초상' 앞에 선 스탕달처럼 그에게서 시선을 뗄 수 없었다. 저 사람과 어제 했던 것 같은 일들을 했다는 게 새삼 믿기지 않았다.

그때 이반이 연하를 돌아보았다. 붉은 눈이 조용하고 깊었다. 새삼스럽지만 그는 무어라 설명할 수 없는 특별한 존재감을 가진 사람이었다.

"왜?"

이반이 물어 연하는 흠칫 정신을 차렸다.

"아무것도 아니에요."

연하는 분분히 시선을 돌리며 말을 어물거렸다. 이반은 딱히 캐묻지 않고 말했다.

"그럼 이제……."

연하는 상급자로부터 명령을 기다리듯 허리를 바로 세웠다. 이반은 걸이에 부엌 수건을 걸어놓고 웃었다.

"영화 볼래?"

"네?"

"영화 싫어해?"

"아뇨. 좋아해요."

일단 그건 사실이라 대답했다.

"이리 와."

이반은 말하고 부엌을 나갔다. 연하는 이반을 따라갔다. 가보니 복도 너머 작은 거실이었는데 개인 영화관이라고 해도 될 정도로 상당히 제대로 된 영상 시스템이 갖춰져 있었다. 앉아서 영화를 볼 수 있는 소파는 몇 사람이 누워도 넉넉할 정도로 컸다. 그래서 생각하길, 집은 어제 지은 것처럼 깨끗하고 물건이 별로 없었지만 의외로 이반이 꽤 오랫동안 지낸 곳이 아닌가 싶었다.

"뭐 볼래?"

이반이 물었다.

"음, 저거요."

화면에 뜬 리스트를 보니 안 그래도 보고 싶었던 영화가 있어서 연하가 고르자 이반은 영화를 재생하고 소파에 앉았다. 연하도 그 옆에 앉았다. 그리고 영화가 시작되는 모습을 멀뚱히 보고 있는데 이반이 뒤로 가더니 눕고 한쪽 머리를 괸 채 자기 옆자리를 탁탁 쳤다.

"누워."

연하는 왠지 왕에게 명령을 받은 것처럼 거부할 수가 없어서 얌전히 가 누웠다.

"팔베개 해줄까?"

그 말에도 연하는 얌전히 고개를 끄덕였다. 역시 이래도 되나 싶었지만 이반이 내민 팔에 머리를 베고 누웠다. 그의 다른 팔은 자연스럽게 그녀의 허리에 올라왔다. 누군가와 이런 행동을 하는 것도 처음이어서 연하는 기분이 이상했다. 규하와 영화를 볼 때도 이렇게까지 친근한 자세를 취하진 않았으니까.

그런데 나쁘지 않았다. 아니, 오히려 좋다고 해야 하는 것 같았다. 가슴이 따뜻해지는 느낌.

안 그래도 마침 보고 싶었던 영화여서, 한참 몰입해 있을 때였다. 이반이 머리를 괴고 있던 팔을 내리고 누웠다.

"자요?"

연하는 돌아보았다.

"아니."

어지럽게 지나가는 스크린 불빛에 비친 이반은 전혀 졸린 얼굴이 아니었다. 오히려 어느 때보다 눈이 맑았다. 연하는 흘긋 영화를 보고 다시 그를 보았다.

"영화 안 봤죠."

"눈에 안 들어와."

그렇다는 건……. 연하는 장난처럼 말했다.

"보란 영화는 안 보고 나만 보고 있었구나."

"응."

그런데 이반은 바로 대답했다. 연하는 말문이 막히면서도, 슬그머니 장난 뿔이 돋았다. 그래서 다시 원래대로 눕고 말했다.

"그럼 계속 봐요."

이반이 제 옆얼굴을 빤히 보는 시선이 느껴졌다.

"보기만?"

"네."

어제 그도 자신을 괴롭혔으니까. 연하는 일부러 신경을 끄고 영화에 집중했다. 이반은 한동안 조용했다. 그래서 연하는 어느새 그에게 말한 것도 잊고 영화에 빠져 있었다.

"연하야."

어느 순간 이반이 불렀다. 연하는 바로 신경이 뒤로 돌아갔지만 대답하지 않았다.

"연하야."

역시 묵묵부답. 하지만 이반은 포기하지 않았다.

"연하야."

연하는 어깨 너머로 시선을 던졌다.

"이름 닳겠어요."

이반이 팔베개해 준 팔을 당겨 일어나며 그녀의 어깨를 잡아 돌렸다.

그에 연하는 똑바로 누워 그의 품에 들어간 자세가 되었다.

"하고 싶어."

그렇게 말하며 내려다보는 얼굴이 너무 진지해서 연하는 말문이 막혔다. 말투나 목소리만 들으면 국회에서 연설이라도 하는 사람 같았다. 연하는 '하세요.'라고 대답할 뻔했던 자신을 겨우 붙잡고 웅얼거렸다.

"영화 보고 싶은데……."

이반은 아무 말 하지 않았다. 눈을 들여다보면서 무게를 이용해 지그시 몸을 밀어붙였다. 두 몸이 빈틈없이 겹쳐졌다. 그의 가슴, 배, 허벅지, 가볍게 닿아 있는 발까지 느껴졌다. 연하는 정신이 혼미했다. 이런 육탄전을…….

"영화……."

그럼에도 연하는 정신을 부여잡고 이반의 어깨를 살짝 밀어냈다. 그는 그 손을 잡아 손바닥에 입 맞추었다.

"하게 해줘."

어제 그렇게 연하를 괴롭혀 놓고도 또 금세 하고 싶어지다니, 이반으로서도 자신에게 이런 사춘기 소년 같은 욕정이 되살아날 거라고 생각해 보지 못했다. 영화 한 편이 끝나길 기다릴 수 없을 정도로, 참기가 힘들었다.

사실 어제 체력을 다 소진하고 기절하듯이 잠든 연하를 좀 더 지분거렸다는 건 비밀이었다. 새근거리며 자는 모습을 지켜보다가 무언가 끓어올라서 입을 맞추고 엉덩이를 한참 만지작거렸다. 연하는 너무 귀엽고 부드럽고 깜찍해서 도저히 손을 뗄 수가 없었다.

"그럼……."

연하는 조금 주저했다. 이반은 어떤 부탁이라도 들어줄 태세로 기다렸다. 하지만 연하가 그를 힐끔거리면서 말을 못하기에 먼저 물었다.

"왜, 말하기 곤란한 일이야?"

"아니, 그게…… 음, 제가…… 해도 돼요?"

이반은 눈을 깜빡였다.

"네가?"

연하는 꽤 결연하게 고개를 끄덕였다. 또 의외로 이런 적극적인 면이 있었다. 오히려 이반으로서는 고맙다고 해야 할 일이라, 그는 웃으며 일어났다.

"그런 거라면 얼마든지."

이반은 등받이에 등을 대고 앉아, 뭐든지 해 보라는 듯이 가만히 있었다. 연하는 기다리고 있는 그를 보니 뭔가 감당하지 못할 일을 벌인 느낌이 들었다. 그는 너무 크고 압도적으로 보여서 어떻게 다뤄야 할지 감이 잡히지 않았다. 머리를 내린 상태라 평소보다 좀 더 어려 보이긴 했지만 공기처럼 내뿜는 존재감은 여전했다. 하지만 호기심이랄까……. 자신도 그를 만져 보고 싶었다.

일단 연하는 이반이 입고 있는 티셔츠 끝을 잡아 올렸다. 조각한 것 같은 복부에 이어 가슴이 드러났다. 도자기를 쓰다듬듯이 손으로 살짝 그의 가슴을 훑어보았다. 가죽을 덮은 철을 만지는 것처럼 매끄러운 피부 아래 견고한 존재감이 느껴졌다.

엄지손가락으로 단단한 젖꼭지를 쓸자 이반이 숨을 크게 내쉬었다. 연하는 잠든 맹수를 쓰다듬는 사람처럼 흠칫 멈추었다. 하지만 그는 별말이 없었다.

연하는 엉덩이를 꼬물거리며 소파 아래로 내려갔다. 벨트를 하지 않은 면바지 아래 그는 이미 뚜렷한 상태였다. 연하는 어쩐지 긴장해 침을 삼키고 손을 뻗었다. 바지 버클을 끄르고, 지퍼를 내렸다. 뭔가 '이래도 되나?' 싶은 기분이었지만 동시에 좀 흥분되는 느낌이었다.

어제는 자세히 볼 경황이 없었는데…… 뭔가 신기해서 꼼꼼히 보았다.

"어쩐지……."

연하는 시선을 떼지 않고 말하다가 이반을 올려다보았다.

"예쁘다고 하면 기분 나빠 할 거예요?"

물론 통상적으로 예쁘다고 말하는 것과는 심하게 거리가 있었다. 오히려 무시무시하다는 형용사가 어울리겠지만 그냥 그렇게 느껴졌다.

이반은 눈이 거의 검게 보였다. 어두운 곳인 탓도 있지만 눈 속에 이글거리는 짙은 열기에 검게 그을린 것 같았다.

"아니, 너한테는 예쁘고 싶은데."

이반은 웃으며 말했고 평소라면 연하도 그가 그렇게 말하는 데 웃었을 것이다. 하지만 지금은 오히려 좀 무섭게 느껴졌다. 무언가 온 힘을 다해 참고 있기 때문인 것 같았다.

연하는 이반의 것을 두 손으로 감싸 잡았다. 뜨겁고, 희미한 맥박이 느껴졌다. 그리고 고개를 숙여 살짝 젖어 있는 끝을 핥아보았다. 이반이 희미한 소리를 내며 미간을 찡그렸다. 연하는 좋지 않은 건가 생각했지만 그런 것 같진 않았다. 가늘어진 눈 사이 열기가 맴도는 눈동자를 보면.

연하는 자신감을 얻었다. 이반이 제게 해줬듯이 동그란 끝을 빨고, 혀를 미끄러뜨렸다. 처음에만 좀 어색했지 금세 늘 하던 일처럼 익숙해졌다.

"연하야."

이반이 지그시 이를 물고 불렀다. 목소리가 허스키했다. 연하는 왠지 귀가 뜨거워지는 느낌이었다. 이반이 그녀의 머리를 쓰다듬고 말했다.

"일어서."

연하가 일어서자 이반이 허리를 잡았다. 이어서 그녀가 입은 트레이닝팬츠가 천천히 미끄러져 내려갔다. 연하는 부끄러워 살갗이 떨려왔다. 하지만 애써 시선을 돌리지 않았다. 열기가 몰아치는 붉은 눈이 그녀를 찬탄하고 있었기 때문이다.

무릎까지 내려온 바지에서 한 발씩 발을 빼냈다. 그리고 연하는 자연스럽게 몸을 낮춰 이반의 위에 앉았다. 내밀한 부분이 맞닿아, 서서히 내려앉았다. 그가 오는 걸 환영하듯 안쪽이 깊이 열리는 느낌이 났다.

이반이 연하의 목덜미에 대고 깊은 숨을 내쉬었다.

"움직여 봐."

연하는 천천히 움직였다. 그런데 몇 번 움직이지 않아 허벅지가 끊어질 것 같은 느낌이 들었다. 어제 여러 번 같은 자세를 반복했기 때문이다.

"잠깐……."

이 자세로는 안 될 것 같아서, 연하는 이반에게서 빠져나와 엎드렸다. 그리고 소파를 짚고, 다른 손으로는 티셔츠가 거치적거리지 않도록 말아 쥐고 돌아보았다.

"이렇게 해주세요……."

딱히 무슨 생각이 있어서라기보다 이게 가장 편하겠구나 싶었을 뿐이다. 그 모습이 어떻게 보일지도 모르고.

이건 순진한 거라고 해야 할지, 이반은 기가 막혔다.

이미 남성에 짓이겨져 발갛게 익은 무른 모양이 홍시 같았다. 손가락을 밀어 넣자 진액이 배어나며 붉은 살이 손가락을 집어삼켰다.

소파를 짚고 있는 연하는 팔이 떨려왔다. 이반이 안쪽 어딘가를 건드리자 흠칫 고개를 들었다.

"웃……. 이반……."

하루 종일 손가락이 붉은 살 사이를 헤엄쳐 다니는 모습을 구경할 수도 있을 것 같았지만, 이반은 연하의 허리를 잡아당겼다. 그리고 소파에 누운 그녀 속으로 단숨에 파고들었다.

갑작스러웠는지 연하는 신음을 토했다. 이반은 그녀가 그의 몸을 탐험하는 동안 참았던 탓에 조금 거칠게 파고들었다.

연하는 정말 난생처음 느껴보는, 아래쪽이 열리는 것 같은 감각에 신음하며 고개를 모로 돌렸다. 뿌리를 내린 듯 소파를 짚고 있는 이반의 팔을 양쪽으로 쥐고, 온몸을 휘감아오는 쾌감에 하얀 뱀처럼 몸을 꿈틀거렸다.

쾌감에 젖은 얼굴이 어린 티 없이 '여자'의 빛을 띠고 있었다. 새빨간 입술 사이로 잔뜩 고여 있는 침이 윗니와 아랫니 사이에 선을 그리며 사라지고, 송곳니가 살짝 드러났다. 넋을 놓을 정도로 퇴폐적이고 아름다운 이 여자 뱀파이어를 자신이 만들었다는 창조주 같은 자부심이 이반의 가슴을 채웠다.

이 사이로 엄지손가락을 집어넣자 연하는 탁한 눈으로 이반을 보았다. 검은 눈동자 안에 그를 향한 열망이, 어쩌면 식인을 향한 것처럼 강렬한 욕망이 휘몰아치고 있었다.

연하는 입안에 들어온 이반의 엄지손가락을 혀로 휘감았다. 그리고 그가 움직이는 데 맞춰 핥고, 깊이 입안에 머금고 빨았다.

연하는 갑자기 흠칫했다. 이반이 손을 잡아 빼더니 그녀의 양손을 잡아 내리누르고 거칠게 움직이기 시작했다. 손이 결박당한 불편함에 연하가 팔을 움직이려고 했지만 움직이지 않았다.

"이…… 아, 이반……. 웃……."

이반은 연하의 턱을 핥고 귀로 올라가 뜨거운 숨을 쏟아내며 무어라 중얼거렸다. 이상한 언어였기 때문에 연하는 알아들을 수 없었다. 얼핏 러시아어나 스페인어…… 혹은 그리스어인가 싶었는데 엉망으로 뒤흔들려 결국 아무것도 알 수 없게 되었다.

이반이 연하의 몸이 들릴 정도로 깊이 파고든 순간, 안에 뜨거운 느낌이 가득 번졌다. 연하는 몸을 떨었다. 이건 언제 느껴도 생경한 느낌이었다. 하지만 마치 그가 그녀에게 녹아드는 느낌이라서…… 부끄럽지만 좋았다.

이반은 연하를 안고는 무너지듯이 돌아누웠다. 그리고 연하의 뒷머리에 툭 손을 올리고 중얼거렸다.

"날 하게 만든 건 네가 처음이야."

연하는 빠끔히 눈을 들었다.

"뭘 하게 만들어요?"

그의 가슴에 누운 채 눈만 든 모습이 꼭 톱밥 사이에 파묻힌 햄스터 같은 게, 아까 모습은 온데간데없었다. 이반은 그대로 연하의 머리를 도닥였다.

"응, 그래. 귀엽다."

연하는 표정이 불퉁해졌다.

"또 놀리는 거죠?"

그러다가 연하는 움찔하더니 슬그머니 눈을 들었다.

"왜 또…… 커져요?"

그들은 아직 연결된 상태였으니까 미세한 차이도 금세 느낄 수 있었을 것이다. 이반은 다시 몸을 돌려 연하를 아래로 보냈다.

"네가 너무 귀여우니까."

"이반, 조금만 쉬고……."

"그럼 그렇게 귀엽질 말았어야지."

"그게 무슨 말…… 응……."

화면 안에서 끔찍한 비명이 흘러나왔다. 시몬은 서서, 대공은 의자에 양반다리를 하고 앉아서 화면을 지켜보고 있었다.

"서사하라 조병창입니다."

오늘도 완벽한 차림을 한 시몬이 말했다.

"표준 시각 04시 23분 45초부터 46분 12초까지, 정확히 23분 33초만에 모두 파괴되었습니다. 아무리 기습을 당했다고는 해도, 혈혈단신으로 나타난 침입자에게 말이죠."

"와, 씨. 무섭네. 지금 나 보라고 저러는 거 맞지?"

대공은 막 화면에 지나가는 장면을 보고 '으' 소리를 내며 치를 떨었다.

"나 가끔 억울한 거 알아? 내가 많이 죽이긴 했지만 저렇게 잔인하게 굴지는 않았다고."

그런데 돌아오는 대답이 없었다. 올려다보자, 시몬은 팔짱을 낀 채 엄지손가락으로 입가를 누르고 화면을 뚫어져라 보고 있었다. 마치 화면을 집어삼킬 듯이. 대공은 삐딱한 웃음을 지었다.

"왜, 저러는 것도 멋있어?"

그제야 시몬은 돌아보더니 웃지도 않고 말했다.

"손해액만 얼만지 아십니까? 무엇보다 연구의 일부분이 소실……."

"아, 알았어. 잔소리는."

대공은 대놓고 진저리를 쳤다. 시몬은 입을 다물었다.

사실 그 아이를 손봐준 일은 잘했다고 칭찬이라도 해주고 싶은 심정이지만 안 그래도 통제가 가능한 수준을 넘어서 계속 멋대로 행동하는 것이 문제가 되던 차, 이 광견에게 목줄을 맬 수 있는 좋은 기회였다.

조병창에 보관되어 있던 연구 자료도 다행히 시간에 맞게 빼낼 수 있었다. 자료를 빼내느라 대처 병력을 보낼 수 없어서 결국 전멸을 면치 못했지만…….

시몬은 흘긋 화면을 보았다.

대처 병력을 보냈다 한들 시간문제였겠지만 말이다.

화면에서 시선을 거둔 시몬은 대공을 보고 말했다.

"더 이상 개인행동은 금지하겠습니다. 이 정도는 협조해 주셨으면 합니다. 어쨌든 저희는 운명 공동체 아니었습니까?"

대공은 한숨을 내쉬고 다리를 내려 의자에서 내려왔다.

"좋아. 하지만 한 가지."

그러고는 화면을 가리켰다.

"원래 알고 있던 걸 이번 일로 더 확실히 깨달았지만, 저 녀석을 먼저 없애지 않으면 아무것도 뜻대로 되지 않을 거야. 너도 알고 있잖아?"

그리스 석상처럼 완벽한 콘트라포스토 자세로 한쪽 허리를 짚고 서 있는 시몬 옆 화면에는, 이반이 똑바로 이쪽을 보고 있었다. 온통 피 칠갑을 한 채.

대공은 비릿한 웃음을 지었다.

"네가 세상을 갖다 바친다고 저 녀석이 널 첩으로 삼아주기라도 할 것 같아? 세상 같은 게 갖고 싶었다면 진작 가지고도 남았을 녀석이라고."

"루아스가 되고 한 가지 깨달은 게 있죠."

시몬은 갑자기 말했다.

"모든 건 쟁취하는 거라는 걸요. 사실 모두가 아는 단순한 이야기죠. 하지만 다른 이들이 대체로 쟁취하는 데 실패하는 이유는 지레짐작하고 포기하기 때문이라는 걸, 그들의 간절함은 꼭 거기까지라는 걸……. 이 정도면 충분한 설명이 될까요?"

대공은 한동안 시몬을 보다 돌아섰다.

"그래, 가지고 싶은 건 가져야지. 다 사라지고 남은 팔 한 짝이라고 하더라도 말이야."

대공은 복도를 걸어가며 생각했다.

가말이 살아 있을 리 없다는 건 일찍부터 납득하고 있었다. 살아 있는 사람이라면 이렇게까지 소리 소문이 없을 수가 없었다. 가말을 봤다는 사람도, 이야기를 들었다는 사람도 없었다. 강연하를 죽인 열차 테러 때 쫓고 있었던 정보원도 '봤다는 소문이 있다.'는 정도였지, 확실한 증인은 아니었다.

가말의 성격을 생각해 보면 자신이 흡혈귀가 되었다는 사실을 받아들이지 못하고 어디선가 혼자 자살했거나, 어떤 일엔가 오지랖을 부리며 끼어들었다가 이름도 없는 시신으로 죽었거나…….

어쨌든 그는 마침내 인정해야만 했다.

'가말은 존재하지 않아. 더 이상.'

돌덩이처럼 단단한 사실을 삼키는 일은 생각보다 어렵지 않았다. 그도 오랜 세월이 흐르는 동안 점차 받아들이고 있었기 때문인지도 모른다.

그렇다고 그게 가말을 찾는 일을 그만둔다는 말은 아니었다. 이제 와서 그만둘 수 있을 리 없으니까.

'가말이 없다면, 만들면 돼.'

이반은 연하의 팔을 감싸 쥐고 엄지손가락으로 쓰다듬었다. 아주 살짝, 그 손짓에도 닳아버릴까 걱정하듯이. 연하는 그의 품에 깊이 안겨 있었다. 몸이 너무 나른해서, 의식이 조금씩 무거워지고 있었다.

"네가 원하지 않는 일은 아무것도 할 필요 없어."

이반이 속삭였다.

"응……. 안 해요."

연하는 반쯤 잠에 잠겨 대답했다.

"인간들 사이에 사는 일이라도."

이반이 말하자 연하는 고개를 들어 그를 보았다. 이반은 진지한 얼굴이었다.

"이반. 소장님과 필립 씨, 저 사이엔 공통점이 있어요."

연하는 갑자기 말했다.

"무슨 공통점?"

이반은 의아했다. 뜬금없는 이야기는 그렇다 치더라도, 그들을 모두 감염시킨 그로서도 딱히 생각나는 게 없었다. 태어난 시대도, 성별도, 나이도 제각각인 세 사람이 같은 거라고 해 봤자 그의 클리엔테스라는 점 정도……

"죽는 순간에 남을 생각했다는 점."

연하가 한 말에 이반은 그녀를 보았다.

"소장님은 죽어가면서도 살아남은 사람들이 있냐고 물었고, 필립 씨는…… 아내를 불렀고, 저는 규하를 구해달라고 했죠. 잘 생각해 봐요. 이반이 감염시킨 사람들은 모두 그렇지 않았어요?"

이반은 대답하지 않았다. 그도 미처 깨닫지 못하고 있었는데. 연하는 그 생각을 눈치챈 것처럼 말했다.

"웬만하면 클리엔테스를 만들지 않으려는 이반의 마음을 움직인 건 그런 점이 아니었을까요? 너무 많은 걸 봐와서 환멸감을 가지게 됐는지는 모르지만…… 이반은 믿는 거예요. 그래도 그렇게 이기적인 사람들만 사는 세상만은 아닐 거라고. 물론 부국장님 같은 사람도 있지만……."

부국장이 차별한다고 인식하고는 있었구나, 이반은 생각했다.

"사실 부국장님도 싫어하진 않아요. 이상한 방향으로 너무 열심히 해서 그렇지, 나름 귀여운 점이 있거든요."

몽롱해서 자신이 무슨 말을 하고 있는지는 알까 생각하며 이반은 연하의 차진 볼을 만지작거렸다.

"포기하지 말아요. 이반이 세상을 포기하지 않았던 덕분에, 내가 이반을 만날 수 있었잖아요. 그것만으로도 난……."

연하는 말을 끝맺지 못하고 잠들었다. 그의 어깨에 볼이 척 눌어붙어 있었다. 부드럽고, 따뜻하고, 말랑하고……. 스투포르 문디(Stupor mundi). '세상의 경이'라는 별명은 프리드리히 2세가 아니라 연하에게 줬어야 한다고 생각하며 볼을 쓰다듬는데 갑자기 그녀가 쓥 침을 삼키고 이어 말했다.

"하지만 이렇게 말해도, 언젠가는 제가 포기하고 싶어지는 날이 올지도 모르죠. 무슨 일이 생길지 모르는 세상이니까. 그러니까…… 그땐 이반이 날 잡아줘야 해요."

그러고는 정말 잠들었다. 이반은 피식 웃어버렸다. 할머니같이.

이반은 연하를 끌어안고 눈을 감았다. 그래, 어쨌든 경이가 마르지 않는 세상이니까.

[학살극을 막고 싶다면.]

천장이 높은 공간, 스피커를 통해 렉스의 목소리가 퍼져 나갔다. 사방에는 군복을 입은 사람들이 빼곡하게 앉아 있었다. 개중 한 사람이 참고인석에 앉아 있는 렉스에게 물었다.

"당시 야크트훈트 소장은 이바노프 국장에게 민간인을 학살할 의도가 있다고 판단했기 때문에 이런 말을 한 것 아닙니까?"

렉스는 말하기에 앞서 자신에게 맞게 마이크를 조정했다.

"급박한 상황이었습니다."

'학살극'이라는 단어를 해명하는 렉스의 목소리가 법정에 울려 퍼졌다. 오른쪽 피고인석에는 렉스처럼 제복을 입은 이반이 앉아 있었다.

인간, 그것도 민간인에 대한 공격 혐의로 회부된 군사재판이었다.

"폐정합니다."

사람들이 웅성거리며 일어나 자리를 비우고, 이반도 군 변호사와 밖으로 나왔다. 렉스는 밖에서 기다리고 있었다. 변호사는 렉스와 가볍게 인사를 나누고 이반을 돌아보았다.

"별문제는 없을 겁니다. 페인 전 총장님께서 돌아가시고 이쪽을 탐탁지 않게 여기는 세력이 득세하기 시작해서 말이죠. 함부로 건드릴 수 없어서 오히려 이렇게 툭툭 찔러보는 거니까요."

이반은 거기에 대해서는 별다른 말을 하지 않고 말했다.

"수고하셨습니다."

변호사는 고개를 끄덕였다.

"그럼, 연락드리겠습니다."

렉스와 이반도 법원을 나섰다. 긴 계단 아래 차가 대기하고 있었다. 정문을 나서며 렉스가 말했다.

"강 상사를 참고인으로 소환하지 않은 건 진심으로 이쪽을 자극할 의도는 없다는 의미로 풀이되는군요."

"그래 보이는군."

이반은 기분이 썩 유쾌해 보이진 않았지만 그렇다고 우려한 만큼 분노한 학살자 모드는 아닌 것 같았다. 오히려 재판 내내 자신의 일이 아닌 것처럼 침착했다. 다소 공격적인 질문에도 할 수 있는 한 성심성의껏 대답했다.

"다 뒤집어엎으실 줄 알았습니다."

SN 서사라 조병창 습격 사건은 공론화되지 않았다. 위쪽에서도 사건은 파악하고 있지만 '그룹 내 파벌 간의 투쟁으로 인한 전멸' 정도로 결론지은 것 같았다. 애초에 피해자가 동정할 여지가 없는 테러리스트기도 하고, 본능적으로 거기까지는 파고들면 안 된다고 깨달은 모양이었다.

그날 밤 렉스도 소식을 듣고 당장 출동했지만 이반은 이미 모든 일을 끝내고 은둔처로 돌아가는 길이었다.

돌아오지 않을 거라고 생각했다. 당연히. 그런데 오늘 아침, 이반은 사무실에 앉아 있었다. 어제도 출근했던 것처럼. 연하도 부대로 돌아온 것 같았다. 둘 사이에는 무슨 일이 있었는지 대강 알 것 같았지만-오히려 이제야 그렇게 된 게 놀라울 정도지만- 앞으로 계획에 대해서는 알 수 없었기에 렉스는 오늘 법원에 오면서도 우려되는 부분이 없잖아 있었다.

"너희 둘 다 MCTC를 떠날 생각이 없어 보이니까. 클리엔테스들을 실직자로 만들 수는 없잖아."

이반은 계단을 내려가며 말했다. 렉스는 고개를 끄덕였다.

"어쨌든 처음으로 인간과 협력해서 무언가를 한 거니까요. 아직은 가능성을 놓고 싶지 않습니다."

이반은 거 보라고 이야기하듯 어깨를 으쓱였다. 그리고 계단 가운데서 돌아보았다. 하늘에서 내던져진 창 같은 햇빛이 그를 내리쬈다.

"이번 일로 더 확실해졌지만 MCTC의 정보가 빠져나가고 있어. 녀석들이 내가 움직이는 걸 알고 있더군."

렉스는 놀라지 않았다. 그 역시 짐작하고 있었기 때문이리라.

"의심되는 사람이 있으십니까?"

"윌리엄 커티스 중장. 찾아보면 더 있겠지만 가장 영향력이 있는 건 커티스 정도겠지. 소탕 작전에 대한 승인을 미루기 위해서 이리 뛰고 저리 뛰고 꽤나 분주해 보이더군."

"일선에서 배제할 수 있는지 알아보겠습니다."

"조심히 움직여. 그래 봬도 무시할 수 없는 양반이니까."

"명심하겠습니다."

이반은 다시 계단을 내려가며 허공을 보고 말했다.

"고집 센 클리엔테스들을 둔 것도 내 팔자가 사나운 탓이겠지."

"다음 생엔 클리엔테스들을 두지 않는 쪽을 추천합니다."

"참고하지."

이반은 어깨 너머 시선을 던졌다.

"그래도 후회하진 않지만 말이야."

그리고 계단을 몇 개 더 내려가더니 돌아보았다. 미간을 찌푸리고 있었다.

"사내 녀석들끼리 다시 이러지 말자고. 소름 끼치는군."

렉스는 무표정한 얼굴로 고개를 끄덕였다.

"동의하는 바입니다."

그리고 대기한 차 앞에 서자 이반이 말했다.

"먼저 돌아가."

"어디 가십니까?"

이반은 그를 보았다. 그걸 꼭 물어야 아느냐는 듯.

"데이트."

"너 어디 가?"

도영이 뒤에서 물었다. 조용히 사라지려던 연하는 움찔하고 돌아보았다.

"어……."

연하는 뭐라고 대답해야 할지 알 수 없어서 괜히 복도 쪽만 가리킨 채로 말을 흐렸다. 도영은 깨달은 표정이 되더니 꼭 개를 내쫓듯이 손을 휘저었다.

"아, 그래. 가라, 가."

오늘 아침 출근했을 때는 거의 끌어안고 눈물이라도 흘릴 태세더니 몇 시간 만에 옆집 개보다 못한 취급이었다.

도영은 갑자기 돌아보고 말했다.

"무리하지 마라."

"무슨 무리?"

연하는 정말 이해하지 못해 물었다.

"저건 평생 저럴 거야."

도영은 절레절레 고개를 저으며 누구에게 하는지 알 수 없는 말을 하고는 가버렸다. 연하는 고개를 갸웃했다. 하지만 일단 약속이 있었기 때문에 손목 밴드를 한 번 보고 걸음을 옮겼다.

차창 너머로 연하가 광장 분수대에 걸터앉아 있는 모습이 보였다. 그녀 앞으로 사람들이 무심히 지나다녔다. 하지만 아무도 연하를 주목하지 않았다. 확실히 연하는 언뜻 보면 수수한 느낌마저 있었다. 예쁘장한 편이기는 해도 어디서나 눈에 띌 만큼 화려한 얼굴이 아니라서 그럴 것이다.

만약 연하가 이반 그가 인간이었을 때 후궁에 들어온 여자 중 하나였더라면……

"어디 가고 싶은 곳 있어?"

어제 이반이 물었을 때였다. 연하는 질문이 뜻밖인 것 같았지만 바로 대답했다. 늘 생각해 온 것처럼.

"같이 길을 걷고 싶어요."

"길?"

"네. 평범한 연인 같잖아요."

그러면서 쑥스럽게 웃는 얼굴이 너무 귀여웠다. 그래서 이반이 끌어안자 어리둥절해하는 얼굴이 또 귀여워서 참을 수가 없었다.

아마 연하가 후궁 중 하나였더라도 이반은 그녀를 골랐을 것이다. 이런 각도에서는 아기 같아 보이기까지 하는 얼굴로 사람 혼을 빼놓는 구석이 있으니까.

이반은 차 문을 열고 내렸다. 옷은 갈아입고 왔기 때문에 평범한 정장 차림이었다.

"연하야."

부르자 반대쪽을 보던 연하가 돌아보고 일어났다.

"이반."

"오래 기다렸어?"

이반은 연하 앞에 서서 물었다. 연하는 살짝 고개를 내저었다.

"아뇨. 금방 왔어요. 근데 어디 다녀왔어요? 청사에 없던데."

"잠깐 일 보러. 갈까?"

그러고는 이반이 손을 내밀자 연하는 맞잡았다. 지나가는 사람들이 그들을 힐끔거렸다. 이반이 푸른 컬러 렌즈를 하고 있기 때문에 다른 점이 눈에 띄어서라기보다 겉보기로는 둘의 나이대가 묘해 보이기 때문이리라.

이반은 광장에서 연결되는 길을 내려가다가 물었다.

"특별히 따로 걷고 싶은 길이 있던 건 아니야?"

"그런 건 아니에요. 준비물은 이반만 있으면 돼요."

이반은 피식 웃었다. 연하도 따라 웃었다. 손을 잡고 한참 길을 걷는데 문득 연하가 길을 본 채로 말했다.

"가끔 걷고 있는 길이 옛날에 어떤 모습이었을지 상상하고는 했어요."

"그래? 어떤 식으로?"

"어제는 누가 이 길을 걸었을까, 몇십 년 전에는 어떤 모습이었을까, 몇백 년 전에는 그냥 흙바닥이었겠지, 그때는 어떤 사람들이 어떤 복장을 하고 무슨 생각을 하면서 이 길을 걸었을까……."

연하는 이반을 돌아보고 웃었다.

"그걸 대답해 줄 수 있는 사람을 만났네요. 무슨 생각을 하면서 길을 걸었어요?"

"모르겠어."

"몰라요?"

"이것저것 많은 생각을 했던 것 같은데 다 까먹었어."

이반은 연하를 지그시 보았다.

"문득 멈춰 선 곳의 풍경이 너무 아름다워서."

연하는 말문이 막힌 듯하더니 샐쭉한 소리를 냈다.

"치……."

이반은 눈을 깜빡였다.

"지금 삐친 척한 거야?"

"네."

이반은 웃고 말았다.

"우리 연하, 여자가 다 됐네."

"저 원래 여자였는데요."

"그러게. 안타까웠어."

"뭐가요?"

"아주 귀여운 아이였는데 괜히 루아스가 돼서 매춘부 역할 같은 걸 하고."

이반은 앞에 이어진 길을 보고 말했다. 진짜 열아홉 살 때 연하가 걸어오는 걸 보는 것처럼.

"그건……."

연하는 그때 생각이 났는지 머쓱한 얼굴이 되었다.

"평범하게 살았다면 지금쯤 누군가와 결혼했을까?"

아이도 낳았을까? 아무 생각 없이 거기까지 말할 뻔했던 이반은 멈칫했다.

"그럴지도 모르죠."

연하는 그냥 나누는 대화라고 생각했는지 가볍게 받아들이고 대답했다.

"하지만 누구와 결혼했든 그 사람을 이반만큼 좋아하진 않았을 거예요."

이반은 조금 난감해하는 얼굴로 돌아보았다.

"그걸 어떻게 알아?"

연하는 선선히 웃었다.

"그냥 알아요."

한참이나 그냥 쳐다보고 있었던지 연하는 고개를 갸웃하며 불렀다.

"이반?"

이반은 대답하지 않고 연하의 볼을 감싸 쥐었다. 그리고 고개를 내리자 그녀는 조금 움찔하며 고개를 뺐다. 슬쩍 옆을 봤다가 다시 그를 보고는 속삭였다.

"여기서요……?"

행인들이 그들을 힐끔거리고 지나갔다. 역시 둘이 대로 한가운데서 묘한 분위기를 뿜고 있기 때문일 것이다.

이반으로서도 믿을 수 없었다. 이렇게 쉽게 그런 기분이 들어버리다니. 한동안은 성 기능에 문제가 생긴 거 아닌가 싶을 정도로 전혀 그럴 마음이 들지 않아서 정말 죽을 때가 됐다고 생각했다. 그런데 사춘기라도 다시 온 것 같았다. 아직 못내 쑥스러워하는 연하에게는 미안한 마음이 없잖아 있었다. 물론 마음만.

입술이 맞닿으려는 순간이었다. 전화 벨소리가 울렸다. 이반은 무시하려고 했지만 벨소리가 그치지 않았다. 연하도 신경 쓰이는지 벨소리가 나는 손목 쪽을 힐끔거리기에 이반은 결국 전화를 받았다. 그리고 드물게도 정말 짜증이 난 얼굴로 말했다.

"잠깐 청사에 가봐야 할 것 같아. 차라리 그만둘까 싶어지네."

연하는 웃었다. 투덜거리는 이반이 학교에 가기 싫어하는 아이 같아 귀여웠기 때문이다. 이렇게 남자다운 사람이 귀엽다는 생각이 든다는 게 신기했다.

"가보세요."

연하가 말하자 이반은 고개를 숙여 귓가에 속삭였다.

"호텔에서 기다려. 금방 돌아올게."

그 의미는……. 연하는 못내 얼굴에 열이 올랐지만 고개를 끄덕였다.

"네."

이반은 뒤쪽을 가리켰다.

"타고 가."

돌아보자 어느새 그가 타고 왔던 차가 대로 옆에 와 있었다. 공무용은 아닌 것 같았지만 그녀가 타기에는 너무 크고 윤기 나는 차였다.

"그럼 이반은요?"

"나는 다시 부르면 되니까."

"그래도 어떻게 국장님 차를……."

이반은 차 문을 열고 연하의 등을 가볍게 밀었다.

"타고 가."

연하가 어쩔 수 없이 차에 오르자 그는 문을 닫아주었다. 연하는 다급하게 창문을 내리고 말했다.

"저기."

연하는 손짓했다. 아래쪽으로 고개를 내리라는 듯이. 이반은 창가를 짚고 고개를 숙였다.

"왜?"

연하는 조금 주저하는 것 같았지만 잽싸게 그의 볼에 뽀뽀했다.

"금방 오세요."

차가 출발했다. 멍하니 차가 가는 모습을 지켜보는 이반을 뒤로하고.

연하는 저번에 왔던 펜트하우스로 들어섰다. 이곳에는 이반의 물건도 거의 없어서 정말 모델하우스 같았다. 특별히 할 일이 없어서 TV를 조금 보다가 일어났다.

'심심하네.'

하릴없이 집을 둘러보다가 침실로 들어갔다. 침대에 이반이 벗어놓은 거로 보이는 제복이 놓여 있었다. 어딘가 제복을 입고 갔다가 여기 들러서 갈아입고 왔던 모양이다.

연하는 반듯하게 놓여 있는 옷을 손끝으로 쓸었다. 이반과 헤어진 지 얼마 되지도 않았는데 벌써 그리워지고 말았다. 규하에게나 느끼던 마음을 남자를 상대로 느낄 줄은 몰랐다. 물론 규하에게 느끼는 것과는 조금 달랐지만. 이쪽은……

연하는 혼자 있는데 괜히 얼굴이 붉어질 것 같아 생각을 그만뒀다. 그리고 옷을 걸어놓기 위해 들고 드레스룸 쪽으로 갔다. 드레스룸으로 통하는 자동문이 열리고, 연하는 멈칫했다. 텅 빈 옷장 안에 딱 하나 걸려 있는 건 검은 드레스였다. 검은 실크 이브닝드레스.

정면에 걸려 있는 드레스는 마치 마네킹이 입고 있는 배트맨의 슈트처럼 그녀를 마주 보고 있었다.

연하는 제복을 옷걸이에 걸고 드레스 앞으로 다가갔다.

'이건 왜……'

고급스러운 천에 연한 윤기가 흘렀다. 언뜻 마담 X를 떠올리게 하는 검은 드레스는 이반의 취향을 보여주는 것 같았다. 호들갑스럽지 않고, 톤이 다운된 것을 좋아하는.

아래쪽에 원래 드레스가 들어 있었던 것 같은 은회색 상자가 있고, 그 위에 카드가 놓여 있었다. 멋대로 열어봐선 안 되겠지만 호기심을 참을 수가 없었다. 솔직히 남자친구……. 어, 그래. 남자친구. 연하는 거기서 한 번 괜히 혼자 수줍어한 다음에 계속 생각했다. 남자친구 방에 여자 드레스가 떡하니 걸려 있는데 어떤 여자가 호기심을 참을 수 있을까?

연하는 카드를 펼쳐 보았다.

-강 상사님이 좋아하시면 이바노프 씨도 좋아하실 테니까요.

발신인은 적혀 있지 않았다.

연하는 드레스를 옷걸이째 꺼내 제 몸에 대보았다. 어떻게 알았는지 모르겠지만 사이즈가 딱 맞았다. 아래쪽에 놓여 있는 구두도 발에 대보니 제 사이즈였다. 한 가지 분명한 건, 카드의 발신인이 누구든지 간에 그녀에게 줄 셈이었던 것 같았다. 그럼 왜 주지 않고……? 궁금해하다가, 문득 뭔가가 떠올랐다.

"제게 어울리는 건 이거예요."

'혹시 취임식에서 한 말 때문인가?'

연하는 바깥쪽을 살폈다. 누가 오는 기색은 아니었다. 그래서 드레스를 들고 욕실에 붙어 있는 탈의실로 갔다.

탈의실은 거울만 덜렁 있는 공간이 아니었다. 하나의 독립된 공간처럼 테이블과 로만 카우치가 놓여 있고, 한쪽 유리 벽 안에는 테라리움처럼 작은 정원까지 꾸며져 있었다.

연하는 티셔츠와 바지를 벗고 드레스를 입고 나서 거울에 비춰보았다. 브라가 드러나서 태가 나지 않았다. 그래서 브라를 벗고 다시 드레스를 입고 거울을 보았다. 이리저리 돌아보니, 워낙 얇고 함함한 재질 때문에 이번에는 팬티 자국이 드러나 태가 살지 않았다. 드레스를 들춰 팬티까지 벗어냈다. 하는 김에 한 갈래로 묶은 머리를 풀어봤다. 화장기가 너무 없긴 하지만 마침내 그럭저럭 볼만한 것 같았다.

연하는 어쩐지 기분이 묘해졌다. 이런 옷을 입어본 건 난생처음이었다. 그런데 생각보다 마음에 들어서, 자신도 여자긴 했구나 싶어졌다. 최근 이반을 대할 때 제 모습을 생각해 보면 그보다 더 여자 같을 수도 없었지만 우습게도 그의 지극한 남성성에 대비되는 여성성이 아닌, 개인적인 아이덴티티로서의 여성성은 처음으로 인식했다고 할 수 있었다.

대테러부대의 전투원으로서 그런 걸 깨닫는 순간은 독사과를 먹는 것에 다름없을 줄 알았는데 생각보다 기분이 좋았다.

그때 기척이 느껴져 연하는 돌아보았다. 문가에서 이반이 그녀를 보고 있었다. 지금 자신이 보는 걸 전혀 예상하지 못한 것 같은 얼굴로.

이반은 펜트하우스로 발을 들여놓았다.

생각보다 일이 빨리 끝났다. 이럴 거면 왜 굳이 부른 거냐고 한마디 하고 싶을 정도였지만 그의 결재가 필요한 일은 맞았으니 말을 삼켰다. 사실 그 말을 하는 시간에 빨리 연하에게 가자 싶었기 때문이다. 아까 하마터면 그대로 연하가 탄 차를 세우고 이쪽으로 직행할 뻔했으니 말이다.

욕실 쪽에서 소리가 들렸다. 샤워 중인가 싶었지만 물소리가 들리지 않았다. 그래서 그쪽으로 가자 문이 열리고, 전면 거울에 연하가 검은 이브닝드레스를 입은 자신을 비춰보고 있었다. 이반은 멈칫했다.

연하가 그를 발견하고 돌아보았다. 거울에 허리까지 깊숙한 V 자로 파인 등에 진주로 장식된 금줄이 가로질러 늘어진 모습이 비치고, 그 너머 그녀를 응시하는 이반이 있었다.

"이런 거 좋아해요?"

온몸을 물처럼 타고 흐르는 실크 위를 그의 시선이 따라 흘렀다.

"잘 어울려."

이반은 시선을 떼지 않고 다가왔다.

"넌 별로 좋아하지 않는 것 같았지만 입은 모습을 보고 싶어서."

역시 그때 취임식에서 한 대답 때문에 오해한 것 같았다. 연하는 드레스를 한 번 내려다보았다.

"좋아해요. 예쁜 옷 싫어하는 여자는 없잖아요."

"그래?"

"그냥 이런 건 입고 뛸 수가 없으니까……."

말하며 고개를 드는데 이반이 아까보다 가까웠다.

"다행이네. 내가 너무 옛날 남자처럼 구는 건 아닌가 싶어서."

연하는 움찔했다.

'어라, 나 왜…….'

새삼 움찔한 이유가 이해되지 않았다. 상대는 이반인데. 나중에야 성적인 긴장감 때문이라는 걸 알았다.

이반은 조금 웃었다.

"옛날 남자는 맞지만."

연하는 입을 뗐지만 더 말할 수가 없었다. 이반이 드레스 끈에 손가락을 걸고 만지작거리고 있었다. 그의 시선은 얇은 천 너머 도드라진 유두에서 떠나지 않았다.

"속옷을 입지 않았구나."

"제 건 어울리지 않아서……."

연하는 겨우 말했다. 이반은 한편에 놓인 로만 카우치를 보았다. 등받이에 걸쳐진 옷가지 사이에 평범한 검은색 브라가 늘어져 있었다.

"상자 안에 속옷도 있어."

이곳엔 둘밖에 없는데 거의 속삭임에 가까운 목소리였다. 이반이 드레스 끈으로 실뜨기하듯 손가락을 펼치는 바람에, 가슴이 아슬아슬한 정도까지 드러났다. 이어서 그는 손가락 등으로 어깨에서 가슴 윗부분까지 미끄러져 내려왔다.

"아, 종이봉투."

연하는 깨달은 듯 말했지만 이미 주의력은 그곳에 있지 않았다. 그녀는 천천히 침을 삼켰다. 조금만 긴장을 놓으면 겁에 질린 것처럼 떨게 될 것만 같았다. 이반이 허리를 잡아왔다.

"키스해 줘."

이미 입술이 거의 맞닿을 것 같은 거리에 다가와 있었다. 입술이 간질간질했다.

연하는 손을 들어 이반의 얼굴을 감싸고, 키스했다. 그동안 허리를 잡고 있던 손이 매끄러운 천을 쓰다듬으며 내려가 엉덩이를 감싸 쥐었다. 소유욕이 느껴지는 손길이었다. 연하는 움찔했다. 그가 귓가에 속삭였다.

"아래도 벗었구나."

연하는 숨을 몰아쉬었다.

"자국 때문에……."

별생각 없이 벗었는데 뭔가 바랐던 것 같아서 부끄러웠다. 이반은 희미하게 웃었다.

"이런 뜨거운 유혹이라니."

"그런 건……."

"아니야?"

이반은 대답을 기다리고 있었다. 연하는 그의 목에 팔을 감으며 속삭였다.

"맞아요."

이반이 조금 웃는 것 같았다. 그는 그녀를 안아 로만 카우치에 앉았다. 잠깐 입술이 떨어졌다. 연하는 그를 내려다보며 다시 깊이 키스했다.

이반이 옷 위로 젖가슴을 마사지하듯 부드럽게 주물렀다. 연하는 양손으로 그 손을 잡고 동조하듯 움직였다. 입술을 살짝 떼고 속삭였다.

"근데 이거 비싼 거…… 아니에요?"

"더 제값을 하고 있어."

이반이 드레스를 끌어 내리고 드러난 몸에 찬탄의 시선을 끼얹었다. 처음 루브르 박물관에 세워진 비너스 여신상도 이런 찬탄은 받지 못했을 것이다.

평소 연하라면 수줍음에 얼굴이 타오를 듯했을 테지만, 거의 숭배에 가까운 남자의 눈빛에 제 안에 숨은 여성성이 활짝 기지개를 켜는 것 같았다.

이반은 가느다란 허리를 잡고 옷 사이로 맞닿아 있는 자신을 그녀에게 문질렀다. 그는 이미 더 뚜렷할 수 없을 정도로 뚜렷했다.

"넣어줘. 들어가고 싶어."

이반의 가슴에 두 손을 짚고 있는 연하는 조금 얼굴을 붉혔다.

"이반은 그런 말을 너무 아무렇지 않게 해요."

"사실이니까."

이반은 연하를 잡아 아래로 내리며 몸을 돌렸다. 그리고 카우치에 등을 대고 누운 그녀의 볼에 입 맞추며 속삭였다.

"계속 네 안에 있고 싶어."

"그럼 다른 일을 할 수가 없잖아요……."

이반이 볼을 입술로 훑으며, 다른 손은 치마 아래를 파고들고 있어서 연하는 자신이 무어라 하는지도 모르고 말했다. 알다시피, 아래 속옷을 입지 않은 상태니까.

그런데 이반이 갑자기 진지한 얼굴로 그녀를 보았다.

"어차피 영원히 사는데 몇 년 정도는 너랑 섹스만 해도 상관없지 않을까?"

"몇 년이나요?"

연하는 눈을 동그랗게 떴다.

"응. 아침에 일어나서 하고, 점심 먹고 하고, 밤에 잠자기 전에 또 하고…… 매일매일."

그러면서 손이 허벅지를 타고 올라왔다. 이로는 귓불을 깨물었다. 혀로 귀 뒤를 핥고, 이를 세워 자근거렸다. 연하는 뜨거운 숨을 몰아쉬고 말했다.

"그럼 몸이 버티지 못할 거예요."

"잘 부서지지 않는 게 장점인 몸이잖아."

그 말은……. 연하는 말문이 막혔다.

"그 말은 그런 의미가……."

연하는 흠칫 말을 멈췄다. 어느새 버클을 끌렀는지 뜨거운 이반이 맞닿았다. 그리고 그는 물기가 배어나는 곳을 벌리며 끝까지 밀고 들어왔다. 그는 잠긴 숨을 내쉬었다.

"미안해. 어서 네 안에 들어가고 싶어서. 계속 말해."

"그건 그런……."

이반이 들어왔는데 말이 제대로 생각날 리 없었다. 연하는 한두 번 더 말을 하려고 노력하다가 결국 포기했다. 그리고 허벅지에 힘을 주어 그의 허리를 조이며 뻣뻣한 발등으로 등을 쓸었다. 와이셔츠가 발등에 쓸려 바스락거렸다.

"해주, 해주세요……."

그런데 이반은 그녀를 빤히 보고 있을 뿐이었다. 연하는 흐린 시야로 의아해하며 그를 보았다.

이반은 연하의 볼을 쓰다듬으며 말했다.

"나도 모르는 기질이 내 안에 있었던 것 같아. 네가 순진한 얼굴로 해달라고 할 때면 뭔가 참을 수 없는 기분이 들어."

"순진하지 않아요."

연하는 그의 와이셔츠 옷깃을 끌어당기며 속삭였다.

"잔뜩 해주세요. 이반 걸로 축축하게 젖을 정도로."

연하는 입술을 깨물며 바르르 몸을 떨었다.

"음, 읏……."

겨우 바닥을 디디고 있는 발끝까지 저릿저릿했다. 금방이라도 무너질 것 같았지만 뒤에 선 이반이 허리를 붙잡고 있어서 절정에 오르면서도 자세가 무너지지 않았다. 그가 귓가에 속삭였다.

"또 갔어?"

연하는 숨을 헐떡일 뿐 대답하지 못했다. 뭔가 말을 잘못한 것 같았다. 지금까지는 봐준 거였다는 양 이반은 도통 만족할 줄을 몰랐다.

속눈썹마저 물기에 젖은 눈을 떴다. 정면 거울에 온몸이 짙은 분홍색으로 달아오른 여자가 있었다. 머리카락이 젖어 피부에 휘감겨 있었고, 땀 때문에 피부가 기름칠을 해놓은 것처럼 번쩍거렸다. 가슴을 붙잡고 있는 남자의 손가락 사이로 여러 번 씹히고 빨린 젖꼭지는 부풀어 올라 거의 붉은색이었다.

이반이 목덜미를 핥으며 귀를 깨물었다. 역시 붉은 입술 사이로 송곳니가 보였다. 송곳니가 금방이라도 피부를 파고들 것만 같았다.

타오르는 붉은 눈이 거울 너머로 그녀를 보았다. 드라큘라에게 매혹당한 처녀처럼 시선을 뗄 수 없었다. 멍하니 쳐다보는 사이에, 그가 젖은 여성 사이를 문질렀다. 연하는 흠칫했다.

"웃, 이반……. 그만……. 이제 못…… 해요."

"할 수 있어."

이반이 다시 움직이기 시작했다. 형체를 유지하고 있는 게 신기할 정도로 녹아 있는 여성이 질퍽거렸다. 정말 더는 하지 못할 것 같았는데 정수리가 쭈뼛거릴수록 그녀의 여성은 점차 힘을 내며 그를 조이기 시작했다. 이반은 그녀가 반응하는 것을 깨달았는지 나직이 웃었다.

"봐."

땀에 젖은 살갗이 부딪치는 소리가 점차 거세졌다. 이반은 재차 빠져나갔다가 들이쳤다. 연하는 그가 들이칠 때마다 몸이 분해되었다가 다시 재조립되는 것만 같았다.

그는 연하를 안아 들어 다시 로만 카우치에 눕히고는 내려놓기 무섭게 밀려들었다. 연하는 가죽을 긁으며 신음했다. 영원히 끝나지 않을 것 같은 행위 끝에, 갑자기 이반이 빠져나갔다. 그리고 그는 허리를 세우고 스스로 문질렀다. 연하는 왜 그러는지 몰라 조금 놀랐지만 그에게서 눈을 뗄 수가 없었다. 묽게 젖어 우뚝한 것이 그의 손 사이로 번들거렸다.

이반이 꾹 이를 문 순간이었다. 더는 커질 수 없을 것 같은 것이 팽창

하고, 쏟아내기 시작했다. 툭, 투둑, 투두둑, 하얀 용암 같은 것이 연하의 배에 떨어졌다. 그녀는 '축축하게 젖었다.'

이반은 나직이 숨을 쉬었다. 그의 피부를 타고 땀방울이 흘렀다. 들이쉬기 힘들 정도로 공기가 습했다. 그 가운데 그의 검은 머리카락은 완전히 새까맣게, 눈은 붉은 타르가 휘몰아치는 것처럼 보였다.

연하는 거의 본능적으로, 이반이 쏟아낸 것을 캔버스에 물감을 바르듯이 제 배에 문지르고 손을 들어 올렸다. 이반은 눈도 깜빡이지 않고, 그녀가 살짝 벌리는 입술 사이로 새빨간 혀가 드러나는 모습을 지켜보았다. 연하는 츕 제 손가락을 빨았다.

"이반 맛이 나요."

이반은 숨을 쉬지 않는 것 같았다. 연하는 일어나 손바닥으로 그의 가슴을 짚었다. 그리고 천천히 밀어 카우치에 등을 대고 눕게 했다. 고급스러운 가죽 소파에 나체로 누운, 마치 바위로 깎은 듯한 남자의 몸은 그녀를 지금까지와는 전혀 다른 생물로 만들었다.

연하는 고개를 내리며 속삭였다.

"더 먹게 해주세요."

이반은 조명이 빛나는 천장을 보며 중얼거렸다.

"죽어도 여한이 없군."

후궁 여자들 사이에서 연하를 선택했을 거냐고? 아니, 생각해 보니 틀렸다. 그는 연하를 선택하지 않았을 것이다. 그냥 속절없이 빠져서 정신을 차리지 못했을 테니까.

14

Positive

갑자기 어젯밤 기억이 떠올라 연하는 속으로 비명을 내질렀다. 두피까지 화끈거리는 것 같았다.

'그런 행동을 해 버리다니…… 해 버리다니……!'

자기도 무슨 정신이었는지 알 수 없었다. 그냥 그 후텁지근한 공기며 코를 마비시키는 진득한 냄새, 섹시한 이반의 모습에 그냥…… 너무 그런 기분이 돼버려서…….

아마 몸부림을 치고 말았을 것이다, 규하의 집에 저녁을 먹기 위해 와 있지 않았더라면.

마침 식탁에 놓인 냄비 받침에 찌개를 내려놓은 규하가 눈썹을 치켜 들었다.

"그건 무슨 표정이야?"

"무슨 표정?"

연하는 흠칫했지만 태연한 표정을 가장하고 물었다. 규하는 의심스러 워하는 얼굴이었다.

"태연한 척하지만 속으로 막 발광하는 것 같은 얼굴."

하여간 이렇게 눈치가 빠르다. 연하는 화제를 돌리기 위해 얼른 숟가락을 들었다.

"맛있겠다. 된장찌개야?"

규하는 영 이상하다는 표정이었지만 더 말하진 않았다.

오늘 저녁을 먹기 위해 찾아온 연하는 팔에 대해서는 말하지 않았다.

"미안해. 급한 일이 생겨서 그날 연락도 하지 못하고 갔어."

웃으며 그렇게 말했을 뿐이다. 알게 되면 규하가 어떻게 반응할지 불 보듯 뻔했기 때문이다. 규하는 영 의심스러워하는 얼굴이었지만 특별히 이상한 점을 찾을 수 없자 넘어갔다.

대공 쪽에서 움직이면 바로 알아챌 수 있도록 경계하고는 있지만 연하는 사실 언제 무슨 일이 일어날지 조마조마했다. 언제까지 이렇게 지낼 수 있을지, 다시 죽은 체를 할 수 없는 상황이 기쁘면서도 우려되는 이중적인 마음이었다.

"맛있다. 요리라고는 못하더니."

연하는 찌개를 떠먹고 말했다.

"내 손으로 하지 않으면 굶어 죽을 판이었으니까."

규하는 대수롭지 않은 투였다. 찌개를 뜨던 연하는 숟가락질을 멈추었다.

"엄마, 아빠는 어떻게 가셨는지 알아?"

규하도 손을 멈췄다.

"사고의 충격으로 뭘 느낄 새도 없었을 거라고 하더라."

"그랬다면 다행이지만."

공기가 무거웠다. 괜한 이야기를 꺼냈다 싶었다. 하지만 정말 심정적으로 이 아픔을 공유할 수 있는 사람은 둘뿐이니까…….

규하는 보글거리는 찌개를 응시했다.

"가끔 잠깐이라도 느낄 새가 있어서 우리 걱정을 하셨으면 어쩌나 생각해."

"응. 분명히 그러셨을 테니까."

"그러셨겠지."

규하는 한숨을 내쉬었다.

"먹자."

"응."

갑자기 규하가 고개를 들었다.

"하긴, 네 걱정은 하셨어야 맞겠다. 대체 뭔 소리를 들었는지 군인 같은 게 되어 있지를 않나, 속에 능구렁이가 득시글거리는 정체 모를 남자랑 사귀지를 않나."

연하는 어리둥절한 얼굴이 되었다.

"이반이 어때서?"

"야, 솔직히 사람이 마흔만 먹어도 세상의 단맛, 쓴맛 다 보고 능구렁이가 되는데 그 남자는 능구렁이 조상이 와도 한입거리일걸. 그런데 네가 상대된다고?"

"왜 굳이 상대해야 하는데? 난 그냥 이반이 좋을 뿐인데."

규하는 기겁했다.

"뭐 이런 부끄러운……."

"그런데 소장님도 오래 사신 걸로 아는데?"

규하는 다시 밥을 먹으며 더 이상 심상할 수 없게 말했다.

"너랑 나랑은 경우가 다르지. 걔는 섹스 토이야. 힘세고 오래가는 섹스 토이."

현관문 너머, 이반은 흘긋 렉스를 보았다. 렉스는 무표정했다. 초인종을 누르려는 찰나에 자매가 부모님 이야기를 꺼내는 바람에 누를 타이밍을 놓쳤고, 이어지는 이야기에는 더더욱 초인종을 누를 수 없었다. 연하도 대화에 정신이 팔려 바깥 소리를 듣지 못한 것 같았다.

"뭐? 너 그렇게 멋지고 상냥한 분한테……."

연하는 기가 막힌다는 투였다.

이반은 다시 흘긋 렉스를 보았다. 칼춤 한 번에 '멋지고 상냥한 분'이 되다니, 그도 그 정도는 할 수 있다는 걸 보여주기라도 해야 하나 싶었다.

"멋지고 상냐앙? 너 걔 좋아하냐?"

이번에는 규하가 기가 막힌다는 투로 말했다. 연하는 어리둥절해하는 것 같았다.

"그게 무슨 소리야? 난 이반이 좋다니까."

"그럼 왜 그쪽한테 껄떡거려?"

연하는 잠깐 말이 없었다. 그러다가 조금 기분이 상한 것 같은 목소리로 말했다.

"됐어. 너한텐 소장님이 아깝지."

이어서 숟가락으로 탁자를 때리듯 내려놓는 소리가 울렸다.

"야, 강연하!"

"뭐, 왜?"

"너! 이……!"

"무슨, 하지 마! 아프잖…… 아니, 아프진 않지만, 아, 아, 잡아당기지……."

이반은 당장 들어가 규하를 말리고 싶은 것을 애써 참았다. 자매 싸움에까지 끼어들면 팔불출 소리를 들을 게 분명했기 때문에. 그런 소리를 듣는 거야 상관없지만 이미 연하의 가족에게 밉보이고 있는 것 같아서……

악!

그런데 쿵 소리가 나면서 비명이 울렸다. 규하의 목소리였다. 얼음 조각처럼 굳어 있던 렉스가 당장 문고리를 잡아당겨 문을 부수고 들어갔다. 와지끈 문이 부서지는 큰소리에 연하가 놀라 돌아보았다. 그 옆에 규하가 이마를 붙잡고 주저앉아 있었다.

"너 언제……!"

손 아래로 렉스를 보더니 놀라 외치려는 규하를, 렉스는 구둣발 채 안으로 들어가 단번에 안아 들었다.

"무, 무슨……!"

규하는 허우적거리면서 이마에서 손을 떼었다가, 제 손에 흥건한 피를 보고 더 놀랐다.

"이게 뭐……. 나 쟤 손에 스쳤을 뿐인데?"

렉스는 규하를 안은 그대로 집을 나왔다. 이반은 한 걸음 물러서서 그가 지나갈 수 있도록 해주었다. 렉스는 복도 난간에 한 손을 짚었다.

"부서지지 않은 걸 다행으로 여기세요."

"잠깐, 너 뭐 하는 거야?"

규하는 깜짝 놀라 말했다. 아래에서 솟구친 바람이 얼굴에 훅 끼쳐왔다. 명치가 섬뜩해졌다.

"이러는 편이 빠릅니다."

그러면서 렉스는 난간 밖으로 뛰어내렸다.

"여긴 8층으으으으으……!"

규하가 기겁하여 외치는 소리가 어둠 속으로 긴 꼬리를 늘이며 사라졌다.

"자매끼리 몸싸움 좀 했다가 골로 갈 판이네."

이제 슬슬 제집처럼 느껴지려고 하는 응급실 침대에 앉아, 규하는 굽힌 다리에 팔을 걸친 불량한 자세로 중얼거렸다. 이마에는 핏기가 비치는 습윤 밴드가 붙어 있었다. 연하가 당황해 휘두른 손에 이마가 찢어져서 다섯 바늘을 꿰맸기 때문이다. 스친 건데 말이다. 맞은 게 아니고.

침대 옆에 서 있는 이반이 말했다.

"옛날 같을 순 없습니다. 변화를 받아들여야 하죠."

"가르치려고 하지 마세요."

규하는 울컥해 이반을 노려보았다. 그러고는 삐친 아이처럼 고개를 반대로 돌리고 혼잣말했다.

"내가 가장 잘 아니까."

"미안해."

이반 옆에 있는 연하가 시무룩하게 말했다. 규하는 한숨을 쉬며 연하에게 손을 뻗었다. 연하는 그 손을 잡았다.

"괜찮아. 먼저 못된 말을 한 건 나였고."

안 그래도 잔뜩 곪아 있는 예민한 부분을 연하가 찔러 버린 것이다. 그렇다고 그렇게 어린애처럼 반응해 버리다니, 자신도 진짜 인간이 되려면 멀었구나 싶었다.

한동안 앉아 있다가, 연하가 무언가 떠오른 듯 일어났다.

"아, 소장님. 잠깐만요."

그리고 퇴원 수속을 하고 있는 렉스에게로 갔다.

그런데 시선을 느낀 규하가 돌아보니, 국장이 그녀를 물끄러미 보고 있었다.

"뭐예요?"

규하는 뾰족한 투로 물었다. 아무래도 이 남자에게는 고운 말이 나가지 않았다. 연하를 살려준 건 고맙지만 결국 제게 좋은 일을 한 것 같아서 말이다.

"쌍둥이라서 좋은 점도 있군요."

이반이 말했다.

"뭐가요?"

"연하가 인간이었다면 지금 이런 얼굴이었겠구나 싶어서."

연하가— 어떤 소유형의 표현을 들은 것보다 규하는 기분이 묘해졌다.

"남의 얼굴 보면서 멋대로 상상하지 마세요."

이반은 피식 웃었다. 무슨 말로도 흔들 수 없을 것 같은 여유로운 모습에 규하는 기분이 더 묘해졌다. 연하의 상대로 이런 타입은 생각해본 적도 없었다. 오히려 연하만큼 어리바리해서 세상 착한 제부, 몸도 좀 동실해서 곰 같은 타입을 상상했다. 둘 다 저리 착해 빠져서야 이 험한 세상 어찌 헤쳐 가겠나, 역시 내가 잘 돌봐줘야지, 뭐 이런 식으로 생각하게 될 줄 알았다.

하지만 정작 뚜껑을 열어보자 이건, 뭐…….

"너무 고민하지 마십시오."

이반이 갑자기 말했다. 규하는 미간을 찌푸렸다.

"이건 또 무슨 화제 널뛰는 소리예요? 도통 따라가질 못하겠네."

이반은 입구 쪽으로 고갯짓했다.

"강 선생 입장에서 손해 볼 일은 없을 테니까요."

규하는 표정이 굳었다. 어떻게 알았느냐, 묻기 전에 다음 질문을 하고 싶은 욕구가 너무 강했다.

"그럼 저쪽은 손해 볼 일이 있을 거란 의미인가요?"

"어쨌든 나머지 세월을 버티는 건 저희 몫이니까요."

"아무리 고통스럽고 아파도."

규하는 이반이 말을 끝내자마자 말했다.

"지나간 건 잊혀요. 잊혀야 하고요."

"잊히는 게 무서운 겁니까?"

이반은 조금 의외라는 투로 묻고는 말했다.

"제대로 기억되기도 전에 말이죠."

규하는 입을 열었다. 하지만 아무 말도 나가지 않았다. 이반은 알고 있다는 듯이 조금 웃을 따름이었다.

정말, 이런 타입은 싫었다. 속을 들여다보니까. 그래서 연하는 괜찮을지도 모른다. 들여다볼 것도 없으니.

"그거 연하의 첫 키스였어요."

규하는 갑자기 다른 소리를 했다. 연하를 감염시킬 때를 의미하는 것 같았다. 이반은 연하가 피를 마실 의식이 없었기 때문에 어쩔 수 없었다는 변명을 해야 할까 생각하는데 규하가 투덜거렸다.

"하지만 처음으로 치지 않을 거예요. 연하의 모든 '첫'이 당신인 게 용서가 안 된달까······. 저 멍청이는 살면서 연애도 해 보지 않고 뭐 했대요? 보아하니 마지막도 당신일 것 같은데 영원히 살면서 당신 하나 아는 게 무슨 재미라고."

이반은 수속 창구 앞에 서 있는 연하를 돌아보았다. 새삼스럽게 깨달았다. 연하는 온전히 그로만 채워진 존재라는 사실을.

이반은 다시 규하를 돌아보고 말했다.

"다양한 경험이 선호되는 세상이라지만 진정한 사랑이란 그런 거죠."

규하는 '헐'이라는 글자가 쓰인 얼굴로 그를 보았다.

"어쩜 멀쩡한 얼굴로 그런 소리를······."

그러더니 삐딱한 표정을 짓고 말했다.

"그쪽은 아주 다양하게 경험해 보셨을 텐데요. 불공평하잖아요?"

이반은 어깨를 으쓱였다.

"오히려 진정한 사랑을 늦게 찾은 불행한 남자라고 생각합니다만."

"······말을 말죠. 의외로 실없는 구석이 있었네요, 당신."

이반은 또 조금 웃을 따름이었다. 수속을 끝낸 렉스와 연하가 이쪽으로 걸어오고 있었다. 이반은 마지막으로 규하에게 말했다.

"참고로 저 녀석도 피를 마실 의식은 없었습니다."

"그게 무슨 말……."

규하는 어리둥절해하다가 갑자기 이해했는지 가차 없이 토할 것 같다는 표정을 지었다. 그때 연하가 다가와 물었다.

"무슨 말이에요?"

이반은 규하에게 물어보라는 듯 고갯짓했고, 규하는 묻지도 말라는 듯 손을 내젓고 말했다.

"천 년이나 지나지 않았으면 내 입술을 잘라낼 뻔했다는 이야기야."

연하는 이해하지 못했지만 아무래도 상관없었는지 말했다.

"수속 끝났어."

이반이 연하의 어깨를 짚었다.

"그럼 우리는 가자."

"어……."

연하는 소리를 내면서 규하를 보았다.

"가."

규하는 말했다. 나이가 들면서 자연스럽게 건강한 거리감을 가질 기회가 없었던 제 쌍둥이에게 어린애처럼 굴고 싶었던 건 자신이었는지도 몰랐다. 국장을 싫어했던 이유도, 괜히 생짜를 놓고 싶었기 때문일 것이다. 그런 점에서 오히려 어른스러운 건 연하 쪽이었달까…….

"내일 전화할게. 이마 조심하고."

연하가 말하자 규하는 얼른 가버리라는 듯이 손짓했다.

"아무렴 알아서 할까. 박수칠 때 떠나라."

연하는 못 말린다는 듯이 웃고는 이반과 응급실을 나섰다. 보는 눈도 아랑곳하지 않고 손을 잡은 채.

"보기엔 아무리 봐도 원조 교제인데 묘하게 어울리네."

그 모습을 보며 중얼거리는데 옆에 서 있는 렉스가 병원 매점에서 사온 슬리퍼를 바닥에 내려놓았다. 아까 신발을 신을 틈도 없이 안겨 나왔기 때문이다.

렉스는 말했다.

"저희도 가죠."

규하는 황당해하는 얼굴이 되었다.

"문짝이 그 지경 났는데 집에 가라고?"

"아뇨."

렉스는 어쩐지 차가운 얼굴로 그녀를 보았다.

"호텔로 갈 겁니다."

"편안한 밤 되시길 바랍니다."

호텔 카운터 직원이 정중하게 인사를 건넸다. 하지만 규하는 미소를 띤 철가면 아래로 자신을 훑는 직원의 시선을 느낄 수 있었다. 지금 그녀는 이마가 찢어진 몰골로 집에서 입는 티셔츠와 추리닝 바지에 렉스의 코트를 걸친 차림이었으니까.

'이건 데자뷔인가.'

저번에 호텔 레스토랑 직원이 꼭 이런 눈으로 그들을 봤는데 말이다.

'하필 이 자식은 오늘따라 때깔 좋게 하고 나타나서.'

규하는 렉스를 위아래로 훑었다. 저번엔 둘 다 차림이 그래서 무림의 숨은 고수들처럼 겉모습에 개의치 않는 '알고 보니 재벌 커플' 느낌이라도 줬을 텐데, 오늘 그는 어디 공식적인 자리라도 다녀왔는지 제복 차림이었다.

"여기 비싸지 않아?"

규하는 엘리베이터로 렉스를 따라가면서 묻고, 대답도 듣지 않고 말했다.

"나중에 더치 해달라고 해도 소용없어. 교사 9호봉을 과대평가하지 말라고."

"신경 쓰지 마십시오."

렉스는 엘리베이터에 올라타며 그렇게 한마디 하고 말이 없었다. 눈이 아프도록 번쩍이는 금색 엘리베이터 문에 비치는 얼굴도 무표정했다. 규하도 입을 다물었다.

엘리베이터에서 내려 복도를 걸어갈 때도 둘은 처음 보는 사람들처럼 데면데면했다. 렉스가 방문을 열어주어 규하는 들어갔다. 현관에 서서 봐도 상당히 비싼 방이라는 사실을 알 수 있었다. 자신의 옷장에 있는 가장 좋은 정장을 입고서도 들어서기 미안할 정도인데 지금은 뭐……

갑자기 렉스가 규하 뒤로 손을 뻗어 벽을 짚었다. 규하는 흠칫 돌아보았다. 그가 짚은 것은 벽이 아니라 AI의 중앙 패널이었다. 안심하기를 잠깐, 조명이 빠르게 어두워졌다. 따라서 창 너머에서 타오르는 도시의 불빛이 더 선명해졌다.

어둠 속에서 붉은 눈동자가 규하를 응시했다. 그녀는 무의식중에 한 걸음 물러났지만 금세 렉스가 따라왔다. 하지만 규하는 쓸데없는 말은 하지 않았다. 어떤 상황인지 깨닫지 못할 정도로 어리진 않았으니까. 불평은 했지만 안 그래도 오늘 그가 유난히 때깔 좋은 모습을 하고 있어서, 조금…… 아니, 상당히 그런 기분이 들어버리고 말았다. 벌써 가슴 끝이 단단했다.

렉스는 규하에게 눈을 떼지 않고 가까이 왔다. 그녀는 눈을 낮게 떴다. 두 사람의 얼굴이 점차 가까워졌다.

그런데 입술은 맞닿지 않았다. 그보다 아래쪽에 손길이 느껴졌다. 렉스는 규하의 추리닝바지 속으로 손을 넣어 이미 습기가 배어나는 곳을 파고들었다. 여전히 눈은 그녀에게서 떨어지지 않았다.

규하는 움찔하며, 뒤에 있는 문을 짚은 두 손에 힘을 주었다. 그곳은 금세 물기로 질척거렸다. 가쁜 숨이 새었다. 가슴 끝이 간질거렸다. 뭔가…… 거칠게 자극해 줬으면, 하고 바랐다. 하지만 평소라면 그녀의 마음을 읽는 것처럼 움직였을 렉스가 다른 손은 벽에 붙은 양 꼼짝도 하지 않았다. 규하는 서서히 고조가 높아지는 느낌만큼 부족한 것을 갈구하며 몸을 뒤챘다.

"렉스, 좀 더……."

렉스가 규하를 돌려세우고, 제 몸으로 그녀를 덮으면서 그녀의 여성 속 더 깊은 곳으로 손가락을 밀어 넣었다. 규하는 문을 짚고 신음했다. 안쪽에서 더 길게 느껴지는 손가락이 거침없이 그녀가 느끼는 곳을 공략하고 있었다. 귀에 닿는 그의 숨이 뜨거웠다.

'부족해.'

규하는 문을 짚고 있는 그의 손을 잡아 자신의 티셔츠 안으로 집어넣었다.

"렉스……."

그제야 렉스는 브래지어 아래로 가슴을 움켜쥐고는 젖꼭지를 문질렀다. 규하는 여성이 조여드는 것을 느꼈다. 그로 인해 엉망이 되고 싶었다.

가볍게 다물고 있는 입술이 근처에 있어, 규하는 키스하기 위해 다가갔다. 하지만 렉스는 요지부동이었다. 다가오지도, 멀어지지도 않고.

"렉스?"

그제야 규하는 뭔가 이상하다고 어렴풋이 생각했다. 그때 렉스가 그녀의 허리를 쑥 끌어당겨, 규하는 얼결에 문을 짚으며 몸을 숙인 자세가 되었다. 바지와 속옷이 동시에 내려가고, 그가 손으로 엉덩이를 가르며 남성을 집어넣었다. 윤활유로 미끄러운, 좁은 곳이 벌어지며 큰 것을 쑥 삼키는 느낌이 났다. 조금 갑작스럽긴 했지만 충분히 젖어 있어 무리 없이 끝까지 들어왔다.

규하는 숨을 삼켰다. 허리가 떨리고, 두피가 쭈뼛쭈뼛했다. 무언가가 이런 느낌을 줄 수 있다는 게 신기할 정도였다.

"이걸로 충분할 테죠."

렉스는 그렇게 말하고 움직이기 시작했다. 단단한 것이 안에서 부딪치며 규하에게서 논리적으로 생각할 수 있는 능력을 앗아갔다.

"뭐……."

그럼에도 불구하고, 규하는 말을 하기 위해 노력했다. 뭔가 그냥 넘어갈 수 없는 느낌이 들었기 때문이다.

"너 무슨 소리를……."

"전 섹스 토이니까요."

렉스는 조금도 속도를 늦추지 않고 말했다. 규하는 그제야 렉스가 아까부터 왜 키스하지 않으려고 했는지 깨달았다.

"너 역시 들었……."

규하는 몸을 일으키려 했지만 그의 것이 재차 밀고 들어왔다. 하지만 다소 거친 행위에도 그것이 주는 기쁨을 알고 있는 여성은 기뻐했다.

"잠깐, 잠…… 웃, 앗……."

규하는 정신을 차리려고 애썼다. 군복의 장식이 닿아서 차갑고 불편했다. 렉스도 그것을 알고 있을 테지만 신경 쓰지 않는 것 같았다. 오로지 그녀가 느끼는 곳, 살짝만 건드려도 여성이 전율하고 몸을 떠는 지점을 집요하게 공격했다. 그리고 규하는 그가 의도한 대로 환희에 떨었다.

규하는 입술을 깨물었다. 행위와 쾌락은 멈추지 않았다.

"그만해!"

날카로운 목소리가 터졌다. 렉스는 멈추었다. 그라는 공간에 갇힌 것처럼 규하는 제 헐떡이는 숨소리가 귓속에 울리는 것 같았다. 문을 짚은 손이 떨려왔다. 잠깐 그녀를 보는 것 같던 렉스가 빠져나갔다. 공간을 가득 메우던 것이 빠져나가는 느낌에 규하는 몸을 떨었다. 하지만 바로 바지를 끌어 올리고, 돌아서면서 손을 날렸다.

렉스는 숨 쉬는 것보다도 쉽게 손을 붙잡아 막았다. 지금은 당해줄 마음이 없다는 듯이. 규하는 그를 노려보았다.

"지금 이게 뭐 하는 짓이야?"

규하는 잇새로 거의 나직하다 싶게 말했다. 너무 화가 나니까, 욕 같은 건 생각나지도 않았다.

"원하시는 대로 해드렸을 뿐입니다."

렉스는 태연한 얼굴이었다. 아니, 오만해 보이기까지 하는 얼굴이었다. 규하는 기가 막혔다.

"그럼 네가 섹스 토이가 아니고 뭐야? 우리 사이에 몸 말고 뭐가 있는데? 아무리 그래봤자 넌 흡혈귀고······."

렉스는 그녀를 놓았다. 더 붙잡고 있다가는 본의 아닌 힘이라도 쓸 것 같았기 때문이다.

"그래서 원하시는 대로 해드렸다고 하지 않았습니까?"

규하는 렉스를 노려보고 있을 뿐이었다. 렉스도 그녀를 무심히 마주보았다.

처음에는, 침대 위에서 오가는 은밀한 농담 같은 거라고 생각했기 때문에 렉스도 섹스 토이 소리를 오히려 즐겼던 면도 있었다. 하지만 그게 정말 말 그대로의 의미였을 줄은······. 그녀에게 키스한 순간부터 그는 진심이 아닐 수가 없었는데 여태 고작 그런 취급을 받고 있었을 줄은, 그 자체보다 그게 그가 흡혈귀라는 도저히 움직일 수 없는 사실 때문이라는 것이 숨 막혔다.

"꺼져!"

규하는 단전에서부터 소리치고 화장실로 들어가 온 방이 울리도록 문을 세게 닫았다. 렉스는 한숨을 내쉬며 이마를 쓸었다.

최악의······ 정말로 최악의 기분이었다.

그런데 갑자기 화장실 안에서 훌쩍이는 소리가 들렸다.

울고 있는 걸까. 렉스는 가슴이 찢어지는 것 같았다. 이중적으로 보일지는 몰라도 울게 할 생각은 없었다. 그녀는 워낙 강한 사람이니까 고작 그가 뭔가를 한다고 해서 울 거라고는 생각하지 않았다.

"규하."

렉스는 화장실 문을 두드렸다. 규하는 대답하지 않았다.

반면 화장실 안에 있는 규하는 뚜껑을 닫은 변기통에 앉아 두 손에 얼굴을 묻고 있었다.

'미친. 강규하 진짜 우는 거야?'

규하는 속으로 거칠게 뇌까렸다. 정말 믿을 수가 없었다. 남자와 싸우고 울다니.

여태까지 그녀는 남자친구와 싸워본 적이 없었다. 적어도 쌍방으로는. 대개 남자친구 쪽에서 뭐라고 하는 입장이었고, 규하는 항상 대체 뭐가 문제인지 이해하지 못했다. 남자친구가 일이 바빠서 만나지 못한다고 하거나, 여자 직원하고 단둘이 야근했다는 말에 '괜찮다.'고 한 것뿐인데. 솔직히, 정말 괜찮았으니까. 오히려 같은 사회인으로서 넓은 아량을 가진 자신을 뿌듯하게 생각했다.

그러면 남자친구들은 한참 뭐라고 한 끝에 대체로 이렇게 물었다. '너 정말 날 좋아하긴 하는 거야?' 규하는 도대체 그렇게 묻는 의도조차 이해할 수가 없었다. 당연히 좋아하니까 사귀었던 것이다. 그런 멍청한 질문이 어디 있단 말인가? 하지만 남자친구들은 하나같이 고개를 젓고 말했다. '넌 날 좋아하는 게 아냐.'

'심지어 저 녀석은 남자친구도 아니잖아.'

규하는 생각했다. 그런데 아까 렉스는 전혀 다정하지 않았다. 그렇게 생각하니 왜인지 눈물을 참을 수가 없었다. 서럽고, 화가 났다. 대체 뭐가 서럽고 화나는지 스스로도 알 수 없었지만, 월경전증후군이 있을 때처럼 전혀 논리적이지 않은 감정이 치솟았다.

그런데 어쩐지 문 너머가 조용했다. 규하는 문을 쳐다보았다.

'설마 간 거야?'

그럴 거라고는 생각하지는 않지만 혹시 그랬을지도 모른다는 생각이 들자 또 눈물이 날 것 같았다.

'진짜 내가 미쳤구나.'

규하는 애써 눈물을 삼키고 변기통에서 일어나려고 했다. 그때였다. 우지끈, 하고 커다란 파열음이 나며 문이 열렸다. 규하는 거의 경기를 일으킬 만큼 놀라 변기통에서 굴러 떨어질 뻔했다. 렉스는 부서진 문을 전혀 힘들이지 않고 옆으로 치웠다.

"미쳤어? 어디서 힘자랑이야? 돈이 썩어나?"

규하는 너무 어이가 없어서 말했다.

"네, 썩어납니다."

렉스는 그냥 사실대로 대답했다. 역시, 그게 더 화를 돋운다는 건 모르고. 규하의 눈이 험악해지더니 벌떡 일어나 그를 밀치고─그래봤자 밀쳐지지도 않았지만─ 방으로 갔다.

"규하……."

따라서 욕실을 나온 렉스는 갑자기 날아드는 의자를 피해 몸을 틀었다. 의자는 온갖 시끄러운 소리를 내며 나뒹굴었다.

"오냐, 돈이 썩어나면 다 물어줘도 상관없겠네!"

규하는 탁자 위의 전등을 집어던졌다. 전등은 역시 그를 지나쳐 시끄럽게 산산조각 났다.

"그만두……."

"이것도!"

이어 골동품 시계 장식품이 날아왔다.

"이것도!"

규하가 외치기에 다음 물건이 날아오길 기다렸는데 다음 물건은 날아오지 않았다. 돌아보자 그녀는 벽에서 떼어낸 액자를 머리 위로 들어

올린 채 울먹였다.

"그럼 어쩌라고? 너한테 마음이라도 주라고?"

렉스는 반응할 수 없었다. 그사이에 규하는 액자를 옆으로 집어 던지고, 시끄러운 소리가 가시기도 전에 소리쳤다.

"그리고 난 혼자 늙어죽고 나서, 너는 영원히 이, 이, 이."

성질은 치받히는데 적당한 단어를 찾을 수 없는지 그를 마구 손짓하며 더듬거렸다.

"몰라, 이 모습으로 남겠지! 물론 네가 정말 못돼먹은 냉혈한이거나 날 심심풀이 땅콩으로 여긴다고 생각하진 않으니까, 아마 한동안은 날 기억하며 자중해 주겠지. 아니, 진심으로 몇십 년 정도는 정절을 지킬지도 몰라. 하지만 넌 살아 있잖아."

규하는 북받친 듯이 외쳤다.

"살아 있다면 다시 사랑할 수밖에 없어."

그녀의 눈에 물기가 일렁였다.

"그럼 오래전에 흙 속에 묻혀 버린 난 널 탓할 수도 없지. 탓하면 그건 내가 나쁜 년일 테니까! 하지만 난…… 나는……."

규하가 뒷말을 안고 절벽으로 뛰어내리듯 말을 멈추자 정적이 내려앉았다.

어느 순간 다가온 기척을 느낀 규하는 고개를 들었다. 렉스가 앞에 서 있었다. 그가 그녀를 끌어당겨 안았다. 자연스럽게, 규하는 그에게 안겨들며 울음을 삼키고 어깨에 고개를 묻었다.

"다른 여자랑 섹스하면 죽여 버릴 거야."

의식의 흐름대로 말하고 있는 것 같았다.

"하지 않습니다."

렉스가 대답했지만 규하는 작게 코웃음을 쳤다.

"말은 잘하지."

렉스는 규하를 떼어내 눈물을 닦아주며 말했다.

"제가 아예 경험이 없다고 말씀드릴 수는 없습니다만⋯⋯."

규하는 바로 눈이 험악해졌다. 질투가 많았구나, 생각하며 렉스는 빨리 덧붙였다.

"변명처럼 들릴지 몰라도, 지금까지 제겐 그런 게 중요하지 않았습니다. 인간이었을 때 그런 걸 몰랐던 탓인지 왜 원하거나 필요해하는지 이해되지 않더군요."

'아, 그러고 보니 수사였구나.'

규하는 멍하니 생각했다. 당연히 죽기 전까지 동정이었을 것이다. 하지만 자신도 처녀는 아니었고 요즘 같은 세상에 동정 여부 따위로 뭐라고 하는 게 아니었다.

그녀가 입을 열려는 기색을 읽었는지 렉스는 바로 이어 말했다.

"적잖은 세월을 살면서도, 이렇게 원하게 된 건 당신이 처음입니다. 앞으로도 그럴 거고."

"다들 말이야 쉽게 하지만⋯⋯."

규하가 말하려고 하자 렉스는 그녀의 손을 잡고 있는 손에 조금 힘을 주었다. 아프지 않게, 주목하라고 말하듯.

"제가 그들과 같아 보입니까?"

규하는 온갖 생각이 몰아쳤다. 만약 렉스와 계속 함께한다면, 나중에 파파 할머니가 된 그녀는 지금과 조금도 다르지 않은 이 남자를 보며 이 순간을 후회할까? 아니, 그가 폭삭 늙어버린 그녀 곁에 남아 있기는 할까?

하지만 생각해 보면 평범한 인간 남자라도 둘의 미래가 어떻게 될지는 알 수 없는 법이었다. 당장 내일 대판 싸우고 헤어질 수도 있고, 누군가가 사고를 당할 수도 있으니까. 렉스가 늙지 않는다는 사실에 골몰하느라 그런 평범한 사실들을 간과하고 있었던 것 같았다.

갑자기 규하는 진리를 마주한 기분이 들었다. 그래, 역시 그녀는 아직 삼십여 년밖에 살지 않은 인간 나부랭이였던가 보다. 이렇게 확실한 진리를 눈앞에 두고도, 제 머리가 만들어낸 고민의 미로에 빠져 헤매고 있었다니.

"그러니까 안심하고……."

렉스는 천천히 말했다. 창 너머로 스며드는 빛에 비춘 그는 아름다웠다. 따듯하고 부드럽게 타오르는 것 같았다. 천 년간 이 순간을 기다려 온 뭉근한 불처럼. 그 꺼지지 않는 빛처럼.

"절 사랑해 주세요."

사랑을 부탁하는 흡혈귀라니. 이렇게 사랑스러운 짐승이 또 있을 수 있을까.

설사 오늘만이라고 해도, 나중을 생각하며 이 짐승을 사랑하지 않기에는 너무 큰 것을 놓치는 일이었다.

규하는 렉스의 목에 팔을 감아 끌어당겼다.

"이미 사랑하고 있어."

"렉스?"

규하는 조용히 그를 불렀다.

"네."

렉스는 그녀를 안은 자세 그대로 대답했다. 품속에 있는 그녀가 사랑스럽다는 듯이 다정한 목소리였다.

"너 뭐 해?"

규하는 물었다. 로맨틱한 기분을 한껏 만끽하고 있는데 어쩐지 아까부터 엉덩이 쪽에 스멀거리는 손은 제 착각이 아닐 것이다. 아니, 스멀거린다기보다 오히려 제 것인 양 당당하게 붙잡고 있었다.

렉스는 기다렸다는 듯이 그녀를 놓으며 말했다.

"여기 꽤 비싼 곳이거든요."

규하는 기가 막혔다.

"아까 나중에 더치 해달라고 해도 그럴 능력 없다고 말했…… 뭐 해?"

렉스는 날아간 의자를 집어 멀쩡한지 확인하더니 규하 뒤에 내려놓고는 말했다.

"기껏 잡은 방이니까요."

물론 그녀로서도 충분히 '그런' 기분이긴 했지만 의자의 의미를 알 수가 없었다.

렉스가 다른 의자를 가져와서 좀 떨어진 거리에 마주 보게 놓았다. 그리고 자기가 그 의자에 앉았다. 이어서 군복 상의를 열고 와이셔츠 단추도 두개 풀어두고는, 공연장 VIP석에 앉은 것처럼 다리를 꼬고 그 위에 깍지 낀 손을 내려놓고 말했다.

"벗으세요."

"뭐……."

너무 황당해서 말도 다 나오지 않는데 그는 매우 진지했다.

"혼자 있다고 생각하세요."

"네가 있는데 어떻게 혼자 있다고 생각해?"

규하는 어이가 없었다. 렉스는 조금 웃었다.

"전 토이잖아요?"

규하는 렉스를 빤히 보았다.

"이렇게 써먹을 거 왜 그렇게 질색했어?"

렉스는 규하가 충분히 대답을 안다고 생각했는지 더는 말하지 않았다. 기다리고 있을 뿐이었다. 규하는 미간을 찌푸렸다. 그가 한 번 들어왔던 터라 안 그래도 몸이 근질거렸다. 게다가 저렇게 목적의식이 뚜렷한 눈으로 쳐다보고 있으면…….

규하는 저도 모르게 손을 올려 티셔츠 안으로 넣어 가볍게 유두를 쓸었다. 온몸을 내달리는 짜릿한 감각에 놀라고 말았다. 건강한 성인이라 몇 번 그럴 기분이 들 때 제 몸을 만져 본 적이 있긴 하지만 이런 느낌이 든 건 처음이기 때문이었다. 렉스가 보고 있다는 게 다를 뿐인데.

렉스는 한 시도 규하에게서 시선을 떼지 않았다. 정말로 먹잇감을 앞에 둔 악어를 연상시켰다.

규하는 숨을 삼켰다. 금세 입안이 뜨거워졌다. 티셔츠 끝을 잡고, 천천히 머리 위로 끌어 올려 벗었다. 티셔츠가 푹신한 카펫 바닥에 떨어졌다. 렉스는 회의에라도 앉아 있는 것처럼 묵묵한 얼굴이었는데 규하는 어쩐지 슬그머니 오기가 올라왔다. 저 금욕적인 얼굴이 참을 수 없는 것을 참으면서 일그러지는 모습을 보고 싶어졌다.

보란 듯이 그를 보면서 트레이닝팬츠를 벗어 내렸다. 한 발씩 빠져나오고, 손을 뒤로 돌려 브래지어 후크를 풀었다. 젖가슴이 출렁이며 드러났다. 렉스의 눈가가 아주 미미하게 움직인 것 같았지만 확실히 알 수는 없었다.

규하는 제 손가락을 가볍게 빨고, 유두를 스쳐 배를 타고 내려갔다. 렉스는 시선으로만 따라왔다. 다른 부분은 전혀 움직이지 않았지만 시선만은 아래로 내려가는 그녀의 손에 못 박혀 있었다.

규하는 손가락으로 팬티 밴드를 밀어내고, 서서히 안으로 파고들었다. 그곳은 이미 델 듯이 뜨겁고 축축했다.

"아래도 벗으세요."

렉스는 조금 낮아져 있을 뿐 크게 이상한 점은 찾을 수 없는 목소리로 말했다. 규하는 한쪽 눈을 찡그렸다.

"야해. 수사님 주제에."

렉스는 별로 흔들리지 않았다.

"천 년 전에요."

규하는 그대로 속옷을 끌어 내렸다. 바깥에서 들어오는 빛에 터럭 사이 물기가 반짝거렸다.

렉스는 뒤쪽으로 고갯짓했다.

"앉으세요."

규하는 그제야 렉스가 의자를 가져다놓은 이유를 이해했다. 숨을 몰아쉬며 의자에 앉았다. 렉스는 더 지시하지 않고 지켜보았지만 규하는 그가 뭘 기다리는지 잘 알았다. 보란 듯이 천천히 다리를 벌렸다.

렉스는 이제 눈도 깜빡이지 않았다. 부끄럽지 않은 건 아니었지만 그가 지켜보고 있는 상황에 대한 짜릿함이 부끄러움을 이겼다.

규하는 손을 내려 숲을 지나 스스로 단단한 곳을 문질렀다.

"좋습니까?"

렉스는 아까보다 목이 많이 잠긴 것 같았다.

"좋아……."

규하는 이글거리는 목에서 몰아치는 열기 같은 말을 겨우 토해냈다.

"얼마나요?"

규하는 대답하기 위해 입을 벌렸지만 달뜬 숨만 새었다.

"얼마나요?"

렉스는 다시 물었다. 규하는 겨우 정신을 다잡았다.

"아주…… 네가 들어왔을 때……."

입안에 침이 너무 고여서 말하기가 힘들었다.

"……보다 덜……."

렉스가 갑자기 일어나 다가왔다. 그가 앉아 있던 의자가 뒤로 밀려 탕 소리를 내며 넘어졌다. 그는 그녀의 허벅지를 잡아드는 동시에 한입에 물었다. 규하는 흠칫했다.

"렉스, 잠깐……! 나 가……."

렉스는 멈추지 않았다. 규하는 더 참지 못하고 고개를 젖히며 허리를 휘었다. 쥐가 날 정도로 힘이 들어간 발들이 그의 어깨와 등을 헤맸다. 허벅지에도 잔뜩 힘이 들어갔다.

오랫동안 운동을 했기 때문에 규하는 보통 여자들보다 힘이 좋은 편이었지만 허벅지를 붙잡은 렉스의 손은 꼼짝도 하지 않았다. 마치 철로 된 구속구가 다리를 붙들고 있는 것 같았다.

"아, 하……!"

얼마나 몸을 떨며 전율했는지 규하는 겨우 몸이 진정되고 입안에 가득 고인 침을 꿀꺽 삼켰다. 그리고 비틀거리면서 렉스를 밀어내고 카펫에 무릎을 꿇은 채 의자를 붙잡고 몸을 숙였다.

"들어와."

"침대로……."

렉스가 안아 들려 하자 규하는 바로 그를 붙잡고 말했다.

"당장. 어서."

너무 간절해서 목소리까지 떨려왔다.

"널 가지고 싶어."

렉스는 규하의 등을 내리누르고, 높이 치솟은 엉덩이 사이에 당장 남성을 집어넣었다. 그리고 조금도 지체하지 않고 거칠게 밀고 들어왔다. 규하는 소리쳤다.

"좋아……. 아, 아……!"

렉스는 처음부터 정확하게 규하가 느끼는 곳을 공략했다. 몸의 온 구멍이 열리는 느낌에 규하는 몸을 떨었다.

"렉스, 나…… 나 또……."

"또 너무 느끼지 말아요."

렉스는 단호할 정도로 잘라 말했다.

"한 번도 이런 적…… 없어. 네가 너무……. 너무……."

규하는 헐떡이며 더 말하지 못했다.

"저도 참을 수가……."

렉스는 말하다 말고 이를 악물었다. 확실히 평소보다 빠른 속도였다.

렉스는 규하에게서 빠져나와 그녀를 돌아눕게 하고는 다시 들어왔다. 규하는 카펫을 쥐어뜯었다.

"안 돼, 이 자세가 더 느껴, 느껴져……."

렉스는 대답하지 않았다. 규하는 기다리지 못하고 절정에 올랐다. 하지만 렉스는 멈추지 않았다. 한창 전율하는 곳을 거칠게 자극하는 느낌에 규하는 자지러질 것 같았다. 자신이 소리를 쳤는지, 팔다리를 휘저었는지, 그를 끌어안았는지, 아무것도 알 수 없었다.

점차 정신이 돌아온 규하는 가슴을 들썩였다. 땀이 가슴께에서 물기가 되어 흐를 정도로 축축했다. 렉스는 숨을 깊이 내쉬었다. 특별히 숨차 보이진 않았지만 눈동자 안쪽에 몽롱한 빛이 물결쳤다. 규하는 거친 숨 사이로 중얼거렸다.

"정말…… 너만 한 토이는 없어."

렉스는 잠깐이지만 복잡해지는 표정이더니 피식 웃었다.

"다른 토이는 안 돼요."

"그럴 리 없잖아."

규하는 렉스의 얼굴을 잡아 내리고, 깊이 들여다보며 속삭였다.

"사랑해."

두 사람은 다시 몸이 뜨거워지도록 입 맞추었다.

"무슨 생각해?"

엘리베이터를 타고 올라가며 이반은 깊은 생각에 잠겨 있는 연하에게 물었다. 그녀가 무의식중에 미간을 찌푸리기에 별로 유쾌하지 않은 생각을 하는 것 같았기 때문이다.

연하는 생각에서 깨어나 고개를 저었다.

"아뇨, 아무것도."

그러고는 화제를 돌리려는지 엘리베이터의 버튼을 가리켰다.

"저번부터 궁금했는데 이 꼭대기 층에는 뭐가 있어요?"

"수영장."

"수영장이요?"

연하는 깜짝 놀랐다. 그 얼굴은 귀여웠지만 이반은 의아했다. 수영장이 뭐 특별할 게 있나 싶었기 때문이다. 그런데 연하는 과자로 지은 집이 있다는 이야기를 들은 아이 같은 표정으로 물었다.

"가봐도 돼요?"

"진짜 수영장이네요."

그것도 생각보다 본격적이어서 연하는 감탄했다. 제 계절이 아니라 옥외 수영장 외에는 준비되어 있지 않았지만 음료를 만들어 먹을 수 있는 바와 테이블이 딸린 소파 자리, 한쪽에 작게 온천까지 있었다.

이반이 불을 켜자 옥상 전체가 밝아지면서, 수영장 위를 세로로 가로지르는 전선들에 걸린 색색의 조명들이 잔잔한 수면에 반짝임을 뿌렸다.

이반은 유난히 좋아하는 연하를 보면서 물었다.

"부대에 있지 않아? 시설도 좋은 걸로 아는데."

"잘 안 가요. 다들 쳐다봐서. 악의는 없겠지만 뭐 다르게 생겼을 것 같은가 봐요."

수영장 아래서 올라온 빛이 연하를 비추었다. 이제는 그런 사실이 속상하다기보다 왜 그렇게 생각하는지 모르겠다는 투였다.

이반은 연하가 의외로 몸매가 좋은 편이라 그렇게 쳐다본 게 아닐까 싶긴 했는데 별로 오해를 정정해 주고 싶진 않았다. 대신 물었다.

"수영할래?"

"해도 돼요?"

내심 기다린 제안인지 연하는 얼굴이 밝아졌다.

"당연하지. 근데 춥지 않겠⋯⋯."

물으며 돌아보는 사이에 연하는 이미 옷을 벗고 있었다. 재킷은 바닥에 떨어져 있고, 연하는 티셔츠를 머리 위로 벗어 올리느라 말을 듣지 못했는지 반문했다.

"네?"

이반은 희미하게 웃었다.

"춥지 않겠냐고."

어쨌든 인상을 찡그리게 하던 생각에서는 벗어난 것 같아 다행이었다.

"잠수 훈련할 때 겨울 바다에 비하면 온천이죠."

연하는 발목까지 끌어 내린 바지를 운동화와 함께 차서 벗어냈다. 순식간에 속옷만 남기고 유약을 발라 구운 도자기 같은 몸이 드러났다.

연하는 바로 바닥을 짚고 물로 들어갔다. 물 만난 개처럼 좋아하는 모습을 웃으며 보고 이반은 뒤에 있는 소파에 앉았다. 연하는 물속에서 다리를 휘저어 돌아보고는 물었다.

"이반도 들어올래요?"

이반은 웃었다.

"괜찮아. 좀 할 게 있어서."

그녀가 수영하는 동안 일할 생각인지 이반은 패드를 꺼내 들었다. 연하는 고개를 끄덕이고 더 먼 곳으로 나가서 잠수했다. 몇 번 헤엄치다 몸에 힘을 빼자 루아스 특유의 무게 때문에 금세 수영장 바닥으로 가라앉았다.

연하는 바닥에 대자로 누워서 생각에 빠졌다.

규하가 죽을 수도 있다는 사실을, 오늘 처음 실감했다. 물론 늘 알고 있는 사실이긴 했다. 어쨌든 인간은 죽는 존재니까. 하지만 아는 것과 실감하는 건 다른 차원의 일이었다. 규하를 지켜온 세월이 뭐였나 싶을 정도로 낯선 깨달음이었다. 어쩌면 그건 무의식중에 연하가 가진 자신감이었는지도 몰랐다. 상대가 누구든 규하를 지켜낼 수 있다는. 하지만 세월의 뒤를 따라오고 있는 죽음에서만큼은 규하를 지킬 수가 없었다.

연하는 심란해져, 안방에 누워 있는 것처럼 손을 머리 아래 받치고 옆으로 돌아누웠다.

'그렇다고 감염시킬 수도 없잖아.'

다른 이유를 다 제쳐 놓더라도, 성공할 가능성이 낮기 때문이었다. 감염시키지 않는다면 적어도 규하가 성질 괄괄한 할머니가 될 때까지는 함께할 수 있었다. 반대로 감염시킨다면, 실패하는 그 순간이 마지막—

생각하는 것만으로도 무서워져, 연하는 벌떡 일어났다. 그리고 양반 다리를 하고 앉아 끝이 보이지 않는 수영장 먼 곳을 쳐다보았다.

'꼭 이솝우화의 뼈다귀를 문 개 이야기 같네. 수면에 비친 뼈다귀를 가지려다가 자기가 물고 있는 뼈다귀마저 물에 빠뜨려 버리는 거야.'

어쩐지 우울해질 것 같아, 고개를 내저었다. 그리고 자세를 풀고 수면을 향해 헤엄쳐 올라갔다. 바깥으로 고개를 내밀어 보자 저 멀리 소파에 앉은 이반은 패드에 집중하고 있었다. 순간 연하는 무슨 생각이 들어, 다시 조용히 물속으로 잠수했다.

이반은 고개를 들었다. 한참 아무 소리가 들리지 않았기 때문이다. 패드를 내려놓고 수영장 가로 가보았는데 푸른 조명이 올라오는 수영장은 비어 있었다.

"연하야?"

기적—

이반은 몸을 조금 틀었다. 그를 밀려고 했던 연하는 그대로 허공에 쏟아졌다. 그가 피할 줄은 몰랐는지 아차 싶은 기색이었다. 하지만 연하는 포기하지 않았다. 근육의 힘으로 허공에서 몸을 틀어 그의 팔을 잡았다. 물론 이반은 뿌리치려면 뿌리칠 수 있었지만 그러지 않았다.

좌아악. 거센 물보라가 일었다.

질량 차이로 연하보다 더 무거울 수밖에 없는 이반은 빠르게 바닥으로 가라앉았다. 연하는 침몰선 주위를 맴도는 인어처럼 헤엄쳤다. 장난이 성공해서 즐거운지 몸짓에서 웃음소리가 들리는 것 같았다. 그가 사랑하는 육체는 몸짓마저 사랑스러워, 이반은 오래전에 침몰선에 갇혀 죽은 선원의 썩은 육체가 생명력으로 넘치는 인어를 동경하여 바라보듯 연하를 지켜보았다.

수면에 쏟아지는 색색의 불빛이 물결을 따라 일렁였다. 빛을 이고 그에게로 헤엄쳐 오는 연하의 모습은, 아주 많은 것을 보아온 눈에도 가장 아름답다고 여겨질 만했다.

연하는 물속에서 이반을 마주 보았다. 구두에 코트까지 그대로여서 그는 배가 난파당해 물에 빠진 사람 같았다. 조난당했다고 하기엔 너무 침착하지만 푸른 물속에서 더욱 신비롭고 아름다웠다. 연하는 왕자를 본 인어공주의 기분을 이해할 것 같았다.

목소리 따위 아깝지 않았다. 이 사람과 하룻밤만이라도 함께할 수 있다면.

이반.

연하는 목소리를 잃은 것처럼 입모양으로 말했다.

사랑해요.

두 사람은 수면을 깨고 올라왔다. 머리부터 물의 장막이 쏟아지고, 입술이 거칠게 맞부딪쳤다.

이반이 연하를 밀어붙여, 그녀의 등이 수영장 벽에 닿았다. 잠깐 숨을 몰아쉴 새밖에 없었다. 이반은 연하를 돌려세우고 속옷을 아래로 끌어 내리며 파고들었다. 연하는 신음을 터뜨렸다. 약간 통증이 있었지만 그마저 전율로 느껴질 정도로 둔탁하면서 예리한 쾌감이 몸을 휘감았다.

적응할 시간을 주려는지 이반은 바로 움직이지 않았다. 연하는 그의 것이 안을 가득 차지하고 있는 느낌에 몸을 떨었다. 이미 그녀는 물과 자신의 경계를 알 수 없을 정도로 젖어 있었다.

그런데 꽤 지났는데도 이반이 움직이지 않아, 연하는 얼핏 돌아보았다. 그는 수영장 벽을 짚고 있는 연하의 뒷모습을 감상하듯 바라보고 있었다. 흔들리는 물 아래 내뻗은 등과 잘록한 허리, 그를 품고 있는 동그란 엉덩이까지.

"이반……?"

연하는 영문을 몰라 하는 것 같았다. 열기에 달떠 입술은 새빨갛게 익었고, 검은 눈동자는 더욱 물기에 젖어 있었다. 이반은 그녀의 등을 쓰다듬으며 속삭였다.

"눈을 뗄 수가 없어서."

연하는 숨을 몰아쉬고 희미하게 떨면서 물었다.

"보고만…… 있을 거예요?"

본의였는지 반사적인 반응이었는지 연하는 이반을 재촉하듯 여성을 조였다. 꾹, 하고. 이반은 마치 뜨거운 검이 배 속을 휘저은 것 같았다.

이반은 연하의 고개를 돌려 키스하며 파고들기 시작했다. 그들 주변으로 물이 세게 출렁거렸다. 연하는 위아래로 다급하게 그를 받아들였다. 그녀가 내뱉는 신음도 아까워 이반은 제 안으로 모조리 들이마셨다.

물이 여러 차례 파도 소리를 내며 수영장을 넘어갔다.

이반은 연하를 안아 들어 수영장 벽으로 밀어붙였다.

"날 잡아."

그리고 뜨거운 숨을 끼얹으며 속삭였다. 연하가 그를 끌어안자 이번에는 단번에 끝까지 파고들었다. 마치 수영장 전체가 그녀에게 밀려드는 것 같았다. 연하는 몸을 떨며 비명을 내질렀다. 안이 너무 뜨겁고, 배 속이 터질 것만 같았다. 온몸이 그로 채워졌다.

그녀를 다정한 눈으로 응시하는 이반에게 빛이 쏟아졌다. 반짝거리는……. 색색의 조명들이 사방에 부연 빛들을 흩뿌리고, 그의 눈 속에서 불꽃놀이를 하는 것처럼 화려한 빛들이 빛났다.

연하는 이반의 얼굴을 감쌌다. 그리고 누군가를 이렇게 사랑한다는 게 가능한 일인지 신기해하며, 그에게 키스했다.

이반은 연하를 안은 채 수영장 바를 잡고 올라왔다. 아직 그가 입고 있는 코트에서 엄청난 양의 물이 폭포가 되어 떨어졌다. 코트 아래로, 흥분한 연하가 잡아 뜯은 와이셔츠가 거의 찢어지다시피 풀어 헤쳐져 있고 바지도 잠그다 만 상태였다.

"연하야."

이반은 그의 어깨에 기댄 채 축 늘어져 있는 연하의 얼굴을 한 번 훑었다.

"힘들어?"

"네, 조금……."

안 그래도 둘 다 온몸에서 김이 올라오는 것 같았다. 모르긴 몰라도 그들 주위로 수영장 물 온도가 적어도 5도는 더 올라갔을 것이다.

그런데 이반은 갑자기 연하의 배에 닿아 있는 제 손이 인식되었다. 이반이 피식 웃자, 연하가 몽롱한 눈에 의문을 담고 그를 보았다.

"왜 웃어요?"

"그냥. 좋아서."

"저도 좋아요."

연하는 힘들어서 그런지 더 묻지 않았다. 귀엽게 웃으며 웅얼거리고는 이반의 어깨에 늘어졌다.

이반은 조금 눈을 내리깔았다. 손바닥 아래 연하의 배가 따뜻했다. 참, 사람의 욕심이란 어쩔 수 없다 싶었다.

'아이를 가지고 싶어지다니.'

인간이었을 때 삶에서 그리운 것은 없었다. 단 하나, 꼭 그를 닮은 금발이 눈부셨던 아이를 빼고는.

아이는 유복자였다. 어미의 배 속에 있을 때 그는 죽었고-죽었다고 알려지고- 따라서 실제로 만난 적도, 부자 사이의 정을 느껴볼 새도 없었다. 하지만 아이가 생겼음을 알았을 때 그는 세상을 전부 가진 것보다도 기뻤다. 태어나는 그 순간만을 누구보다 고대해 왔다. 결국 실제 제 핏줄은 아니었다고 하지만, 그래도 멀리서나마 지켜봤을 때 태어난 아이는 미워할 수 없었다.

이반이 지금까지도 후회하는 일이 있다면 후계 전쟁이 발발했을 때 아이를 지켜주지 못한 것이었다. 그에겐 모든 걸 설명해 주고 가르쳐 줄 파트로네스가 없어서 자신이 무엇이 되었는지도 알지 못해 극도로 혼란스러웠다. 감염되고 수십 년은 제 정체를 알아내는 데 골몰했다.

문득 정신이 들었을 때는, 그 아이만이 아니라 이미 그가 세운 모래성조차 사라지고 난 후였다. 세차게 들이치는 세월의 파도에 휩쓸려…….

그것이 저 짧고 눈부신 자들의 숙명이라면.

그렇게 무심히 생각하고 돌아섰지만 입안에 쓴맛은 가시지 않았다. 그리고 그 아이에 대한 생각이 머릿속에 박혀 이후 단 한 번도 아이 같은 것을 바란 적이 없었다. 하지만 연하의 아이라면…….

연하를 닮은 눈으로 자신을 올려다볼 아이를 상상만 해도 이반은 가슴이 뻐근해졌다. 움켜쥐고 있느라 축축한 작은 손, 시금한 우유 냄새, 보드라운 배내털 같은 것이 이미 실제로 느껴지는 것 같았다.

이반은 낮게 숨을 내쉬었다.

'이거야말로 부질없는 생각이군.'

이반은 연하를 보았다. 이런 상태로 잘도 자고 있어서, 웃음이 샜다.

'더 바라는 게 양심 없는 짓이지.'

이반은 실없는 생각은 뒤로 밀어두고 연하를 안은 채 아래로 내려갔다.

콰르륵. 변기에 물보라가 소용돌이치면서 물이 내려갔다.

"연하야."

문밖에서 이반이 부르는 소리가 들렸다.

"나갈게요."

연하는 문을 돌아보고 대답하고, 이제 잠잠해진 수면을 보았다. 그리고 배를 짚으며 고개를 갸웃했다.

"뭘 잘못 먹었나?"

"우와……."

도영이 무표정하게 감탄사를 뱉자 연하가 땀에 젖은 얼굴로 돌아보았다.

"왔어?"

그런데 왜인지 도영은 기가 막힌 얼굴이었다.

"지금 한 손으로 100킬로그램짜리를 들고 있는 거? 얘가 또 평범한 인간 박탈감 느끼게 하네."

연하는 아령을 내려놓고, 막 헬스장으로 들어온 도영을 위아래로 훑었다.

"소령님도 딱히 '평범한 인간' 범주에 들어가진 않는데?"

그러자 연하 옆에서 운동하고 있던 리웨이가 말했다.

"소령님 요즘 아예 헬스장에서 살았거든. 미스터 코리아에라도 나갈 작정이신가 봐."

"본업에 충실한 거죠."

도영은 대수롭지 않게 말하고 장갑을 끼면서 데드리프트 기계로 갔다. 연하는 바닥에 놓아둔 물병을 들면서 그를 보았다. 그러게. 인간도 저런 몸을 가질 수 있는지 몰랐는데 말이다.

"참, 강 상사 너 팔은……."

도영이 갑자기 돌아보았다가 멈칫하고 연하를 망연히 보았다. 어쩐지 서커스를 보는 것 같은 눈이었다. 그 앞에 연하가 들이켜는 2리터짜리 물병에 물이 하수구를 열어놓은 것처럼 꿀럭, 꿀럭, 꿀럭 요동치며 빠르게 수위가 낮아졌다.

"하마세요?"

도영은 기막혀하며 말했다.

"목구멍에 깔때기 꽂았냐? 무슨 물을 그렇게 들이부어?"

연하는 텅 빈 물병을 내리고 손등으로 입가를 닦으며 말했다.

"이거 물 아냐."

"뭐?"

팔 운동을 하던 리웨이가 바로 돌아보더니 연하의 물병을 뺏어서 냄새를 맡았다.

"진짜네. 이거 플로스잖아? 너 이 자식, 누가 이걸 이렇게 마시래?"

연하는 어깨를 으쓱였다.

"배고파서."

허기라고 해야 할지, 갈증이라고 해야 할지, 연하는 요 몇 주간 이상하게 플로스를 마셔도 포만감이 들지 않았다. 그래서 아예 팩 두 개를 따서 동시에 마실 때도 많았다. 특히 운동이라도 좀 하고 나면 리터가 아니라 갤런이 필요한 기분이었다. 하지만 거기까진 이야기하지 않았다.

또 분명히 돼지 루아스가 될 거라고 할 테니까.

하지만 리웨이는 염려스러운 얼굴이 되었다.

"팔 때문인가?"

연하는 그런가 싶어 왼팔을 보았다. 이제 팔에는 아무 느낌도 없었다. 그런데 그 생각을 하자 연상 작용으로, 어두운 이미지가 다시 눈앞을 스쳤다. 번들거리는 눈들, 빛, 피…….

피.

"검사해 봐야 하는 거 아니에요?"

도영이 걱정스럽게 말해, 연하는 흠칫 정신을 차렸다. 얼떨떨했다. 그때 혀에 떨어진 피 맛이 생각나다니.

"그럴까? 안 그래도 안 한 지 좀 됐으니까."

리웨이의 말에 연하는 그녀를 위아래로 훑었다.

"국장님께 보고서 내고 허락받았어?"

리웨이는 표정으로 '이 계집애가…….'라고 말했다. 도영은 질렸다는 듯이 고개를 내젓고 자리로 돌아갔다. 반면 운동을 끝낸 연하는 물건을 챙기고 일어나 탈의실로 들어갔다. 리웨이도 운동이 끝났는지 들어와 캐비닛을 열었다. 그런데 시선이 느껴져 연하는 돌아보았다. 리웨이가 그녀를 보고 있었다. 그것도 뚫어져라.

"왜?"

연하는 옷을 벗느라 머리가 흐트러진 채 물었다. 차가운 공기에 하얗고 몽글한 젖가슴 위에 발간 젖꼭지가 돋아나 있었다.

연하의 몸은 깨끗했지만 한쪽 젖꼭지 옆이 희미하게 붉었다. 얼핏 보면 모기에 물린 자국 같았다. 하지만 그게 아니라는 건, 상식이 있는 어른이라면 다 알았다. 그리고 연하가 루아스라는 사실을 고려했을 때 저렇게 자국이 남으려면 얼마나 세게 깨물었는지 알 만했다.

"리웨이?"

연하가 고개를 갸웃하며 불렀을 때에야, 그녀를 끌어안고 있는 벌거 벗은 남자의 환영이 사라졌다. 리웨이는 고개를 돌리고 말했다.

"아무것도 아냐."

"싱겁기는."

연하는 등을 둥글게 굽히고 팬티까지 마저 벗었다. 그리고 좀 더 안쪽에 있는 리웨이를 지나 샤워실로 들어갔다. 리웨이는 꼼짝 않고 있다가 연하가 지나가고 나서야 캐비닛에 옷을 넣으며 생각했다.

'하여간 변하지 않는 게 있다니까.'

쾅!

갑자기 샤워실에서 굉음이 울렸다. 리웨이는 깜짝 놀랐다. 샤워실을 돌아봤지만 이어서는 아무 소리가 들리지 않았다.

"너 뭐 하는……."

지금 샤워실에는 연하밖에 없다는 사실을 알고 있었기 때문에 리웨이는 샤워실로 들어가며 말했다. 그런데 바닥에 연하가 쓰러져 있었다. 선 채로 의식을 잃고 머리부터 넘어졌는지 머리 아래 바닥 타일이 얻어 맞은 유리처럼 깨져 있었다.

"강연하!"

리웨이는 기겁해 달려갔다.

"미끄러진 거라니까."

의무대 침대에 앉아 있는 연하가 말했지만 옆에 서 있는 도영은 미간을 찌푸렸다.

"진짜 엄청난 소리가 났다고. 기다려. 곧 파웰 대위님이 검사 결과를 가지고 올 거……."

"왔어요."

마침 열려 있는 의무대 문 너머, 의사 가운을 입은 리웨이가 들어와 말했다.

"검사 결과로는 별 이상 없어. 머리도 멀쩡하고. 차라리 바닥 타일한테 사과해야 할 것 같은데."

연하는 '거봐.' 하고 말하듯이 도영을 보았다. 그래도 그는 미간에 주름을 펴지 않았다.

"그렇게 쓰러졌는데요?"

리웨이는 어깨를 으쓱였다.

"플로스를 과다섭취해서 그런 게 아닌가 싶네요. 아직 그런 부작용이 보고된 바는 없지만 괜히 과유불급이라고 하겠어요?"

연하도 그런 게 아닌가 싶긴 했다. 하긴, 요즘 너무 마시긴 했다.

'하여간 덕분에 이게 무슨 꼴인지……'

의식을 잃은 연하를 옮길 방법이 없어서, 마침 가장 근처에 있던 루아스이자 남자인 박 원사가 들것 노릇을 해야 했다. 리웨이가 담요로 덮어둬서 박 원사는 아무것도 보지 못했다고 맹세했지만 그보다 요즘 자꾸 실려 다니는 게 영 군인 본새가 살지 않았다.

도영은 팔짱을 풀고 한숨을 내쉬었다.

"어쨌든 국장한테 연락해야 하지 않겠습니까?"

국장은 어제부터 출장을 간 상태였다.

"국장님한텐 왜?"

왜 부사관이 쓰러진 걸 국장한테까지— 라고 말하듯이 연하가 멀뚱히 물어, 도영은 기가 막혀 그녀를 보았다.

"왜긴, 너님의 남자친구시잖아요."

연하는 놀란 것처럼 입을 다물더니, 눈치를 보듯 물었다.

"알아……?"

도영은 주변을 둘러보고 물었다.

"여기 누가 모르는 사람 있습니까?"

의무대에 있는 사람들은 간호 장교들이고 환자들이고 모두 어리둥절한 얼굴이었다. 그걸 누가 모르냐는 듯. 연하는 말문이 막힌 것처럼 있더니 조금 붉어진 얼굴로 도영을 노려보았다.

"놀리지 마."

예전에 그런 말이 있었다. 헐, 씨발, 심쿵사. 이 쓸데없이 사랑스러운 흡혈귀를 어찌해야 할지, 도영은 고개를 저었다. 국장, 앞으로 고생이다 싶었다.

"아서라, 아서."

리웨이가 손을 내저었다.

"자기 허락 안 받고 검사했다고 얼마나 뭐라고 할지 벌써 머리가 아프……."

"강 상사."

그때 문이 열리고, 이반이 들어왔다. 모두 깜짝 놀랐다. 연하도 놀라 말했다.

"이…… 아니, 국장님. 출장 가신 게……."

이반은 말했다.

"소식 듣자마자 출발했어."

누구한테 소식을 들었다는……? 모두의 머리에 질문이 떠올랐지만 대답할 수 있는 사람은 없어 보였다.

"괜찮아?"

이반은 연하에게 걱정스럽게 물었다.

"네. 그냥 발을 헛디뎌서 넘어진 거예요."

별것 아닌데 출장 간 사람까지 오게 해 버려 민망하기도 하고, 다들 그들의 관계를 안다고 생각하자 연하는 쑥스러워 대답했다. 안 그래도 모두 이쪽을 연극 무대처럼 지켜보고 있었다.

이반은 리웨이를 돌아보고 손을 내밀었다.

"결과 좀 보죠."

"네? 아, 네."

멋대로 검사했다고 뭐라고 할 것 같았는지 리웨이는 바로 검사 결과가 떠 있는 패드를 건네주었다. 이반은 한동안 심각한 눈으로 패드를 보았다. 그동안 의무대에 있는 모두 왠지 모를 긴장감에 숨소리도 내지 못하고 기다렸다.

"괜찮아 보이는군요."

이반은 말하고 다시 패드를 리웨이에게 건넸다.

"괜찮아요. 정말로."

연하는 대답하고는 이불을 걷고 일어나 리웨이에게 물었다.

"나 이제 가도 되지?"

"그래."

리웨이는 고개를 끄덕였다. 연하는 가자는 듯이 이반의 소매를 살짝 잡았다가 놓았다. 이반은 이 동작의 의미는 뭔가 싶었다. 연하는 어쩐지 주변 시선을 신경 쓰는 것 같았고, 사람들은 무언가 아는 것 같은 능글맞은 눈으로 이쪽을 보고 있었다.

곧 무슨 영문인지 깨달은 이반은 피식 웃고, 분분히 사라지는 연하를 따라나섰다. 일이 일단락되었다 싶었는지 나머지 사람들도 흩어졌다.

리웨이는 책상에 앉아 패드를 보았다. 화면에 패스워드를 치고 들어가자 다른 검사 결과 화면이 떴다. 혹시나 하고 몰래 곁들여서 해 본 검사였다. 그런데…….

-Positive(양성)

떨리는 눈동자에 화면에 떠 있는 글자가 비쳤다.

시몬은 화면을 보고 있었다. 소리가 없는 화면은 옥상 수영장을 높은 곳에서 비추고 있었다. 수영장 위로 조명들이 색색이 빛났다. 그리고 수영장 한쪽에, 한 몸처럼 얽혀 있는 그림자들이 있었다. 코트에 가려져 보이는 건 없었지만 그들은 지금 세상이 멸망한다 하더라도 신경 쓰지 않을 정도로 서로에게 몰입해 있었다. 하지만 순간적으로 남자는 위쪽을 한 번 쳐다보았다. 차가운 눈으로.

눈을 깜빡이지도 않고 화면을 지켜보고 있는데 밴드가 울렸다. 시몬은 시선을 돌리고 전화를 받았다.

"말해."

한동안 시몬은 상대가 하는 말을 들었다.

"뭐……?"

그러고는 멍한 외마디를 내고 더 말을 잇지 못했다.

"그런 일이 어떻게…… 그건 있을 수 없는…… 불가능한 일이잖아."

시몬은 상대가 하는 말을 들으며 말이 없었다.

"일단 알았어. 끊어."

시몬은 한참 그대로 앉아 있었다. 탁자에 완벽한 네일아트가 된 손을 올려 손가락끼리 가볍게 문질렀다. 그리고 마침내 어디론가 전화를 걸었다.

[왜?]

화면 가득 대공이 떴다. 게임을 하는지 헤드셋을 쓰고, 이쪽은 쳐다보지도 않았다. 그러다가 옆을 돌아보고는 분하다는 듯이 말했다.

[마르코프, 너 이 자식 왜 이렇게 잘하는 거야?]

시몬은 그 모습을 보다가 태연하게 말했다.

"강연하가 아이를 가졌습니다."

대공은 멈칫하고 시몬을 보았다.

[뭐?]

하지만 그는 시몬이 대답하길 기다리지 않고 의자 등받이에 무너지 듯이 등을 기대며 탄성을 냈다.

[와, 그게 사실이라니…….]

"뭔가 알고 있군요."

시몬은 무표정한 얼굴을 풀지 않고 말했다. 그러자 대공은 그녀를 보고 묘한 웃음을 지었다.

[지금 네가 무슨 생각하는지 알 것 같은데 분명히 말해두지만 불가능해. 뱀파이어는 생식 능력이 없어. 흡혈귀가 애 낳았다는 말처럼 황당한 이야기 들어본 적 있어? 그리고 감염 같은 편한 방법이 있는데 굳이 인간처럼 번식할 필요가…….]

시몬은 더 듣고 싶지 않다는 듯 손을 들었다.

"그럼 강연하가 임신한 건 어떻게 설명할 겁니까?"

[내 말 안 끝났어. 그런데 가끔 그런 가계가 있어, 생식 능력이 있는.]

시몬은 만지작거리던 손을 멈추었다. 대공은 어깨를 으쓱이고 덧붙였다.

[생식 능력이 죽지 않은 가계라고 해야 하나. 워낙 드문 일이라서 우리도 추측할 뿐이었지만, 임신이 가능한 특정한 가계가 있는 것 같아. 그렇게 드문 일인데 꼭 몇몇 가계에서만 그런 일이 생기는 걸 보면.]

"그 의미는……."

[이바노프가 그런 가계겠지.]

시몬은 애써 평온한 숨을 내쉬었다.

"이바노프 씨는 그런 언급은 없었는데요."

[본인도 모르는 거겠지. 그 녀석, 자기 파트로네스가 어떤 녀석이었는지 모르잖아?]

"그래서 리웨이 파웰을 강연하 옆에 붙여놨군요."

시몬은 발작적으로 말했다. 그리고 지그시 이를 물며 확신조로 덧붙였다.

"강연하가 아이를 가질 수 있다는 걸 알고."

대공은 대답하지 않았다. 하지만 침묵은 충분한 대답이 되었다. 바이러스 연구에 관심이 없는 척하더니, 뒤로는 제 나름대로 준비를 하고 있었던 것이다.

문제는, 이바노프 본인도 모르는 가임 사실을 대공이 어떻게 알고 있었느냐— 그것이었다.

대공을 따라 아일을 떠난 직후 시몬은 며칠간 의식이 없었다. 의사는 갓 감염을 겪은 스트레스와 부상 여파, 정신적인 문제 등 여러 개가 겹쳤기 때문이라고 했다. 그런데 눈을 시리게 만드는 천장 조명을 바라보며, 무언가 빠져나간 것 같다— 그런 느낌을 받았다. 하지만 유달리 생각하진 않았다. 어쨌든 인간이 흡혈귀가 되는 엄청난 변화를 겪고 난 후였으니까.

시몬은 알고 싶지 않았지만, 알 수밖에 없었다. 이바노프도 모르는 사실을 대공이 알고 있는 이유를.

"제게…… 아이가 있었습니까? 당신이 절 데려왔을 때."

대공은 잠깐 시몬을 보다가, 어깨를 으쓱이고 대수롭잖게 말했다.

[이미 배 속에서 죽어 있었어.]

시몬은 테이블 아래서 온 힘을 다해 주먹을 쥐었다.

대공에게는 이바노프가 가임 혈통이라는 증거가 있었던 것이다. 바로 자신.

"아이의 시신은……."

시몬은 누군가가 목을 조르고 있는 것 같았지만 간신히 평온한 목소리를 냈다. 대공은 고개를 살짝 꺾어 손가락으로 볼을 괴고는 말했다.

[생각해 봐. 뱀파이어 배아줄기세포라고. 차라리 황금 양털이 더 찾기 쉬운 엄청난 연구 샘플이잖아. 바이러스 연구가 여기까지라도 진척

된 이유가 뭐라고 생각해?]

시몬은 떨려오는 몸을 참기 위해 초인적인 힘이 필요했다.

"당신들은…… 제가 필요한 게 아니었군요."

[네가 뭔데?]

대공은 전에 없이 오만한 얼굴이었다.

[남편 덕분에 운 좋게 이바노프 가에 들어간 플러스 원이었을 뿐이잖아. 뭐, 그래도 처음부터 알고 접근한 건 아냐. 보다시피 우리도 이바노프 가가 그런 가계인 줄 몰랐으니까. 그냥 쓸모가 있을까 싶어서 줍고 보니, 그게 당첨 로또였던 거지.]

대공은 손을 한 번 들었다 놓았다.

[하지만 그때 일로 넌 가임 능력을 잃었으니까. 자궁을 같이 들어내는 수밖에 없었거든. 이런 이야기는 나도 미안하지만 좀…… 끔찍한 상태였거든. 모체가 감염을 겪는 충격을 이기지 못한 것 같더군.]

시몬은 꾹 어금니를 물었다. 안 그래도 만약 제게 가임 능력이 그대로 있었다면 어떤 식으로든 알았을 것이다. 아니, 어떤 식으로든 대공이 이용했을 거라고 해야 할까.

[아무튼 그건 나도 오히려 아쉬운 일이야. 네게 가임 능력이 그대로 있었다면 일이 더 쉬웠을 테니까.]

마침 대공이 그렇게 말해, 시몬은 조금 평정을 되찾았다. 대공의 뜻대로 되지 않았다는 건 그나마 위안이 되었다.

대공은 계속 말했다.

[아무튼 표본이 하나 더 필요했어. 이번에는 완벽한 걸로.]

이런 와중에도 시몬은 기가 막혔다. 이건 정말, 미치광이구나 싶었다.

"설마 지금 그래서 이바노프 씨를 강연하 옆으로 가게 만들었다는 건가요?"

[정확하게는 '이바노프 남자'야. 가임 능력이 있는 다른 가계를 찾으니 그게 더 빨랐으니까.]

시몬은 이 미치광이가 강연하의 상대로 알렉스까지 생각했다는 점이 황당한지, 이바노프를 상대로 이런 일을 꾸몄다는 게 더 황당한지 알 수 없었다.

"그래서 페인 총장을 죽였군요."

가만히 둬도 시간이 해결해 줄 페인을 굳이.

드디어 퍼즐이 맞춰지는 것 같았다. 대공은 강연하의 뒤를 봐주던 페인이 사라지면 이바노프가 움직일 거라고 생각했던 것이다.

대공은 훗 웃었다.

[일석이조였지. 워낙 눈에 거슬리던 녀석이라.]

"이바노프 씨, 아니, 어느 쪽이든 강연하와 그런 사이가 된다는 보장이 어디 있었죠?"

대공은 무심한 얼굴로 말했다.

[강연하를 봤으니까. 의지가 굳고 사랑스러운 아이라는 걸 알겠더군. 좋아하지 않을 수 없겠다 싶던데.]

시몬은 이 미치광이가 사람을 보고 그런 생각을 할 수 있다는 것 자체가 또 놀라웠다.

[강연하의 외모가 어리다는 게 좀 걸리긴 했지만 다행히 이바노프가 그 정도 융통성은 발휘할 줄 알더군.]

그러더니 대공은 이죽이며 덧붙였다. 마치 시몬을 놀리듯.

[아니면 외모가 어려도 상관없었다는 걸까……?]

하지만 거기까지 말하고 대공도 더 입을 놀리지 않았다. 시몬이 어떻게 반응할지 지켜보고 있는 것 같았다.

"그렇군요."

시몬은 마침내 말했다. 태연히.

"하지만 그런 중요한 정보에서 저를 배제시키고 있으셨다니, 일의 진척이 지지부진한 데는 이유가 있었군요."

대공은 피식 웃었다.

[그래도 내가 사람 하나는 제대로 봤군. 울고불고할까 봐 긴장했잖아. 네게 숨긴 이유는 그런 게 좀 걱정돼서 말이야.]

"앞으로 계획에 대해 생각 좀 해 봐야 할 것 같군요. 끊겠습니다."

시몬은 일방적으로 전화를 끊었다. 그리고 끼익, 의자를 밀고 탁자를 짚고 일어섰다. 하지만 탁자에서 손을 뗄 수가 없었다.

'필립.'

필립의 부드러운 갈색 머리와 온화한 녹색 눈동자가 눈앞을 지나갔다. 시몬은 탁자를 짚은 손이 떨려왔다.

'필립……!'

필립은 그녀를 사랑했다. 이반 이바노프가 강연하를 사랑하듯이, 어쩌면 그것보다도 더, 오로지 그녀를 위해 죽음에서까지 돌아왔다. 이바노프 가의 왕자로서 어떤 여자든 고를 수 있었을 텐데도, 그녀만을……

'오로지 나만을.'

시몬은 힘겹게 시선을 들어 화면을 보았다. 푸른 수영장 위로 색색의 빛이 반짝거렸다. 다채로운 색으로 빛나는 아름답고, 안온한 세계. 뼛속까지 사랑받는 여자. 그리고 아이.

그녀가 한때 가졌던 것……

시몬은 탁자를 짚은 손가락에 뼈가 튀어나오도록 힘을 주었다.

그래, 애나 로스였다면, 남편밖에 바라볼 것이 없었던 그 어리고 힘없는 가정주부였다면 내 아이를 살려내라고 발작을 일으켰을 것이다. 하지만 그래봤자 아무것도 하지 못하고 몸을 웅크린 채 우둔한 증오심만을 곱씹었을 터.

시몬은 손을 탁자에서 떼고 허리를 똑바로 폈다.

하지만 그건 다시 돌아오지 않았다. 울고불고할 가치가 없었다. 다시 돌아갈 수 없다면, 앞으로 나아가는 수밖에 없었다. 빛나는 미래를 위해.

연하는 방으로 들어가며 말했다.

"그러고 보니 이반은 제 방엔 처음이죠?"

"그러네."

이반은 연하의 흔적을 읽듯 방을 둘러보며 들어왔다. 그가 어떤 루아스들처럼 유난한 거구도 아닌데 어쩐지 방이 꽉 찬 느낌이었다.

그리고 이반은 침대에 걸터앉아 옆을 두드렸다. 연하는 그 자리에 앉았다. 하지만 그가 아무 말도 하지 않기에 멀뚱히 앉아 있다가, 눈이 마주쳐서 웃었다.

"왜요?"

연하는 웃음기를 띠고 물었다. 이반의 눈에도 웃음기가 있었다.

"언제 키스해 줄 건가 싶어서. 나름 출장 다녀왔는데."

연하는 '아' 소리를 내고, 그의 목에 팔을 감았다.

"다녀오셨어요?"

웃으며 묻고는 침대에 무릎을 짚고 일어나 키스했다. 그런데 키스에 몰두해 있는 사이에 점점 자세가 낮아지더니, 입술이 떨어지자 침대에 등을 대고 있는 상태였다.

"근데 저 때문에 중간에 나온 거 아니에요?"

연하는 이반의 볼을 쓰다듬으며 물었다. 그는 그녀의 손을 잡아 손바닥에 키스했다.

"괜찮아."

이반은 쓴웃음을 지으며 덧붙였다.

"돌아가 봐야 하긴 하지만."

연하 때문에 시작한 일이라고 하더라도 어쨌든 하고 있기 때문에 감수해야 하는 점은 있었다.

"그럼……."

연하가 바로 몸을 일으키려고 했기에, 이반은 고개를 내렸다.

"시간은 충분히 있어."

그런데 연하가 살짝 그의 어깨를 밀어내며 우물거렸다.

"저기, 사람들이 전부 알아버려서…… 이반이 너무 오래 방에서 안 나오면……."

물론 관사는 방음이 잘 되어 있긴 하지만…….

이반은 희미하게 웃었다.

"난 괜찮아. 세상이 전부 알아도."

그가 내려왔다.

"아니, 세상이 전부 알았으면 좋겠어."

대공은 꺼진 화면을 응시했다. 한참을 꼼짝 않고 있다가, 갑자기 광적인 웃음을 터뜨렸다. 옆에 있는 마르코프가 돌아보는 기척이 났다.

"마르코프. 일이 좀 희한해진 것 같아."

대공은 천천히 웃음을 멈추고 말했다.

"뱀파이어는 배아 시절이 없잖아. 그래서 모든 세포로 분화할 수 있는 만능성을 가진 배아줄기세포도 없지. 하지만 만능성이 없는 성체 줄기세포로는 연구하는 데 한계가 있어. 루아스 바이러스 연구가 계속 답보상태에 있는 이유지. 인간의 경우에는 iPS[12] 연구가 이미 상용화 단계에 왔지만 뱀파이어는 다르니까."

---

12) induced Pluripotent Stem cell, 유도만능줄기세포. 이미 분화된 체세포에 외부에서 인위적인 자극을 주어 […] 배아줄기세포와 비슷한 만능성을 획득한 세포. 윤병선, 유승권, "역분화줄기세포의 연구현황과 임상적용을 위한 과제"(J Korean Med Assoc 2001 May; 54(5): 502-510, 2011) 503.

마르코프는 무표정한 얼굴로 듣고 있을 뿐이었다. 말을 이해했는지 이해하지 못했는지 알 수 없는 표정이었지만, 대공은 신경 쓰지 않고 계속 말했다.

"그런데 배아줄기세포를 얻을 수 있는 절호의 기회가 생긴 것 같아. 그것도 반쪽짜리가 아니라 순수한 혈통의, 완전한 뱀파이어 배아줄기세포를 말이야."

대공은 마르코프를 보았다. 눈이 기름기가 낀 것처럼 번들거렸다.

"정말 재밌는 세상 아니야? 하필 이바노프가 가임 혈통인 것도 기막히지만 내가 죽였고, 그래서 뱀파이어가 된 강연하가 결국 모든 것의 열쇠가 되다니 말이야."

15

Hails to the King

격납고 벽 쪽에 한 무리의 대원들이 빙 둘러 서 있었다. 거의 출동할 준비를 끝낸 상태였고, 벽 패널에 화면이 떠 있었다. 그 앞에 서 있는 브리핑 담당 소령이 말했다.

"오늘은 이례적으로 비행 청소년 단속에 좀 나가야 할 것 같아."

대원들이 웅성거렸다. 소령은 진정하라는 듯 손을 들었다.

"알아. 왜 우리가 그런 일까지 하냐고 생각하겠지만 이 비행 청소년들이 좀 본격적이어서, 일반 병력으로 상대하기가 힘들다고 하는군."

"그럼 뭐, 총기로 무장이라도 했답니까?"

한 대원이 묻자 소령은 고개를 끄덕였다.

"맞아."

"여기 대한민국 아닌가요."

거의 장난으로 물은 거였는지 대원은 어이없는 기색이었다.

"루아스를 상대로 자위력을 올려야 한다고 총기 밀매가 빈번해진 건 어제오늘 일이 아니니까. 그러다 과격한 어린애들 손에까지 들어갔겠지.

아무튼, 이게 지금까지 확인된 멤버들 명단이고…….”

소령이 말하며 손짓하자 화면에 명단이 떴다. 대원들 사이에 있는 연하는 무심히 명단을 훑다가 어디선가 멈칫했다.

“저 아이.”

주변이 시끄러워 그녀의 말에 귀를 기울인 건 옆에 있는 도영뿐이었다.

“왜?”

“본 적 있어.”

연하는 명단 중앙에 있는 소녀를 가리켰다.

“그날 다리 밑에 있었어. 아이들 사이에.”

그 자리에 있던 많은 사람들 중 전혀 유별날 것 없는 아이를 기억하는 이유는, 미끼 역할을 했던 소녀가 제 친구라고 가리킨 아이였기 때문이다. 아마 아무나 가리킨 걸 테지만, 연하의 기억에는 남았다. 특히 손가락이 자신을 향했을 때 흠칫하고 놀라던 얼굴이.

주변이 바로 조용해졌다. 대원들은 연하의 팔과 명단에 있는 소녀의 사진을 번갈아 보았다.

소령이 패드를 보고 말했다.

“그룹을 따라다니는 여자애들 중 하나로군. 이름 김지나, 나이 열일곱, 혜문 고등학교 1학년 5반…….”

도영이 심각한 눈을 하고 중얼거렸다.

“잠깐, 혜문 고등학교라면…….”

연하의 눈도 심각해졌다. 규하네 학교.

소령이 돌아보고 대원들 몇에게 말했다.

“혜문 고등학교 1학년 5반 김지나라는 소녀에 대해 알아보고, 경찰에 연락해서 학교로 인력을 보내라고 해.”

그러고는 자신을 바라보고 있는 좌중을 보았다.

“뭐 해? 출동할 준비들 해.”

"저 아이 데려오기 전에요?"

대원이 의아해하며 물었다. 소령은 대답했다.

"정보는 이미 흘러나왔어. 우물쭈물하면 일망타진은 물 건너가는 거야. 어서 엉덩이들 움직여."

그러자 대원들이 움직이는 가운데, 소령이 막 앞을 지나가는 연하에게 손짓했다.

"넌 괜찮겠어?"

어제 쓰러졌다는 소문이 전 지부에 퍼진 모양이었다. 연하는 단호하게 고개를 끄덕였다.

"괜찮습니다."

소령은 가보라는 듯 고갯짓했다. 그래서 대원들과 함께 격납고 앞에 나가 있는 헬기로 가는데 목소리가 들렸다.

"강 상사."

의사 가운을 입은 리웨이가 격납고를 가로질러 다가오고 있었다.

"이거 먹고 가."

연하 앞에 선 리웨이는 알약을 건넸다.

"뭔데?"

연하는 이미 받아먹으면서 물었다. 리웨이는 대답했다.

"비타민. 아무 이상은 없었지만, 그래도 몸 관리해야지."

"고마워."

연하는 손을 흔들고, 달려갔다. 막 따라잡은 그녀를 보고 한 대원이 한 말에 연하는 가볍게 웃었다. 그 모습을 보는 눈이 흔들렸다.

'왜 하필 네가……'

격납고의 환한 조명에, 바닥에 제 그림자가 길게 늘어져 있었다. 괴물처럼 일그러진 그림자였다.

'하지만 돌아갈 수가 없어……. 어떤 것 앞에서도 돌아갈 수 없도록,

다리를 불태웠으니까. 다리 너머에 모두 버리고 왔으니까.'

리웨이는 꾹 이를 물었다.

'이러니까, 이 나약한 인간성이 언젠가는 튀어나올 줄 알았으니까, 다리를 불태웠던 거야.'

리웨이는 연하를 차갑게 일별하고 돌아섰다.

'돌아갈 길은 없어.'

"아무리 그래도……."

이반은 시선으로 주변을 훑었다.

"내가 이런 일까지 해야 하나?"

화려한 선상 파티가 열리는 크루즈의 갑판은 나직한 웃음소리로 가득했다. 은은한 조명들이 검은 바다에 빛을 뿌리며 빛나고, 손님들이 저마다 들고 있는 가느다란 샴페인 잔에 기포가 보글거렸다. 사람들은 모두 즐거워 보였다. 간간이 아이들도 있고 퇴폐적인 분위기는 아니어서 그나마 참아줄 수 있었다.

"나중을 생각해서라도 인간들을 적으로 돌리지 않는 편이 좋습니다."

옆에 서 있는 렉스가 말했다. 이반은 고개를 내젓고 어두운 바다를 돌아보며 난간에 두 팔을 걸쳤다.

"내가 괜히 다 버리고 떠났던 게 아니라니까."

"차라리 정복해서 왕국을 세우지 그러셨습니까? 그럼 이 모든 고생을 하지 않으셨어도 됐을 텐데요."

렉스가 말해, 이반은 인어의 손짓처럼 우아하게 넘실거리는 바다에서 시선을 돌려 그를 보았다.

"지금 21세기 아냐? 왕국이라니, 민주주의도 배우지 못한 것 같은 소리를 하는군."

"최근 그런 생각이 들어서 말입니다. 모두가 높은 곳을 욕망할 수 있는 세상이 과연 좋기만 할까……."

렉스는 오랫동안 생각해 온 것처럼 숙고하는 눈으로 말했다.

"모두의 욕망이 얽혀서, 이렇게 복잡한 세상이 돼버린 걸 보니까요. 정의롭고 단순한 하나의 의지로 영원히 지배될 수 있는 세상이라면, 차라리 낫지 않겠습니까?"

역시 수사 출신이라고 해야 할까. 이해는 되지만 이반은 딱 잘랐다.

"더럽게 따분한 세상이겠지."

"적어도 안전한 세상이겠죠."

"그거야말로 인간성을 경원시한 결론이야."

이반은 난간을 짚고 일어섰다.

"평생 농부가 아닌 뭔가가 돼볼 생각조차 하지 않는 사람이라고 옆집 농부보다 당근 하나를 더 캐고 싶다는 생각을 하지 않을까 봐? 인간은 제 욕망이 억압된 세상을 용납하지 못해."

이반은 빛이 반짝이는 바다에 시선을 던졌다.

"한동안 참을 수는 있어도."

안락한 집을 위한 욕망, 부와 명예를 위한 욕망, 하고 싶은 일을 하고 싶다는 욕망……. 그것이 어떤 욕망이든 간에.

이반은 갑자기 무슨 생각이 나 다시 렉스를 보았다.

"근데 얼마 전부터 묘하게 나한테 허물없이 이야기하는데, 너."

렉스는 태연히 대답했다.

"천 년쯤 알고 지냈으면 조금은 괜찮지 않습니까?"

이반은 기가 막혀 말했다.

"아주 맞먹지 그래."

렉스는 다른 말을 했다.

"윌리엄 커티스 중장은 대령 시절 시리아에서 국제법을 위반하고 포로들을 학대했던 혐의로 일선에서 배제되었습니다. 제 생각보다 질이 좋지 않더군요."

"용케 증거를 찾았군."

"친구가 많다는 건 그만큼 적도 많다는 의미니까요."

렉스는 손목 밴드를 쳐다보았다.

"소탕 작전 승인은 한 시간 내로 날 겁니다."

이반은 갑판에 있는 사람들을 쳐다보았다. 샴페인을 들고 웃고 있는 그들은 세계 이면에서 어떤 일이 일어나고 있는지 상상도 못 하는 얼굴이었다.

"오랜만이군요."

그때 낯익은 목소리가 들려왔다. 두 사람은 돌아보았다. 느긋한 밤바람을 맞으며, 연미복을 입은 하인리히가 서 있었다. 이반은 하인리히에게 손을 내밀었다.

"초대해 주셔서 감사합니다."

하인리히는 별로 두려워하지 않고 손을 맞잡았다.

"오시지 않을 거라 생각했는데 오히려 영광입니다."

이반은 웃었다.

"오지 않을 이유가 없죠. 제노아틱스와 MCTC는 여전히 좋은 사업 파트너니까요. 하이마 재계약 건은 안타깝게 이해관계가 맞지 않은 일이었죠. 하지만 앞으로도 함께할 일이 많지 않겠습니까?"

이 모습을 규하가 봤으면 뭐라고 할지, 렉스는 문득 궁금해졌다. '와, 입 터는 거 봐.'라고 하지 않았을까 싶었다.

"당할 수 없군요."

하인리히는 피식 웃었다.

"아버님."

그때 어린 목소리가 들렸다. 시선을 돌리자 하인리히 뒤에 동서양 혼혈 소녀가 서 있었다.

"어머니께서……."

하인리히는 어깨 너머를 보고 낮게 말했다.

"나중에 이야기하자꾸나."

열다섯쯤으로 보이는 소녀는 그 나이대의 아이라고는 생각되지 않는 차분한, 아니, 초연함에 가까운 눈으로 이반을 보았다. 그리고 외려 동양적인 기품이 있는 몸짓으로 고개를 숙여 인사하고 몸을 돌려 걸어갔다.

마침 부모의 인종이 같아서 그런지 이반은 만약 연하와 아이를 낳을 수 있고 그게 딸이라면 저런 아이지 않을까 싶었다. 저렇게 차가운 느낌은 아니겠지만.

"영애께서 아주 예의가 바르군요. 유일한 딸이었던가요?"

이반은 말하고 시험 삼아 덧붙였다.

"푸거-들뢰크의 이름을 가진 중엔."

하인리히는 어깨를 으쓱였다.

"가장 똑똑한 아이기도 하죠."

제 치부를 딱히 숨기려 하지도 않았다. 이런 걸 보면, 아무리 세련된 껍질을 뒤집어써도 인간은 결국 인간이라고 깨닫게 되고 말았다. 유사이래 결코 변하지 않는 점이 있다고나 할까. 필립 다음에 이런 남자라니, 애나도 어지간히 벤츠를 똥차로 바꾸는 재주가 있는 것 같았다.

그때 이반의 안주머니에서 전화가 울렸다.

"실례하죠."

이반이 말하자 하인리히는 고개를 끄덕였다.

"즐겨주십시오. 사업 이야기는 또 할 자리가 있겠죠."

"그럼."

이반은 전화를 꺼내며 돌아섰다. 마침 기다리던 전화였다.

규하는 생각했다.

'그러니까 이름이 뭐더라.'

저 아이, 아까부터 자신을 쫓아다니고 있는.

복도에서 몇 번 본 적이 있어서 옆 반 학생이라는 정도는 알고 있었다. 안 그래도 불량서클과 어울리는 등 문제가 많았는데 한동안 무단결석을 해서 옆 반 담임인 국어 선생이 골치 아파하는 모습을 봤다. 그런데 오늘은 학교에 나온 모양이었다.

규하는 '아' 소리를 내었다.

"저, 지나야?"

겨우 이름이 생각나 부르자 지나는 눈에 띄게 흠칫했다. 하지만 모퉁이 너머에서 움직이지 않았다. 규하는 난감히 웃으며 아이에게 다가갔다.

"혹시 선생님한테 할 말이라도⋯⋯."

규하는 아이를 보자마자, 아이에게 상당히 심각한 문제가 있다는 사실을 깨달았다. 눈이 극도로 불안했기 때문이다. 규하는 주변을 둘러봤다가 다시 지나를 보았다.

"괜찮으면 어디 들어가서 이야기할래?"

지나는 몇 번이나 주저한 끝에 입을 뗐다.

"가능하다면⋯⋯."

얼마나 말을 하지 않았는지 목소리가 꽉 잠겨 있었다.

두 사람은 마침 옆에 비어 있는 미술실로 들어갔다. 그런데 문이 닫히자마자 지나는 울음을 터뜨렸다. 오랫동안 참고 있었던 것처럼 와락. 규하는 깜짝 놀랐다.

"왜 그래?"

지나는 오열 사이로 드문드문 말했다.

"정말 죄송해요. 그렇게 될 줄 몰랐어요. 전, 전⋯⋯ 진짜⋯⋯."

"괜찮아. 괜찮으니까, 천천히 이야기해 봐. 여긴 선생님밖에 없어."

규하는 자세를 숙이고 지나의 어깨를 쓰다듬으며 진정시켰다. 지나는 한참을 울다가 겨우 말을 꺼냈다.

"그냥…… 그냥…… 피를 조금 얻고 싶을 뿐이었어요. 오빠, 언니들이 그럴 줄은……."

규하는 난감한 웃음을 삼켰다.

"선생님은 무슨 소리인지 잘 모르겠는데 좀 자세히 설명해 줄래?"

"그 뱀파이어 있잖아요. 선생님하고 닮은……."

규하는 누군가에게 얻어맞은 것 같았다. 이 아이가 어떻게 연하를…….

"뭐?"

저도 모르게 묻고 말자 지나는 의아하게 규하를 보았다.

"모르…… 세요?"

"뭘 말하는 거니?"

"팔이……."

규하는 여전히 무슨 말인지 알아들을 수 없었다. 하지만 어떤 장면이 다시 생각난 듯 토할 것 같아 하는 지나의 얼굴을 보니, 대강 알 수 있었다. 연하에게 무슨 일이 있었다고. 그것도 이 아이와 관련된 일로.

'그날이겠지.'

저녁을 먹기로 하고는 급한 일이 있었다고 사라진 날. 며칠 뒤 돌아와서 평소처럼 웃던 얼굴이 떠올랐다.

규하는 꼭 주먹을 쥐었다. 역시 할 수 없었다. 연하는 저 밖에서 무슨 일을 겪고 있는지 모르는데 자신은 아무 일도 없는 것처럼 평범하고 즐겁게 살 수가 없었다. 보호 따위 받으면서.

규하가 막 입을 열려는 순간이었다.

쾅.

갑자기 문이 굉음을 내며 열렸다. 아니, 열리면서 부서졌다. 지나 때문에 신경 쓸 겨를이 없었지만 안 그래도 밖에서 아이들이 웅성거리는 소리가 커진다 싶은 참이었다.

"강규하 선생님?"

문 앞에 서 있는 두 남자 중 한 남자가 규하를 똑바로 보고 물었다. 두 번 생각하기도 전에, 규하는 당장 지나를 끌어당겨 등 뒤로 감추었다. 남자들은 한눈에도 인간이 아니었다.

"뱀파이어……?"

지나는 규하의 등 뒤에서 멍한 소리를 내었다.

쿵.

연하는 뒤에서 청년을 잡아 바닥에 넘어뜨렸다. 그럼에도 같이 달아나던 일행은 멈추지 않고 달려갔다. 연하는 가볍고 휴대하기 편해 군인들이 수갑 대신 애용하는 케이블타이를 꺼내 청년을 포박하고, 뒤에 오는 팀원에게 맡기고 달렸다. 그리고 달아나는 일행을 금세 따라잡아 벽을 박차고 앞에 훌쩍 내려섰다. 그는 움찔 멈추고는 도망칠 곳을 찾아 주변을 둘러보았다. 하지만 좁은 복도에서 도망칠 곳은 없었다. 그러자 청년은 다급하게 주머니에서 총을 꺼내 겨누었다.

"다치니까……."

연하가 말했지만 청년은 주저하지 않고 총을 쐈다. 연하는 몸을 젖혀 총알을 피했다. 그러자 어느새 청년이 접이식 경찰봉을 휘두르고 있었다. 총알도 피하는 그녀에겐 당연히 슬로우 모션을 보듯이 느린 공격이라 연하는 다른 방향으로 살짝 몸을 젖혔다.

그런데 봉이 어깨를 스쳤다.

연하는 믿기지 않는다는 듯이 청년을 보았다. 청년은 다시 봉을 휘둘렀다. 연하는 덮쳐 오는 청년의 멱살을 잡아 한 손으로 엎어 메쳤다. 허공에 붕 떴다가 바닥에 등을 박으며 떨어진 청년은 숨을 제대로 내쉬지 못하고 괴로워했다.

"컥, 커헉……."

지익. 청년을 묶은 케이블타이를 당기고 연하는 미간을 찌푸렸다.

어쩐지 움직임이 둔한데.

'착각이었나?'

그때 뒤에서 기척이 느껴졌다. 연하는 돌아보았다. 다른 청년이 그녀를 향해 각목을 휘두르는 중이었다. 그런데 움직일 수가 없었다. 두 팔다리를 바닥에 고정시켜 놓은 것처럼 꿈쩍도 하지 않았다. 하지만 저번에 쓰러졌을 때와는 좀 다른 느낌이었다. 지금은 꼭 무슨 약을 먹은 것처럼—

청년은 뒤에서 날아온 총알을 맞고 쓰러졌다. 그에게 총을 쏜 도영이 말했다.

"여덟, 뭐 하는……."

거기까지가 연하가 기억하는 것이었다.

갑자기 눈을 까뒤집으며 기절한 연하를 제 몸으로 받아낸 청년은 비명을 터뜨렸다.

"여덟!"

도영을 포함해 대원들이 놀라 달려왔다. 늘어진 연하를 뒤집어보자 이번에도 단순히 의식을 잃은 것 같았다. 다른 외상 징후는 없어 보였다.

"아, 이 자식이! 또!"

도영은 분노를 터뜨렸다.

"괜찮지 않으면 괜찮지 않다고 해야지, 이게 어디서 아마추어 같은 짓거리야?"

옆에서 한 중사가 권총이 작동 불량일 때 탄창을 치고 슬라이드를 당겼다 놓고 방아쇠를 당기는 응급 해결법인 탭랙뱅을 하며 말했다.

"근데 어린애들치고 화력이 너무 좋군요. 역시 어디서 지원을 받고 있는 것 같습니다."

안 그래도 도영도 그런 생각을 하던 차였다. 하지만 뭔가 석연치 않아 말했다.

"그런데 이렇게 화력이 좋은 것치고 아까부터 도망만 치고 있지 않습니까? 왠지 유인하는 것 같은 느낌이⋯⋯."

팅. 그때 날아온 총알이 벽에 맞고 튕겼다. 모두 바로 몸을 낮추었다. 그리고 팀원들이 대응 사격하며 엄호하는 동안 도영과 다른 대원이 연하의 방탄복을 붙잡고 끌었다. 대원은 저도 모르게 소리를 터뜨렸다.

"으아, 대박 무겁⋯⋯!"

연하는 극한까지 단련한 장정 둘이 양쪽에서 붙잡고 끄는데도 바닥에 떡 들어붙은 것처럼 겨우 끌려왔다. 육중한 물건이 바닥에 마찰할 때 나는 소리가 지이익 지이익 따라왔다.

"강 상사야, 제발 우리 좀 도와줘라! 네가 이러지 않아도 우리 인생이 힘든 사람들⋯⋯."

도영이 온갖 불평을 토하며 연하를 끄는데 갑자기 한 중사가 불렀다.

"소령님."

그때 한 중사가 낸 목소리는 그런 목소리였다. 웃음기라고는 쫙 빠진, 그답지 않게 떠는 것까지 한 목소리. 도영은 뭔가 싶어 돌아보고는, 그도 떨고 말았다.

검은 인영들이 몰려들고 있었다. 앞뒤를 꽉꽉 채우며. 모조리 뱀파이어들이었다.

이반은 전화를 받았다.

"셀레나, 검사 결과는⋯⋯."

의무대의 검사 결과로 봤을 때 연하에게 별 이상은 없었지만 전반적인 수치들이 조금 높아서 아무래도 다시 정밀검사를 해 봐야 할 것 같았다. 그래서 셀레나에게 연하의 혈액 샘플을 보내놓은 상태였다.

[네? 아, 그건 아직 확인을 못 했어요.]

셀레나는 잠깐 당황하는가 싶었지만 바로 어조가 바뀌었다.

[그보다, 드디어 찾았어요. 스테판 블란두스.]

바로 미간에 심각한 빛이 스몄다.

"말해."

[다른 이름으로 살고 있었어요.]

당연히 그럴 거라고 생각은 했지만, 그래도 이렇게 오랫동안 ISLE의 정보망에 잡히지 않은 이유가 설명되지 않았다. 이름 따위야 몇 번을 바꿔도 금방 찾아낼 수 있는……. 그런데 셀레나가 덧붙였다.

[성별도요. 블랙마켓에서 성전환수술을 받은 기록을 발견했어요. 그래서 여태 찾을 수가 없었던 거예요.]

이반은 미간이 꿈틀거렸다.

[현재 사용하는 이름은…….]

"리웨이 파웰."

셀레나는 놀라는 것 같았다.

[알고 있으셨어요?]

"짐작이었지. 지금 당장……."

이반이 말하고 있는데 옆에 있는 렉스가 어딘가를 돌아보았다. 그리고 바로 경계하는 자세로 이반을 불렀다.

"이바노프 씨."

이반은 고개를 돌렸다.

"안녕?"

대공이었다. MCTC가 가용 가능한 모든 병력을 동원해 찾고 있는 녀석은, 마치 초대받은 손님이 초대받은 자리에 온 것처럼 느긋하게 갑판으로 걸어 나왔다. 녀석의 태도가 워낙 자연스러워 사람들은 전혀 이상함을 느끼지 못하고 있었다.

대공은 두 사람 앞에 와 섰다. 그리고 그를 눈도 깜빡이지 않고 보고 있는 이반과 렉스를 보고는 피식 웃었다.

"이 녀석과 교환하라기에."

대공은 그를 따라온 남자를 가리켰다. 은발에 가까운 금발, 붉은 눈, 러시아인 특유의 무감동한 얼굴. 마르코프 야코블레프. 대공의 유일한 클리엔테스이면서, 12년 전 연하를 직접 죽인 루아스였다.

"강연하를 죽인 녀석이야. 대신 교환 조건은 뭐라 했냐면……."

갑자기 대공은 말을 멈추고 의아해하는 눈으로 마르코프를 보았다.

"마르코프, 너한테 무슨 소리가……."

마르코프는 무표정하게 대공을 보았다.

"꼭 목적을 이루시길 바랍니다."

찰나, 이반은 자신이 발을 디디고 있는 선박의 모든 것을 인식했다. 수많은 인간들. 수많은 삶들. 짧고 눈부신 자들. 세월의 파도에 흔적도 없이 사라져 버릴, 모래 위의 그림 같은 군상들. 그가 구태여 지킬 의무가 없는 자들.

"왕께서 승하하셨다."

수많은 울음소리가 귓가를 채웠다. 통곡이 하늘과 대지를 울렸다.

"왕을 돌려주십시오. 그분은 우리를 세상 끝까지 데려가줄 유일한 분이셨습니다."

"위대하고 관대한……."

"신의 아들……."

이미 세월의 흐름 속에 사라져 버린 목소리들이 하나로 모아지며, 머릿속에 공명처럼 울렸다.

"우리의 왕."

이반은 외쳤다.

"알렉스!"

렉스는 바로 이해했다. 빛이 번쩍이며 마르코프의 몸이 터져 오르는 순간이었다. 그들은 불을 향해, 뛰어들었다.

폭발이 덮쳐 오는 걸 보며 대공은 망연히 중얼거렸다.

"시몬, 너 이 녀석……."

폭음이 작렬했다.

시몬은 항구에 서 있었다. 세상천지가 울리는 폭발의 순간에도 눈 하나 깜빡하지 않았다. 밤하늘을 환하게 밝히는 불꽃과 함께 거대한 선박이 기울기 시작했다. 마지막에 뭔가 대처를 했는지 생각보다 선박은 크게 피해를 입지는 않았지만, 목적을 이루기엔 충분했다. 어쨌든 폭발을 정면으로 맞은 세 남자는 무사하지 못할 테니까.

안 그래도 시몬은 근래 이반 이바노프와 강연하를 지켜보면서 깨달은 게 있었다. 대공의 말대로, 이반 이바노프는 결코 그녀를 강연하를 사랑하듯 사랑하지 않을 거라는 사실이었다. 하지만 이건 포기 따위가 아니었다. 냉정한 상황 판단이었다. 생각해 보면 시몬도 내쫓겼던 노예에서 왕의 여자가 되어 당당하게 왕궁에 입성하고 싶었던 것뿐이다. 그녀를 무시했던 모두를 내려다보며.

아니, 실제로 이바노프를 사랑했든 사랑하지 않았든 더 이상 그건 중요하지 않았다.

뾰족한 하이힐이 돌아서자, 수많은 검은 구둣발들이 따라 돌아섰다. 선두에서 나아가는 길은, 아무런 장애물 없이 뻗어 있었다.

그녀는 왕이 될 것이다. 왕의 여자 따위가 아니라.

그녀는 먼지 같은 애나 로스가 아니니까.

연하는 흐릿한 눈을 떴다. 팔에 링거 바늘이 연결되어 있고, 옆에 앉아 있는 리웨이가 보였다.

'의무대구나.'

연하는 안도감이 들어서 말했다.

"리웨이, 나 자꾸 쓰러져서……."

그러면서 손을 들려고 하는데, 손이 멈추었다. 손목이 묶여 있었기 때문이다. 그것도 코끼리나 묶어둘 것 같은 엄청난 두께의 족쇄에. 그리고 링거 바늘이라고 생각했던 건 헌혈 바늘이어서, 아래로 연결된 투명한 관을 타고 피가 빠져나가고 있었다.

연하는 고개를 들자마자 달팽이관이 고장 난 것처럼 어지러웠다. 그래서 혼란스러운 눈으로 리웨이를 보았다.

"리웨이."

리웨이는 전에 없이 냉정한 눈으로 말했다.

"축하해. 아이를 가졌어."

"뭐?"

안 그래도 리웨이가 자신의 배에 초음파기기를 대고 있어서, 뭘 하는지 이해하지 못하고 있었다. 연하는 더 혼란스러워졌다.

"그런 일이 있을 리 없잖아. 난 임신을……."

"할 수 있어. 이바노프는 임신이 가능한 혈통이니까."

리웨이는 연하의 말을 자르고 말했다.

"그게 무슨……."

"봐."

리웨이는 앞에 있는 화면을 가리켰다. 검은 구멍 안에 보이지도 않을 만큼 작은 점이 있었다. 하지만 연하는 여전히 이해되지 않았다. 모든 상황이.

리웨이는 배에서 기기를 떼고 라텍스 장갑을 벗어 내려놓고 말했다.

"뉴스를 켜줘."

AI가 벽 패널에 뉴스 화면을 켰다.

[크루즈에서 자살 폭탄 테러가 발생했습니다. 해군은 급히 생존자 구조에 나섰으며…….]

여자 아나운서가 소식을 전하는 뒤로 사고 현장이 보였다. 선박은 선두가 바다에 처박혀 있었다. 흩어진 잔해로 보면 폭발의 반경은 엄청났다. 검은 연기가 피어올라 하늘에서 찍은 화면에서도 현장이 자세히 보이지 않을 정도였다.

[하지만 폭발에 가장 가까이 있던 MCTC 서울의 이반 이바노프 국장과 중앙근위사단장 알렉스 야크트훈트 소장은 사망한 것으로 보이며…….]

아나운서의 말이 한 박자 늦게 귀에 들어왔다. 연하는 천천히 리웨이를 돌아보았다.

"뭐……?"

리웨이는 대답하지 않았다. 그동안 차분한 아나운서의 목소리가 계속해서 연하의 귀를 파헤쳤다.

[폭발의 순간이 담긴 CCTV 영상을 다시 보시겠습니다.]

선실의장에 달린 CCTV가 찍은 것처럼 내려다보는 영상 속에, 갑판에 있는 이반과 렉스에게 검은 머리 청년이 다가왔다. 연하는 바로 그게 누구인지 알아보았다. 아니, 알아보지 못할 수가 없었다.

무어라 말하던 대공이 옆에 있는 마르코프를 돌아본 순간이었다. 화면이 흔들린다 싶을 정도로 거대한 폭발이 일었다. 연하는 깜짝 놀란 듯이 움찔했다. 화면은 조금 더 느린 속도로 반복되었다. 마르코프에게서 폭발이 터져 나가는 순간, 이반과 렉스가 그에게 뛰어드는 순간, 대공을 포함해 모두 폭발에 휘말리는 순간까지…….

"거짓말이야."

연하는 멍하니 중얼거렸다.

"미안해. 진짜야. 네 잘난 국장도 설마 대공을 미끼로 쓸 거라고는 예상하지 못했나 봐. 하긴, 나도 예상 못했으니."

리웨이는 무심한 눈으로 화면을 보면서 말하고는 훗 웃었다.

"그래, 이 정도로 정신이 나가야 유사 이래 최악의 재앙이라는 흡혈귀 악명이 아깝지 않잖아?"

연하는 리웨이를 보고 꾹 눈에 힘을 주었다.

"바라는 게 뭐야?"

리웨이는 무표정하게 연하를 보았다. 환한 빛 아래 드러나 있는데도, 그늘에 잠긴 것처럼 어두운 얼굴이었다.

연하는 처음 보는 얼굴 같다고 생각했다. 지금 보니 감정이 거의 드러나지 않는 진한 화장, 성형을 과하게 한 사람처럼 경직된 얼굴, 음울한 속내처럼 길게 늘어뜨린 검은 머리카락……. 젊은 사람으로도, 나이든 사람으로도, 여자로도, 남자로도 보이지 않는 얼굴이었다.

진짜 이름이 리웨이인지도 알 수 없는 사람이 말했다.

"그냥 모두 끝나길 바라. 이 모든 악순환, 파괴되고 재생되고, 또 파괴되는 악의 고리가."

그때 문이 열리고 규하가 남자들에게 떠밀려 들어왔다. 연하는 움찔했고, 규하는 그녀를 보자마자 다른 건 아무것도 중요하지 않은 것처럼 기겁해 달려왔다.

"강연하! 너 몰골이 왜 이래?"

연하는 그야말로 엉망이었다. 새까맣게 보일 정도로 짙은 다크서클, 식은땀으로 젖은 얼굴, 핏기라고는 없는 피부색이었다.

"규하야."

연하는 신음처럼 그녀를 불렀다.

"게다가 왜 묶여 있……."

규하는 말하다가 뭔가 상황을 파악한 듯 말을 멈추고 리웨이를 노려보았다.

"넌 뭐야?"

그때 다시 문이 열리는 소리가 들렸다. 규하는 돌아보았다. 막 방으로 들어서는 사람은, 그녀가 납치되어 헬기로 이곳에 내리자마자 마피아 두목처럼 검은 남자들을 거느린 채 헬기장에 기다리고 있던 여자였다.

연하는 눈에 힘을 주며 나직하게 으르렁거렸다.

"시몬 드무스티에. 규하를 건드리지……."

시몬은 들은 척도 하지 않고 리웨이를 보았다.

"어때?"

리웨이는 고개를 끄덕였다.

"맞아요, 임신."

규하는 번뜩 연하를 보았다. 연하는 두 여자에게서 시선을 떼지 않았다.

"언제 추출할 수 있어?"

시몬이 묻자 리웨이는 연하를 빤히 보며 대답했다. 꼭 이 자리에 두 사람만 있는 것처럼.

"준비되는 대로."

대답에 시몬은 만족하는 얼굴이었다.

"몸은 전부 스캔했지?"

"여기요."

리웨이는 옆에 놓인 쟁반을 들었다. 언뜻 보면 잘 보이지도 않는 작은 칩이 올려져 있었다. 입대하면서 심은 GPS였다.

리웨이는 연하를 보고 말했다.

"걱정하지 마. 널 죽이진 않을 테니까."

"암말로 이용할 뿐이겠지."

시몬과 리웨이는 동시에 멈칫하고 그렇게 말한 규하를 보았다. 규하는 독기가 번뜩이는 눈으로 그들을 보고 있었다. 리웨이는 흥미롭다는 얼굴이 되었다.

"무슨 상황인지는 아세요?"

규하는 코웃음을 쳤다.

"왜 몰라? 너희 둘은 악당이고, 아무래도 연하는 임신이 가능한 것 같고, 너흰 아이가 필요하고. 무슨 나쁜 짓에 써먹으려는 건지는 모르겠지만."

리웨이는 쓴웃음을 지었다.

"선생님이 루아스가 됐다면 상당히 무서웠을 것 같네요. 어쩌면 제 정체도 금방 들켰을지 모르죠."

"당연하지. 썩은 내가 진동하잖아."

규하는 여봐란 듯이 말했다. 리웨이는 난감한 웃음을 짓고 연하를 보았다.

"오히려 너였어서 다행이라고 해야 할지……."

연하는 눈을 똑바로 뜨고 볼 뿐 대답하지 않았다. 리웨이가 연하에게 손을 뻗으려 하자 규하는 그녀를 밀쳐 냈다.

"손 떼!"

리웨이는 손을 들어 보였다.

"진정하세요. 바늘을 제거하려는 것뿐이니까. 놔두면 계속 피가 빠져나갈 텐데 괜찮으시겠어요?"

규하는 연하 팔에 꽂혀 있는 헌혈 바늘을 보았다. 검붉은 피가 관을 타고 계속 빠져나가고 있었다.

규하가 아무 말 하지 않자 리웨이는 다가섰다. 규하는 다시 밀치거나 하진 않았지만 부담스러울 정도로 가까운 거리에서 리웨이를 지켜보았다. 허튼짓하기만 해 보라는 듯이. 리웨이는 별다른 반응 없이 팔에서 바늘을 제거했다. 그러자 규하는 다급히 연하를 확인했다.

"괜찮아?"

그사이에 리웨이는 시몬에게 말했다.

"피를 부족하게 만드는 건 하지 않는 게 좋을 것 같은데요. 태아가 위험할 수도 있습니다."

그 말을 들은 규하가 홱 돌아보았다. 시몬은 어깨를 으쓱였다.

"어차피 뽑다 쓸 게 정상일 필요는 없잖아. 그리고 위험할 일 없어. 먹이라면 바로 여기 있으니까."

붉은 매니큐어를 바른 손가락이 똑바로 규하를 가리켰다. 연하는 이를 악물었다. 왜 굳이 규하까지 납치해 왔는지 예상은 하고 있었지만…….

시몬은 손을 내렸다. 지금도, 흡혈귀라고는 생각할 수 없는 하얗고 맑은 얼굴이 마음에 들지 않았다. 욕망에 허덕이는 꼴을 꼭 봐야 이 뒤틀린 뱃속이 편해질 것 같았다. 혼자서만 깨끗한 것 같은 얼굴이라니. 다 같은 흡혈귀 주제에.

시몬이 돌아서고, 리웨이가 일어나 따랐다. 시몬은 문 앞에서 연하를 돌아보고 말했다.

"이바노프는 오지 않을 거야."

갑자기 연하의 팔을 묶고 있는 족쇄가 자동으로 풀리고, 시몬은 차갑게 웃으며 방을 나섰다.

"그리고 넌 선택할 수밖에 없을 거야. 네 형제인지, 네 아이인지."

"이럴 필요까지는 없지 않나요."

리웨이는 뒤따라오며 말했다. 시몬은 흘긋 돌아보았다.

"옆에 있는 동안 꽤 친해졌나 보지?"

"효율성에 대해서 말씀드리는 겁니다. 굳이 실험체를 자극할 필요는 없으니까요."

"그래, 과학자들에게 효율성은 생명이니까."

시몬은 멈춰 서서 리웨이를 보고 말했다.

"스테판."

리웨이, 아니, 스테판은 무표정하게 그녀를 보았다. 시몬은 말했다.

"SN에게서 널 구해준 건 나였어."

SN이 블란두스 박사의 집을 습격한 그날 밤, 스테판은 가까스로 집을 탈출해 달아났다. 하지만 인간이 뛰어봤자 정원을 채 벗어날 수 없었다. SN 대원에게 붙잡힌 청년은 흙바닥에 억눌려 부르짖었다.

"개자식들! 죽여, 죽여 버릴 거야. 죽여 버릴 거라고……. 어머니가 어떻게 해줬는데!"

막 집으로 들어온 시몬은 그 옆을 지나가고 있었다. 그녀는 자료를 찾기 위해 동행했을 뿐, 살육제에는 참여하지 않았기 때문이다. 그녀는 SN이 아니니까.

시몬은 온몸으로 울부짖는 청년을 흘긋 내려다보고 말했다.

"놓아줘."

스테판을 억누르고 있는 흡혈귀는 황당해하며 시몬을 보았다.

"뭐?"

시몬은 무표정하게 다시 말했다.

"놓아주라고."

"네년이 뭔데 명령을……."

흡혈귀는 말을 끝맺지 못하고 머리가 날아갔다. 시몬은 글라디우스처럼 생긴 군용 검을 내렸다. 세 번이나 말하게 하는 건 정말로 참을 수 없었다.

알렉스가 검을 쓰는 모습은 수없이 봐왔다. 그래서 루아스가 되고 기억을 더듬어 따라 하는 데는 오랜 시간이 걸리지 않았다. 인간일 때는 들 수조차 없던 쇳덩이를 휘두르는 일은 이제 제 팔을 쓰는 것 같았다. 그리고 솟구치는 피나 떨어져 나가는 사지가 더는 역겹지 않았다. 오히려 어떤 희열까지 느껴졌다.

'난 이바노프야.'

그 자부심이 온 혈관에 흘러넘쳤다.

머리가 잘린 단면에서 피를 뿜어내며 흡혈귀가 옆으로 넘어갔다. 반면 청년은 상황 판단이 빨랐다. 뭐가 어찌 됐든 도망갈 수 있는 기회라고 생각했는지 정신없이 제 몸을 끄집어 올려 뛰기 시작했다. 담장 너머 어둠 속으로.

'똑똑한 녀석이군.'

시몬은 얼핏 생각했지만 연민 따위 때문에 그를 구해준 건 절대 아니었다. 그저 생존자가 있는 편이 좋다고 판단했기 때문이다. SN은 공포의 대상으로 각인되어야 하니까.

물론— 몇 년 뒤 그가 여자 모습으로 앞에 나타나는 것은 예상하지 못했지만.

"당신은 절 구해준 게 아닙니다. 절 이용한 거죠."

눈앞에 있는 스테판은 무심히 말했다. 흐릿한 어둠 속으로 멀어져 가며 돌아보던 그 눈동자, 공포와 분노가 일렁이는 눈동자는 이제 어떤 감정도 내보이지 않았다.

"하지만 저도 당신을 이용하는 거니까요. 피차 은혜를 언급할 입장은 아니지 않습니까? 우리의 계약관계에는 신뢰가 필요할 뿐입니다. 나는 내 할 일을 이행하고, 당신도 당신이 할 일을 이행한다는."

시몬은 스테판을 잠깐 보다가 말했다.

"맞아. 난 내게 무조건 충성하란 이야기를 하는 게 아냐. 난 네 노력에 대해 정당한 대가를 지불할 거야. 네 능력을 높이 사는 만큼 충분하게. 그러니까 최소한 너도 내 방식을 존중해 줬으면 좋겠어."

스테판은 피식 웃었다. 시몬은 눈썹을 추켜들었다.

"뭐가 웃기지?"

"처세술을 보니 당신이 이바노프 가에서 보낸 시간이 헛된 것 같진 않아서요."

시몬은 빤히 스테판을 보았다.

"건방 떨지 마. 내게 강연하에 대해 숨긴 걸 넘어가 주고 있으니까."

스테판은 살짝 묵례했다.

"실례했습니다. 하지만 저도 어쩔 수 없었습니다. 대공이 입만 뻥긋해도 죽여 버린다고 협박했으니까요. 명령 체계는 하나로 통일해 줬으면 하는 바람이 있군요."

확실히, 왜 하필 다른 사람도 아닌 스테판이 MCTC에 스파이로 파견됐는지 모르고 있었던 건 뼈아픈 실수였다. 대공을 너무 얕잡아봤던 것이다. 그 고삐 풀린 망아지 같은 녀석이 이렇게 체계적으로 바이러스를 얻기 위한 물밑 작업을 하고 있을 거라고는 생각하지 못했다.

제 쌍둥이를 찾는 일 외에는 관심을 기울이지 않던 그가 갑자기 루아스 바이러스에 정성을 들이는 이유는 충분히 알 만했다.

'가말을 만들 셈이겠지.'

가말을 닮은, 어리고 순진한 인간 아이를 하나 골라.

안 그래도 최근 마르코프가 인간을 물색하고 다니는 것 같았다. 이제는 프랑켄슈타인 박사 흉내라도 내려는 모양이었다.

만나본 적은 없지만 정말 가말이 불쌍해질 지경이었다. 하필 저런 녀석의 형제로 태어나서. 그게 죄라면 죄겠지만 이 정도 집착이면 자신이라도 저승으로 도망가 버렸을 것이다.

하지만 어쨌든, 대공이 뭘 원하는지는 자신이 알 바가 아니었다.

시몬은 다시 걷기 시작했다.

"괜찮아?"

냄새가…….

연하는 눈을 들었다. 규하는 연하의 눈 속에서 뭔가를 봤다고 생각했다. 소름이 끼쳤다, 어째서인지—

"떨어져."

연하는 말했다.

"뭐?"

"조금만 떨어져 있어줘."

너무 가슴이 서늘해서, 규하는 토를 달지 않았다. 연하는 제 팔을 감싸 안고 몸을 둥글게 말았다. 규하는 무슨 말을 해야 할지 모르는 얼굴을 하고 있다가 물었다.

"정말 아이를 가졌어?"

아까는 센 척을 하느라 기세 좋게 말했지만 실은 모든 일이 너무 얼떨떨하고 믿기지 않았다.

연하는 이불이 흩어진 모양에 의미 없는 시선을 맞추고 중얼거렸다.

"나도 불가능한 줄 알았는데……."

하지만 임신했다는 걸 알 수 있었다. 초음파로 봤기 때문이 아니었다. 몸이 느끼고 있었다. 그녀는 혼자가 아니라고. 위에 구멍이 뚫린 것처럼 플로스를 마셨던 거나, 샤워실에서 쓰러진 것, 자꾸 피 맛이 생각나는 것, 모두 아귀가 맞았다.

'어지러워…….'

귀 뒤쪽에 식은땀이 흘러내렸다. 연하는 의식을 잃을 것 같았다. 여태까지 플로스는 늘 충분했고, 부상으로 피가 부족했을 때는 거의 정신이 없었다. 그래서 피에 대한 압도적인 갈망을 이렇게 또렷한 정신 상태로 느껴본 적이 없었다. 이건 마치 안에서부터 누군가가 그녀를 파먹고 있는 느낌이었다.

연하는 갑자기 흠칫 입을 막았다.

"왜 그래?"

규하가 다급히 물었다. 연하는 입에서 손을 떼지 못했다.

'이가……'

멋대로 자라나는 게 느껴졌다. 규하를 먹이로 인식하기 시작한 것이다.

우습게도 이제야 깨닫게 되었지만, 자신은 정말 흡혈귀였던 모양이다. 꽃을 먹고 산다고 아닐 수가 없었던 건데.

연하는 끌어안은 무릎 사이에 고개를 파묻었다.

이반은 정말로 죽었을까. 조작된 화면 같은 게 아닐까. 하지만 저렇게 오지 않을 거라는 자신이 있는 거라면 정말로 이반에게 무슨 일이 생겨도 생긴 게……. 그런 게…….

생각조차 할 수 없을 정도로, 연하는 울고 싶어졌다. 숨을 쉴 수가 없었다. 쉬고 싶지가 않았다. 다시는 이반을 볼 수가 없다니.

이런 영생은, 필요 없었다.

반면 규하는 애써 태연한 체하고 있었지만 불안해 미칠 것 같은 상태였다. 연하는 한참 아무 반응이 없었다.

"연하야."

주저하다가 조심히 부르자 연하는 느리게 고개를 들었다. 규하는 저도 모르게 주춤 물러섰다.

'눈이……'

연하는 아주 천천히 자세를 풀고 바닥에 발을 디뎠다. 마치 짐승이 먹잇감을 공격하기 전에 자세를 낮추고 움직이듯이. 규하는 몸이 떨려왔다. 나름 두 번이나 사지를 겪은 관록이 쌓였다고 생각했는데 이건……. 이건 달랐다. 왜 사람들이 흡혈귀를 재앙이라고 이야기하는지 이제 알 것 같았다.

규하가 한 번 더 물러난 순간이었다. 연하가 그녀를 덮쳐 왔다. 아니, 그렇다고 느낄 새도 없었는데 이미 그녀에게 붙들려 넘어지고 있었다. 규하는 비명조차 나오지 않았다.

"수영, 할 수 있지?"

연하는 목덜미를 물고 있느라 불분명한 발음으로 속삭였다. 목덜미를 물고 있지만 날카로운 것은 느껴지지 않았다. 식은땀이 규하의 이마를 타고 흘러내렸다. 떨리는 숨을 몰아쉬고 말했다.

"나 지린 것 같아."

이불처럼 펼쳐진 머리카락 아래로 연하가 '쉿' 소리를 냈다.

"이곳을 탈출해야 해."

연하는 지금은 눈앞에 있는 일만 생각하기로 했다. 그게 규하를 구할 수 있는 유일한 방법이니까. 그것도 최대한 빨리 움직여야만 했다. 자신은 갈수록 약해질 테니까.

"하지만 어떻게?"

규하는 머리카락 아래로 얼굴을 감추고 입술만 달싹였다.

"여기는 물 위야. 소리가 들려."

연하는 감시 화면에 정말 피를 빨고 있는 것처럼 보이게끔 하려고 몸까지 조금 꿈틀거리며 말했다. 규하도 손을 들썩거릴까 하다가 너무 과한 연기는 오히려 일을 그르칠 것 같아서 그만뒀다.

연하는 계속 말했다.

"아까 GPS와 별개로 루아스 군인은 생체 반응이 끊기면 자동으로 위치 정보가 전송되는 칩을 몸에 심고 있어. 그건 살아 있는 루아스에게서는 제거할 수 없거든. 하지만 이 건물은 신호가 차폐돼 있을 거야. 그러니까 밖으로 나가야 해."

루아스의 시신은 훌륭한 연구 자료니까 입대할 때 조건이었다던가 하는 말은 하지 않았다.

"잠깐, 그 말은……."

생체 반응이 끊기면, 이라니. 연하는 규하가 반박하려는 걸 눈치채고 얼른 이어 말했다.

"날 끌어 올려 줘야 해. 할 수 있지? 한때 인천 바다의 인어였잖아."

수영을 그만둔 지 십년도 넘었다는 이야기를 하기 전에, 규하는 이를 악물었다.

"웃기지 마. 그런 위험한 짓을……."

"그 정도는 버틸 수 있어."

"아이는? 설사 네가 버티더라도 아이에게 그런 충격은 위험해."

연하는 더 말하지 않았다. 다른 방법이 있었다면 이런 생각은 하지도 않았을 것이다.

"버텨줄 거라고, 믿어."

연하는 아무것도 선택하지 않았다. 감히 선택할 수도 없었다. 그저 믿고, 그녀가 할 수 있는 일을 할 뿐이었다.

규하는 입술을 깨물었다.

"넌 어떻게…… 계속 이런 식으로……."

연하는 희미하게 웃었다.

"난 기뻤어. 널 지킬 수 있었으니까. 하지만 이번엔 네가 날 도와줘야 해."

연하는 단숨에 일어나 자해하는 것처럼 벽을 들이받았다. 하지만 벽은 꿈쩍도 하지 않았다. 당연한 일이지만— 하고 규하가 생각하는데 벽을 짚은 연하의 손가락이 서서히 파고들기 시작했다. 연하의 팔에 힘줄이 꿈틀거렸다.

연하는 거의 괴성 같은 기합을 내질렀다. 그러자 무언가가 부서지는 소리가 울리고, 벽이 갈라져 나왔다. 쩍, 하고.

이미 여러 번 보아온 힘이지만 규하는 또 놀라고 말았다. 이건 다른 루아스들에 비해도 놀라운 힘이었다. 순수한 근육의 힘만으로 분명히 무언가 처리되어 있을 벽을 뜯어내다니.

멀리서 여럿이 달려오는 소리가 들려 규하는 얼른 일어나 재킷을 벗어 던지며 달려갔다. 그리고 바닥이 끝나는 곳에 섰다. 아래에서 용솟음쳐 올라오는 바람에 쓸려나갈 뻔했다.

"조심……!"

연하가 재빨리 그녀를 잡아주었다. 하지만 순간 그런 건 신경 쓰지 못할 정도로, 규하는 벽 너머 세상을 보고 말을 잃었다. 말 그대로 지평선 끝까지 아무것도 없었다.

사방으로 어린아이 하나 숨지 못할 것 같은 나무들이 듬성듬성 나 있을 뿐, 광활한 부지가 펼쳐져 있었다. 마치 공주님을 가둬두는 탑 같은 이 건물만 세상에 홀로 서 있는 것 같았다.

아래 해자처럼 건물을 둘러싼 호수에 뛰어들어 무사히 살아난다 하더라도, 엄폐물 하나 없는 이 넓은 땅을 뛰어 탈출하는 일은 불가능해 보였다. 아니, 불가능했다.

"할 수 있겠어?"

하지만 연하는 그런 것 따위 개의치 않고 뜯어낸 벽을 든 채로 물었다. 규하는 까마득한 아래 석유처럼 까맣고 기름진 빛으로 일렁이는 물을 보고 침을 삼켰다. 적어도 10층 이상의 높이였다.

'못 하겠어.'

규하는 그 말이 튀어나올 뻔했다.

'하지만 임산부가 저렇게 결연한데 내가 우는 소리를 할 수는 없잖아. 씨발, 인천의 피바다 강규하 가오가 있지.'

그런데 왜 다리가 떨려오는지 모를 노릇이었다.

"할 수 있어."

그건 오히려 자신을 세뇌시키는 말에 가까웠다. 그때 문이 열리는 소리가 났다. 연하는 제 배를 내려다보고 중얼거렸다.

"제발 버텨줘."

그리고 벽의 파편을 문으로 집어 던지자 꾕음이 나며 문이 막혔다. 하지만 역시 루아스인 상대는 바로 문을 걷어차 열었다. 연하는 돌아서며 외쳤다.

"뛰어!"

규하는 질끈 눈을 감았다. 그리고 뛰었다.

훅— 공기가 몸을 감싸왔다. 이어서 심장을 들어 올리는 것 같은 섬뜩한 부유감이 몸을 때렸다. 비명을 질렀을 것이다. 그럴 수만 있었다면.

그들은 끝도 없이 떨어졌다. 이대로 영원히 수면에 닿지 않을 것 같았는데 충격과 함께 물속에 박혀들었다. 플라스틱 덩어리에 몸을 억지로 갖다 박은 것 같았다.

규하가 겨우 정신을 차리고 보자 연하는 우주 공간 같은 물속에서 이미 시체처럼 푸르게 보였다. 두 사람은 철근을 찬 것처럼 가라앉는 속도가 빨랐다. 규하는 무저갱 같은 아래와 빛이 일렁이는 수면을 번갈아 보았다. 불안해하는 눈빛을 읽었는지 연하는 맞잡은 손에 힘을 주며 고개를 끄덕였다. 규하는 마음을 다잡았다.

그들은 계속해서 가라앉았다. 수면은 빠르게 멀어졌다.

연하는 몽롱한 눈으로 수면을 보았다. 수면에 빛이 넘실거렸다. 이반을 품은, 푸르고 맑은 수영장의 물. 그리고 이반을 품지 않은, 어둡고 탁한 강의 물. 생명의 물과 죽음의 물. 생명과 죽음, 죽음, 생명……. 교차되는 이미지 너머로, 연하는 천천히 눈을 감았다.

'지금!'

마침내 때가 되었다. 규하는 연하를 끌어안고 다리를 박찼다. 트로피를 향할 때와는 비교할 수 없었다. 온 힘, 온 생명, 온 영혼을 다해 수면을 향해 헤엄쳤다.

규하는 수면을 깨고 올라왔다. 차단되어 있던 온갖 소리가 들이닥쳤다. 건물 저 높은 곳에서 이는 소란, 개가 짖는 소리, 불빛이 수면을 훑는 소리까지.

규하는 축 늘어진 연하를 끌어안고 뭍을 향해 헤엄쳤다. 땅에 발이 닿자마자 연하는 쇳덩이를 끄는 것처럼 엄청난 무게였다. 규하는 그나마 그녀를 가능한 한 얕은 곳까지 끌어냈다.

"강연하!"

연하를 내려놓고 당장 들여다보았지만 반쯤 물에 잠긴 연하는 숨을 쉬지 않았다. 푸르고, 창백했다. 강물에 빠져 죽은 오필리어처럼.

소름이 끼쳤다. 규하는 당장 연하에게 인공호흡을 했다. 하지만 아무리 숨을 불어넣고 심장마사지를 해도 연하는 조용했다. 규하는 이를 악물었다.

"일어나."

온몸의 무게를 실어 연하의 가슴을 내리누를 때마다 그들 주위로 물이 철퍽거리며 튀었다. 규하의 볼을 타고 눈물이 흘러내렸다.

"당장 일어나."

규하는 이미 죽은 사람도 깨울 것같이 소리쳤다.

"또 내 앞에서 죽기만 해 봐!"

그때였다. 마치 누군가가 걷어찬 것처럼, 연하는 발작적으로 기침과 물을 토해냈다. 규하는 안도감에 주저앉을 뻔했다. 하늘을 보며 눈을 감았다가, 몸을 돌리고 콜록거리는 연하의 등을 두드려 주었다.

"괜찮아?"

연하는 손등으로 입가를 쓸며 중얼거렸다.

"강 건너에서 손짓하는 할아버지를 본 것 같아."

농담하는 걸 보니 괜찮은 모양이었다. 규하는 눈물을 닦아냈다.

"우리 할아버지 얼굴 모르잖아. 일찍 돌아가셔서."

"그러……."

연하는 지친 듯이 웃다가 흠칫 배를 짚었다. 규하도 긴장했다.

"있어?"

있냐고 묻는 게 맞는지는 모르겠으나, 연하는 심각한 기색으로 배를 느끼더니 중얼거렸다.

"있어."

'이 아이는 강해.'

연하는 알 수 있었다. 아직 자아조차 없는 존재지만 제 자궁벽을 꽉 붙들고 있는 힘을 느낄 수 있었다. 온 존재로 삶에 대한 의지를 뿜어내는 것처럼.

연하는 바닥을 짚고 일어났다.

"가자."

규하도 일어서면서 물었다.

"신호는? 간 거야?"

"몰라. 올 때까지 버텨야지."

"버티다니……."

그들이 가진 것이라고는 말 그대로 몸뚱이뿐이었다. 연하는 몸뚱이'뿐'이라고 할 수 없는지 몰라도 명색이 임산부…….

그때 막 뭍으로 올라서던 연하가 발이 걸린 것처럼 넘어져 몇 번 엄청난 기침을 토해냈다. 손을 떼자 손바닥에 피가 흥건했다. 규하는 기겁했다.

"너……!"

"괜찮아. 혈액 부족 때문에 장기가 손상된 거야."

연하는 람보도 반할 것같이 대수롭지 않게 말하더니 일어났다. 규하는 기가 막혔다.

"대체……."

지금까지도 잘 상상되진 않았지만 규하는 연하가 버텨온 시간이 어떤 것들이었는지 도저히 상상할 수가 없었다.

사고가 나기 전 연하는 평범한 아이였다. 오히려 심정적으로는 조금 여린 듯싶은, 정말로 평범한 아이. 대체 무엇이 그런 아이를 이렇게 인내의 벼랑까지 내몰았는지, 규하는 너무 기가 막혔다. 이딴 세상에 분노가 치밀었다. 평범한 열아홉 살 소녀였고, 이제 사랑하는 남자를 만나 아이를 가지고 행복하게 살까 한 여자를 이렇게까지 굴려대는 세상이 대체 어떻게 돼먹은 건가 싶었다.

"대체 어떻게 버틴 거야?"

규하가 자기도 모르게 분을 토하듯 말하고 말자 연하는 그녀를 돌아보았다. 숲에서 바람이 불어와 젖은 살갗을 스쳤다.

연하는 조용히 말했다.

"내가 무너지면 네가 위험해지니까."

무서웠다. 처음에는 매일을 울었다. 훈련소에 들어간 첫날에도 혼자 생활관에 누워, 누가 듣기라도 할세라 잔뜩 숨을 죽이고 울었다.

차라리 죽으면 죽었지, 이 모든 건 자신을 위해서라면 절대 하지 않을 일이었다. 하지만 자신이 규하가 사는 세상을 지키고 서 있는 마지막 벽이라고 생각하니 도저히 무너질 수가 없었다. 연하는 강해진 것이 아니었다. 강할 수밖에 없었던 것이다.

"하지만 네가 나라도 똑같이 했을 거잖아."

연하는 조금 웃었다.

"그렇지?"

규하는 숨을 몰아쉬고 흘러내리는 눈물을 닦았다. 미친, 이럴 때가 아니잖아.

규하는 오히려 앞서가며 말했다.

"가자."

물은 숲으로 이어졌다. 숲은 싹 밀어버렸는데도 지치지 않는 의지로 싹을 틔운, 어리고 약한 나무들만이 간간이 서 있었다. 숲이라고 부르기도 민망할 정도였다. 절대 그들을 도망치게 놔두지 않겠다는 의지가 보이는 장소였다. 이런 평야 같은 지대에서는 안에서 달아나기도, 밖에서 원군이 오기도 힘들었다.

그때 달려오는 발소리가 들리고, 남자들이 그들을 감쌌다. 연하는 날카롭게 사방을 훑었다.

남자들 가운데, 시몬이 걸어 나왔다.

"도망가려 한 걸 후회하게 될 거야."

그러면서 살짝 턱을 내리는 그녀의 얼굴은, 지독하게 음울했다.

"배를 갈라서 꺼내주지."

남자들이 연하와 규하를 향해 한 걸음 내디뎠다. 그런데 갑자기 헬리콥터가 다가오는 소리가 사방을 채웠다. 시몬은 흠칫 하늘을 돌아보았다. 멀리서 다가오는 공격용 아파치 헬기는 한 대가 아니었다. 몇 대…… 적어도 수십 대였다.

두쿵. 폭음과 진동이 울리며 지평선 너머에서 방어 지대공 미사일이 솟아올랐다. 하지만 아파치 헬기 부대 쪽에서도 금세 대응했다. 두 미사일이 공중에서 맞부딪히며 폭발해 천지를 뒤흔들었다.

"ISLE입니다!"

남자들 중 누군가가 외쳤다.

"여길 찾을 수 있을 리……!"

시몬은 외치다가 번뜩 연하를 보았다. 그녀가 뭘 했는지 깨달은 모양이었다. 도망갈 수 없다고 알면서도 왜 굳이 호수에 뛰어들었는지. 시몬은 이를 갈았다. 하늘에서 폭음을 동반한 빛이 번쩍일 때마다 검은 눈동자에 윤기가 돌았다.

이바노프의 꽃만은 아니라고 말하는 것 같은 저 비장한 얼굴이, 정말로 증오스러웠다. 이제는 남자 때문이 아니라, 그냥 저것이 싫었다.

'넌 뭐가 그리 달라서.'

"무모한 짓을 했군."

시몬은 애써 무심히 말했다.

"배가 갈리는 것보다는 낫지."

연하는 웃지도 않고 말했다. 규하는 기가 막혔다. 이게 무슨 블랙 유머…….

"가셔야 합니다!"

남자가 외쳤다. 시몬은 점차 다가오는 ISLE의 헬기 부대를 보고, 연하를 보았다. 스테판이라는 패는 이번에 사용해 버렸다. 강연하가 ISLE로 넘어가면 언제 다시 잡을 수 있을지 알 수 없었다.

시몬은 분노에 차 짐승처럼 이를 드러내며 울부짖었다. 폭음에 묻혀 소리는 들리지 않았다.

다소 가까운 거리에서 미사일이 폭발한 순간 빛이 사방을 환하게 씻었다. 그리고 빛이 잦아들었을 때, 남자들과 시몬은 보이지 않았다. 이어서 아파치 헬기가 호수를 모조리 쓸어버릴 것처럼 파문을 일으키며 땅에 내려앉았다.

쿵. 철컹.

문이 열리고, 메마른 흙바닥에 검은 하이힐이 내려섰다. 그리고 눈부신 빛 사이로 늘씬한 인영이 다가오며 말했다.

"정말 무모한 짓을 하셨군요. 생체 신호가 끊겼다고 해서 얼마나 놀랐는지 아세요? 덕분에 바로 찾긴 했지만."

약간 허스키하면서 낮은, 매력적인 음성이었다. 연하는 시린 눈을 가린 손 사이로 겨우 여자를 보았다. 여자는 보라색 블라우스에 검은 정장 치마를 입고 있었다. 검고 긴 머리에 완벽한 웨이브를 넣은 헤어스타

일을 했고, 모두가 압도될 만한 파워풀한 미인이었다. 그리고 컸다.

키가 거의 이반만큼. 길거리에서 만났다면 붉은 눈이 아니더라도 한눈에 루아스인 줄 알았을 것이다.

"누구……?"

연하는 얼떨떨했다. 아까 남자가 외친 말을 들으면 여자는 ISLE에서 온 모양이었다. 하지만 자신의 생체신호가 왜 MCTC가 아닌 ISLE로 갔는지…….

여자는 제비꽃 같은 색을 띤 붉은 눈에 웃음기를 머금었다. 그리고 섬섬옥수지만 키만큼이나 큰 손을 내밀었다.

"셀레나 추예요."

연하는 손을 잡으려다 놀란 얼굴로 그녀를 보았다. 그러고 보니 이 얼굴…….

"설마 ISLE의 대표……."

연하가 멍하니 중얼거리자 셀레나는 달같이 화사한 얼굴로 웃었다.

"처음 뵙겠습니다. 소장님의 클리엔테스예요. 맏이죠."

16

아이의 뺨을 쳐라

도영은 사복 차림으로 복도 의자에 앉아 있었다. 천장을 보고 한숨을 내쉬었다. 그때 문이 열리고, 편한 차림을 한 규하가 나왔다. 도영은 바로 일어섰다.

"들어와요."

도영은 규하를 따라 들어갔다. 깨끗하고 넓은 병실에 햇빛이 비쳐 들었다. 침대에 연하가 앉아 있고, 가는 팔에 링거가 연결되어 있었다. 연하를 처음 만났을 때 생각보다 하얗고 말라서 놀랐던 기억이 났다. 그나마도 이렇게 약해 보이는 모습은 처음인 것 같았다.

연하는 말문이 막힌 것처럼 자신을 보고 있는 도영에게 말했다.

"그런 얼굴 하지 마. 죽을병에 걸린 게 아니니까."

도영은 한숨을 내쉬었다.

"기절했다고 구박한 게 미안해지려고 해서 그런다."

연하는 고개를 저었다.

"계획되지 않은 일로 팀원들을 위험에 빠뜨린 건 나였으니까……."

습격을 당한 날 몇몇 대원들은 심각한 부상을 입긴 했지만 다행히 그 자리에서 KIA[13]는 없었다. 절체절명의 순간이라는 걸 알고 지원 부대가 뒤에서 거의 사생결단으로 폭약을 터뜨려 가며 밀고 들어왔기 때문이다. 도영의 팀도 온 힘을 다해 대응했다. 그러자 한쪽 방향으로 밀린 적들은 혼란한 와중에 잽싸게 연하만 들고 도망쳤다. 좁은 공간에 그렇게 많이 몰려들어서는 루아스들도 충분한 기동 공간을 확보할 수 없었던 것이다.

적의 작전을 누가 짰는지는 몰라도 둘 중 하나인 것 같았다. 군사 작전에 대해 잘 알지 않거나, 그만큼 연하를 납치하는 데 간절했거나. 그래도 죽은 사람이 하나도 없다는 게 기적에 가까운 일이긴 했다.

"착한 것도 그 정도면 호구야, 자식아."

도영은 말하고 덧붙였다.

"피임을 제대로 하지 않은 건 맞아야겠지만. 몇 살이야, 대체?"

"생길 줄 몰라서……."

연하는 허를 찔린 것처럼 우물거렸다. 임신이 될 줄 몰랐으니 당연히, 콘돔 같은 걸 쓴 적이 있을 리 없었다.

침대 옆에 서 있는 규하는 말 한번 잘했다는 듯 인상을 쓰고 말했다.

"지금이 6.25도 아니고 애를 배게 해놓고 행방불명이라니. 국장, 돌아와도 내가 죽여 버릴 거야."

"규하야."

연하가 말리듯이 불렀지만 규하는 똑바로 그녀를 보며 힘주어 다시 말했다.

"죽여 버릴 거야."

도영은 아무렴 훌륭한 태도라는 듯이 고개를 끄덕였다. 그리고 주의를 돌려 규하에게 말했다.

"휴직하셨다고요."

---

13) 작전 중 사망, Killed in Action

규하는 고개를 끄덕였다.

"아이들 안전이 걱정이니까요."

이번 일로, 규하는 자신은 그렇다손 치더라도 아이들이 말려들 수 있다는 사실을 깨달았다. 일이 해결될 때까지라도 학교를 떠나는 게 맞았다. 일이 해결되고도 돌아갈 수 있을지 없을지 모르겠지만.

그때 문이 열리고 셀레나가 들어왔다. 진줏빛 블라우스에 베이지색 H라인 치마를 입고 있었다.

"손님이 오셨네요."

셀레나는 손을 내밀었고, 도영은 맞잡았다.

"셀레나 추입니다."

"도영 드페르 소령입니다."

도영은 손을 놓고 말했다.

"강 상사를 구해주셔서 감사드립니다."

셀레나는 살짝 고개를 저었다.

"저희가 조금 더 일찍 눈치챘다면 강 상사님과 강 선생님께서 그 고생을 하지 않아도 되셨을 텐데 늦어서 죄송할 뿐입니다."

그러고는 셀레나는 쓴웃음을 지었다.

"생각보다 더 정신 나간 녀석들이라는 걸 간과했죠."

그때 연하가 물었다.

"찾은 게 있나요?"

셀레나는 미안한 표정으로 고개를 저었다.

"인력을 총동원해서 찾고 있지만 폭발이 워낙 셌기 때문에……. 최선을 다하고 있어요."

"그걸 의심하진 않아요."

연하는 답답했다. 마음 같아서는 직접 수색에 나서고 싶었다. 도움이 될 자신도 있었다. 하지만 아이 때문에 함부로 움직일 수가 없었다.

"그리고 리웨이 파월 대위······."

셀레나가 조금은 조심스럽게 이야기를 꺼냈을 때, 도영은 꾹 주먹을 쥐었다.

리웨이. 배신자는 늘 있었지만 이건 정말로······. 이번만큼은 적들이 너무 아픈 곳을 쳤다고, 생각했다.

"본래 이름은 스테판 블란두스로, 마리에테 블란두스 박사님의 아들이에요."

그 말에 연하와 도영은 거의 숨을 멈출 정도로 놀랐다. 둘이 말이 없는 동안 규하가 물었다.

"블란두스 박사라면 루아스들이 먹는 꽃을 발견한 사람 말이죠?"

셀레나는 고개를 끄덕였다.

"네. 저희에겐 대모님 같은 분이랄까요."

"그런 분의 아들이 어째서······."

그때 겨우 정신을 차린 도영이 끼어들었다.

"지금 뭐라고······ 아들이라고요?"

셀레나는 제 몸을 아래서부터 얼굴까지 손짓했다.

"싹 다 갈아엎었어요. 아예 뇌만 본인 거라고 할 수 있을 정도로."

연하와 도영은 서로를 보았다. 도영이 먼저 물었다.

"눈치챘었어?"

연하는 고개를 저었다.

"전혀. 넌?"

"나도······ 아니, 그러고 보니 가끔 야한 농담 같은 걸 할 때 남자 동료랑 이야기하는 기분이 들긴 했지만."

"무슨 이야기를 했는데?"

"어, 그건."

도영이 곤란한 듯 말을 삼키자 규하는 알 만하다는 표정이 되었다.

셀레나는 피식 웃고 말했다.

"가족들이 테러리스트들에게 살해당하고, 구사일생으로 살아난 스테판은 어느 날 사라졌어요. 더 이상 흡혈귀들 따위 믿지 않는다는 말을 끝으로. 물론 계속 찾았죠. 하지만 지구상에 있는 한 이 정도로 저희의 정보망에 잡히지 않는 일은 있을 수 없어서, 신원 미상의 시신으로 죽었을 거라고 생각하고 수사를 종결했어요. 그런 일이 드문 세상도 아니니까. 얼마 전에 이바노프 씨가 다시 찾아보라고 하셨을 때에야 재수사를 시작했죠."

셀레나는 한숨을 내쉬고 말을 이었다.

"이번에는 아예 밑바닥부터 시작해 보자 싶어서, 정보원들을 풀어서 탐문 수사로 하나하나 흔적을 되짚어갔어요. 시간은 오래 걸렸지만 역시 구관이 명관이더군요. 스테판에게 성전환수술을 해준 블랙마켓 의사를 보조했던 간호사를 찾아냈죠. 간호사가 그러더군요."

"그런 놈이 왜 멀쩡한 걸 떼다 버리는지 모르겠더라고요. 생긴 것도 멀끔하던데."

"스테판은 마지막 순간까지 간호사에게 추파를 던졌다고 하더군요."

셀레나가 말했지만 세 사람은 그 의미를 깨닫지 못하는 얼굴이었다. 그래서 셀레나는 덧붙였다.

"스테판은 평범한 청년이었거든요. 동성애 성향도, 트렌스젠더 성향도 없는."

규하가 먼저 뜨악한 표정으로 물었다.

"그럼…… 오로지 신원을 숨기기 위해 성전환수술을 했다고요?"

"그렇게 보여요."

아무도 말을 잇지 못했다. 특히 규하는 이 세계의 비상식에 거의 충격받은 얼굴이었다.

연하는 스테판 블란두스에 대해 생각했다. 여자를 좋아하는 평범한 청년. 인류를 위해 위대한 업적을 세운 어머니. 빛나는 미래. 단란한 가족……. 공존을 꿈꿨지만, 모든 걸 빼앗아간 흡혈귀들.

"그런데 왜 SN이랑 같이 있는 거죠?"

연하는 한숨을 삼키고 물었다.

"정확하게는 제노아틱스죠."

셀레나는 대답했다.

"일단 겉보기에, 제노아틱스는 SN이랑 관계가 없죠. SN에 자금을 댔다고는 하지만, 사실 제노아틱스에서 나간 돈이 아니라, 연관 관계를 입증할 수 없는 인간 협력자들에게서 나간 돈이니까요. 그리고 인간들은 대가로 어떤 것도 받지 않았어요."

"공짜로 그 많은 돈을 줬다고요?"

규하는 기막혀했다. 셀레나는 고개를 저었다.

"그럴 린 없죠. 당연히 어음을 발행해 줬겠죠. 다만 보통 어음과 다른 점은 형태가 없고, 미래에 지불하기로 한 대가가 돈이 아닐 뿐이겠죠. 그러니까 어음보다 오히려 뭐라고 해야 할까……."

셀레나는 잠깐, 그녀가 말하길 기다리고 있는 세 사람을 응시했다.

"면죄부."

붉은 눈에 우울한 빛이 돌았다.

"인간이라면 피할 수 없는 죽음에 대한."

그럼 설마……. 셋은 동시에 입을 열었지만 셋 다 아무 말하지 못했다. 셀레나는 어깨를 으쓱였다.

"저희도 증거는 없어요. 철저하게 입으로만 거래했거든요. 자기들끼리 '형제단'이라고 부르는 일정 그룹 안에서. 하지만 얼마 전 파괴된 서사하라 조병창에서 발견한 흔적도 그렇고, 아무래도 맞으면 무조건 감염에 성공하는 루아스 바이러스 같은 걸 개발하고 있는 것 같아요."

"헐."

규하는 참을 새도 없이 내뱉고 말았다.

"그러니까 미래에 루아스로 만들어주겠다는 말을 듣고 돈을 제공했다는……?"

셀레나는 고개를 끄덕였다.

"그들이 꿈꾸는 세상은 그런 거겠죠. 자기들이 선택한 자들만이 영원히 살며 부와 권력을 누리는 세상. 지배자와 피지배자가 아예 생물학적으로 다른 종족인 세상."

규하는 관자놀이를 엄지와 검지로 주물렀다. 부와 권력을 가진 자들이 영원한 삶을 꿈꾸는 건 새로운 일도 아니지만 이건 너무 제정신이 아니었다.

셀레나는 낮게 숨을 내쉬었다.

"사실 요즘 감염은 거의 의료 행위로 취급받으니까요. 성공 가능성이 너무 낮아서 제대로 된 치료법으로 대접받지 못할 뿐이죠. 그 성공 가능성을 끌어올리기 위한 연구를 하고 있는 거라고 반박하면, 저희 측에서도 할 말은 없거든요. 연구 과정에 동원된 온갖 불법들은 힘 있는 '형제'들이 처리해 줄 테고."

도영과 규하는 연하를 보았다. 그 성공 가능성 낮은 의료 행위로 살아난 장본인이었기 때문이다.

"그러고 보니 너 로또 사야 하는 거 아냐?"

도영이 말했다. 아무래도 연하는 바늘구멍 같은 확률을 뚫는 데 재능이 있어 보이니 말이다.

"로또도 이미 됐어요."

규하가 기가 찬다는 듯이 말했다. 도영도 '아' 소리를 삼켰다. ISLE의 설립자인 '요하네스 아달스테인손'이 국장의 다른 이름일 줄이야. 주식이고 뭐고 전부 넘겼다지만 셀레나는 여전히 그를 상왕처럼 대하는 것 같았다. 즉, 연하의 발치에 ISLE이 굴러 들어간 셈이었다. 이건 신이 연하를 잘 봐줘도 너무 잘 봐준 것 같다는 생각이 들 정도였다.

셀레나는 웃음을 삼키고 말을 이었다.

"하지만 어차피 안 될 일이라는 걸 알았기 때문에 저희도 조금 방관한 면도 있어요. 있는 대로 고생하다가 돈은 돈대로, 시간은 시간대로 쓰고 자멸해 버리라지, 이렇게. 그런데……."

셀레나는 연하의 배를 보았다.

"루아스 배아가 나타났죠."

규하는 바로 얼굴이 험악해졌다.

"이것들이 단체로 무슨 약을 처먹어서 감히 내 조카를……."

"선생님, 입, 입."

셀레나는 연하의 배를 눈짓하며 다급히 말했다. 규하는 손으로 입을 막았다.

'아직 알아듣지도 못할 거, 그렇게까지 유난 떨 필요 없는데.'

연하는 생각했지만 별말은 하지 않았다. 그사이에 셀레나가 말했다.

"애초에 스테판이 신분을 숨기고 서울 지부에 간 이유부터 강 상사님 때문이었을 거라고 짐작해요."

연하는 옛날 기억을 더듬었다. 그러고 보면 리웨이는 전출 왔을 때부터 유난히 그녀에게 붙임성이 좋았다. 그렇게까지 편견 없이 다가오는 사람은 드물어서, 연하도 어느새 마음을 열었고 의무대에도 자주 방문하게 되었다. 그러다 보니 연하와 가까워진 도영도 자연스럽게 의무대를 찾았다. 그렇게 그들은 계급을 떠나 '친구'가 되었다.

"강 상사님이 임신할 수 있을지도 모른다고 생각하고 옆에 붙어 정보를 빼돌린 거죠."

연하는 심각한 얼굴로 이불이 구겨진 모양을 쳐다보고 있을 뿐이었다. 그래도 그 사 년이 모두 거짓말이었다는 사실을 받아들이기 힘든 것 같았다. 도영도 마찬가지였다. 그 심정을 알 것 같아 규하도 아무 말 하지 않았다.

셀레나는 한숨을 내쉬었다.

"아무튼 우리 클랜에는 여자가 강 상사님 전에는 없어서 가임 능력에 대해 알 기회가 없었는데……."

규하와 연하는 셀레나를 보았다. 셀레나는 이건 무슨 시선인가 생각하다가 깨달았다.

"아, 모르셨어요? 저희, 그러니까 소장님 클리엔테스들은 전부 양자들이에요. 소장님은 한 번도 누굴 감염시킨 적이 없으시거든요."

"몰랐어요."

연하는 말했다. 몰랐지만, 생각해 보면 정말로 렉스다운 일이었다.

그런데 렉스 이야기가 나오자 규하는 흠칫 손을 떨었다. 연하는 그 손을 잡았다. 둘 다…… 이렇게 태연한 체하고 있지만 마음은 절대 그럴 수가 없으니까.

"클리엔테스를 양자로 들인다는 것 자체를 소장님이 거의 처음 하신 일이죠. 덕분에 밥값이 엄청 들어간다고요. 저희가 이 회사를 괜히 세웠겠어요?"

셀레나가 너스레를 떠는 말에, 그제야 둘은 조금 웃었다.

"아무튼 그럼…… 스테판은 그 바이러스 개발을 돕고 있는 거고요?"

연하가 물었다.

"아마도요. 어쨌든 어머니를 닮아서 천재거든요. 신분 세탁을 위한 의학 공부도 독학으로 마쳤을 거예요. 물론 스테판이 제노아틱스와 SN 의 관계를 모를 린 없을 테니, 그 좋은 머리로 무슨 생각을 하고 있는지 전 짐작도 못 하겠어요."

셀레나는 잠깐 생각했다.

"글쎄요, 가족이 비명횡사하는 걸 보고 죽음에 대한 공포를 얻었거나……. ISLE에선 그런 바이러스를 개발할 리 없으니까요."

연하는 납치됐을 때 스테판이 한 말을 떠올리고 말했다.

"모든 게 끝나길 원한다고 했어요. 파괴되고 또 재생되는 악순환이 끝나길 바란다고."

규하는 알 만하다는 듯이 말했다.

"자기가 신쯤 된다고 생각하는 중2병 환자 아냐? 천재들한테 흔한 증상이지."

"그런 면이 없잖아 있긴 했지만……."

셀레나는 잠깐 생각에 빠졌다. 셋은 기다렸다.

"이바노프 씨가 스테판을 찾으라 한 건 그 아이가 좋은 머리를 적들을 위해 쓸까 봐서, 저희도 모르는 박사님의 연구 자료를 가지고 있을까 봐서, 그런 게 아니었어요. 방황하는 아이를 데려오라고 하신 거죠."

셀레나는 슬프게 웃었다.

"집으로."

밤바다는 고요했다. 멀리 휘황한 불빛이 수면에 어려 색색의 빛으로 넘실거렸다.

해변에는 비치 타월을 깔고 앉아 맥주를 마시는 커플 하나가 전부였다. 그들은 이번에 처음으로 함께 여행을 왔는지 나란히 앉은 엉덩이 사이에 거리가 있었다. 남자는 수줍게 웃으며 맥주를 여자에게 건넸다. 여자도 수줍은 미소로 답하고 맥주를 받았다. 수면에 낭만적인 불빛이 넘실거렸다.

좌아악.

그리고 수면이 솟구쳐 올랐다. 커플은 거의 경기를 일으킬 것처럼 놀라 바다를 보았다.

수면을 깨고 올라온 알몸에 물이 쏟아져 내렸다. 이반은 얼굴을 쓸고 제 몸을 둘러보았다. 너무 갈가리 찢겨서 재조합에 시간이 걸리긴 했지만 어쨌든 다 멀쩡하게 붙어 있었다. 팔과 다리 쪽에 붉은 흉터가 남아 있을 뿐이었다.

'렉스 녀석은……'

이반은 어두운 바다 쪽을 돌아보았다. 흐릿한 의식에 그만큼 갈가리 찢겨 반대편으로 떠내려가는 모습을 본 게 마지막이었다.

일단 이반은 고개를 돌리고 해변으로 걸어 나가기 시작했다. 해변에 앉은 커플은 얼어붙어 있을 뿐이었다. 그가 물을 뚝뚝 떨어뜨리며 옆을 지나갈 때까지.

이반은 그들을 지나 몇 걸음 가다가, 갑자기 돌아보고 물었다.

"수건 좀 빌릴 수 있겠습니까?"

"네?"

남자는 눈을 휘둥그레 뜨고 되물었다. 이반이 말을 걸 거라고는 생각하지 못했기 때문인 것 같았다. 이반은 조금 웃고 두 남녀가 깔고 앉은 비치 타월을 가리켰다. 남자는 깨달은 듯이 허겁지겁 타월을 빼내 건네주었다.

"아, 네. 여, 여기."

"감사합니다. 나중에 사례하죠."

이반은 비치 타월을 받아 허리에 둘렀다. 그리고 낯선 풍경을 둘러본 뒤 도로로 나갔다. 그 모습을 얼빠져 쳐다보던 남자가 멍하니 중얼거렸다.

"여기 누드비치였나……"

그나저나 어떻게 사례한다는 건지 알 수 없었다. 연락처를 받아간 것도 아닌데. 그냥 감사의 표현이려니 생각하고 돌아보는데 여자가 아예 목이 돌아간 것처럼 도로 쪽을 계속 보고 있었다.

"저기?"

남자는 의아해 불렀다.

"어? 어. 아니. 저기. 어…… 어."

여자는 횡설수설하다가 뭔가 묻지도 않은 질문에 대답했다. 아니면 내면의 질문이나. 안타깝지만 이 커플이 어떻게 끝날지는 모두 알고 있을 것이다.

이반은 젖은 손으로 수화기를 들었다. 바다가 아니라 시간을 거슬러 온 것 같은 느낌이 들 정도로 오래된 전화 수화기였다.

한참 신호가 갔지만 상대는 전화를 받지 않았다. 그동안 뒤로 지나가는 사람들이 이반을 보고 수군거렸다. 그가 떠내려 온 곳은 남미 어딘가의 휴양지 같았는데, 그래도 도로가에 비치 타월만 두른 상태로 서 있기에는 눈에 띄는 게 사실이었다.

결국 연하가 받지 않아 끊고 이반은 다른 곳으로 전화했다. 이번 상대는 전화를 받았다.

[여보세…….]

"셀레나."

부르자 잠깐 제 귀를 의심하는 것 같은 침묵이 이어졌다.

[이바노프 씨!]

거의 숨이 넘어가는 목소리였다. 사실 그들 중 누구보다 냉정하고 이성적인 셀레나에게서는 듣기 힘든 목소리였다.

"셀레나. 렉스는?"

이반은 에두를 것 없이 물었다.

[아직 소식이 없어요.]

"연하는?"

[무사히 구출…… 아니, 그보다 여태 어디 계셨던 거예요? 육해공을 모조리 수색해도 흔적이 나오지 않아서 이번에는 정말 죽으신 건가 싶

었다고요. 얼마나 가슴을 졸였는지…….]

이반은 미간이 움찔했다.

"그게 무슨 소리야? 무사히 구출이라니, 어디서?"

[네? 모르시는 거예요? 잠깐, 어디서부터 모르시는 거예요? 구출, 납치…….]

셀레나는 말할수록 의심이 짙어지는 목소리더니 설마 싶어진 것처럼 조심스레 물었다.

[임신?]

이반은 잠깐 아무 말도 하지 않았다.

"뭐?"

연하는 잠들어 있었다. 자는 얼굴이 곤해 보였다. 예전에도 이반은 이렇게 유리 너머 연하를 본 적이 있었다. 이반은 팔짱 낀 손에 꾹 힘을 주었다. 그때도, 지금도, 그는 결정적인 순간에는 꼭 늦었다. 제 힘과 제 생각을 과신해 온 자가 치러야 할 대가라고 담담히 받아들이기엔, 연하의 지친 얼굴이 심장을 죄어왔다.

옆에서 셀레나가 말했다.

"하긴, 폭발이 일어나기 바로 직전에 강 상사님이 납치되셨으니 모르셨을 법도 하네요. 저도 임신이라는 검사 결과를 확인하고 미친 듯이 뛰었는데 늦어버려서……. 죄송해요."

이반은 사과하는 셀레나를 돌아보았다.

"괜찮아. 모두 무사하잖아."

사실 여기에 비난을 받아야 할 사람이 있다면 그 자신뿐이었다.

셀레나는 한숨을 내쉬고 말했다.

"배 속에 계신 분은 건강해요. 성장 속도도 평범하고요. 오히려 조금 느린 편인가 싶어요. 하지만 별문제는 없으니까 안심하셔도 될 것 같아요."

이반은 고개를 끄덕였다.

"잠수함을 띄워. 렉스를 찾아."

어쩐 일로 셀레나는 바로 움직이지 않았다.

"혹시 소장님 정말로……."

"괜찮아. 살아 있어."

사실 과거엔 이만한 물리력을 가진 물건이 없었기 때문에 그들도 이번처럼 위험한 적은 없었다. 하지만 살아 있을 것이다. 그렇게 믿는 수밖에 없었다.

이반이 몹시 단호해서인지 셀레나는 그제야 안심하는 것 같았다.

"그럼 들어가 보세요."

이반은 고개를 저었다.

"아니, 깨우고 싶지 않아. 거의 자지 못했다며."

"그래도 바로 보고 싶어 하실 텐데……."

이반은 다시 유리를 돌아보았다.

"깨자마자 알려줘."

셀레나는 고개를 끄덕이고 물었다.

"그럼 자료부터 보시겠어요?"

"그래."

두 사람은 걸음을 옮겨 회의실로 들어갔다. 검은 유리를 모티브로 디자인된 회의실은 깔끔했다. 전면 창 너머 분주하고도 차분한 도시의 풍경이 펼쳐졌다.

이반은 가운데 의자에 앉았다. 옆에 선 셀레나가 유리 탁자에 손을 대자 건너편 벽 패널에 화면이 떴다. 그러자 이반의 사망에 대해 다룬 기사들이 빠르게 위로 올라갔다. 그것들을 훑으며 이반은 중얼거렸다.

"인정할 건 인정해야겠지. 이번엔 당했군."

"아주 크게요."

셀레나는 고개를 끄덕이고 말했다. 그리고 탁자 위에 페이지를 넘기듯 손짓하자 화면에 사진 한 장이 떴다. 손으로 쓴 임신 진단서였다. 잉크도 거의 날아가고 누렇게 색이 바랜 걸 보니 꽤 오래된 것 같았는데 필기 기록을 다시 사진으로 찍은 듯했다.

셀레나는 말했다.

"감염 당시 로스가 임신 중이었다는 증거입니다. 이것 때문에 우리 이바노프 가가 임신이 가능한 가계일지도 모른다고 의심하게 된 모양이에요."

이반은 의외라는 듯이 셀레나를 보고 물었다.

"이건 어떻게 찾았어?"

셀레나는 대수롭잖게 어깨를 으쓱였다.

"쇼 미 더 머니요."

SN 쪽 정보원에게서 거금을 주고 샀다는 의미였다. 배신자는 어디나 있는 법이니까.

"아이는?"

이반이 묻자 셀레나는 고개를 저었다. SN에 넘어갔다면 충분히 알 만했기에, 이반은 더 묻지 않았다. 셀레나도 괜히 기분만 찜찜해지는 디테일까지 이야기하고 싶지 않은지 다른 이야기를 했다.

"아무튼 이 기록이 정확한지 찾기 위해서 날짜, 장소, 이 기록을 작성한 의사의 신상명세, 당시 근무 시간대, 수술기록을 모두 대조하느라 시간이 좀 걸렸지만 결국 알아냈죠. 로스가 아일을 떠난 타이밍과 대공 무리가 움직인 경로를 생각하면 이 기록은 로스 게 맞아요. 뱀파이어 무리가 산부인과 의사를 필요로 할 이유가 달리 있을 리 없으니까요."

"하여간 유능하군."

"별말씀을요."

그러면서 셀레나는 다른 파일을 불러왔다.

"그리고 이건 페인 총장님을 암살한 SN 간부가 일을 치르러 가기 전에 전화 통화한 녹취록입니다. 여기 보시면 '이런다고 그들이 갈지 모르겠지만……'이라고 말한 부분이 있습니다. 여태 이 '그들'이 누군지 몰랐는데 정황을 종합해 봤을 때 아무래도 이바노프 씨와 소장님을 의미하는 것 같습니다."

이반은 녹취록을 읽어보았다. 그동안 셀레나는 계속 말했다.

"로스가 임신했다면 이바노프가 그런 가계라고 합리적인 의심을 품을 수 있죠. 그러면 확인할 방법이 있어야겠죠? 하지만 오랫동안 그럴 방법이 없었죠."

어쨌든 이반이나 렉스는 섣불리 건드릴 수 있는 존재가 아니었기 때문이다. 그리고 알다시피, 렉스의 클리엔테스는 모두 양자였다.

"그런데 얼마 전에 이바노프 가에 여자가 하나 더 생긴 거죠."

셀레나는 덧붙였다.

"그래서 연하 옆으로 나와 렉스를 몰아넣었군."

이반의 미간에 심각한 빛이 흘렀다. 이제야 알 것 같았다. 굳이 라디프를 죽인 이유. 그리고 큰 대미지를 줄 수 없을 거라고 알면서도 그와 연하가 함께했을 때 저격했던 이유. 소위 둘을 좀 더 '가깝게' 만들기 위해. 정말 임신을 하는지 볼 셈이었으리라. 테러리스트가 커플 매니저 노릇을 하다니 뭐라 형용할 수 없는 기분이었다.

누굴 종마 취급하는 거냐고 분노해야겠지만 워낙 정신 나간 녀석들이 벌인 짓이라 그럴 마음도 들지 않았다. 굳이 불쾌한 게 있다면, 녀석들은 연하와 렉스가 이어져도 별 상관이 없었으리란 점이었다. 둘 다여도 상관없었을 거고.

생각하다 보니 기분이 정말 나빠졌다. 어떻게 조각내서 죽일까 생각하고 있는데 다행히 셀레나가 주의를 환기시켰다.

"언제부터 계획했는지는 모르겠지만 페인 총장님을 암살한 건 이바노프 씨를 움직이게 하기 위한 마지막 수단이었던 것 같습니다."

셀레나는 손으로 허리를 짚고 덧붙였다.

"강 상사님을 버린 것처럼 보여도 신경 쓰고 있다는 사실을 꿰뚫어봤다는 게 더 놀라운 점이지만요."

"아니면 페인한테 챙겨주라고 했을 리가 없잖아."

이반이 순순히 말하자 셀레나는 의외라는 듯이 그를 보았다.

"이제 인정하시는 거예요?"

"처음 봤을 때부터 귀엽다고 생각했거든."

피에 젖은 모습이었지만 본래 워낙 귀여우니까 말이다.

셀레나는 난색 어린 웃음을 지었다.

"와, 이바노프 씨, 위험한 발언. 상사님 그땐 진짜 열아홉이었다고요."

이반은 다음 파일을 불러와 보면서 말했다.

"그냥 귀엽다고 생각했다고. 오버하지 마. 드레스까지 보내면서 응원할 때는 언제고."

"분명히 마음이 있으면서 웬일로 제사만 지내고 있으셔서요."

"웬일이라니……. 그렇게 난봉꾼이었던 기억은 없는데."

"그러게요. 삶에 대한 의지를 잃으면서 성욕도 잃으신 것 같아서 많이 걱정했죠."

이반은 눈썹을 추켜들고 셀레나를 보았다. 셀레나는 그만해야 할 때라고 깨닫고 말했다.

"어쨌든 로스 때문에 여러모로 곤란을 겪는군요."

사실 셀레나는 애나가 처음 아일에 왔을 때부터 눈이 묘한 인간이라고 생각했다. 수수한 모습을 하고 있지만 눈이 광채를 발했다. 그건 욕망하는 자의 눈이었다. 아무 욕심도 없다고 애써 주장하는 것 같은 겉모습이 오히려 이질적이었다.

어쨌든 필립의 아내였기 때문에 존경심을 가지고 대했지만 애나가 필립을 진심으로 사랑하지도, 존경하지도 않는다는 사실을 알게 되기까진 오랜 시간이 걸리지 않았다.

셀레나는 차갑게 말했다.

"그때 끝내셨어야 해요. 필립을 죽였을 때."

이반은 대답하지 않았다. 그때 일을 생각하고 있는 것 같았다.

이렇게 크고 강한 사람이지만, 상처를 받았다고 해야 할까. 그 사건은 그에게도 큰 충격이었다. 그는 인간이었을 때 형제처럼 믿었던 자들에게 배신당해 왕국과 가족을 포함한 모든 걸 잃었다. 그가 클리엔테스를 두지 않았던 이유도 그때 상처 때문에 형제 같은 건 애초에 만들려고 하지 않기 때문이다. 그러다가 처음으로 겨우 가족 같은 형태를 갖추었는데, 그런 일이 일어나고 말았다. 그들로서도 애나를 어떡해야할지 모르고 있을 때 SN이 그녀를 데려갔다. 괴물의 탄생은 그렇게 간단했다.

애나는 마치 욕망을 집어삼키며 비대해지는 눈사람 같았다. 처음에는 죽었는지 살았는지도 모르게 조용히 지내왔지만 점차 존재감이 거대해져 이제는 대공이 꼭두각시처럼 보일 지경이었다.

"필립은 사고라고 했지."

이반은 조용히 말했다.

"원래 로스를 감염시키려 했는데 조절을 못 했을 뿐이라고."

필립은 숨을 거두기 전에 그렇게 말했다. 피범벅이 되어 죽어가면서도 그런 사건 뒤에 혼자 남겨질 아내를 걱정하듯.

"거짓말이었던 거 아시잖아요."

셀레나는 눈이 어두워졌다.

"그건 상관없어. 필립이 그렇게 말했으니까."

이반이 탁자를 짚자 패널에 다른 화면이 떴다. 사진과 서류가 어지럽게 올라가는 화면이 붉은 눈동자에 비쳤다.

"하지만 우리도 움직여야겠지."

"저희요?"

셀레나는 희극적으로 놀란 표정을 지었다.

"덩치만 크지, 아무리 맞아도 움직이지 못하는 수백 톤짜리 하마라고 놀림받던 저희가 말이죠. 드디어요? 저 현기증 일 것 같아요. 너무 오랜만에 움직이려니까."

기다렸다는 듯이 터져 나오는 빈정거림에 꽤 쌓인 게 많았구나, 하고 이반은 생각했다.

"어쨌든 내 아이가 살 세상은 안전한 곳이었으면 하니까."

그제야 셀레나는 만족한 표정을 지었다.

"이렇게 의욕에 찬 모습은 몇 세기만인 것 같네요."

이반은 갑자기 궁금해져 셀레나를 보았다.

"내가 그렇게 무기력했나?"

"젖은 미역이나 다름없었다니까요. 그리고 아까부터 말씀드리고 싶었는데 옷 좀 갈아입어 주시면 안 돼요? 노숙 생활 하실 때 악몽이 떠오르니까요."

지금 이반은 해변 기념품 가게에서 산 싸구려 프린트 셔츠에 반바지, 슬리퍼 차림이었다. 급한 대로 사서 입고 와 갈아입을 시간이 없었기 때문이지만 이게 의외로 렉스의 자유로움을 맛보게 해주었다.

"왜? 난 꽤 마음에 드는데."

셀레나는 한숨을 내쉬었다.

"이바노프 씨까지 왜 이러세요? 외모를 낭비하는 건 소장님만으로도 충분해요."

이반은 셔츠의 단추를 채웠다. 그리고 멈칫한 찰나, 자동문이 열렸다. 연하가 서 있었다. 얼마나 허겁지겁 왔는지 숨을 몰아쉬며. 하지만 자신이 보는 걸 믿지 못하는 것처럼 그냥 서 있었다. 자동문이 다시 닫히려 하는 순간에, 이반은 손으로 문을 막아 멈췄다.

지잉, 덜컥, 덜컥……. 닫히지 못하는 자동문이 애처롭게 울었다.

"이반."

연하는 목소리가 떨려왔다. 이반은 온 품속에 연하를 끌어안았다. 연하도 온 힘을 다해 그를 안았다. 연하는 품속에서 물기가 묻어나는 목소리로 중얼거렸다.

"규하한테 사과할 거예요. 가족의 생사를 알 수 없는 건, 정말로 지옥이었어요."

"미안해."

이반이 팔에 힘을 주며 속삭여, 연하는 고개를 내저었다. 이제야 규하가 한 말을 이해할 수 있었다. 사과하지 말라던.

"살아 있어줘서 고마워요."

이반은 그녀에게 키스했다. 두 사람을 방해하지 않기 위해 밖에 서 있던 셀레나가 깜짝 놀라 말했다.

"아니, 지금 상황에서 태아에 영향을 미칠 수 있는 행동은 하지 않으시는 편이……."

자동문이 닫혔다. 그리고 아무 소리도 들리지 않았다. 어쨌든 ISLE은 방음 시설이 완벽하니까. 셀레나는 돌아서면서 허공을 보고 중얼거렸다.

"그래요. 사랑은 언제나 좋은 거죠. 왕자님도 이해하실 거예요."

이반은 키스를 깨지 않은 채로 연하를 안아 들었다. 연하는 그의 허리에 다리를 감으며 계속 키스했다. 그대로 이반은 의자로 가 앉았다. 두 사람은 숨이 막힐 때까지 키스를 나누었다.

연하는 그의 와이셔츠 사이로 손을 밀어 넣었다. 손바닥 아래 꿈틀거리는 단단한 근육을 느끼자 몸이 더 뜨거워졌다. 이반은 곡선을 그리는 허리를 타고 내려가 엉덩이를 쓸었다. 하지만 그게 전부였다.

연하는 격렬한 키스의 여파로 숨을 몰아쉬며 의아해하는 눈으로 이반을 보았다.

"왜요……?"

이반은 진지한 얼굴이었다.

"아직 안정기가 아니잖아."

그제야 연하는 잠깐 잊고 있던 걸 깨닫고는 김이 빠진 듯이 이반의 어깨에 기대고 늘어졌다. 잠깐 그러고 있더니 중얼거렸다.

"하고 싶어요."

"나만 할까."

이반은 쓰게 웃었다. 그리고 흘러내린 연하의 머리카락을 천천히 쓸어내렸다. 연하는 손길을 느끼며 움직이지 않고 물었다.

"들었어요?"

"응."

이반은 조용히 대답했다.

"이바노프는 임신이 가능하대요."

"그런 것 같아."

이반은 말하고 연하에게 팔을 둘렀다.

"미안해."

그리고 그녀를 꾹 끌어안으며 속삭였다.

"그리고 고마워."

강인한 남자의 목소리는 떨리지 않았지만 감격에 찬 것 같기도 하고, 어딘지 고통스러워하는 것 같기도 했다. 이 순간 연하는 자신의 모든 고통이 보상받는 것 같았다. 심지어 어렸을 때 뛰다가 넘어져 느꼈던 고통마저.

연하는 말했다.

"아이를 가지고 싶다고 생각한 적은 없었어요."

루아스가 되기 전에는 너무 어렸고, 루아스가 되고 나서는 그런 걸 생각할 만한 여유가 없었기 때문이다. 게다가 루아스가 되고는 당연히 임신이 불가능한 줄 알았으니까 아예 결혼이나 임신 같은 것에 대해 생각해 본 적이 없었다.

"하지만 아이가 생겨서 기뻐요."

사실 이반과 렉스가 행방불명된 상태여서 더 깊이 생각해 볼 겨를은 없었지만 불안감이 그녀를 집어삼킬 것 같아지면 연하는 일부러 다른 생각을 하기 위해서라도 아이에 대해 생각했다. 어떻게 생겼을까, 어떻게 말하고 어떻게 웃을까. 그러면 아이를 만나는 걸 기다리기 힘들어질 정도였다. 신기하게도 그녀도 모르는 새 제 안에 자리를 잡은 작은 생명체가 평생 알고 지내온 지인처럼 친근하게 느껴졌다.

이반은 연하를 조금 떼어내고 마주 보았다.

"아이를 가지고 싶었어. 아주 오랫동안."

"그랬어요?"

연하는 조금 놀랐다. 그런 이야기는 한 적이 없어서 전혀 모르고 있었다.

"하지만 그런 일은 절대 있을 수 없으니까. 포기하고 있었달까…… 기대도 하지 않았지."

연하는 잠깐 가만히 있다가 말했다.

"전 혹시 제 멋대로 가져 버린 건 아닌가……."

그건 연하의 마음속에 있는 불안이었다. 이반이 그렇게 생각할 리 없다는 걸 알고 있으면서도, 서로 대화를 해 보거나 계획을 갖지 않고-둘 다 불가능하다고 생각했으니 대화를 해 볼 생각 자체를 못했던 쪽이 맞지만- 아이가 생겨서 혹여 그는 원하지 않는다면 어떡하나 싶었던 것이다. 어쨌든 그는 오랫동안 자유로운 몸으로 살아왔으니.

그런데 이반은 말도 안 된다는 듯이 연하를 보았다.

"넌 날 위해 기적을 일으켜 준 거야."

솔직히 연하가 임신했다는 이야기를 들은 순간에는 이반은 그녀가 그를 위해 성모마리아급의 기적이라도 일으켜 준 줄 알았다. 정말 간절히 바라면 이뤄진다는 말이 있긴 하지만 이런 것까지 가능한 건가— 조금은 멍하니 생각하고 말았다. 실제로는 임신이 가능하다는 걸 모르고 있었을 뿐이지만 어쨌든 그건 기적이었다. 가능하리라고 차마 믿지 못했던 기적.

이반은 다시 연하를 안았다.

"세상을 가진 것 같아."

이제야 정말로.

쏟아지는 금과 지평선까지 이어진 땅, 수만의 군대도 주지 못했던 진정한 만족감이 무엇인지 알았다. 그가 죽어서 누울 땅은 한 뼘뿐일지도 모르지만 이제 그 곁에는 가족이 있을 것이다.

"키스해 줘요, 이반."

연하는 속삭이고 그에게 먼저 키스했다. 입술이 맞닿고, 두 사람은 처음으로 키스하는 사람들처럼 입을 맞추었다.

그런데 어느 순간 이반의 손이 올라와 연하의 가슴을 감싸 쥐었다. 연하는 조금 움찔했다.

"가슴이 커졌어."

이반은 입술 위에서 속삭였다. 사실 얼마 전에 얼핏 가슴이 커졌다고는 생각했는데 유별나게 여기진 않았다. 설마 임신일 거라고는 꿈에도 생각하지 못한 탓이었다.

"눈치챘어야 하는데."

이반은 죄책감이 드러나는 목소리로 중얼거렸다.

"이반도 임신이 가능한 건 몰랐잖아요."

연하는 침을 삼키고, 어쩐지 덩달아 속삭였다.

"하지만 조금만 더 일찍 알았다면 임신한 몸으로 그런 일은 겪게 하지 않았을 거야."

이반은 평범하게, 아니, 어투로만 봤을 때는 오히려 심각하고 걱정스럽게 말하면서 가슴을 주물렀다. 연하는 어깨가 떨려왔다.

"나보다 아이가 더 놀랐을 거예요……."

안 그래도 ISLE로 오고 나서 셀레나는 그 높은 곳에서 뛰어내리다니 평범한 인간 아이였으면 100% 유산이었을 거라고 고개를 내저었다. 그리고 그 생각을 하니 혈당이 떨어지는 것 같다고 좀 앉아야겠다며 의자를 찾는데, 이런 거대한 기업의 대표나 되는 사람이 생각보다 유쾌한 것 같았다. 아무튼 지금 중요한 건 그게 아니라…….

"오히려 이런 몸이 된 걸 감사해야 할 것 같네."

이반은 속삭이며, 뾰족해진 젖꼭지를 옷감 위로 문질렀다.

"이반……."

연하는 안쪽이 일렁거리는 눈으로 이반을 보았다. 그는 그녀가 무엇을 원하는지 알았을 것이다.

"안 돼. 아직."

그럼에도 이반은 말했다.

"싫어요."

연하는 막무가내로 말하고 이반의 바지에 손을 집어넣었다.

"연하야."

이반이 말했지만 연하는 그의 목덜미에 뜨거운 숨을 내쉬고 속삭였다.

"커졌어요."

그를 어루만지는 손길이 제법 능숙했다. 사실 연하는 그의 몸에 호기심을 가지고 만지는 걸 좋아해서, 이반은 규하가 알면 관자놀이에 핏대를 세울 만한 것들을 하나씩 연하에게 가르쳤다. 연하는 새로운 지식을 흡수하듯 쑥쑥 받아들이더니 이제는 청출어람이라는 말이 괜히 있는 게 아니다 싶을 정도였다.

연하는 이반의 귀에 습한 숨을 불어넣으며 물었다.

"좋아요?"

그러고는 조금 아플 정도로 그의 귓불을 깨물었다. 이반은 소름이 전신을 휩싸는 것을 느꼈다.

이반은 연하의 허리를 잡아 테이블에 올려놓았다. 그러면서 그녀가 입고 있는 편한 바지를 벗겨 던지고, 무릎에 살짝 입 맞추었다. 유난히 하얗게 빛나는 허벅지가 떨려왔다. 이반은 허벅지 살결을 입술로 음미하면서, 얇은 천 너머 부어 있는 게 확연히 보이는 고지로 나아갔다. 엉덩이 뒤에 손을 짚고 있던 연하는 그가 다가옴에 따라 천천히 몸이 넘어갔다. 그리고 천장을 보고 신음을 삼켰다.

이반은 중얼거렸다.

"임산부를 회의실 탁자에 올려놓고 이런 걸 알면 강 선생이 죽이려고 들겠지."

연하는 아래쪽을 보았다. 그리고 불과 얼마 전만 해도 조리대에 누워 바들거리며 떨던 수줍음 많은 아가씨가 천천히 다리를 벌리면서 속삭였다.

"내가 원해요."

이반은 거의 눈이 타오르는 것 같았다.

갑자기 문이 열렸다.

"선생님, 잠깐……."

규하가 먼저 들어오고, 셀레나가 그녀를 말리려는 모양새로 따라 들어오다가 한 걸음 물러났다. 방 안을 보려 하지 않은 거였다.

그런데 이반은 의자에 앉아 있었고, 연하는 책상에 걸터앉아 있었다. 그러고는 규하를 보고 물었다.

"왔어?"

별로 특이한 건 없었지만 규하는 뭔가 이상함을 감지했는지 한쪽 눈썹을 추켜들었다. 하지만 아무래도 좋았는지 이반에게 거칠게 말했다.

"대체 어디 나자빠져 있다가 이제 온 거예요?"

"규하야."

연하가 책상에서 일어나면서 말리려고 했지만 역시 규하는 신경 쓰지 않고 말했다.

"게다가 안정을 취해야 할 애를 잡고 뭐 하는 짓이에요?"

규하는 '난 이 결혼 반댈세.' 하고 외치는 시어머니처럼 완고한 표정이었다. 이반은 연하를 놓고 일어났다.

"안 했습니다."

적어도 끝까지는.

그럼에도 규하는 표정을 풀지 않았다.

"안 하면 다예요?"

"미안합니다."

이반은 갑자기 말하고 덧붙였다.

"혼자 돌아와서."

규하는 말문이 막힌 얼굴이었다.

"그걸로 뭐라고 한 게 아니잖아요. 왜 사람을 이상하게 만들……."

규하는 멈칫했다. 숨이 떨려왔다. 역시 이반은 꿰뚫어본 것이다. 왜 그녀가 처음부터 삐딱하게 나갔는지. 겨우 살아 돌아온 사람에게 뭐라고 할 수는 없지만, 이반이 돌아왔다는 소식을 듣고 순간 희망에 벅찼던 마음이 그가 혼자 돌아왔다는 뒷이야기에 절망으로 바뀌어 버렸다.

규하는 울 것 같은 눈으로 물었다.

"살아, 있는 거죠?"

"살아 있습니다."

이반은 흔들리지 않는 표정이었다. 연하는 규하를 안고 확신하듯 말했다.

"살아 있어."

규하는 가족의 생사를 알 수 없는 이 막막하고 답답한 기분이 낯설지 않았다. 그럼에도 결코 익숙해지지 않는다는 게 문제지만, 그래도 이번에는 혼자가 아니었다. 연하가 있고, 아직 가족인지 뭔지는 모르겠지만 묘하게 믿음을 주는 국장이 있었다.

"살아 있어."

규하는 제 어깨를 안은 연하의 손을 잡고, 정말 그 말을 믿고 싶은 것처럼 중얼거렸다.

대공은 알몸으로 바닷물을 헤치며 해변으로 올라갔다. 그가 걸어갈 때마다 한 손으로 붙잡고 있는, 거대한 자루 같은 것이 모래를 헤치고 끌려가는 자국이 이어졌다.

어느 지점까지 온 대공은 자루 같은 것을 내려놓고 주변을 둘러보았다. 푸른 바다와 초록 식물, 붉은 토양이 어우러진 낙원 같은 섬에 인기척은 없어 보였다. 그런데 구름 한 점 없이 맑은 하늘이 우는 소리가 들려왔다. 그리고 적당한 공간이 있는 해변에 헬리콥터가 돌풍을 일으키며 내려앉았다. 대공은 코웃음을 쳤다.

"그렇게 터뜨려 놓고 미안하긴 했나 보군."

헬리콥터 문이 열리고 정규군으로 보일 만큼 제대로 무장한, 아무 마크가 없는 군복을 입은 군인들이 뛰어 내려왔다. 이어서 일반인으로 보이는, 양복을 입은 한 남자가 내렸다.

대공은 그가 건네준 옷을 입기 시작했다. 그사이 남자가 희고 고운 모래에 파묻혀 있는 것을 보고 인상을 썼다.

"이건 뭡니까? 시체…… 입니까?"

대공은 티셔츠 구멍으로 고개를 내밀고 말했다.

"보기 좀 그렇지만 살아 있어. 뒤통수를 맞긴 했지만 나름 수확은 있었던 셈이네. 참, 이바노프는? 살아 있지?"

남자는 고개를 끄덕였다.

"아직 사망 정정 기사는 올라오지 않았지만 바다에서 솟아나는 걸 봤다는 목격담이 있습니다. 하지만 야크트훈트 소장은……."

남자는 갑자기 말을 멈추고 무언가 깨달은 듯 모래에 파묻힌 것을 보았다. 대공은 이죽이며 웃었다.

"사냥개 고기는 어떻게 요리해야 하려나?"

남자는 감출 새도 없이 섬뜩해하는 얼굴이었다. 그 얼굴이 웃겼던지 대공은 웃음을 터뜨리고는 헬리콥터로 갔다.

"마르코프는 어떻게 됐습니까?"

남자는 정신을 차리고 물었다. 그러자 대공은 그렇게 물은 남자가 멍청하다는 듯이 쳐다보았다.

"당연히 죽었지. 아직 어린 녀석이라서 그 정도 물리력은 감당 못 해."

대공은 심상하게 대답하고 가던 길을 갔다. 그래도 마르코프는 수백 년간 유일하게 곁에 두었던 걸로 아는데 기르던 개가 죽은 것보다도 연민을 느끼지 못하는 것 같았다.

'정말 타고난 악당이라고 해야 하나.'

남자는 모래에 파묻힌, 차마 제 손으로는 건드릴 엄두도 나지 않는 소장을 보며 진저리를 치고 군인들에게 손짓했다.

"실어."

규하는 급히 신분 확인 개찰구를 나갔다. 미래적인 디자인의 로비에 아이들은 겁먹은 햄스터들처럼 모여 웅성거리고 있었다. 로비를 오가는, 양복을 입은 선남선녀들도 회사 로비에 웬 고등학생들인가 하고 돌아보며 지나갔다.

"얘들아."

"선생님!"

규하가 부르자 아이들이 반색하며 돌아보았다.

"너희들 여긴 어떻게 왔어?"

안 그래도 규하는 아이들이 찾아왔다는 연락을 받고 놀라, 이 거대한 부지에서 그녀가 머물고 있는 동은 거의 삼십 분 이상 걸리는 곳이었지만 한달음에 달려왔다.

아이들은 오랜만에 보는 선생님을 둘러싸고 기다렸다는 듯이 삐약삐약 울었다.

"휴직하셨다고 들었는데 여기서 일하시는 거예요?"

"와, 대단해요. 저 이런 데는 처음 들어와 봐요."

"여기 오면 선생님을 뵐 수 있을 거라고 해서요."

규하는 미간을 찌푸렸다.

"누가 그런 이야기를……."

학교에는 개인적인 사정으로 휴직한다고 통보했을 뿐, 자세한 이야기는 하지 않았다. 그러니 그녀가 어디에 있는지 아는 사람이 있을 리 없었다.

"지나가요."

아이들은 한 몸처럼 돌아보았다. 그 사이에, 지나가 서 있었다. 적대적인 눈으로.

규하는 아이들을 보고 웃었다.

"잠깐 기다려 줄래?"

규하는 리셉션으로 다가가, 어지간한 모델 뺨치게 아름다운 리셉셔니스트에게 부탁해서 어디론가 전화해 말했다.

"잠시만 내려와 줄래요?"

그리고 규하는 다시 아이들에게 돌아갔다. 잠깐 아이들하고 이야기하고 있는 사이에, 저 멀리 엘리베이터가 열리고 셀레나가 그녀를 찾는 눈으로 돌아보며 내렸다. 셀레나는 이쪽을 발견하고 다가와 아이들을 보고 웃었다.

"안녕."

셀레나는 한눈에도 인간으로 보이지 않기 때문에 아이들은 시선을 교환하며 웅성거렸다. 예전에 버스 사고 후에 응급실에서 스친 걸 제외하고, 루아스를 이렇게 가까이서 보기는 처음일 터였다.

"뱀, 아니, 루아스……."

"루아스예요?"

아이들은 본능적인 거부감은 있지만 그보다 자신과 다른 것에 순수한 호기심을 더 느끼는 얼굴이었다.

"이곳의 CEO셔."

규하가 말하자 아이들은 다시 웅성거렸다.

"루아스는 전부 군인 아니었어요?"

셀레나는 빙긋 웃었다.

"다 그렇진 않아요. 연구소에서 일하는 일반직도 많고, 소재지와 직업만 확실하면 민간에도 있답니다."

규하는 셀레나의 팔을 가볍게 짚었다. 아이들에게 이 사람은 안심해도 된다고 이야기하듯.

"대표님, 아이들에게 회사 견학 좀 시켜주실 수 있을까요?"

"네? 저 바쁜……."

셀레나가 말하려고 하자 규하는 지나 쪽을 알게 모르게 고갯짓했다.

다행히 눈치가 빠른 사람이라, 셀레나는 바로 아이들을 보고 웃으며 손짓했다.

"그럼 이쪽으로 갈까요?"

아이들은 금세 불안감보다 신기함에 압도되었는지 별말 없이 셀레나를 따랐다. 규하는 뒤에서 따라가려는 지나를 잡았다.

"지나 넌 선생님하고 이야기 좀 하자."

지나도 견학이나 방문 따위가 목적은 아니었는지 순순히 규하를 따라왔다. 규하는 아이를 데리고 올라가 가장 처음 보이는 빈 회의실로 들어갔다.

"지나야."

"훈계할 생각은 하지 마세요. 제 담임도 아니시잖아요."

말을 꺼내자마자 지나는 바로 이를 드러냈다. 저번에는 죄책감으로 떨더니 이번에는 분노로 무장하고 있었다. 그만큼 사춘기 아이가 불안정한 상태라고 알 수 있었다. 규하는 에두를 것 없이 물었다.

"왜 루아스가 되고 싶니?"

지나는 물어볼 줄 알았다는 표정이었다. 어쩌면 물어봐 주길 바란 것 같기도 했다.

"영원히 젊고 예쁘게 살 수 있으니까요. 힘도 세고……. 거짓말은 하지 않아요. 모두가 절 우러러봤으면 좋겠어요."

사춘기 소년 소녀라면 누구나 해 볼 법한 생각이었다. 특별한 하나가 되고 싶다는 욕망이 왜 그 시절 규하에게도 없었을까. 하지만 으레 겪는 성장통이 이토록 파괴력을 가지게 된 이유는 미성숙한 마음을 이용하는 어른들 때문일 것이다.

규하는 지나를 빤히 보았다.

"선생님한테는 아이돌 가수가 되고 싶다는 말로 들리는구나."

"둘 다 선택받은 자들만이 될 수 있는 거니까요. 전 감염을 이길 자신 있거든요."

지나는 제법 거만한 얼굴로 말하더니, 어깨를 으쓱이고 덧붙였다.

"노래와 춤은 안 되지만요."

다른 사람이 말했다면 조금은 웃을 수 있었을지 몰라도, 규하는 전혀 웃을 기분이 아니었다.

"네 목숨을 담보로 하는 일이라고 해도?"

"네. 이 지긋지긋한 삶을 벗어날 수만 있다면."

뭐부터 잘못됐다고 말해줘야 할지 너무 할 말이 많아서 외려 말문이 열리지 않았다. 그래서 가만히 있었더니 지나의 손톱에 낀 때가 눈에 들어왔다. 그리고 보니 집안 환경이 별로 좋지 않다고 들었던 기억이 났다.

그때 문이 열리고, 셀레나가 들어왔다. 규하는 돌아보았다.

"셀레나, 애들은……."

"다른 직원들이 견학시켜 주고 있어요."

셀레나는 안심하라는 듯이 말했다.

"다들 인간 아이들은 가까이서 볼 일이 드무니까 엄청 좋아한다고요. 그 많은 과자랑 초콜릿을 애들이 다 어떻게 먹는다고 다용도실을 털어왔는지, 아무튼 걱정 마세요."

셀레나는 옆에 서서, 그녀의 등장에 위축된 지나를 보았다.

"일단, 루아스가 돼서 예뻐지는 게 아냐. 대체로 외모를 포함한 신체 조건이 좋은 사람들이 루아스가 되는 거지. 그런데……."

셀레나는 꼭 거만한 기획사 사장 같은 눈길로 지나를 훑었다. 아이는 얼굴이 붉어졌다. 오히려 규하가 '애한테 그렇게까지 말할 필요는 없잖아.'라고 할 뻔했다.

"뭐, 그건 둘째 치고."

셀레나는 어깨를 으쓱였다.

"뱀파이어가 돼도 너보다 강한 사람은 있어. 오히려 이 모습으로 뱀파이어가 되면 넌 인간들한테도 붙잡혀서 피를 빨리게 될 거야. 네가 공격하는 데 가담한 여자 뱀파이어처럼."

지나는 흠칫했다. 어쨌든 연하에 대한 죄책감은 가지고 있는 모양이었다.

"하여간 왜 다들 자기는 예외일 거라고 생각하는 걸까?"

셀레나는 곤란하다는 듯이 혼잣말했다. 물론 진짜 혼잣말은 아니었지만.

"옛날에도 우리가 정체를 감추고 마냥 우월한 눈빛으로 인간들을 내려다보며 살았을 것 같니? 조금만 이상한 티가 나도 너희 인간들은 우리를 잡아다가 쳐 죽여. 뭐, 자신의 가족과 재산을 지키기 위한 거니까 그걸 탓하는 건 아니야. 하지만 지금이라고 다를 것 같아? 너희에게 우리는 무기일 뿐이야."

셀레나는 어린애라고 봐줄 생각이 없는 것 같았다. 오히려 더 잘 들으라는 듯 가감 없이 말했다.

"뱀파이어 군인은 인간 군인보다 훨씬 효율이 좋으니까. 어지간하면 죽지 않고, 대개 가족이 없어서 뒤끝이 없기 때문에 막 굴릴 수도 있지. 인간들이 정말 '공존' 같은 이상 가치를 실현하기 위해 우리를 받아들였다고 생각해? 순진한 소리지. 결국 모든 건 돈이야."

셀레나는 손가락을 돈 모양으로 둥글게 말았다.

"우리의 힘이 돈이 되기 때문에. 그래서 이 회사가 있는 거야. 어쨌든 동등하게 거래할 입장이 되려면 우리도 이 정도 덩치는 있다는 걸 보여 줘야 하니까. 아니면 영혼까지 털어버릴 것처럼 호구 취급을 하거든."

셀레나가 가리키는, 벽에 붙어 있는 황금색 'ISLE' 로고에 시선이 갔다. 역시 밥값 이야기는 분위기를 가볍게 하기 위한 농담이었으리라.

"하지만 오해는 하지 마."

셀레나는 말했다.

"그렇다고 우리가 '알고 보면 좋은 놈'이라고 턱도 없는 주장을 하는 건 아니니까. 사실 알고 보면 더 나쁜 놈들이 수두룩하지. 흡혈귀가 괜히 흡혈귀겠어? 하지만 지구상에 도시의 불빛이 늘어갈수록 숨어 사는 건 불가능해졌고, 무기 취급이라도 그게 공존의 조건이라면 우리는 받아들였어. 어쨌든 오늘까지 신세진 게 있으니까."

지나는 희미하게 떨면서 말을 듣고 있을 뿐이었다. 그런 아이를 보는 셀레나의 눈은 진지했다. 어딘지 슬퍼 보일 정도로.

"하지만 이 거대한 인간 마을에서 우리는 여전히 이방인이야. 언제라도 마을 밖 야생의 숲으로 내쫓길 수 있는."

셀레나는 갑자기 손을 들어, 탁자를 내려쳤다. 쩍, 하고 단단한 방탄 유리 탁자 전체에 균열이 일었다. 지나는 비명을 지르며 규하에게 안겨 들었다.

"셀레……!"

규하도 놀라 지나를 끌어안았다. 셀레나가 아이를 해칠 거라고 생각하진 않았지만 반사적인 반응이었다. 셀레나는 그대로 탁자에 손을 댄 채 지나를 보았다.

"똑똑히 봐. 여기가 마을의 경계석이야."

"그게 무슨……."

규하가 얼떨떨해 입을 열었지만 셀레나는 지나에게 말했다.

"옛날엔 마을 경계석 앞에서 아이들의 볼을 후려치거나 강에 빠뜨려서 충격을 줬거든. 절대 마을의 경계를 잊지 못하게 하려고."[14]

셀레나는 탁자에서 손을 뗐다. 손바닥에서 유리 조각이 파스스 떨어졌다.

"잊지 마, 마을의 경계를. 네가 이 밖으로 뛰쳐나가면, 여태까지 널 보호해 주던 인간 사회의 시스템이 널 공격하기 시작할 거니까."

14) 아베 긴야, 「중세를 여행하는 사람들」, 오정환, 한길사(2007)

지나는 몸을 떨며 울먹였다.

"그딴 시스템, 지금도 절 보호해 주진 않아요."

"그건 네가 숲이 어떤 곳인지 모르니까. 얼마나 무섭고, 끔찍한 곳인지 모르니까."

셀레나는 회의실을 나가다가, 마지막으로 돌아보았다.

"인간보다는 우리 사이에 너 같은 이기적인 욕망 덩어리들이 많은 건 사실이야. 그런 녀석들이 대체로 유입되기 때문인지. 그래도 가끔은 궁금할 때가 있어. 무엇이 인간이고, 무엇이 흡혈귀인지."

규하는 창 앞에 서서 도시를 바라보고 있었다. 뒤에서 문이 열리는 기척이 났다.

"저거 비싼 건데. 하여간 전 드라마틱한 걸 너무 좋아해서 문제라니까요."

대신 아이들을 배웅하고 온 셀레나가 한숨을 쉬며 말했다. 규하는 대답하지 않았다. 셀레나가 옆에 다가와 물었다.

"왜 의기소침해 있어요?"

"뱀파이어들을 미워했어요."

규하는 바깥풍경에서 시선을 떼지 않고 말했다.

"내 가족을 뺏어갔으니까. 그런데 주변인들이 뱀파이어인 걸로 밝혀지면서 '뱀파이어여도 어쩔 수 없잖아.' 생각해 버린 제가 얄팍하게 느껴질 때가 있었어요."

도시는 어쩌면 이렇게 아무렇지 않아 보일까 신기했다. 구성원 중 단 하나라도 개인의 욕망을 가지지 않은 사람은 없을 텐데, 그 덩어리들이 얽히고설켜 이런 견고한 형태를 유지하고 있다는 사실이 새삼 불가능하게 느껴졌다.

"제대로 미워할 준비도 되어 있지 않았으면서, 멋대로 미워했던 것 같아요."

규하가 우울하게 말하자 셀레나도 잠깐 같이 도시를 바라보다가 말했다.

"아까 아이들 중에 가연이라는 친구, 루아스한테 어머니를 잃었다고요."

가연은 이 견학이 무척 인상에 남는 것 같았다. 원래 호기심이 많고 개방적인 아이라는 걸 알고 있었지만 오감을 활짝 열고 새로운 것을 받아들이느라 거의 셀레나에게 매달려서 이것저것 묻느라 정신이 없었다.

"그런데 절 전혀 무서워하지 않더군요."

셀레나는 한 허리에 손을 짚고 도시를 보았다.

"인류와 루아스는 한 조상에게서 분화되었다고 하죠. 공통조상 '루아'를 둘로 분화시킨 미지의 X가 어디에서 왔는지는 아직 아무도 모르지만요. 하지만 X가 흔히 하는 말로 외계에서 왔다고 하더라도 그건 지구 생성 초기라고 해도 좋은 아주 옛날 일이고, 우리는 계속 같이 이곳에 있었죠."

규하는 셀레나가 하고 싶은 말이 뭔지 알 수 없어서 혼란스러운 표정을 지었다. 셀레나는 계속 말했다.

"그래도 공존은 이제 막 시작되었으니까요. 이 모든 혼란과 반목, 증오. 지금은 어쩔 수 없을지 몰라요. 하지만 다음 세대는 바뀔 거예요. 진정한 변화, 부딪치고 갈등하며 결국 합일로 나아가는 정반합은 그때 일어날 거라고, 그런 세상이 올 거라고 믿어요."

셀레나는 웃었다. 보랏빛을 띠는 붉은 눈동자가 도시의 빛을 받아 다채로운 빛을 품었다.

"소장님은 그 청사진을 마음에 들어 하셨어요. 그래서 다들 말려도 인간과 손잡으셨죠. 우리 소장님이 인간일 때처럼 세상 물정 모르는 이상주의자인 구석이 있거든요."

셀레나는 다시 도시를 보았다. 도시는 지평선 끝까지 내뻗어 있었다.

"어쨌든 여기까지 와버렸는걸요. 많은 의혹과 의심이 올라오지만, 그래도 앞으로 나아갈 수밖에 없잖아요."

규하는 입술이 떨려왔다.

"보고 싶어요. 렉스가……."

규하는 입가에 댄 손에 반지를 쥐고 있었다. 사냥꾼의 표식인 화살 문양이 각인된 예거 연대의 반지, 지나가 경찰에 이송되어 가기 전 건네주며 말했다.

> "걔 있잖아요. 그 잘생긴 남자애. 걔가 이거 전해주라고 해서 왔어요.
> 혼자서는 무서워서 애들을 데리고 온 거고요."

화면은 흔들렸다. 손으로 들고 찍는 것 같았다. 온갖 생명 유지 장치를 달고 누워 있는 렉스는 두 눈 뜨고 보기 힘들 만큼 끔찍한 몰골이었다. 치료는 되어 있었지만 의식은 없는 것 같았다.

규하가 거의 울음을 터뜨리듯이 탄식하며 얼굴을 손에 묻자 옆에 앉은 연하가 그녀를 끌어안았다. 규하는 연하에게 안겨 떨면서 중얼거렸다.

"좆같은 새끼. 장으로 담가 버릴 거야."

주변에 있는 모두 그 섬뜩한 혼잣말을 들을 수 있었다.

"영상을 꺼줘."

셀레나는 AI에게 말하고 일어났다.

"아이들에겐 대공 녀석이 직접 접촉한 모양이에요. 외모는 비슷한 나이대니까 의심하지 않았다더군요."

화면에 사진이 떴다. 일전에 이반이 보았던, 요트에서 내리는 SN의 사진이었다. 오로지 대공만 이쪽을 보며 웃는.

"왜 이런 짓을 하는 거죠? 대체 저 새ㄲ, 새가 바라는 게 뭐예요?"

규하는 이 와중에도 급히 된소리를 탈락시켰다. 이제 와서 의미가 있나 하고 연하는 생각했지만 역시 별말은 하지 않았다. 이반이 말했다.

"녀석에 대해 알려진 건 거의 없습니다. 번성하던 이집트와 히타이트를 포함해 여러 나라가 멸망한 원인이 된 바다 민족[15] 중 하나인 룩카 출신이라는 사실 정도가 알려져 있을 뿐입니다."

"그럼 청동기 시대 아니에요?"

규하는 기가 막혀 말했다. 셀레나는 쓰게 웃었다.

"태생이 전투 종족이죠. 정말 인류의 악몽이라고 해야 할지……. 아무튼 역사에도 바다 민족에 대해 남아 있는 기록이 워낙 없어서 정확한 출신 지역이나 생몰 연대는 불분명해요. 생김새나 가끔 쓰는 단어 같은 걸로 룩카 중에서도 아나톨리아(현재 터키) 쪽 출신이라고 추측할 뿐이죠."

모여 있는 사람들은 다시 사진을 보았다. 확실히 대공의 외모는 묘했다. 서양인으로도, 동양인으로도 보이지 않았지만 둘 다로 보이기도 했다. 그렇다고 현대 터키인 같지도 않았다.

규하는 이마를 감싸 쥐고 심각한 눈으로 사진을 보았다.

"호모 사피엔스는 맞죠?"

"호모 사피엔스는 30만 년 전에 나타났습니다."

이반은 무심히 대답했다.

"누가 그걸 몰라서 말했겠어요?"

규하는 왜 이렇게 농담이 안 통하느냐는 듯이 이반을 타박했다. 셀레나는 이반을 대하는 그녀의 태도에 감탄하는 것 같았다. 연하는 이렇게라도 규하가 기운을 낸다면, 이반에겐 조금 미안하지만 괜찮았다. 다행히 이반도 개의치 않는 듯 말했다.

"호모 사피엔스는 맞지만 유효한 지적일 겁니다. 녀석은 늪에서 태어

---

15) 기원전 13세기를 중심으로 청동기 시대 말까지 동아나톨리아, 시리아, 팔레스타인, 키프로스, 이집트를 침략한 호전적인 해양 민족의 총칭. Encyclopedia Britannica

났으니까요."

"늪이요?"

규하가 묻자 화면에 무언가가 떴다. 이번에는 어디선가 발췌한 것 같은 글귀였다. 이반은 글귀를 보며 말했다.

"이건 블란두스 박사님의 수제자이자 현재 블란두스 연구소 소장님인 프리츠 홀스트 박사님이 얼마 전에 발표한 'The X'에 나오는 내용입니다. 블란두스 박사님 서거 이후 연구 결과를 모은 책이죠."

-태초, 머나먼 은하 너머에서 온 한 줄기 빛이 불모의 혹성에 도착했다. 그곳이 진정한 목적지였는지, 아니면 사고로 불시착한 것인지는 알 수 없었다. 'X'는 자아나 생각을 가진 생물체가 아니었기 때문이다. 처음에는.

단순한 유기체였음에도 불구하고 'X'는 불모의 혹성에는 영양분이 될 만한 것이 없다는 걸 알았다. 그래서 무엇이든 자신이 기생할 수 있는 존재를 찾았다. 처음에 그것은 자갈이었고, 바위였고, 용암이었고, 바다였고, 그리고 종내에는 그 바다 속에 녹아 있는 유기물이었다.

"이 '유기물'은 이후 인간으로 진화하죠."

이반은 말했다.

"생물의 기원에 대해서는 저희가 논의할 사항은 아니지만, 중요한 건 지구의 지물에 'X'가 녹아 있었다는 점이죠. 최초의 흡혈귀들은 이 원시 형태의 X 바이러스에 감염된 존재들입니다. 현대 흡혈귀들의 원형으로 봐야 하죠."

셀레나가 덧붙였다.

"현재 이 원형들은 남아 있지 않아요. 아마 공룡이 멸종한 이유와 같거나 혹은 공룡을 멸종시킨 이유였겠죠. 어쨌든 지물에 있는 바이러스도 마찬가지로 남아 있지 않고요. 하지만 그런 이야기 들어보신 적 있죠? 늪에서 몇 천 년 전 미라가 썩지도 않은 채로 발견됐다는. 쉽게 말씀드리면 자연의 보관소 같은 늪의 특수한 화학작용 때문인데, 그래서 늪에는 X가 남아 있는 경우가 있었던 모양이에요. 대공은 그 늪에 빠졌고, X에 감염되어 되살아난 걸로 보여요."

규하는 할 말을 잃었다. 이 바닥은 어떻게 된 게 아직도 놀랄 일이 남아 있었다.

"바다 민족 시대에 말이죠."

셀레나는 고개를 끄덕이고 말했다.

"그리고 이바노프 씨를 감염시킨 루아스도 이런 경우가 아니었을까 싶어요."

모두 이반을 돌아보는 가운데, 연하가 물었다.

"그러니까…… 이반을 감염시킨 루아스도 늪에 빠졌다가 그곳에 남아 있는 X에 감염됐을 거라고요?"

"아마도요. 일단 이바노프 씨가 감염된 지방 자체가 원래 늪지대가 많은 곳이었죠. 이건 추측이지만, 이바노프 씨를 감염시킨 루아스도 자신이 뭐가 된 줄 몰랐던 것 같아요. 아마 늪에 빠졌다가 이상한 병 같은 거에 걸렸다고 생각하지 않았을까요? 특히 고대에는 신에 대한 심성이 깊었으니까 일종의 신병 같은 거라고 생각했을지도 모르죠."

이반은 팔짱을 낀 채 생각에 빠졌다.

아마 그를 감염시킨 뱀파이어는 죽고 싶어 했을 것이다.

정말 늪에서 태어났다면 제 파트로네스라고 할 수 있는 그 뱀파이어에게도 파트로네스는 없었다. 그래서 자신이 무엇이 됐는지 알 수 없었고, 외로움과 공포 속에서 내내 시달리다가 결국 최후의 수단을 선택했을 것이다. 한때 이반 역시 잠깐이지만 고려했듯이.

어쨌든 그 뱀파이어가 죽어 없어진 지금 모두 가설에 불과하지만 그렇게 생각하면 퍼즐이 맞았다. 일부러 자살하려는 것처럼 그에게 덤벼든 것이나, 앙그라 마이뉴 이야기를 한 것이나.

이렇게 오랜 시간이 지나서야, 이반은 그날 그를 공격한 뱀파이어가 무슨 생각을 했는지 알 것 같았다.

이반은 고개를 들고 계속 말하고 있는 셀레나를 보았다.

"그리고 이바노프 씨를 감염시킨 루아스도 늪의 X에 감염됐을 거라고 생각하는 이유는, 가임 능력 때문이에요."

이번에는 모두가 연하를 보았다. 셀레나는 고개를 끄덕였다.

"저희가 가진 데이터베이스에 의하면 현대 뱀파이어들은 백이면 백 가임 능력이 없어요. 유일한 예외는 늪의 X에 감염된 경우죠. 아마 최초의 뱀파이어들은 인간처럼 생식할 수 있었던 모양이에요. 하지만 진화하는 과정에서 임신 능력이 특별히 쓸 일이 없다고 여겨져서 퇴화됐거나⋯⋯. 어쨌든 결과적으로 늪의 X에겐 남아 있는 거죠, 원형의 능력이."

연하는 잠깐 생각에 빠졌다가 미간을 찌푸리고 말했다.

"그럼 혹시 대공도⋯⋯?"

규하는 미처 생각지 못했던 것을 깨달은 얼굴이 되더니, 손으로 입을 막았다.

"토할 것 같다."

셀레나는 고개를 저었다.

"그건 모르겠어요. 가능성이 높다고 생각하지만 굳이 제 몸을 이용하지 않고 이바노프 씨와 상사님을 노렸던 걸 보면 예외일 수도 있고요. 변수가 워낙 많으니까요. 아무튼 녀석이 무엇 때문에 바이러스를 원하는 건지는 알 수 없어요. 서로 탁 까놓고 물어볼 사이가 아니라서."

침묵이 감돌았다. 어쩐지 사람들은 모두 자연스럽게 이반을 보았다. 주변으로 격납고는 분주했다. 그들이 모여 화면을 바라보고 있는 저 너머, 활주로에 서 있는 신호수가 군대 선두에서 진군을 알리는 기수처럼 힘차게 깃발을 내저었다. 그 몸짓에 따라 격납고 문밖으로 거대한 수송기가 움직이고 있었다.

"역사를 통틀어."

그 가운데, 이반은 조용히 말했다.

"침략자는 늘 있었고, 내 쪽이 침략자인 적도 있었기 때문에 어느 쪽이 정의라고 생각하진 않아. 하지만 마을에서 살 셈이라면 따라야 할 규칙이 있어. 그 규칙을 어긴 녀석의 사정 같은 건 궁금하지 않아. 처형대 위에서 정상 참작은 해줄 수 있을지 몰라도."

그때 이반은 정말로 제왕이었다. 잠깐 옛 모습이 나온 것처럼.

셀레나는 격납고 문밖을 돌아보았다. 얼굴에 햇빛이 비쳐 들었다.

"그럼, 구하러 가보죠. 우리 소장님."

"두 분."

막 움직이려는데 셀레나가 불렀다. 연하와 이반은 돌아보았다. 다른 사람들은 다 위치로 돌아가고, 연하와 이반, 규하, 셋만 남아 있는 상태였다.

셀레나가 다가와 말했다.

"알아봤는데 특정 가계에 가임 능력이 있다지만 그것도 문제가 좀 있네요. 생겨도 유산되는 경우가 많은 모양이에요."

연하는 흠칫했다. 그런데 걱정 말라고 이야기하듯, 이반이 어깨에 손을 얹었다. 연하는 돌아보았다. 이반은 흔들리지 않는 표정이었다. 뭐든지 괜찮을 것 같은 기분이 들어, 연하는 그의 손을 잡았다.

셀레나는 말했다.

"이유는 몰라요. 태가 너무 강해서인지, 약해서인지, 아니면 뭐가 안 맞는지. 뱀파이어의 임신 능력이란 게 의외로 연약한 모양이에요. 그래서 걱정하시라는 이야기는 아니고, 그러니까 상사님이 루아스라는 사실을 한동안 잊어버리세요. 평범한 임산부처럼 먹고, 걷고, 행동하세요."

"그러니까 그 의미는……"

연하가 말문을 떼자 셀레나는 고개를 끄덕였다.

"네. 상사님은 작전에 참여하실 수 없다는 의미예요."

연하는 미간을 찌푸렸다.

"하지만……"

"뭐가 하지만이야?"

규하는 기가 막힌다는 듯이 말했다.

"참여하려는 생각을 했다는 것 자체가 놀랍다."

셀레나도 고개를 끄덕였다. 어쩐지 둘이 죽이 잘 맞는 느낌이었다.

"잘 아시잖아요. 작전에 나갔는데 강 상사님 몸 상태가 갑자기 나빠지면요?"

연하는 잠깐 생각했다. 하긴, 자신이 생각해도 무리인 이야기였다. 저번에는 리웨이가 준 비타민을 가장한 약 때문에 기절했지만 정말 몸 상태가 나빠져서 그러지 않으리란 보장이 없었다. 연하는 고개를 끄덕이고 말했다.

"알았어요. 작전을 위험에 빠뜨리지 않을게요."

"왕자님을요."

셀레나가 말을 정정했다.

"네?"

연하가 어리둥절해하며 되묻자 셀레나는 조금 짓궂은 웃음을 지었다.

"우리 사모님, 배 속에 계신 분을 최우선으로 생각하셔야죠."

생각지도 못한 호칭에 연하는 당황해 중얼거렸다.

"사, 사모님……"

그러다가 무슨 생각이 들어 고개를 갸웃했다.

"근데 성별은 아직 모르지 않아요?"

셀레나는 빙긋이 웃었다.

"그냥 느낌이요. 왕국은 후계자가 필요하니까."

옆에서 듣고 있던 이반이 무슨 소리냐는 듯이 끼어들었다.

"ISLE은 네 거야. 줬잖아."

"네? 하지만……."

생각지도 못했는지 셀레나는 오히려 당황하는 기색이었다. 이반은 말했다.

"우리가 마음대로 돌아다니는 동안 자리를 지키고 있던 건 너밖에 없었어. 당연히 네가 물려받아야지."

셀레나는 말을 잇지 못했다. 이반은 조금 혀를 찼다.

"그리고 굳이 남자가 물려받아야 한다는 철 지난 발상은 왜 하고 있는 거야? 역시 너도 남자라서 그런지……."

연하와 규하는 눈을 깜빡였다. 지금 뭐라고…….

"남자?!"

연하와 규하는 동시에 꽥 소리쳤다. 거대한 격납고가 울릴 정도로. 셀레나는 감탄하는 얼굴이었다.

"오, 굉장히 쌍둥이 같은 반응……."

두 사람은 셀레나를 위아래로 정신없이 훑었다. 아니, 키는 물론이고, 목소리도 허스키했고 뼈대가 굵다고는 생각했다. 어깨도 벌어진 편이고. 하지만 인간이어도 인종에 따라 이 정도로 파워풀해 보이는 여성이 없지 않았기 때문에 달리 생각하진 않았다.

"이거 원조는 저예요."

셀레나는 싱긋 웃고는 여성적인 동작으로 풍만한 가슴께에 손을 얹었다.

"스테판이 아니라. 절 보고 아이디어를 얻은 게 아닐까 싶다니까요. 아, 그래도 오해는 하지 마세요. 전 100% 자연 그대로니까."

그 말은……. 연하가 치마를 입은 셀레나의 하반신을 쳐다보려고 하자 이반이 그녀의 고개를 잡아 돌렸다.

"어딜 봐?"

"아, 저도 모르게……."

연하는 머쓱해하고, 규하는 기가 질린 듯이 손을 내저으며 가버렸다.

"이젠 무슨 일이 일어나도 놀라지 않을 거야."

연하는 갑자기 무언가 생각났다.

'아, 취임식 때 소장님이 그래서……'

상당히 복잡한 표정이었지, 셀레나가 애인 아니냐고 말했을 때. 클리엔테스이기 전에 남자라고 말도 못 하고 얼마나 속 끓는 심정이었을지, 새삼 미안해졌다. 하지만 다시 셀레나를 봐도 역시 남자라기엔 너무 미인이었다. 사실 동양인이니까 화장만 좀 옅게 한다면 경국지색이나 침어낙안, 폐월수화 같은 말들이 모두 그녀, 아니, 그를 가리킨다고 생각될 정도였다.

그런 생각을 하며 빤히 쳐다보고 있었던지, 셀레나가 물었다.

"왜요?"

"예뻐서요."

연하의 입에서 간만에 필터를 거치지 않은 본심이 나왔다. 셀레나는 웃었다.

"감사해요."

"그럼 그 가슴은 뭐예요?"

연하는 호기심을 참지 못하고 풍만한 가슴을 가리키며 물었다. 셀레나는 제 가슴을 내려다보았다.

"아, 이건 보형물 패드예요."

"진짜 같네요."

"촉감도 진짜 같아요. 만져 보실래요?"

"만져 봐도 돼요?"

연하가 당장에라도 손을 뻗을 태세라, 이반은 그녀의 어깨를 잡았다.

"만져 보지 마."

그리고 셀레나를 보고 엄하게 말했다.

"너도 놀리지 마."

"놀리는 거였어요?"

그런 거였다고는 생각지도 못해 연하는 눈을 동그랗게 뜨고 물었다. 셀레나는 이반을 보고 씩 웃었다.

"우리 상사님 매력이 이런 거였네요."

'아, 남자 얼굴.'

연하는 생각했다. 역시 남자는 남자구나 싶었다.

"추 씨. 이글아이[16]에서 연락이 왔는데……."

그때 한 프로그래머가 불러, 셀레나는 말하고 그쪽으로 갔다.

"잠시만요."

연하는 조용히 주변을 둘러보았다. 열려 있는 문 너머 햇빛이 비쳐 드는 격납고는 각자 할 일을 하는 사람들로 분주했지만 묘하게 평화로웠다.

"이반."

연하는 돌아보지 않은 채로 불렀다. 이반이 그녀를 보는 시선을 느낄 수 있었다.

"모든 데 환멸을 느껴 떠났었다고 했죠. 하지만 당신이 살아나온 시간은 헛된 게 아니었어요."

연하는 돌아보았다.

"사는 걸 포기하지 않아줘서 고마워요."

그래서 이 먼 시간이 지나 만날 수 있었으니까. 평범한 인간이었다면,

---

16) AEW&C. Airborn Early Warning & Control. 공중조기경보통제기의 별칭. 원래는 피스아이.

그가 어느 순간 사는 걸 포기했더라면, 결코 만날 수 없었던 변수를 뚫고 그들은 이곳에 함께 서 있었다.

이반은 연하의 손에 키스했다.

"나야말로 감염을 이겨내 줘서 고마워."

그러고는 조금은 짓궂게 덧붙였다.

"강 선생 때문이었겠지만."

연하는 뭔가 생각하듯 눈을 위로 올렸다가 어깨를 으쓱였다.

"글쎄, 모르죠. 그때 이반을 얼핏 보고 내 취향이라고 생각했을지도."

"정말?"

연하는 손을 올려 이반의 턱을 쓰다듬었다.

"수염도 섹시했어요."

이반은 제 턱을 쓰는 손을 잡고 불타오르는 눈으로 그녀를 보았다. 그리고 시선을 돌리지 않고 물었다.

"셀레나, 시간이 얼마나 남았지?"

패널 앞에 서 있는 셀레나는 돌아보고 짓궂은 웃음을 지었다.

"이십 분 정도 있어요."

충분하다는 듯이 이반은 연하의 손을 잡아끌었다.

"이반……!"

연하는 깜짝 놀라 부르고, 뒤에서 셀레나가 소리쳤다.

"아직 안정을 취해야 하신다는 거 잊지 마세요."

사람들이 전부 능글거리는 눈으로 봐서 연하는 얼굴에 열이 오르는 느낌이었다.

이반은 격납고 한쪽에 있는 작은 회의실 같은 방으로 연하를 데리고 들어갔다. 블라인드가 내려져 있어서 틈새로 햇빛이 스며들었다.

"이……."

부르려는데 이반이 그녀를 끌어안고 속삭였다.

"미안해."

연하는 어리둥절해, 가까운 거리 때문에 귀밖에 보이지 않는 이반을 보고 물었다.

"뭐가요?"

이반은 그녀를 놓아주고 말했다.

"함께 있어주지 못해서."

연하는 고개를 저었다.

"그건 이반도 테러를 당해서 어쩔 수 없었던……."

"감염되고 나서 말이야."

그 이야기가 아니라는 듯 이반은 말했다.

"내가 파트로네스 노릇을 제대로 했다면 네가 그렇게 힘들지 않았을 텐데."

연하는 이반을 올려다보았다. 어차피 파트로네스가 없다고 생각하고 살았기 때문에 원망도 하지 않았지만, 만약 파트로네스가 있다는 걸 알았고 그가 자신을 버렸다는 사실까지 알았다면 그를 원망했을까?

어쩌면.

하지만 그날들은 지났고, 영원히 사는 루아스도 과거로 돌아갈 수는 없었다. 그러니까 연하는 이제 웃으며 말할 수 있었다.

"그래서 난 혼자 설 수 있었어요. 이반 같은 파트로네스가 옆에 있었다면 어리광을 피울 줄밖에 몰랐을 거예요. 이반도 매일 질질 짜는 열아홉 짜리한테 기가 질려 버렸을걸요."

이반은 아무 말 없이 연하의 볼을 쓰다듬었다. 어둠에 잠긴 눈동자가 짙은 빛을 띠고 있었다.

"사랑해요."

연하는 이반을 끌어안으며 속삭였다.

"사랑해."

이반도 연하를 안으며 정수리에 입술을 대고 속삭였다. 연하는 새삼스럽게 이 온기와 떨어져 있어야 한다고 생각하니 뜨거운 마음이 끓어올라, 그에게 더 깊이 파고들었다.

"무사히 돌아와야 해요."

이반은 연하를 안은 팔에 조금 더 힘을 주었다. 둘은 한동안 그대로 있었다. 그런데 등을 안고 있던 손이 천천히 미끄러져 내려갔다. 엉덩이에서 손길을 느낀 연하는 그를 조금 밀어냈다.

"여기선 안 돼요. 밖에 다 들릴 거예요. 여기 루아스들이 많아서……."

지금 이 대화도 다 듣고 있을지도 몰랐다.

"조금만."

그러면서 이반은 말은 더 듣지 않겠다는 듯이 입술을 겹쳐 왔다. 그리고 혀를 집어넣으며 청바지 위로 그녀를 더듬었다. 연하는 움찔했다.

"더 민감해진 것 같아."

이반은 아주 작게 속삭였다. 목소리가 뜨거웠다. 연하는 이반을 부르려는 것처럼 입을 열었지만 말을 하지 못했다. 청바지 위로 그가 그녀를 문지르고 있었다.

"네 안에 들어가고 싶어."

어느새 책상에 걸터앉아 있는 연하는 숨을 헐떡였다. 이건 정말 고문이었다. 서로를 만질 수는 있지만 끝까지 할 수는 없다니.

"이반……."

연하는 그의 손을 잡아 자신의 티셔츠 속으로 집어넣었다.

"만져 주세요."

이반은 조금 웃는 것 같았다.

한편 회의실 밖에는 침묵이 흐르고 있었다. 하도 작게 대화해서 소곤거리는 소리와 옷자락이 부스럭거리는 소리밖에 들리지 않았지만 안에서 뭘 하고 있는지 충분히 알 수 있었기 때문이다. 규하는 소리는 들리지 않아도 주변 반응으로 그들이 무슨 소리를 듣고 있는지 눈치챘다. 하지만 포기했는지 눈을 굴릴 뿐이었다.

셀레나도 고개를 내젓고 말았다. 하여간 늦바람이 더 무섭다더니.

"자, 일하세요."

셀레나가 말했을 때에야 사람들은 헛기침을 삼키고 자리로 돌아갔다. 셀레나는 프로그래머를 돌아보았다.

"그럼 우리 인간 형제님들 쪽은 어떻게 됐나요?"

[저희 가족이 전부 죽을 뻔했다는 걸 인지하고 계시는 겁니까?]

화면 너머 하인리히가 엄한 표정으로 말했다. 하지만 시몬은 태연했다.

"미리 모셔오도록 사람을 보내지 않았나요?"

하인리히는 꾹 입을 다물었다.

그날 갑자기 나타난 남자들은 그들 가족을 반강제로 구명보트에 태워 크루즈를 떠났다. 그리고 구명보트가 뭍에 닿기도 전에 폭발이 일어났고. 안 그래도 성격이 예민한 아내는 그 일로 거의 히스테리를 일으켰다.

[하지만 상의도 없이 이런 일을 벌이시다니.]

"그 점에 대해서는 사과드립니다. 이 정도 트랩이 아니면 이바노프가 걸려들 리 없어서요. 양해 부탁드리죠."

하인리히와 대공이 동시에 현장에 있는 정도가 아니었다면 이바노프는 이미 폭발이 일어나기 전에 눈치챘을 것이다. 하지만 자기 목숨이라고는 조금도 위험하지 않았는데 이렇게까지 우는 소리라니, 생각보다 간담이 작은 모양이었다. 시몬은 속으로 코웃음을 쳤지만 겉으로는 사무적인 표정을 유지했다. 하인리히는 그녀를 잠깐 보다가 말했다.

[일이 성공했다면 넘어갈 용의가 있었습니다만.]

시몬은 무표정을 풀지 않았다. 아예 핵을 준비했어야 한 모양이었다.

늙은 것들이 몸만 질겨서.

그때, 바깥쪽에서 소리가 들렸다.

"다시 연락드리겠습니다."

시몬은 대답을 기다리지 않고 전화를 끊고 밖으로 나갔다. 넓은 앞마당 같은 공간에 헬리콥터가 내려서 있었다. 마침 문이 열리고, 평범한 사복을 입은 대공이 내려섰다. 시몬은 그에게 다가갔다.

"오셨군요."

대공은 무표정했다.

"사과 한 마디는 하지?"

"진심이 아닐 걸 알면서도 듣고 싶으신가요?"

대공은 특별한 감흥은 없는 얼굴이었지만 그다지 유쾌해 보이진 않았다.

"넌 점점 인간성을 잃어가는군."

시몬은 훗 웃었다.

"당신에게서 그런 말을 들을 줄은 몰랐는데요. 이걸로 비긴 셈 치죠. 당신은 멋대로 제 걸 가져갔고, 대가로 저도 당신 걸 가져갔다고."

시몬은 손을 내밀었다.

"다시 시작해 볼까요?"

대공은 치우라는 듯이 손을 내저었다.

"호랑이 새끼를 키웠군. 하지만 이제야 좀 제대로 된 파트너 느낌이네. 사랑 타령하고 있을 때보다."

시몬도 동의하는 바였다. 왜 남자 따위에 목을 매고 있었는지, 그녀는 더 자유로워진 느낌이었다. 무엇이든 할 수 있고, 어디로든 갈 수 있을 것 같았다. 무엇이든 될 수 있음은 물론이고.

시몬은 어둡고 광막한 대지를 돌아보았다. 지대가 높은 곳에서 내려다보는, 잠들어 있는 땅은 그녀가 정복해 주기만을 기다리고 있는 것 같았다.

그때 전화가 울려 시몬은 전화를 받았다.

"시몬 드무스티에입니다."

시몬은 상대가 하는 말을 듣다가, 천천히 미간을 찌푸렸다.

"지금 뭐라고 하셨습니까?"

"그럼 들어가십시오, 의원님."

입구에 일렬로 서 있는, 양복을 입은 남자들이 한 몸처럼 깊이 허리를 숙였다. 중년 사내는 그들을 돌아보지도 않고 운전기사가 문을 열어둔 차에 올라탔다. 차가 사라질 때까지 허리를 숙이고 있던 남자들은 하나둘 고개를 들고 거칠게 중얼거렸다.

"내 참 아니꼬워서. 개새끼 같으니. 에라, 벼락이나 맞아라."

개중 한 남자가 침을 뱉고는 건물로 들어갔다.

한편 차에 타고 있는 중년 사내는 푹신한 좌석에 몸을 묻고 눈을 감고 있다가 밖을 보았다. 뒤늦게 뭔가 이상하다는 걸 깨달은 얼굴이었다.

"이쪽 방향이 아니잖아. 지금 어디 가는 거야?"

운전기사가 백미러를 보고 입을 열었다.

여자는 거울을 보며 투피스 정장에 어울리는 진주 목걸이를 찼다. 그때 방으로 식사를 가져오는 소리가 들려 말했다.

"이쪽으로 차 한 잔 가져다줘."

그런데 한참이 지나도 아무 반응이 없었다.

"뭐 하고 있는……."

의아해하며 드레스룸을 나간 여자는 멈칫했다. 가정부가 제 테이블에 앉아 차를 마시고 있었다. 그것도 다리를 꼬고 느긋하게. 그녀가 제 뺨을 때렸던들 이만큼 황당하진 않았으리라. 여자는 기가 막혀 말했다.

"정신 나갔어? 지금 뭐 하는 거야?"

가정부는 전혀 당황하지 않는 표정으로 돌아보고 입을 열었다.

"식사가 도착했습니다."

옆에 다가온 집사가 살짝 고개를 숙이며 말해, 하인리히는 꺼진 화면을 보다가 시선을 돌렸다. 그리고 가져오라는 듯 손짓하자, 현대적인 제복을 입은 선남선녀들이 카트에 코스 요리를 가지고 들어와 그가 앉은 두꺼운 목제 테이블에 세팅했다.

"집사람은?"

하인리히는 집사를 보고 물었다. 집사는 송구한 표정이었다.

"식사 생각이 없으시다고……."

하인리히는 고개를 끄덕였다. 오히려 아내가 식사를 하러 올까 봐 걱정이었으니 상관은 없었다.

막 포크를 집으려는데 갑자기 요리사가 테이블에 앉았다. 감히 누구도 하지 않는 행동이라, 하인리히는 그를 의문이 담긴 눈으로 보았다. 집사가 펄쩍 뛰면서 기겁했다.

"자네 미쳤나? 당장 일어……."

하인리히가 손을 들어 집사를 막았다. 그리고 품위를 잃지 않은 미소를 띠고 물었다.

"무슨 할 말이라도 있으십니까?"

요리사는 사양하지 않고 말했다.

"100% 감염이 성공하는 뱀파이어 바이러스? 그런 게 정말 가능할 거라고 생각하십니까?"

하인리히는 잠깐 아무 말 하지 않았다. 십 년 이상 이곳에서 일한 수석 요리사인 걸로 아는데.

요리사는 코웃음을 쳤다.

"로스가 여러분을 끌어들여 벌이고 있는 짓은, 중세의 수도자 테첼이 면죄부를 팔면서 '동전이 궤짝에 짤랑 하고 떨어지면 영혼은 그 즉시 천국으로 간다.'고 선전하는 것에 다름없습니다."

하인리히 그의 가문이 중세에 교황청 대리로 면죄부를 판매했던 금융가 푸거 가의 방계인 점을 들어 비꼬는 것이었다. 익숙한 비아냥거림이 새삼 뼈아프진 않았지만……. 확실히 허를 찔린 느낌이었다.

요리사는 기가 막힌다는 듯이 고개를 저었다.

"알 만큼 아실 분들이 순진하게도 그 소리에 넘어가 로스가 멋대로 설치고 다닐 수 있도록 물심양면으로 도와주시고 말이죠. 물론 이해는 합니다. 거절하기엔 너무 달콤한 유혹이었겠죠, 영원한 삶이란. 게다가 윈윈 게임이었죠. SN이 날뛸수록 루아스 관련 약품을 파는 제노아틱스의 주가는 오히려 치솟으니. 늘 생각하지만 1-1이 꼭 0이 되리란 법은 없는 이런 묘한 사회 시스템은 대체 누가 고안해 낸 걸까요?"

하지만 대답을 기대한 질문은 아니었는지 요리사는 바로 어깨를 으쓱였다.

"하지만 저희로서는 여러분을 협박해서 일을 이루고 싶은 생각은 없습니다. 어쨌든 저희가 원하는 건 공존이니까요."

"이미 협박하고 계시군요."

하인리히가 말하자 요리사는 물끄러미 그를 보았다.

"저희가 다른 수가 없어서 지금 여러분을 말로 설득한다고 생각하지 마십시오."

여러분, 이라고 한다는 것은 하인리히의 곁에만 감시를 붙여놨다는 이야기가 아니었다. 형제들의 신상은 철저히 비밀임에도 불구하고.

요리사는 빙긋이 웃었다.

"이런 게 협박이죠. 이 모든 건 차선책이었을 뿐입니다. 끝까지 사용하지 않을 패였을 수도 있죠. 저도 십년쯤 되니 계속 이쪽 일을 하는 것도 나쁘진 않겠다 싶더군요. 일단 안정적이어서."

하지만 결국 사용했다는 건 예상치 못한 변수가 생겼다는 말이었다. 하인리히로서는 그 변수가 연하의 임신이라는 건 알 길이 없었지만 어쨌든 제대로 본 것이었다.

하인리히는 잠깐 생각에 빠졌다. 드무스티에도 머리란 게 있다면 그를 적으로 돌릴 생각은 하지 않을 것이다. 하지만 무언가 변했다.

문밖의 수상한 인기척보다 반항적인 눈빛이 도는 개가 더 경계심을 일으킨다고 모르는 걸 보면, 드무스티에는 아직 어린 가정주부일 때처럼 순진한 구석이 있었다. 아니면 알면서도 개의치 않거나. 소위 그 잘난 육체 능력이라는 걸 믿는 것 같았다.

'위험하지만 태만한 짐승.'

과연 그녀 스스로 흡혈귀에 대해 잘 정의했다고 하인리히는 생각했다.

흡혈귀는 지구에 갑자기 나타난 것이 아니었다. 시작부터 함께 있었다. 그런데도 인간이 세상을 지배하지 않은 세월이 없었다는 걸 보면, 배운 점이 있을 텐데 말이다. 개체가 적었다거나 호전적인 본성 때문에 자기들끼리 싸움을 반복하느라 그랬다는 건 변명에 불과했다. 그런 변명이 통하는 세상이었다면, 고대 아테네나 영국 같은 소국들이 거대한 제국을 무너뜨리고 세계의 패자가 된 일도 없었을 것이다.

흡혈귀의 튼튼한 몸뚱이란 콜로세움에 섰을 때나 진정으로 인간에 비해 유리한 것 아니겠는가?

하인리히는 말했다.

"드무스티에를 내드리죠."

그들은 더 이상 굽어지지 않는 철이 아니라 물 같아야 했다. 물처럼 어디든 스며들 수 있고, 매끄럽게 흐르며, 파괴적인 힘을 느끼지 못할 정도로 우아해야만 이 울퉁불퉁한 욕망들의 땅을 뒤덮어 지배할 수 있었다.

바이러스 개발이 늦어지겠지만 다행히 그는 아직 젊었다. 인간의 시간도 생각보다 긴 법이니까.

"역시 이야기가 통하는 분이라고 생각했습니다."

요리사는 일어나 방을 걸어 나가기 시작했다. 하인리히는 그 모습을 지켜보다가 물었다.

"당신은 인간인 것 같군요."

요리사는 무심한 눈으로 돌아보았다.

"이분법으로는 재단하기 힘든 세상이죠."

"절 해고하신다고요?"

시몬은 크게 변화가 없는 어조로 되물었다. 형제단의 대변인을 맡은 남자는 웃는 얼굴이었다.

[쉬운 일이 아니라는 걸 알기 때문에 긴 시간을 드렸지만 여태 아무런 성과가 없군요.]

"저는 하이마를 개발하는 데 일등 공신이었습니다. 당신들을 돈방석에 앉혀 드렸죠."

시몬은 철저히 감정을 배제하고 말했다. 대변인은 고개를 끄덕였다.

[덕분에. 감사한 일이죠. 하지만 약간 도를 넘으신 느낌이 드는군요. 저희는 ISLE과의 어떤 충돌도 원하지 않습니다.]

시몬은 입을 다물었다. 이제야 뒤에 있는 손길을 느낄 수 있었다. 역시 핵을 준비했어야 한다고 생각했지만, 이미 지난 일이었다.

"이바노프는 절대 당신들을 감염시키는 일에 동의하지 않을 겁니다. 바이러스 개발은 물론이고."

그 말에만은 동의하는지 대변인은 말이 없었다. 웃음은 잃지 않았지만. 시몬은 좀 더 밀어붙여 보기로 했다.

"당신들은 인간의 껍질을 벗고서 나오고 싶은 것 아니었나요? 그래서……."

[당신이 착각하는 게 하나 있어요.]

대변인은 말을 끊고 얘기했다. 시몬은 내 말을 끊지 마, 라고 외칠 뻔했다. 대변인은 그녀가 문제를 공식부터 잘못 이해하고 있는 아이인 양 말했다.

[우리는 인간이길 그만두고 싶은 게 아닙니다. 영원히 인간이고 싶은 거죠.]

시몬은 미간이 꿈틀거렸다. 그것을 알았을 테지만 대변인은 끝까지 웃으며 말했다.

[바로 거기에 당신과 우리의 절대적인 차이가 있죠.]

시몬이 대답하지 않자 대변인은 말하고 전화를 끊었다.

[그럼, 좋은 영생이 되시기 바랍니다.]

시몬은 그대로 죽어버린 것처럼 꼼짝도 하지 않았다. 대공은 다 들었을 텐데도 무심한 얼굴로 서 있을 따름이었다.

시몬은 땅을 돌아보았다. 안개비가 내리기 시작해, 땅은 천천히 젖어들고 있었다. 저 멀리 검은 구름이 일었다. 우글거리며 몰려오는 군대 같은 검은 구름 속에서 빛이 번쩍였다.

그때 어두운 문 쪽에서 인영이 천천히 걸어 나오며 말했다.

"준비가 끝났습니다."

머리부터 발끝까지 검은 옷을 입은…….

"스테판."

시몬은 나직이 그를 불렀다. 스테판은 가짜 눈처럼 아무 감정도 보이지 않는 눈을 들어 그녀를 보았다. 시몬은 고혹적인 웃음을 지으며 말했다.

"샴페인을 준비해. 드디어 오늘 새로운 지평선을 열 테니까."

지평선 너머에서 폭풍의 왕이 울부짖고 있었다.

이반과 연하는 회의실에서 나왔다. 들어갈 때와 비교해서 특별히 달라 보이는 부분은 없었다. 연하가 괜히 시선을 들지 못한다는 걸 제외하면. 셀레나가 능글맞은 눈으로 보자 연하는 얼굴이 더 익었다.

"추 씨!"

그때 갑자기 다급한 목소리가 들리고 누군가가 격납고로 뛰어 들어왔다. 모두 돌아보았다. 사십대 중반쯤 되는 서양인 남자는 ISLE 최고경영자 비서1팀의 오로스코 비서실장이었다. 그 뒤를, 전 비서실이 다 온 것 같은 많은 직원들이 따르고 있었다.

"저희, 뛰어야겠는데요."

오로스코는 숨을 고를 새도 없이 말했다.

"로스가 그쪽 형제단을 소집한 것 같습니다. 형제단원들 대부분 소재가 파악되지 않는답니다."

다른 비서가 급히 덧붙였다.

"측근으로 동행한 저희 측 감시자들 소재도 파악되지 않습니다. 연락을 다 끊게 한 것 같습니다. 마지막으로 받은 연락 좌표가 인도 아그라 상공입니다."

셀레나는 미간을 찌푸리고 중얼거렸다.

"설마……."

오로스코는 고개를 끄덕였다.

"네. 형제단을 소집했다는 건 둘 중 하나일 겁니다. 기적이 일어나 바이러스를 완성했거나, 모조리 몰살해 버릴 셈이거나."

일단 전자는 가능성이 없었다. 루아스 배아도 얻지 못했고, 이후 연구를 진행할 만한 시간도 없었으니까.

셀레나는 심각한 기색으로 말했다.

"하지만 협력자들을 제 손으로 없애는 건데 그런 일을 할까요?"

"애초에 인간 협력자들 같은 게 필요하지 않았다면요?"

오로스코는 오래전부터 합리적인 의심을 품어온 듯 말했다.

"생각해 보면 로스 뒤에는 SN이 있습니다. SN의 궁극적인 목표가 뭡니까?"

"인류를 없애는 거죠."

셀레나는 대답했다.

"예전부터 생각했는데 뱀파이어들이 굳이 그런 걸 원할 이유가 있을까요? 인간들이 다 죽어버려서야 지배할 것도 남아 있지 않을 텐데. 자기들만의 세상을 꿈꾼다고 하기에는, 그냥…… 그건 인간의 본성상 불가능한 일입니다. 그들도 한때는 인간이었으니까요. 그럼 뱀파이어들이 원하는 건 세대교체일 수밖에 없습니다. 지배층의 세대교체."

셀레나는 한 대 얻어맞은 것 같았다.

"그럼 처음부터 목표는……."

"예. 인간 권력자들을 제거하는 거였겠죠."

오로스코는 고개를 끄덕였다. 다른 비서가 말을 이었다.

"육체적인 힘으로는 상대가 되지 않으니까 그냥 학살해 버리면 편하겠지만, 역성혁명에도 대의명분은 필요하니까요. 저희 인간들이라고 바보가 아닌데 우리 편 권력자들을 학살하고 공포로 지배하려는 자들을 받아들이겠어요? 뱀파이어들도 역사를 보고 배운 점은 있었겠죠. 특히 그 역사를 살아나온 장본인들이라면."

그들끼린 이미 토의를 끝낸 얘기인지 오로스코가 다시 말을 이었다.

"인간 권력자들에게 피해자 이미지를 입힐 순 없었겠죠. 하지만 지상에서 얻은 권세에 만족하지 않고 영원한 삶까지 꿈꾸다가 수상한 바이러스 같은 걸 맞고 집단 자살한 인간들을 어느 누가 그리워하겠습니까?"

"이제 알 것 같아요."

갑자기 연하가 중얼거렸다. 모두 그녀를 돌아보았다. 연하는 비장한 눈이었다.

"리웨이…… 아니, 스테판이 제노아틱스와 SN에 협력하는 이유."

셀레나도 깨달았다. 그건 아마 자신들의 욕망과 권세를 위해, 제 가족이기 전에 인류의 보물이었던 영웅을 죽인 근시안적인 욕망 덩어리들에 대한 천벌—

욕망하는 일을 멈추지 못하고, 수단과 방법을 가리지 않는 아귀들에 대한 심판. 인간이 인간인 한 다시 같은 짓을 반복할 자들에게 보내는 경고의 효시.

셀레나는 신음처럼 말했다.

"어머니를 죽인 진짜 배후에게 복수하려는 셈이군요."

바로 형제단. SN을 사주해서 블란두스 박사를 죽이고 연구 자료를 강탈한 건 그들이었으니까.

"아 참, 이 말을 드리는 걸 잊었군요."

하인리히는 식어가는 요리를 보고만 있었다. 그런데 문 밖으로 사라졌다가 다시 돌아온 요리사가 말했다.

"영생은 모르겠지만 오래 사시겠군요. 운이 좋으신 걸 보니."

"덕담은 감사합니다만……?"

갑자기 어디서 나온 이야기인지 알 수 없어 하인리히는 난감한 웃음을 지었다. 요리사는 말했다.

"로스가 오늘 형제단을 소집했더군요."

하인리히는 심각해졌다.

"저한테 알리지 않고 말입니까?"

요리사는 어깨를 으쓱였다.

"사방이 폐쇄된 요새라는 건, 적군에겐 강하지만 지름길을 알고 있는 배신자에겐 취약한 법이죠. 유명한 명언에 '역사는 반복된다.'고 하지 않습니까?"

요리사는 흘긋 하인리히를 보며 말하고는 방을 나갔다.

"아니면 마크 트웨인의 말대로 '그대로 반복되진 않아도 그 운율은
반복된다.'고 해야 할까요?"

17

짐승과 꽃

스테판 블란두스. 그는 블란두스 일가가 흡혈귀 그룹의 테러로 사망한 날 구사일생으로 살아난 유일한 생존자였다. 하지만 그는 경찰 조사에서 말했다.

"아무것도 기억나지 않아요."

아무리 물어도 그렇게 대답할 뿐이었다. 주치의는 '강한 충격에 의한 일시적인 해리성 장애'라고 진단했다.

ISLE에서 파견된 후견인 대리인과 ISLE 법무팀 소속 고문 변호사가 스테판을 데려가려 했지만, 그는 루아스인 둘에게 극도로 히스테리를 나타냈다. 너무 난동을 부려서, 그 앞에서는 루아스의 리을 자도 꺼낼 수 없을 정도였다.

결국 스테판은 보호시설로 보내졌고, ISLE에서는 인간으로만 구성된 팀을 보내 꾸준히 그를 설득했다. 하지만 스테판은 완고했다.

"꺼져! 더러운 흡혈귀들!"

TV 패널에 뱀파이어라는 글자만 나와도 패널을 깨부수어 버릴 만큼, 청년은 분노와 증오로 무장하고 있었다. ISLE은 그런 상황에서 억지로 데려와 봤자 상태만 더 악화시키리라 생각한 것 같았다. 일단은 그를 보호시설에 맡겨두고 추이를 지켜보았다.

그런데 어느 날 밤, 스테판은 보호시설을 탈출해 어둠 속으로 사라졌다. 아무런 흔적도 남기지 않고.

ISLE은 소식을 듣자마자 급히 조사단을 파견했지만 스테판은 마치 연기가 되어 증발해 버린 것 같았다. 부랑자나 다름없는 모습으로 슈퍼마켓 CCTV에 찍힌 게 그의 마지막 모습이었다. 시몬도 딱 거기까지만 알고 있었다.

시몬은 그때 그녀가 묵고 있는 호텔 스위트룸 앞에 나타난 여자를 한참 쳐다보기만 하다가 물었다.

"누구라고?"

여자는 무표정한 얼굴이었다.

"스테판 블란두스입니다. 아실 텐데요?"

"알아. 하지만 내가 아는 스테판 블란두스는 남자인데."

이런 얼굴도 아니었고. 무엇보다 스테판 블란두스는 동서양 혼혈이 아니었다. 블란두스 부부는 둘 다 백인이었으니까.

자신을 스테판 블란두스라고 밝힌 여자는 안쪽을 가리켰다.

"좀 들어가서 이야기해도?"

혼자였고, 어쨌든 여전히 인간이긴 한 것 같았다.

"들어와."

시몬은 옆으로 비켜섰다. 스테판은 태연히 안으로 들어갔다.

"어머니의 팀은 꽃에 대해서만 연구한 게 아니었습니다."

스테판은 맞은편 소파에 앉자마자 말했다.

"어떤 유전자가 뱀파이어를 영원히 살게 하는지에 대해서도 연구하셨죠. 거의 초기 단계였고, 목적 자체는 시한부 환자들을 치료하기 위한 거였지만요."

"그래서?"

시몬은 무표정하게 되물었다. 스테판의 이야기에 아무런 흥미를 느끼지 못하는 것처럼. 스테판은 그녀를 보았다.

"이해하지 못하셨습니까? 인간을 뱀파이어로 만들 수 있다고 말씀드리는 겁니다. 의도적으로."

"아니. 내가 묻는 건 왜 나한테 이런 정보를 들고 왔느냐, 그거야. ISLE에 가지 않고."

솔직히 스테판이 가져온 건 매우 솔깃한 이야기였다. 너무 솔깃해서 다소 수상하다 싶어도 덥석 물고 싶을 만큼. 하지만 시몬 자신을 찾아온 게 상식적으로 이해되지 않는 일이었기에, 일단 의도를 의심할 수밖에 없었다.

"ISLE은 물러터진 흡혈귀들의 집합소니까요."

스테판은 태연히 말했다.

"피 대신 마실 수 있는 꽃? 인간과의 공존? 도대체 흡혈귀라는 괴물들이 할 말은 아니죠."

그는 흡혈귀 앞에서 이야기하면서도 단어 선택에 거침이 없었다. 독기가 오를 대로 바짝 오른 느낌이었다.

"아마 날 앉혀놓고 차 한 잔 끓여와서 어머니를 생각해라, 산 사람은 살아야 한다, 이런 이야기나 하겠죠. 하지만 내가 바라는 건 복수입니다. 아주 피비린내 나는 복수."

스테판은 빙긋이 웃었다.

"다 죽여 버릴 거니까요."

스테판은 바로 다음 순간에 웃음을 거두었다. 너무 갑작스러워서 오히려 기괴스러워 보일 정도였다.

그때 시몬은 스테판에게서 자신을 보았다. 껍질을 뚫고 태어난 괴물적인 본성. 하지만 오히려 그것이 본래 모습임을 알았을 때 밀려오는 해방감— 단지 차이는 그녀는 정말 자신을 제한하던 인간의 껍질을 벗어버렸다는 것뿐이었다.

"따라와."

시몬은 말하고 자리에서 일어났다. 그리고 헬기를 타고 대공이 머물고 있는, 지금까지도 부족 군벌끼리의 전쟁이 극심해서 정부군도 섣불리 들어갈 수 없는 정글 속 저택으로 데려갔다. 이 지방을 꽉 잡고 있는 것은 형제단원인 군벌이었다.

대공은 그녀가 데려온 스테판을 보자 물었다.

"뭐야? 그 인간은."

별로 관심은 없지만 한번 물어봐 준다는 투로.

"스테판 블란두스입니다."

시몬이 말했지만 대공은 그 이름 자체를 모르는 얼굴이었다. 예상은 했지만. 그래서 시몬은 덧붙였다.

"쿨리시다이닌을 발견한 박사의 아들입니다."

"아, 그 스웨덴 여자 말이군. 그런데 아들?"

대공은 스테판을 위아래로 훑었다.

"그래서? 복수라도 하려고 뛰어들었나?"

대공은 여전히 별 감흥이 없는 얼굴이었다. 인종에 성별까지 바꿔 나타난 녀석을 보고는 그도 어떤 '인간적인' 반응을 보일 거라고 생각했는데 역시 그에게서 어떤 종류라도 인간성을 기대하는 건 쓸모없는 일 같았다.

"폰을 아무리 쳐 봐야 킹은 잡을 수 없죠."

스테판이 나서서 말했다.

"상대 킹을 붙잡는 가장 쉬운 방법은, 킹을 둘러싸고 있는 상대 폰들을 이용하는 거죠."

"체스에 그런 룰은 없을 텐데."

대공은 그때까지도 무심히 말했다. 스테판은 그 무엇도 올려다보지 않는 오만한 눈빛으로 말했다.

"현실에 룰이란 게 존재하나요?"

대공은 한참 가만히 있었다. 시몬은 건방진 인간 녀석의 목이 날아갈 거라고 생각했지만 대공은 씩 웃었다.

"이건 쓸모가 있겠어."

"솔직히 말하면 네가 배신할 줄 알았어."

대공이 앞을 보며 말하자, 한 걸음 뒤에 서 있는 스테판은 한쪽 눈썹을 추켜들었다.

"전 누군가를 배신한 기억은 없는데요."

"실제로 너희 가족을 죽인 건 SN이니까. 말은 번드르르하게 해도 감정에 휘둘릴 거라고 생각했지."

그래도 상관없다고 생각했을 뿐이다. 리웨이 파웰로 일하면서 넘긴 자료는 충분히 받았고, 성전환수술까지 감행한 각오를 무시한 건 아니지만 인간은 인간이니까. 사 년간 함께 지내면서 정을 붙인 강연하와 함께 ISLE로 돌아갈 거라고 생각했다. 휴지 없인 시청할 수 없는 휴먼 드라마라도 한 편 보게 될 줄 알았는데 자신보다 좀 더 제정신이 아닌 녀석일 줄이야.

스테판은 태연한 얼굴을 풀지 않았다.

"감정에 휘둘리는 건 효율적이지 않은 일이죠. 제가 말씀드리지 않았던가요?"

"방향도 목적도 없는 증오를 흩뿌리고 다녀봤자 진짜 배후가 살아 있는 한 당신들 같은 도구는 얼마든지 만들어진다…… 라는 거였지."

대공은 중얼거리더니 기가 찬 듯이 헛웃음을 토했다.

"요즘엔 뱀파이어를 무서워하는 인간이 없단 말이야."

스테판은 무표정하게 말했다.

"뱀파이어도 자연의 일부니까요. 우리에게 자연은 더 이상 공포와 경외를 주는 존재가 아니랍니다. 극복하고, 이용해야 할 대상이죠."

대공은 스테판을 돌아보았다.

"네 몸도 말이지?"

스테판은 싱긋 웃었다. 경직된 얼굴로 짓는 미소가 괴이한 분위기를 풍겼다.

"여자의 몸으로 하는 섹스도 제법 할 만하거든요."

대공은 가차 없이 소름끼친다는 표정을 내보였다.

"와, 씨발. 무서워. 인간이 제일 무섭다는 어머니 말씀이 이제야 와 닿네. 하여간 이렇게 옛날이 그리울 수가 없어. 옛날엔 한 번 소리치기만 해도 울고불고 도망갔는데 말이야."

대공은 다시 앞을 돌아보았다. 그들이 바라보고 있는 패널에, 시몬이 경호원으로 가장한 SN 대원들과 의사 가운을 입은 연구원들을 데리고 어떤 방으로 들어가는 모습이 비쳤다. 스테판은 데스마스크를 쓴 것처럼 어떤 표정 변화도 없는 얼굴로 그 모습을 지켜보았다.

"뒷일은 우리에게 맡길 셈이었군, 스테판."

이반은 심각한 눈으로 말했다.

"저희가 제노아틱스와 SN을 그대로 둘 리 없다는 걸 알았을 테니까요."

셀레나는 거의 무의식중에 대답했다.

이런 방식이 그 인간들이 한 짓과 크게 다르지 않다는 사실을 스테판이 모를 리 없었다. 그러니까 아마, 함께 갈 셈이었다. 모두가 올려다보는 성벽 위에서 적군의 머리를 잘라 보이고, 스스로도 뛰어내림으로써 만천하에 공표할 셈인 것이다. 악한 수단의 말로를.

셀레나는 꾹 주먹을 쥐었다.

"사실 마음 같아선 다 죽어버려도 상관없을 것 같긴 하지만…… 그들의 자식과 함께 살아갈 세상을 생각하면 그래선 안 되는 거겠죠."

"꽃 같은 보드라운 걸 먹고 사시는 분이 그런 험악한 생각을 하셔서야 되겠습니까?"

오로스코는 조금 차갑게 말했다.

"끝까지 공존하겠다고 약속하셨기 때문에 우리는 당신들을 받아들였습니다."

오로스코는 흔들리지 않는 눈으로 말했다.

"인간들이 사는 곳에는 사회적 협약이란 것이 있습니다. 눈치가 빠른 자들이 빈틈으로 빠져나가기도 하고 때로는 협약이 부조리해 보이기도 하지만 그렇다고 협약 자체를 파기하는 게 답은 아닙니다. 우리는 협약을 수정하고 보완하면서 앞으로 나아가고 있습니다. 언젠가 완성될 것을 꿈꾸면서."

오로스코는 그제야 조금 웃는 것 같았다.

"이곳은 우리가 함께 사는 곳입니다. 함께 노력해야 하는 곳이죠."

셀레나는 주변에 서 있는 사람들을 돌아보았다. 그들은 모두 강한 눈을 하고 있었다.

이들은 제 이빨로 제 뿌리를 파먹는, 육식성의 파괴적인 동물들. 한철 왔다 가버리는 한해살이식물들. 하지만 대를 이어 지치지도 않고 피고, 또 피어나는 꽃들. 마치 꽃과 같은 짐승들.

"가죠."

셀레나는 빛을 향해 걸음을 돌렸다.

"우리 소장님 기다리다 지쳐서 혼자 탈출하시겠어요."

수많은 발걸음들이 앞으로 나아갔다. 여자, 남자, 인간, 루아스……. 햇빛이 저 멀리까지 내뻗어 있는 활주로를 화사한 손길로 훑었다.

사방으로 검은 사람들이 각 수송기에 오르고 있었다. 이반을 기다린 듯 가까이 있는 예거들 중 거의 자주색을 띤 붉은 눈을 가진 아시아인, 개중에서도 몽골인에 가까워 보이는 남자가 규하를 돌아보았다. 수색 작업을 마치고 막 귀환한, 렉스의 두 번째 클리엔테스였다. MCTC 중앙 근위사단 제1예거 연대 휘하 다섯 개 대대 중 첫 번째 대대의 대대장 타우가 중령이었다.

타우가는 말했다.

"꼭 소장님을 모시고 돌아오겠습니다."

검은 마스크 위로 붉은 눈동자가 진중했다. 렉스처럼.

"부탁드립니다."

규하는 고개를 숙였다. 타우가는 묵례하고, 수송기에 오르는 예거들에게 합류했다.

마지막으로 이반은 연하를 돌아보았다. 로터 블레이드가 일으키는 바람이 그의 머리카락을 흩날렸다.

"다녀올게."

"다녀오세요."

사람들이 지나가는 사이, 이반은 손을 뻗었다. 그리고 연하의 뒷머리를 감싸고 끌어당겨, 키스했다. 연하는 눈을 감았다.

계단 앞에 나타난 검은 리무진에서 이반이 내린 순간이 불과 몇 개월 전 겨울이라는 사실이 믿기지 않았다. 이제 공기에서 여름의 냄새가 났다. 다음 여름이 오면, 그들은 셋이 될 것이다. 아니, 넷, 다섯…….

수없이 많이.

연하는 알 수 있었다. 다음 여름은 아주 아름다울 것이다. 그 여름을 향해, 수송기는 폭풍을 일으키며 날아올랐다.

시몬은 빛으로 나아갔다. 서커스를 구경하려고 모인 것처럼 사람들이 각 테이블에 빙 둘러 앉아 있었다. 그들에게선 하나같이 부의 냄새가 흘렀다. 유산에 의한 부, 운에 의한 부, 재능에 의한 부, 적법하지 않은 수단에 의한 부⋯⋯.

가운데 자리로 나아간 시몬은 서커스를 시작하기 전에 소개하는 단장처럼 묵례하고 말했다.

"오늘 여러분을 급히 모신 이유는, 아주 좋은 소식을 전해 드리기 위해서입니다. 저희의 숙원 사업이 드디어 이루어졌습니다."

시몬이 옆으로 손짓하자 문이 열리고, 스테판이 걸어 나왔다. 당연하지만 아무도 스테판을 알아보지 못하는 것 같았다.

그를 따라 나온 남자들이 가운데 테이블에 서류 케이스를 올려놓고 열었다. 그 안에는 밀봉된 수상한 통이 놓여 있었다.

시몬은 손을 내리고, 낮게 숨을 내쉬었다.

"한 가지 애석한 소식은, 이 정보를 입수한 정부군이 오고 있다는 점입니다."

스테판 뒤에 있는 화면에 무인정찰기가 촬영하는 것 같은 하늘이 떴다. 하늘을 새까맣게 뒤덮은 듯이 보이는 항공부대가 날아오고 있었다. 그리고 개중 한 대에서 미사일이 날아와 무인정찰기를 덮치고 화면이 꺼졌다. 사람들은 웅성거렸다.

"역시 그랬군."

개중 한 남자가 이를 갈며 말했다.

"한 놈이 스파이였어. 어딘가로 급히 연락을 취하더라고. 하늘에서

던져 버렸지. 믿었던 녀석인데."

그는 몰랐겠지만 크게 시몬을 도와주었다. 그녀의 말에 설득력을 만들어준 셈이니까.

시몬은 안타까운 얼굴을 했다.

"정부군에 압수되면 언제 다시 이 같은 자리를 만들 수 있을지 미지수입니다. 그리고 여러분께 어떤 법이 적용될지도, 모르겠습니다. 하지만 이미 영원히 사시게 된 분들께 그런 건 사소한 문제가 아니겠습니까? 기회는 이 순간뿐입니다. 기꺼이 다음 세상으로 가실 분은 누구입니까?"

사람들은 아직도 주저하고 있었다. 사실 욕망을 내려놓고 이 자리를 걸어 나가는 사람이 있다면 시몬은 그냥 보내줄 의향도 있었다.

어디 한번 나가봐.

그렇게 말하듯 시몬은 미소를 지었다. 하지만 그녀는 알고 있었다. 여기 있는 누구도 영생의 문 앞에서 돌아설 리 없다는 것을. 그럴 가능성이 조금이라도 있는 인간이었다면 이 자리까지 오지도 않았을 것이다.

시몬은 마치 양손에 생사의 카드를 쥔 신이 된 기분이었다. 이때의 환희만으로도 절정에 오를 수 있을 것 같았다.

한 남자가 마침내 결심한 듯, 혹은 자신의 호기와 결기를 증명하듯, 탁자를 내려치며 말했다.

"좋아. 가져와."

시몬은 뒤에서 기다리는 연구원들에게 고갯짓했다. 연구원 둘이 그에게 다가가 옷소매를 걷게 했다. 남자는 하란 대로 하면서 시몬을 보았다.

"확실한 거겠지? 만에 하나 내가 잘못된다면……. 알지? 내 경호원들은 모두 뱀파이어야."

가진 것을 지키기 위해 루아스를 경호원으로 고용하는 부자들은 오래전부터 있었다. 거의 루아스의 존재가 밝혀졌을 때부터.

시몬은 조금 웃었다.

"물론이죠."

하지만 이 조병창에 SN 대원들이 얼마나 포진해 있는지 모르니까 저런 순진한 소리를 할 수 있을 것이다.

"나도 줘요."

몇 테이블 건너 앉아 있는 여자도 나섰다. 그녀는 일전에 시몬에게 바이러스를 재촉했던, 여배우 겸 뷰티 사업가였다.

여자는 주저하는 사람들을 비웃는 눈으로 보았다.

"뭘 주저하고 있는 거람? 다들 여기 돈 엄청 쓰지 않았어요?"

그리고는 여자는 시몬을 날카롭게 보았다.

"하지만 일 처리가 미흡한 건 마음에 들지 않는군요. 꼭 이런 급박한 상황을 연출해야겠어요?"

"깊이 사과드립니다. 다음부터는 더 만족하실 수 있도록 노력하겠습니다."

시몬은 고개 숙여 사과했다. 그 순간에는 거의 진심으로. 설마 그녀가 그들을 몰살하는 엄청난 일을 할 거라고는 상상도 하지 못하는 이들의 순진한 오만함에 대한 경배에 가까웠다.

호기로운 행동은 전염성이 있기 마련이었다. 두 사람이나 나서자 다른 사람들도 체면, 용기, 혹은 자신만 도태될까 하는 두려움에 모두 가져오라 외쳤다. 정말 단 한 사람도 빠짐없이. 시몬은 소리 내어 웃고 싶었다. 하지만 소리 없는 웃음이라도 신은 들을 수 있을 것이다. 이런 더러운 욕망 덩어리들을 굳이 자신의 형상까지나 따서 만든 그에 대한 비웃음 소리를.

연구원들이 각 사람들 앞에 섰다. 그 모습을 보며 시몬은 말했다.

"고통은 잠깐일 겁니다."

정말로, 잠깐일 것이다. 영원한 잠은 달콤할 테니까.

바이러스, 실제로 독약에 불과한 것은 천천히 주사기에서 모두의 팔로 미끄러져 들어갔다.

시몬은 속으로 코웃음을 쳤다.

'100% 감염에 성공하는 루아스 바이러스? 그런 건 없어.'

모든 방향에서 시도해 보았지만 현재 기술력으로는 불가능하다는 게 결론이었다. 하지만 연구원들이 그런 과학적인 판단을 내리기 전부터 시몬은 알고 있었다. 아직 때가 아니라는 걸. 계속 연구 장소를 바꿔왔던 건 MCTC와 ISLE보다 형제단을 속이기 위한 것이었다.

하지만 그녀는 언젠가 바이러스가 개발되는 시대로 나아갈 것이다. 그리고 그때가 되면, 지금까지 영생을 결정하는 건 전적으로 우연 혹은 확률이나 자연, 신의 뜻이라고 부르는 것이었지만 앞으로는 시몬 드무스티에가 될 것이다.

이내 연구원들이 물러섰다. 사람들은 잠깐 아무 말이 없었다. 저마다 상황을 받아들이고 있는 것 같았다. 정말 효과가 있는 건가 의심스러워하는 사람, 흥분한 사람, 불안해하는 사람, 기뻐하는 사람……. 감정의 전시장 같은 곳을 쭉 둘러보는데 한 연구원이 그대로 테이블 앞에 서 있었다. 물러나지 않고.

"거기 무슨 문제가 있습니까?"

시몬이 묻자 다들 그쪽을 돌아보았다. 연구원은 불안한 시선을 뒤로 던졌다. 그 아래로, 그에게 겨누어진 총구가 보였다. 시몬의 미간이 조금 움직였다.

"비켜."

테이블 주인이 겨누고 있는 총을 옆으로 흔들며 말했다. 연구원은 얼른 물러났다. 테이블에 앉아 있는 건장한 중년 남자는 말레이시아의 건설 회사 사장이었다. 그러고 보니 옛날에 마피아였다.

속이고 사기 치는 데 도가 튼 뒤쪽 세계 인간들은 의심이 너무 많아 주무르기 힘들기 때문에 이번 일에는 포함시키지 않았다. 어쨌든 돈만 있다면 얼마든지 포섭할 수 있는 자들이고. 그런데 손을 씻은 옛 마피아가 하나 섞여 들어왔던 모양이다.

남자는 총구를 내리지 않고 일어났다.

"내가 아주 조금이라도 구린 냄새가 나는 건 선의로도 넘어가 줄 수 없어서 말이야."

시몬은 물끄러미 남자를 보며 말했다.

"그런 의심이 당신을 지금 그 자리에 올려놓았겠죠."

남자는 코웃음을 쳤다.

"바로 봤어. 다들 정신이 나갔군. 이딴 수상한 이야기를 믿다니. 안 그래도 인맥에 좀 도움이 될까 해서 형제단인지 뭔지에 참여한 건데 흡혈귀 여자 하나가 하는 말 따위를 믿고……."

거기까지 말한 남자의 머리가 그대로 굴러 떨어졌다. 그리고 남자 뒤에는 검은 양복을 입은 루아스가 글라디우스 길이 정도 되는 검을 올려친 자세로 나타나 있었다.

피가 솟구치며 남자의 몸이 무너졌다. 주변에 있는 모두 비명을 지르며 일어났다.

"이게 무슨……!"

다들 웅성이며 시몬을 보았다. 시몬은 살짝 고개를 들었다. 하지만 대답은 하지 않았다.

"드무스티에!"

다들 노기에 찬 목소리를 터뜨리는데 갑자기 뷰티 사업가가 제 목 부근을 짚었다.

"느낌이…… 이상해."

여자는 눈에 보일 정도로 식은땀을 흘리며 시몬을 날카롭게 보았다.

"이거 정말 효과가 있는 거야? 그냥 덥기만 한……."

갑자기 여자는 토기가 치미는 듯 입을 막았다. 그리고 겨우 손을 떼고는 다급히 말했다.

"이상해. 그만두겠어. 해독제…… 해독제를 내놔."

여자는 테이블을 밀어 쓰러뜨리고 시몬에게 다가갔다. 그러자 시몬 뒤에 서 있는 루아스들이 앞으로 나와 여자를 막아섰다. 여자는 거의 황당해하는 것 같았다.

"드무스티에!"

여자가 짜증을 담아 외쳤지만 시몬은 여전히 대답하지 않았다.

"지금 이게 뭐 하는 짓이야! 당장 해독제를 내놓지 못해!"

여자는 루아스들을 제치며 다가오려 했다. 루아스들이 양쪽에서 그녀의 팔을 잡았다.

"드무스티에!"

여자는 거의 악을 썼다. 아는지 모르겠지만 눈에서 붉은 눈물이 흐르기 시작했다. 티끌 하나 없는 하얀 투피스 정장에 보기 싫은 얼룩이 지고 있었다.

쯧쯧……. 하필 하얀 옷을 입고 와서.

한가롭게 생각하는데 시몬은 갑자기 미간이 움찔했다.

"드무…… 스티에!"

여자가 루아스들을 끌고 다가오고 있었다. 루아스들도 눈에 띄게 당황했다. 다급하게 온 힘을 다해 여자를 끌어당겼지만 여자는 마치 루아스가 된 삼손 같았다. 순식간에 눈가가 퀭하게 패인 창백한 얼굴로 붉은 눈물을 흘리면서 괴물 같은 힘을 발휘했다.

"네가 이러고도 무사할……!"

여자의 얼굴에서 혈관이 단번에 폭발하는 것 같았다. 실제로 퍽 소리가 들릴 정도였다. 동시에 온 구멍에서 핏물을 안개처럼 뿜어냈다. 허공을 향해 터져 오른 핏물을 그대로 뒤집어쓰는 순간 시몬은 눈을 감았다.

쿵 소리가 났다. 다시 눈을 뜨자, 영원한 삶보다 영원한 아름다움을 원한 여자는 온몸에서 피를 뿜어낸 것 같은 기괴하기 짝이 없는 몰골로 쓰러져 죽어 있었다. 미인이었는데 모습이 말이 아니었다.

사람들이 비명을 지르는 소리는 그다지 크지 않았다. 이미 대부분 여자와 같은 운명에 처했기 때문이다. 그나마 서 있는 사람들도 곧 쓰러져 아무 소리도 내지 못했다. 금세 정적이 찾아왔다.

시몬은 손수건을 꺼내 얼굴을 한 번 닦고 스테판을 돌아보았다.

"스테판."

스테판은 그녀를 돌아보았다. 빛 때문인지 좀 창백해 보이긴 하지만 일반 사람이라면 평생 트라우마에 시달릴 것 같은 모습을 목격하고도 무심한 얼굴이었다. 그가 원한 대로 아주 피비린내 나는 복수였다.

스테판은 말했다.

"프로토타입입니다. 보다시피 부작용이 심하죠. 어쨌든 바이러스를 맞고 죽은 걸로 돼야 하니까요."

"쓸데없이 과한 연출이야."

"저는 필요한 부분이라고 생각했습니다."

일단 지금은 지체할 시간이 없었다. 시몬은 밖으로 나섰다. 간이 건물의 어스름한 복도를 지나자 밤하늘 아래 넓은 공간이 펼쳐졌다. 어두운 산등성이 아래 간이 건물들이 드문드문 놓여 있고, 가운데 헬기장 식별 표시가 그려진 곳에 헬기가 대기 중이었다. 그 앞에 SN 간부 둘과 함께 서 있는 대공이 돌아보고 말했다.

"생각보다 비명 소리가 크던데."

"일은 차질 없이 끝났습니다."

시몬은 말하며 대공을 지나쳐 갔다.

"수고했군."

대공이 말했다. 시몬은 그에게서 조금이라도 치하의 말을 기대하진 않았지만 듣기 나쁘진 않다고 생각했다. 그리고 말하며 헬기로 갔다.

"그럼 가죠."

"그래."

대공이 대답하고 움직이는 순간, 시몬은 갑자기 돌아섰다.

"저 혼자요."

바로 그녀 뒤에 있는 대원들이 테러리스트의 무기라는 AK-47 소총을 개량한 MK-47을 겨누었다. 대공은 제 뒤에 있는 SN 간부 둘을 흘긋 보았다. 간부 둘은 무표정한 얼굴로 그냥 서 있을 따름이었다. 대공은 별로 놀란 것 같지 않은 투로 말했다.

"이미 넘어갔군."

"죄송합니다."

간부 둘은 묵례하고 말했다. 대공은 다시 시몬을 보았다.

"하긴, 배신자는 너였지. 애나 로스. 예상 못한 건 아냐. 설마 이렇게 진부한 흐름일 줄은 몰랐지만."

대공은 대원들이 겨누고 있는 소총을 눈짓했다.

"하지만 그런 걸로 날 막을 수 있을 거라고 생각하진 않겠지."

"물론이죠."

시몬은 빙긋이 웃었다.

"당신을 막을 건 제가 아니니까요."

대공은 눈밑이 조금 움직였다. 사방에서 이쪽으로 다가오는 소리는 그도 이미 듣고 있으리라. 시몬은 돌아서며 말했다.

"그럼 여태 감사했습니다."

"시몬."

대공이 불러, 시몬은 흘긋 돌아보았다. 흩날리는 바람 가운데 대공은 차분해 보였다. 거의 발작을 일으키며 분노할 줄 알았는데 생각보다 감정적이지 않은 반응에 시몬은 김이 샐 정도였다.

대공은 알 수 없는 빛이 지나가는 눈으로 말했다.

"넌 눈이 멀었어. 욕망할 줄도 모르다가 욕망하는 법을 배우고 신세계를 본 것처럼. 그래서 남의 욕망이 뭔지는 알 생각조차 하지 않지."

시몬은 코웃음을 쳤다.

"의외군요. 당신이 그런 말을 하다니. 자신의 목적을 위해서는 세상까지도 갈아 넣으실 분이 아니었던가요?"

대공은 입을 꾹 다물고 대답하지 않았다. 그제야 속이 좀 시원해 시몬은 훗 웃고 헬기에 올랐다. 스테판을 포함한 모두가 따랐다.

그들을 태운 헬기는 순식간에 하늘 너머로 사라졌다. 대공은 길게 숨을 내쉬었다. 달아날 수 있는 황금시간대는 놓쳤고, 이번에는 마르코프도 없었다. 지금쯤 아랫것들은 제 목숨을 건지기도 바쁠 것이다. 어차피 그는 달아날 생각도 없었지만 말이다.

그때 소리가 들렸다. 어둠을 밟고 다가오는 조용한 발소리. 대공은 돌아보고 입술을 늘어뜨렸다.

"이반 이바노프."

이반은 어둠을 벗고 걸어 나왔다. 그 뒤로 예거들이 어둠에서 하나둘 떠올랐다. 하나같이 하얀 얼굴에 검은 제복을 입고 있어 저승사자의 군대 같았다.

이반은 멈춰 섰다. 그리고 대공 뒤에 웅크린 짐승 같은 간이 건물을 쳐다보았다. 건물 뒤쪽에서 잠입한 팀들이 돌입했는지 소리가 들려왔다. 그런데 웅성거리는 소리가 점차 커지는 걸 보니 한발 늦은 것 같았다.

대공은 빙글거리며 말했다.

"맞아. 한발 늦었어. 안타깝군. 머리 가죽이 벗겨지도록 급하게 날아왔을 텐데 말이야."

한 예거가 아직 신앙심을 가지고 있는지 조용히 성호를 그렸다. 하지만 그뿐이었다. 더는 감정을 내보이지 않고 자세를 잡았다.

이반은 다른 손으로 쥐고 있는 칼집에서 검을 뽑아 들었다. 스르릉. 칼집에서 빠져나오는 검이 마치 우짖는 것 같았다. 대공은 이죽거렸다.

"쪽수로 밀어붙이는 건 너무 비겁하지 않아?"

"날 이기면 보내줄 수도 있어."

절대 그런 일은 없다는 투였다. 대공은 푸, 볼을 부풀렸다가 숨을 뿜어냈다.

"재수 터지네. 형아를 존경하라고. 어디 기원전 4세기 생밖에 안 되는 게?"

이반은 무심한 시선을 대공에게 던졌다.

"안 그래도, 그 정도 살면 이젠 숨 쉬기도 귀찮을 것 같은데."

대공은 어깨를 으쓱였다.

"한때는 그랬지. 다 그만둘까 했는데 수천 년간 똑같이 밭 갈고 소 치던 인간 녀석들이 갑자기 재밌는 짓들을 벌이기 시작하더라고. 한동안은 그거 구경하는 재미에 시간 가는 줄도 몰랐지. 혹시 너도 갔었나? 런던에서 열린 만국박람회는 정말 재밌다 못해 충격적이었어."

그로서는 상상조차 해 보지 못했던 그 수많은 과학 발명품들……. 정말 오랜만에 진짜 어린아이가 된 것처럼 전시장을 돌아다니며 즐거워했던 기억이 났다.

대공은 이반을 보고 씩 웃었다.

"그리고 진짜 재미는 이제야 막 시작됐지."

이반은 무표정한 얼굴이었다.

"별로, 네가 이제라도 개과천선하길 바라진 않았어."

직접 상대해 줄 셈인 것 같았다. 대공은 진하게 웃었다.

"영광이라고 해야 하나……. 하지만 쉬울 거라고 생각하지 마. 내겐 너보다 아주 많은 시간이 더 있었으니까."

쾅. 문이 폭발했다. 예거들은 재빠르게 돌입했다. 하지만 건물 내부에는 아무것도 없었다. 가운데 감옥 같은 것을 제외하고.

감옥 안에는 침상이 있고, 복잡한 생명유지 장치가 작동되고 있었다. 하지만 정작 침대는 비어 있었다. 누군가가 누웠던 흔적은 있지만 감옥이 부서져 열려 있는 걸 보면 탈주한 모양이었다.

"정말 먼저 탈출하셨군요."

한 예거가 감탄조로 말했다. 타우가는 새삼스럽게 중얼거렸다.

"하긴, 자기 몸은 돌볼 줄 아는 분이시지."

천 년쯤 살아남는 건 운이라고 흔히들 말하지만 이런 걸 보면 천 년을 살아남는 깜냥은 확실히 아무나 가지는 게 아니었다.

"근데 그럼 어디로 가신……."

갑자기 무슨 소리가 들려 예거들은 동시에 천장을 보았다. 건물 바로 위를 날아가는 헬기 소리가 들렸다. 그들은 몰래 잠입하기 위해 멀리서 강하했기 때문에 아군일 리는 없었다. 모두 밖으로 뛰어나갔다. 어두운 하늘 저 멀리, 피아식별(적군과 아군의 구별)이 되지 않는 헬기 하나가 날아가고 있었다. 그들이 왔던 방향으로.

예거 하나가 황당하게 중얼거렸다.

"뭐가 저렇게 급해서 저희와 합류할 틈도 없이 가시는 거랍니까? 구출하러 온 사람 민망하게."

타우가 중령은 신가한 미간을 펴지 않았다.

"감이 좋지 않아."

"괜찮아?"

연하가 물었다. 규하는 엄지손톱을 물고 있다가 흠칫 돌아보았다.

"괜찮아. 근데……."

연하는 조용히 뒷말을 기다렸다. 규하는 주저하다가 결국 말했다.

"불안해."

"뭐가?"

"그냥. 뭔가 잘못되면 어떡하나……."

규하는 애써 웃고는 말했다.

"도대체 넌 이런 중압감을 어떻게 견뎠나 모르겠어. 내가 총 들고 싸우러 간 것도 아닌데."

규하는 뒤를 보았다. 아예 그들에게 들러붙은 것처럼 밀착 경호하고 있는 이 많은 예거들을 보면, 정말 쓸데없는 걱정인 것 같기도 하지만 말이다. 다들 한 몸집 하는 데다가, 방에 인구 밀도가 어찌나 높은지 숨이 막힐 지경이었다.

연하는 이반이 예거 한 명이라도 더 데려가길 바랐지만 그는 단호했다. 다시 연하가 위험에 처하는 가능성이라도 견딜 수 없다는 듯이 말했다.

"내 말 들어."

딱 한 마디 하는데 솔직히 그 순간엔 좀 멋있어 보였다.

연하는 어깨를 으쓱이고 말했다.

"닥치니까 되더라고. 절대 못 할 것 같았는데 그냥 막상 그 상황이 되니까 하게 됐어. 세상 일이 다 그렇지, 뭐."

옆에서 듣고 있던 셀레나가 피식 웃었다.

"추 씨!"

그때였다. 한 직원이 자동문이 다 열리기를 기다리지 못하고 문 틈 사이로 몸을 욱여넣으며 들어왔다. 예거들이 경계 태세를 갖출 정도로 다급하게.

직원이 무어라 외치자 셀레나, 규하, 연하, 모두의 눈이 팽창했다. 셀레나는 바로 뛰쳐나갔다. 규하가 실성한 것처럼 달려 나가려는 것을, 연하가 붙잡았다. 그리고 안으로 밀어 넣고 대신 밖으로 뛰어나갔다. 규하에게 여기 있으라고 말하듯 손짓하며. 하지만 규하는 바로 따라 나가려고 했다. 예거들이 막아섰지만 규하는 미친 듯이 그들을 밀치며 소리쳤다. 힘 때문이 아니라 박력에 밀려 예거들은 비켜줄 수밖에 없었다. 물론 정신없이 달려가는 규하를 재빨리 따랐다.

군부대 입구 같은 정문은 이미 통제되어 있었다. 아니, 그냥 아무도 없었다. 늘 정문을 지키는 경비조차. 모두들 다급하게 대피한 것 같은 모양으로 안쪽으로 몰려 있었다. 그리고 정문 앞에는, 가연이 서 있었다.

"오지 마세요!"

셀레나가 소리쳤다. 연하는 규하를 붙잡으며 멈춰 섰다. 규하는 입을 감싸 쥐며 울고 말았다.

"세상에……!"

가연은 이 거리에서도 눈에 보일 만큼 몸을 떨고 있었다. 과호흡 환자처럼 하악, 하악, 거친 숨을 몰아쉬었다. 눈물이 온 얼굴을 적시며 뚝뚝 떨어져 내렸다.

가연의 온몸에, 폭탄이 둘러져 있었다.

'아무리 너희들이라고 해도 모두를 지킬 순 없어.'

입이라고는 없는 폭탄이 그렇게 이야기하는 것 같았다.

연하와 규하 뒤에서 방폭복을 입은 EOD[17]팀이 달려갔다. 그리고 그들이 가연을 둘러싸고 폭탄을 해체하기 위해 집중하는 동안 아무도 감히 말할 엄두를 내지 못하고 기다렸다. 초조한 시간이 흘렀다. 규하는 몸이 떨려왔다.

정반합의 세계.

다음에 올, 통합의 시대.

'저 아이는 그 시대로 가야 해. 그 시대로 갈 사람은 나보다, 저 아이야. 제발…… 제발 데려가지 마. 차라리 날 데려가. 이 개 같은 신 새끼야.'

분노가 너무 커, 북받쳐 오르는 마음으로 생각한 순간이었다.

"가짜입니다!"

EOD 대원이 벌컥 고개를 들고 외쳤다. 규하는 안도감에 주저앉을 뻔했다. 너무 어지러워 비틀거렸는지 한 예거가 부축해 주었다.

그럼 설마—

연하와 셀레나는 생각했다. 가연을 미끼로 던져 놓고 뒤통수를 치려는 작전일지도 몰랐다. 그래서 얼른 규하를 돌아보았지만 다행히 그녀는 예거들이 틈 없이 감싸고 있었다. 연하와 셀레나는 다시 가연을 보았다. EOD 대원들이 가연에게서 가짜 폭탄을 제거하기 시작했다. 연하는 그 모습을 심각한 눈으로 보다가, 중얼거렸다.

"아뇨."

"네?"

셀레나가 물으며 돌아보았다. 연하는 거의 확신조로 말했다.

"이런 눈속임으로 넘어갈 녀석이 아니에요."

역시 그렇게 생각한 셀레나는 가연에게 다가가 물었다.

"혹시 몸에 뭔가를 넣었나요? 주사하거나."

---

17) 폭발물 처리반, Explosive Ordnance Disposal

"네? 아, 아뇨……."

가짜라는 말을 듣고 그나마 안심하던 가연은 고개를 저었다. 셀레나는 설마 싶었지만 다시 물었다.

"아니면 정신을 잃은 적이 있어요?"

가연은 뭔지는 몰라도 뭔가 잘못되었다는 생각이 들었는지 충격받은 눈으로 고개를 끄덕였다. 셀레나는 가연에게서 시선을 떼지 않고 옆에 있는 EOD 대원에게 물었다.

"혈액을 타고 흐를 수 있을 정도로 소형화된 비금속 폭탄이 가능할까요?"

EOD 대원은 대답했다.

"아직은……. 하지만 비금속 IED[18]는 이미 IS부터 쓴 적이 있습니다."

SN은 조병창을 따로 운용할 정도였으니 그런 걸 개발하지 못했으리란 보장도 없었다. 그리고 만약 그렇다면, 수술로 개봉해서 꺼낼 시간 따위는 없었다. 지금 당장 터져도 이상하지 않은 상황이었다.

셀레나는 한 예거에게 손짓했다.

"꺼낼 수 있겠어?"

예거는 심각한 얼굴이었다.

"아뇨, 저희도 그런 건……."

"제가 할게요."

모두 돌아보았다. 연하가 이쪽으로 다가오고 있었다. 셀레나는 바로 손을 내밀었다.

"다가오지 마세요."

"전 이바노프니까요."

연하는 결연했다. 셀레나는 미간을 찌푸렸다. 확실히 이 자리에서 그런 일이 가능한 유일한 루아스라면 이바노프 혈통뿐이었다.

---

18) 사제폭탄, Improvised Explosive Device

'하지만 상사님을 위험에 처하게 할 수는…….'

생각하는데 연하는 더 생각하지 말라는 듯 손을 들어 보이고는 앞을 지나갔다. 왠지 모를 위엄에 셀레나는 말문이 막혔다. 연하가 다가오자 가연은 떨면서 그녀를 보았다.

"선생…… 선생님……?"

규하를 닮은 얼굴에 가연은 혼란스러운 것 같았다. 버스 테러 때는 연하가 얼굴을 가리고 있었으니까 둘이 얼굴을 마주하는 건 처음이었다. 연하는 손을 뻗어, 흠칫거리는 아이의 머리를 쓰다듬었다.

"괜찮아요. 금방 끝날 거예요."

기세 좋게 말하긴 했지만, 자신은 없었다. 혈액을 타고 흐르는 이물질의 소리는 들으려고 해 본 적도, 들린 적도 없으니까. 하지만—

"'인간이었으니까 이만큼밖에 뛸 수 없다.'는 생각을 버려야 한다는 의미입니다."

언젠가 렉스가 했던 말이 등을 밀어주었다. 연하는 가연의 어깨를 잡아 부드럽게 바닥에 꿇어앉게 하고, 자신도 앞에 앉았다. 그리고 셀레나에게 손짓해서 그의 귓가에 속삭였다.

"마취해 주세요."

폭탄을 제거할 때 필요하기도 하지만 혈류가 느려지는 편이 소리를 듣는 데도 도움이 될 것 같았다. 셀레나는 바로 저쪽에서 대기하고 있는 의료팀에게 손짓했다. 그러자 혹시 모를 사태를 대비해 미리 방폭복을 입고 있는 의료팀 중에서 마취 의사와 간호사 둘만이 다가와 가연의 입에 산소마스크를 씌우고 정맥에 주삿바늘을 연결했다.

"아플…… 아플까요?"

가연은 무언가 느꼈는지 눈에 띄게 떨었다. 연하는 아이를 안심시키기 위해 웃었다.

"아프지 않을 거예요."

그리고 연하는 마취과 의사에게 고개를 끄덕였다. 이내 마취가 시작되고 가연은 금세 잠들었다.

"선생님들도 피하세요."

연하는 라텍스 장갑을 끼면서 마취 의사와 간호사에게 말했다. 하지만 의사는 고개를 저었다.

"의사가 환자를 두고 가는 일은 없습니다."

가연이 수술 환자는 아니지만 그는 제 손으로 마취한 이상 끝까지 책임지겠다는 의지를 보였다. 연하는 더 말하지 않았다. 군인으로서 그런 직업정신을 누구보다 잘 이해하기 때문이었다.

연하는 가연의 어깨에 손을 올린 채 눈을 감았다. 1초, 2초, 3초……. 시간은 영원처럼 흘렀다. 연하는 간간이 미간을 찌푸렸다. 그 작은 움직임 하나에도 주변 사람들은 움찔거렸다.

어느 순간, 몇몇 사람이 어떤 소리를 듣고 하늘을 돌아보았다. 그리고 눈을 크게 떴지만 온 정신을 집중하고 있는 연하를 보고 차마 아무 말도 하지 못했다. 그래도 마냥 태연히 있을 수만은 없어서 몇 번이나 연하를 보고 말을 꺼내려고 했다가 다시 입을 다물었다.

그때 연하가 번쩍 눈을 떴다.

"들었어요."

심장 근처를 지나가는 이물질 소리. 혈관에 몰아치는 혈액에 섞여 있는, 미세한 잡음.

연하는 이를 악물고 손을 내질렀다. 가연의 몸이 흔들렸다.

잡아 뽑았다. 그대로 온몸의 근육을 이용해 일어나며, 연하는 손에 쥔 것을 하늘을 향해 던졌다. 찰나에 기다리고 있던 예거들이 연하를 몸으로 덮어 보호하고, 셀레나와 다른 예거들은 가연 쪽을 보호했다.

공중에서 어마어마한 폭발이 일었다. 공기가 모조리 빨려 들어가는 것 같은 돌풍이 일고, 폭발 에너지에 지상의 물건들이 맥없이 날아가고 넘어졌다.

"ER!"

피부가 저릿저릿한 느낌이 가실 새도 없이 셀레나는 일어나며 소리쳤다. 당장에라도 뛰쳐나갈 자세로 대기하고 있던 의료팀이 달려왔다. 홈을 향해 달리는 야구선수보다 긴박하게 미끄러져 들어와 가연을 처치하기 시작했다.

그런데 이번에는 멀리서 폭풍 소리가 들렸다. 아니, 이건 헬리콥터가 날아오는 소리였다. 엄청난 속도로. 셀레나는 홱 돌아보았다.

"젠장, 또 뭐야!"

바로 시야에 들어온 헬기는 이미 거의 땅에 가까워졌다고는 믿을 수 없는 속도였다. 미사일에 맞았는지 검은 연기가 솟구치고 있었다. 아무것도 모르는 사람이 봐도, 이건 동체착륙 감이었다.

"피해! 다들 피해! 달려!"

모두들 미친 듯이 소리치며 뛰기 시작했다. 그 와중에도 의료팀은 들것에 실린 가연을 보호하며 달렸다. 그들의 가공할 만한 직업 정신에 감탄한 셀레나는 꼭 월급을 올려줘야겠다고 생각하며, 돌아보고 외쳤다.

"상사님!"

바로 머리 위를 날아가는 헬리콥터가 일으킨 모래와 바람 때문에 정확히 보이진 않았지만, 다행히 예거들이 살아 있는 밸리스틱 실드처럼 연하를 몸으로 덮고 있었다. 예거들의 몸 사이로 그녀의 팔이 얼핏 보였다.

헬리콥터는 굉음을 내며 동체로 착륙했다.

연기와 소리가 잦아들 틈도 없었다. 찌그러진 문짝이 폭발하듯 터져 나가고, 연기 사이로 인영이 나왔다. 규하는 그녀를 보호하고 있는 예거들 사이로 눈을 크게 떴다. 목소리가 목을 박차고 달려 나갔다.

"렉스-!"

렉스는 바로 목소리를 따라 고개를 돌렸다. 그는 여전히 끔찍한 몰골이었지만, 저런 다리로 어떻게 버티고 서 있나 싶을 정도였지만, 타오르는 붉은 눈으로 그녀를 보았다.

렉스가 무어라 외쳤다. 울부짖음에 가까운 소리였다. 연하를 보호하느라 반수 이상 뛰쳐나간 상태인 예거들이 흠칫 고개를 돌렸다.

탕.

총소리가 울렸다.

규하는 천천히, 돌아보았다. 혼란한 와중에 옆을 지나가는 줄도 몰랐던, 방폭복 때문에 얼굴이 보이지 않는 EOD 대원이 그녀에게 총구를 겨누고 있었다. 다음으로 어떤 생각도 하기 전에, EOD 대원은 방폭복째 머리가 날아갔다.

서걱. 촥.

규하의 얼굴에 피가 튀고, 하늘을 향해 치솟은 예거의 검 아래로 EOD 대원의 몸이 쿵 쓰러졌다.

규하는 멀리서 연하가 거의 괴성에 가까운 소리로 자신을 부르는 것을 들었다. 그리고 규하는 왈칵 핏물을 토해냈다. 그녀가 무너지는 순간에 예거가 다급하게 받아 안고 소리쳤다.

"목을 맞았습니다!"

SN이 보낸 히트맨은 규하가 방탄조끼를 입고 있다는 걸 알고 있었다. 그러니까 목을 노렸다는 건 정말로, 죽일 셈이었던 것이다.

렉스가 예거들을 헤치고 달려 들어왔다.

"규하!"

"렉, 르……."

목을 맞아서인지 규하는 아무 소리도 낼 수 없었다. 그래서 웃을 수밖에 없었다. 무사하구나, 하고 말하듯이. 이런 와중에도 렉스를 보니 좋아서 정말 웃음이 났다. 누가 들으면 미친년이라고 하겠지만 크루즈가 폭발하고, 호수에 뛰어내리고, ISLE로 온 지, 그러니까 그를 보지 못한 지 겨우 며칠밖에 되지 않았지만 생을 건너 만난 기분이었다. 너무 반가워서, 웃을 수밖에 없었다.

렉스는 주저하지 않았다. 당장 규하의 목을 물어 피를 빨았다. 그리고 몇 번 마시기 무섭게 고개를 들고는 날카로운 이로 제 손목을 거의 씹어 먹듯이 뜯어냈다.

렉스는 바로 규하의 입안으로 피를 흘려 넣었다. 그것만으로도 부족해 계속 그녀의 얼굴에, 목에, 몸에 피를 짜내 부었다. 단숨에 피로 흠뻑 젖은 것처럼 느껴질 정도로. 피의 비를 맞으며 규하는 파르르 눈을 떨었다.

"버텨."

규하의 볼을 쓰다듬는 렉스의 손이 떨려왔다. 그럴 힘만 있었다면 안쓰러워 붙잡아주고 싶을 정도로.

"무슨 수를 써서라도 내게 돌아와."

붉은 눈이 일렁였다. 빙글빙글…… 붉은 옷을 입은 무희가 그 눈 속에서 춤추는 것처럼.

옆에 무릎을 꿇고 있는 연하가 숨을 삼키고 말했다.

"누가 천국에서 높은 자리에 앉게 해준다 해도 따라가면 안 돼."

억지로 참고 있지만 목소리가 잔뜩 젖어 있었다. 연하는 드러나게 떨리는 얼굴로 웃었다.

"거짓말일 테니까."

규하는 웃는 것 같았다. 온통 피범벅이라 확실히 알 수 없었지만 걱정 말라고 이야기하는 것 같았다. 내가 너인 줄 아느냐고—

규하의 눈꺼풀이 내려앉았다. 쿵 하고 철문이 내려닫히듯이. 그 순간 연하는 참았던 오열을 터뜨렸다. 렉스는 남은 한 팔로 그녀를 안았다. 연하는 그에게 안겨 울었다. 아무 일도 일어나지 않았던 것 같은 정적

속에서, 모두 울었다.

거울에 여자가 비쳤다. 한 갈래로 머리를 올려 묶었고, 몸매를 드러내는 투피스 정장을 입었다. 그녀는 아름답고 당당했다.

"드무스티에 씨."

거울에 시몬이 돌아보는 모습이 비쳤다. 뒤에는 고급 양복을 입은 남자가 서 있었다. 그들이 있는 곳은 버킹엄 궁전의 응접실 같은 공간이었다.

"들어가시죠. 기다리고 계셨습니다."

남자는 문이 열려 있는 쪽으로 손짓했다. 시몬은 그를 따라 고동색 원목 느낌이 나는 집무실로 들어갔다. 모든 것이 침착하고 우아했다. 시몬은 정중하게 묵례했다.

"늦어서 죄송합니다."

"아냐."

창가에 서 있는 남자가 돌아보았다. 고동색 눈동자가 온화하게 빛났다.

"딱 적당한 때에 돌아왔어."

대공은 별빛이 반짝이는 하늘을 보며 숨을 몰아쉬었다.

"망할……. 역시 안 되네."

한 팔과 두 다리가 날아갔고, 배에는 검이 똑바로 꽂혀 있었다. 너무 아파서 어디서부터 아프다고 해야 할지도 알 수 없었다.

대공은 제 머리맡에 서 있는 이반을 보며 말했다.

"하여간 적당히 좀 하지."

하지만 이미 인간이었을 때 무패의 정복왕으로 이름이 높았던 녀석을 이 정도로 상대한 것만 해도 대공은 자신이 기특했다. 인간이었을 때부터 이쪽은 전사 타입은 아니었으니까. 사실 자신이 더 오래 살았다는 어드밴티지가 없었다면 이 정도도 상대가 되지 않았을 것이다.

"이바노프 씨."

그때 한 예거가 다가와 이반에게 무어라 말했다. 이반의 미간이 움찔했다. 그리고 다시 대공을 내려다보았다.

소식을 들었군. 대공은 웃었다.

"너희들만 인간을 써먹을 줄 아는 건 아니거든."

물은 바늘구멍만 있어도 스며들 수 있는 법이니까. 그리고 한 발의 총알은, 강연하라면 몰라도 약하디약한 인간의 가슴은 뚫을 수 있었다.

이 경우엔, 목인가.

대공은 태연히 생각했다. 사실 시몬이 달아나고 그도 정말 진심으로 도망가려 했다면 가지 못할 것도 없었다. 하지만 도망가지 않은 이유는 이바노프를 이곳에 잡아놓기 위해서였다. 이바노프가 저쪽 현장에 있었다면 너무 쉽게 끝나 버렸을 테니까.

"그래서, 어때? 결과는? 누가 죽고, 누가 살았지?"

대공은 그것만은 좀 궁금해 물었다. 그런데 이반은 입을 열다가 갑자기 하늘을 돌아보고는 중얼거렸다.

"증원이 온다는 소리는 듣지 못했는데."

"네? 무슨……."

옆에 있는 예거가 이해하지 못하고 반문하다가 무전에서 무슨 소리가 들린 듯 귀를 짚으며 말을 멈추었다. 그리고 날카로운 눈빛으로 잠깐 듣더니 이반을 보았다.

"후퇴해야 할 것 같습니다. 이바노프 씨를 체포하기 위해 오는 것 같습니다. ISLE에 대한 대규모 감사가 시작됐습니다. 이 시간부로 직위가 해제되고 대기 발령 상태로 전환되셨습니다."

이반은 미간에 주름을 잡았다. 하지만 그 이상 반응은 없었다. 예거가 덧붙였다.

"본사에도 병력이 가는 중이라고 합니다."

갑자기 대공이 크게 소리 내어 웃었다. 그러다 힘을 주자 아픈지 '아야야' 소리를 냈다.

"시몬 녀석, 제법 하잖아. 한 번에 털어버리려고 여태 벼르고 있던 거였어."

이반이 보자 대공은 씩 웃었다.

"나까지 같이 털어버리려고 하는 줄은 몰랐지만 말이야. 정말 여자가 한을 품으면 오뉴월에도 서리가 내린다니까. 안 그래?"

"이바노프 씨."

예거가 초조한 듯 불렀다.

"타우가에게 피하라고 전해."

이반은 말하며 돌아섰다.

"어이, 난 이대로 두고 가는 거야?"

대공이 장난기 가득한 어조로 물었다. 여기까지 그를 잡아놓고 데려갈 수 없는 이유를 알면서 조롱하듯.

이반과 예거들이 어둠 속으로 사라져 가는 내내 웃음소리가 따라왔다.

셀레나는 정신을 차리고 자신이 해야 할 일을 상기했다. 이 자리에서 가장 이성적으로 행동해야 하고, 행동할 수 있는 사람은 그였다. 셀레나는 비서를 돌아보고 말했다.

"어서 병원으로 이송하세요. 수습팀을 부르고……."

"추 씨."

상황을 수습하고 있는데 한 비서가 말했다.

"전화를 받아보셔야 할 것 같습니다. 오로스코 비서실장님입니다."

그 말에 셀레나는 안 그래도 아까부터 울리고 있는 밴드를 건드려 전화를 받았지만 막 가연을 실어가는 응급차를 보느라 시선이 팔려 있었다. 그 찰나, 헬기가 날아오는 소리가 들렸다. 로터가 두 개 달린 치누크 CH-51 헬기, ISLE 마크가 그려져 있었다.

헬기가 폭풍을 일으키며 내려앉았다.

"추 씨!"

이미 열려 있는 문에 오로스코가 매달려 있었다. 뒤에서 헬기 승무원이 몸을 잡아주고 있었다. 목소리는 전화에서 터져 나온 건지, 그가 외친 육성인지 알 수 없었다.

"일이 틀어진 것 같습니다. 감사가 시작됐습니다! 추 씨에 대한 체포영장과 압수수색영장이 발부됐고요!"

오로스코는 다급해서인지 목에 핏대를 세워가며 소리쳤다. 단추를 잠그지 않은 정장 상의와 넥타이, 머리카락이 미친 듯이 흩날렸다.

"이바노프 씨는 예거들을 데리고 현장에서 바로 몸을 피하신 것 같습니다!"

연하는 흠칫했다. 그리고 당장 물어보려는데 셀레나가 먼저 큰 목소리로 물었다.

"대공은 어떻게 됐습니까?"

"이바노프 씨가 놓고 간 걸 MCTC에서 데려갔답니다! 로스는 달아났고요! 지금 당장 피하셔야 합니다!"

오로스코는 목이 터져라 소리쳤다. 셀레나는 바로 연하를 돌아보았다.

"가세요."

"하지만……."

연하는 바로 반박하려고 했다. 하지만 셀레나는 말씨름할 시간조차 없다는 듯 손을 들어 막았다.

"강 상사님은 절대 저쪽 손에 넘어가면 안 됩니다. 이바노프 씨가 움직이실 수 없게 될 테니까요. 저도 지금 잡혀가면 돌봐 드릴 수가 없습니다."

셀레나가 말하면서 손짓하자 의료팀은 바로 규하를 들것에 신고 렉스를 부축해서 헬기에 올랐다. 급박하고 혼란한 상황이었다. 하지만 의료팀은 그들이 해야 할 일이 뭔지 알고 있고, 거기에만 집중하는 것 같았다.

연하는 그 모습을 보았다가 셀레나를 보았다.

"그럼 셀레나 씨도 같이 가요."

셀레나는 고개를 저었다.

"소장님과 상사님은 아무리 죄목을 가져다 붙여봐야 명령 불복종 정도입니다. 안 그래도 이런 사태를 대비해서 소장님은 최대한 ISLE과 연결 고리를 만들어놓지 않았으니까요."

그와 렉스 사이에 스캔들이 터지긴 했었지만 그건 그냥 웃어넘길 수 있는 정도였다. 어떤 확실한 연결 고리도 찾을 수 없는 단순한 추측성 기사에 지나지 않았으니까.

셀레나는 진지한 얼굴로 연하를 보았다.

"하지만 이 시간부로 저는 체포영장이 발부된 피의자 신분입니다. 제가 같이 달아나면 오히려 병력을 보낼 빌미를 주는 게 돼버립니다."

반박할 수 없어진 연하는 마지못해 고개를 끄덕였다. 사단장인 렉스의 권한이 정지됐을 정도면 일개 부사관인 그녀가 할 수 있는 일은 없다고 봐야 했다. 몸까지 이런 상태여서야.

셀레나는 살짝 연하의 등을 밀면서 말했다.

"가세요, 어서. 두 분이 안전해야 저희도 자유롭게 행동할 수 있다는 거 잊지 말아주세요. 아시겠죠?"

연하는 고개를 끄덕이고 헬기에 올랐다.

"알겠어요."

"출발하세요."

모두 헬기에 타자 셀레나가 말했다. 그때 연하 안쪽에 앉아 있는 렉스가 셀레나를 불렀다.

"셀레나."

셀레나를 신뢰해서인지 이런 상황에서도 렉스는 평소처럼 침착한 얼굴이었다. 하지만 걱정과 우려가 뒤섞인 눈빛은 어쩔 수 없었다.

"무사해야 합니다."

렉스가 말하자 셀레나는 웃었다.

"제가 언제 우리 파트로네스님을 실망시켜 드린 적이 있던가요?"

철컹. 문이 닫히자마자 헬기는 지체하지 않고 떠올랐다. 연하는 창 너머로 아래를 보았다. 하나의 도시 같은 거대한 ISLE이 금세 작아졌다. 그리고 마침 정문에 국가정보기관과 특수진압경찰 차량들이 달려와 셀레나 일행을 포위하는 모습이 보였다. 셀레나 일행은 전혀 저항하지 않았다.

연하는 꾹 이를 물었다. 이렇게 아무것도 할 수 없다니……. 이런 무력감은 12년 전 열차 테러 이후 처음이었다. 결국 강한 육체 능력으로는 눈앞에 있는 벽을 때려 부수는 것밖에 할 수 없다는 걸 실감하고 말았다.

그때 렉스가 숨을 한 번 몰아쉬고 의사에게 말했다.

"하이마 오메가가 있습니까?"

"소장님, 그건……."

연하가 말하려 했지만 렉스는 의사를 보고 있을 뿐이었다. 의사는 마지못해 대답했다.

"있긴 합니다만 안정성 문제가……."

"상관없습니다."

의사는 연하를 한 번 보았다. 그녀가 아무 반응도 하지 않자 하이마 오메가 케이스를 서랍에서 찾아와 'Xenoatix' 이름이 쓰인 밀봉을 뜯었다. 그리고 주사기를 꺼내 렉스의 팔에 놓아주었다. 상황이 상황이었기 때문에 연하는 말릴 수 없었다.

"이걸 제가 쓰게 될 줄은 몰랐군요."

주사기 속 액체가 팔 안쪽으로 스며들어 가는 모습을 보며 렉스도 새삼스럽게 중얼거렸다. 한동안 정적이 감돌았다. 갑자기 렉스가 나직이 말했다.

"Omne ens est bonum, quatenus est ens……."

연하는 의아하게 그를 보았다.

"라틴어인가요?"

"아우구스티누스 교부께선 '존재하는 한 모든 사물은 선하다.'고 하셨죠."

렉스는 연하를 보았다. 부상 때문에 신열을 띤 눈동자가 묘한 빛을 발했다.

"과연 그렇습니까?"

옅은 비상등만 켜져 있는 어둠에 불이 한꺼번에 들어왔다. 그리고 자동문이 열리고 부호의 별장 같은 커다란 방에 시끄러운 기척들이 밀어닥쳤다.

"여기! 이쪽으로!"

의료팀이 규하가 누워 있는 이동식 침대를 끌고 들어오고, 이어서 휠체어에 앉은 렉스를 데리고 들어왔다.

"조심해!"

"거기 드레인!"

의료팀은 두 팀으로 분산되어서 각자 규하와 렉스를 처치하기 시작했다. 규하 팀은 휴대용 의료 장비들을 떼어낸 후 안전가옥에 준비된, 제대로 된 것들을 연결하고, 렉스 팀은 그를 침대로 올려 응급 처치했던 상처들을 다시 치료했다. 방은 순식간에 응급실을 방불케 하는 의료 현장으로 바뀌었다.

연하는 방해가 되지 않도록 모든 의료팀이 들어가고 나서야 방으로 들어왔다. 그리고 이 안전가옥에 대해 잘 아는 사람으로서 현장을 진두지휘하느라 바쁜 오로스코를 붙잡고 물었다.

"이반과 연락이 가능한가요?"

오로스코는 고개를 저었다.

"자칫 위치를 파악당할 수 있습니다. 연락은 정말 비상시에만 가능합니다."

"이곳으로 올 가능성은……."

"이곳으로는 오시지 않을 겁니다."

갑자기 목소리가 들려와 연하는 돌아보았다.

"소장님."

렉스가 산소마스크를 씌우려는 의료 대원의 손을 밀어내며 일어나 앉았다.

"시선을 분산시켜야 할 테니까요."

"그럼 이반이 미끼가 된다는 의미잖아요."

"어쨌든 저쪽은 저보다 이바노프 씨를 잡고 싶을 테니까요. 제 힘의 기반은 중앙사단입니다. 상부에서 명령만 내리면 쉽게 묶어둘 수 있죠. 그나마도 예거들 대부분 이바노프 씨가 데려간 상황에서 저를 붙잡는 데는 그리 다급해하지 않을 겁니다."

"하지만 시몬이 어떻게 MCTC에 명령을……."

연하는 말하다가 멈칫했다.

"있군요, 대공 말고 또 다른 조력자가."

렉스는 고개를 끄덕였다.

"오히려 제노아틱스와 SN은 그 사실을 숨기기 위한 눈속임인 것……."

거기까지 말한 렉스는 말을 멈추고 힘들어했다. 연하는 정신을 차리고 그를 다시 침대에 눕게 도와주었다.

"일단 쉬세요."

"죄송합니다. 하필 이런 때 이런 몸이어서……."

연하는 고개를 내저었다.

"그런 말씀 마세요. 이반을 지켜주셨잖아요. 이반이 그랬어요. 폭발을 소장님이 먼저 막지 않았더라면 무사하지 못했을 거라고."

렉스는 살짝 고개를 저었다.

"마지막엔 이바노프 씨가 절 끌어당겨 대신 맞았습니다. 그래서 저도 살아남을 수 있었던 겁니다."

분명히 먼저 뛰어든 건 렉스였기 때문에 그는 온몸이 터져 나가는 거대한 폭발 에너지를 정면으로 맞았다. 그런데 존재 자체가 지워질 것 같은 불길의 폭풍 속에서, 어깨를 휘어잡는 손이 있었다. 손은 그를 끌어당겨 감싸 마지막 충격으로부터 보호했다. 천 년 전 불길 속에서 그를 끌어냈듯이.

"이러니저러니 해도 두 사람, 사이가 좋아요."

연하는 분위기를 가볍게 해 보려는 듯 말했다. 렉스는 연하를 보았다.

"항상 감사하고 있습니다. 이바노프 씨에겐. 그날 불길 속에서 절 다시 꺼내주셔서. 천 년 동안 말하지 못했지만요."

그리고 렉스는 규하를 돌아보았다. 목에 난 상처를 봉합하는 의사들 사이로 규하는 마치 잠든 것 같았다. 하지만 내부에서는 자칫 쇼크사할 수 있는 엄청난 고통과 싸우고 있을 터였다.

갑자기 연하가 꾹 그의 손을 잡아, 렉스는 다시 시선을 돌렸다.

"돌아올 거예요. 감염은 간절한 사람들이 이기는 거니까요."

"그 말은……. 이바노프 씨가 말씀해 주셨군요."

연하는 고개를 끄덕였다.

"물에 빠진 사람처럼 뭐가 뭔지 몰라 그저 허우적대기만 했던 저도 감염을 이겼잖아요. 규하는 우리가 기다리고 있다는 걸 알아요. 감염을 이기지 못할 리 없어요.”

렉스도 손 안에 있는 연하의 손을 꽉 잡았다.

“그래요. 돌아올 겁니다.”

“얼른 쉬고 회복해 주세요. 규하가 일어났을 때 멀쩡한 모습으로 반겨주셔야죠.”

렉스는 갑자기 연하를 물끄러미 보았다. 연하가 그 시선의 의미를 궁금해하자 말했다.

“처음 만났을 땐 강 상사가 이렇게 믿음직하게 느껴질 날이 올 거라고는 생각 못 했는데 말이죠.”

연하는 희미하게 웃었다.

“이래 봬도 짬이 있는걸요.”

렉스는 피식 웃었다. 둘 다 이런 때에도 웃을 수 있다는 게 믿기지 않았다. 하지만 규하가 깨어 있었어도 말했을 것이다. 인상 구기고 있다고 뭐가 해결되느냐고.

“쉬세요.”

연하는 말하고 일어나 아직 의료진에게 둘러싸여 있는 규하 쪽으로 다가갔다. 볼이라도 한번 쓰다듬고 싶었지만 감염에 어떤 영향이라도 줄까 봐 섣불리 건드릴 수 없었다. 할 수 있는 것은 기도뿐이었다.

크루즈에서 폭발이 일어나고 이반이 실종되었을 때 연하는 처음으로 기도란 것을 해 보았다. 의미가 없다고 생각하면서도 기도라도 하지 않고서는 버틸 수 없었기 때문이다.

이 세계는 믿음이란 게 배신당하는 세상일지도 모른다. 그럼에도 또, 믿는 수밖에 없었다. 연하는 기도하듯 손을 꾹 맞잡고 애타게 중얼거렸다.

“버텨줘, 제발······.”

연하는 의식이 없는 규하 옆에 홀로 앉아 있었다. 사방은 모든 난리가 거짓말이었던 것처럼 고요했다. 할 수 있는 모든 처치를 끝낸 의료진은 자리를 비웠고, 한쪽 벽을 채운 거대한 패널에서는 느긋한 자연 풍경이 지나가고 있어 방은 꼭 평범한 병실 같았다.

연하는 손목 밴드로 시간을 확인했다. 이곳에 도착한 지 20시간이 지나가고 있었다. 규하에게서도, 이반에게서도 소식이 없는 채로.

렉스는 깼다가 규하를 확인하고 다시 잠들었다. 어쨌든 휴식을 취해야 회복되기 때문에 억지로라도 계속 잠을 청하게 했다.

연하는 침대에 팔꿈치를 대고 모아 쥔 손 위에 입술을 대었다. 애써 내색하지 않았지만, 사실 가장 초조한 건 그녀였다.

'괜찮겠지, 이반.'

수송기에 오르던 이반의 마지막 모습이 떠올랐다. 작전만 끝나면 금방 돌아올 거라 생각했는데 또 그 모습이 마지막이라면…….

연하는 꾹 입술을 깨물었다. 만약 이반도 규하도 돌아오지 않는 세상이라면, 그녀는 살아갈 자신이 없었다. 아무리 생각해 봐도 살 이유가 없었다.

꼭 자신이 죽음의 문턱에 서 있는 듯 인생의 기억들이 주마등처럼 떠올랐다. 자신을 사랑스럽게 보는 부모님, 가족이 함께 TV를 보며 웃는 소리, 돌이켜 보면 첫사랑이었던 것 같은 고등학교 반 친구, 첫사랑의 눈부신 미소, 푸른 물을 가르며 헤엄치는 규하, 수학여행에 가서 먹었던 솜사탕…….

그리고 열아홉 그날.

색이 반전된 사진처럼 다른 색감으로 이어지는, 손안에 들어오는 권총의 차가운 감촉, 어두운 정글을 울리는 새의 음산한 울음소리, 상처 입은 입안에 비릿한 피 맛, 통증, 경멸과 공포가 뒤범벅된 시선…….

연하가 그 모든 걸 견딜 수 있는 이유는 단 하나, 규하였다. 규하가 솜사탕의 맛을 선명하게 떠올릴 수 있는 그런 삶을 그대로 살아가길 바라서.

연하는 꾹 눈을 감았다.

'이반, 난 혼자 살아나갈 자신이 없어요. 이런 세상.'

왜 그녀에게 세상을 원망하는 마음이 없었을까. 아니, 누구보다도 원망했다. 그녀를 경멸하거나 무서워하는 눈들을 보면 외치고 싶었다.

나라고 좋아서 이런 몸이 된 게 아니야. 이제 피를 마시지도 않잖아. 그런데 뭐가 그렇게 무서운 거야.

내부에서 끓어오르는 난폭한 생각들이 터져 나올 것만 같았다. 하지만 그래봤자 상황만 더 악화시키리라고, 변할 게 없다고 알았기 때문에 아무 말도 하지 않았을 뿐이다.

그런데 갑자기 벽 패널이 밝아지며 빛이 쏟아졌다. 제 생각에 빠져 있던 연하는 조금 놀라 돌아보았다. 바람에 풀밭이 흩어지는 풍경이 펼쳐져 있었다.

"아주 많은 걸 봤어."

어느 날 밤 침대에 나란히 누워 있다가 이반이 말했다.

"그런데 이상하지. 고향의 풀밭 위로 노을이 내리던 순간이 잊히지 않아. 이렇게 오랜 시간이 지났는데도. 모든 게 잦아드는 순간 사방에 물씬 내려앉은 공기, 풀 냄새……."

이반은 머리 뒤에 손을 깍지 껴 받치고 천장을 보았다. 하지만 그가 보고 있는 건 천장이 아니라 눈앞에 어른거리는 고향 풀밭의 풍경 같았다.

"이반, 시인 같아요."

엎드려 누운 채인 연하는 정말 감탄해 말했다. 이반은 한쪽 손으로 머리를 받치고 그녀 쪽으로 돌아누웠다.

"이 정도로 시인 같다고 하면 좀 부끄러운데. 그래도 뭐, 평범한 집에서 태어났으면 그런 것도 괜찮았겠지. 음유시인 같은 거. 어쨌든 방랑

벽은 충분했으니까."

연하는 겹친 손 위에 얼굴을 묻었다.

"이반이 가본 데를 이야기해 줘요."

"내가 가본 데?"

"저 일하러 갈 때 빼고는 외국에 나가본 적이 없거든요."

작전을 수행하기 위해 다닌 나라만 해도 두 손으로 꼽기 어렵지만 놀러 간 건 아니었으니까.

"아일에 가봤잖아?"

이반의 말에 연하는 고개를 저었다.

"거기서는 집에만 있다가 왔잖아요. 섬은 둘러보지도 못했는데요."

"하긴, 아일에서는 다른 걸 하느라 바빴지."

"다른…… 이반."

연하는 뭐였지 생각하다가 깨닫고는 얼굴을 붉혔다. 이반은 웃으며 베개에 고개를 내렸다. 눈에 온기가 감돌았다. 연하는 그의 볼을 감싸고 쓰다듬었다.

다시 봐도 참 아름다운 얼굴이라고 생각했다. 하지만 처음 봤을 때 생각한 것처럼 단순히 생긴 모양 때문은 아니었다. 그녀를 보는 시선, 풍겨오는 향기, 맞닿는 살결, 온기, 그 모든 걸 포함해서 '아름답다'는 느낌은 배가 되었다.

이렇게 바라보고 있으면 '나'가 지워지고 오로지 이 사람이 좋다는 마음밖에 남지 않았다. 마치 육체는 사라지고, 영혼만 남는 것처럼.

두 사람은 한참 키스하며 서로를 탐하다가, 이반은 연하의 어깨를 끌어안고 누워 천장을 보았다. 연하는 그의 가슴에 자연스럽게 고개를 기댔다.

"음, 내가 가본 데라."

이반은 어떤 것부터 이야기해 줄까 고민하는 것 같았다. 선택지가 너무 많은 듯. 그러다 마침내 말했다.

"카파도키아에 갔을 때 처음엔 엄청 놀랐어. 황량한 땅에 이상하게 생긴 바위들이 늘어서 있는 게 꼭 다른 세상에 온 것 같았지."

마침 패널은 기암괴석이 늘어선 황토빛 카파도키아의 풍경으로 바뀌었다. 그리고 다른 풍경들이 이어졌다. 말을 타고 긴 길을 달려가며 보듯. 아름다운 풍경들이었다.

지금까지 연하에겐 뚜렷한 욕망이 없었다. 규하가 무사하고, 좋은 삶을 사는 것 정도. 눈앞에 있는 상황에 골몰해 뭔가 더 큰 것을 바랄 여유가 없었다. 세상이 어떻게 됐으면 좋겠다든가, 어떤 불합리한 점이 바뀌었으면 좋겠다든가. 하지만 이제는 바라게 되었다.

'이반……'

연하는 패널에서 시선을 떼지 않고 배에 손을 얹었다.

'나는 만들고 싶어요, 이 아이가 차별받지 않는 세상을.'

인간, 루아스, 그 어떤 존재여도 크게 상관없는 세상……. 당신과 평범한 부부로 살 수 있는 세상을.

"상사님."

그때, 자동문이 열리고 오로스코가 들어왔다. 뭔가 더 묻기 미안할 정도로 그는 피곤해 보였다. 넥타이를 하지 않은 와이셔츠와 주름이 예술적으로 잡힌 잿빛 정장 바지는 삼 일쯤 야근하고 난 샐러리맨처럼 후줄근한 느낌이었다. 셀레나가 없는 이곳 일은 모두 오로스코가 진두지휘해야 했기 때문이다. 하지만 연하는 그가 발을 들여놓기 무섭게 물을 수밖에 없었다.

"들어온 소식이 있나요?"

오로스코는 고개를 저었다.

"이바노프 씨에게선 없습니다. 하지만 이걸 보셔야 할 것 같습니다.

뉴스를 틀어줘."

AI에게 말하자 패널에 뜬 화면이 뉴스로 바뀌고 여성 아나운서가 소식을 전했다.

[당국은 ISLE에 대한 감사에 착수했습니다.]

화면에 셀레나가 경찰에 둘러싸여 차에 오르는 모습이 떴다.

[ISLE의 최고경영자 셀레나 추에 대한 체포영장이 발부되어 긴급 체포…….]

"채널을 5번으로 돌려줘."

오로스코가 말하자 다른 채널로 돌아갔다.

[커다란 비극입니다.]

그리고 바로 목소리가 터져 나왔다. 연하는 움찔 미간을 좁혔다. 화면 속 단상에 서 있는 사람은 시몬이었다. 조의를 표하는 검은 옷을 입었으나 윤기를 발하는 높은 하이힐과 몸매를 드러내는 투피스 정장은 오히려 도발적인 느낌이었다.

시몬은 이쪽을 똑바로 보며 말했다.

[많은 분들이 비명에 간 것에 저희 제노아틱스는 깊은 조의를 표합니다. 당사는 사태 해결을 위해 어떤 도움도 아끼지 않을 것이며…….]

"벌써 정치적인 행보를 시작했더군요."

오로스코는 심각한 얼굴로 말했다.

"설마 시몬이 하려는 건……."

연하는 패널에서 오로스코에게로 시선을 돌렸다. 오로스코는 고개를 끄덕였다.

"정치판으로 나가려는 것 같군요. 루아스가 원래 인간이었다는 명제가 이렇게까지 확실하게 와 닿을 수가 있나요?"

이반은 니트를 끌어 내렸다. 근육으로 된 갑옷을 입은 것 같은 몸이 검은 니트 아래로 사라졌다. 소파에는 그가 막 벗은 제복이 늘어져 있었다.

옷을 입고 난 그의 시선에 한쪽에 틀어져 있는 TV가 들어왔다. 한참 보고 있는데 문이 열리고 타우가가 들어왔다. 이반은 돌아보았다.

타우가도 청바지에 가죽 재킷을 입은 사복 차림이었다. 그도 규하를 만나기 전 렉스처럼 워커홀릭이어서 제복을 벗는 모습을 보는 건 꽤 드문 일이었다.

타우가 팀은 따로 렉스를 구출하러 갔었기 때문에 오히려 달아나기가 수월해 금세 이반을 따라올 수 있었다.

"연하네는?"

이반은 물었다.

"무사히 안가로 들어가셨습니다. 오로스코 비서실장님이 모시고 간 것 같더군요."

"그래? 다행이군."

오로스코는 '유능한 애 옆에 유능한 애' 같은 느낌이라 그나마 셀레나가 없어도 안심할 수 있었다. 하지만 MCTC를 상대로는 안전가옥 자체가 오래 버티기 힘들 터였다.

이반은 팔짱을 끼고, 타우가가 들어오기 전까지 보고 있던 화면으로 시선을 돌렸다.

"타우가."

"네."

"인종적으로 비주류 출신에 돈도, 뒷배도 없는 젊은 의원이 정치적으로 성공하기 위해선 뭐가 필요할 것 같아?"

이반은 조금 뜬금없는 질문을 했다. 타우가는 화면을 보았다. 화면에는 시몬이 성명을 발표하고 있었다. 저 화면을 보면서 왜 그런 이야기가 나오는지는 모르겠지만 일단은 대답했다.

"잘 모르겠습니다."

"기적이야."

이반은 돌아보지 않고 말했다.

"막 뱀파이어의 존재가 공개됐을 때 '뱀파이어와의 공존' 같은 건 내로라하는 기성 의원들도 정치적인 역풍 때문에 감히 언급 못 하던 주제였지. 그런 걸 혼자만 열심히 외치고 있는데 갑자기 하이마가 개발된다든가 하는 그런 기적."

타우가는 가만히 있었다. 잘 모르는 사람들은 그가 말을 무시한다고 생각하겠지만, 사실은 경청하는 것이었다.

하여간 양자인데도 이렇게 렉스를 닮은 클리엔테스일 수가 없었다. 클리엔테스라는 것 자체가 양자이긴 하지만.

이반은 계속 말했다.

"현대의 대중은 별로 피를 좋아하지 않아. 전쟁이 더는 귀족 사이의 국지적인 땅따먹기가 아니라는 걸 알기 때문이지. 전쟁이 일어나면 결국 피해를 입는 건 자신들이니까. 그래서 하이마가 개발되자 평화를 외치는 그 젊은 의원이 속한 소수당에 표가 쏠리기 시작하는 거야. 젊은 의원은 갖은 선거를 휩쓸고, 그러다 결국 총리에, 나아가 비상의장국장으로까지 당선돼."

이반은 타우가를 돌아보았다.

"기적이 일어난 거지."

그제야 타우가는 말했다.

"마드찰란 총리에 대해 말씀하시는 것 같군요."

이라크와 유대계 독일인 혼혈이라는 비주류 혈통에, 독일 소수 정당인 좌파당의 의원이었다가 돌풍을 일으키며 총리가 된 정치인은 한 명뿐이었다. 프리드리히 마드찰란 현 독일 총리. 그는 전시에 가까운 상황에서 당선된 후 지도력을 입증한 이래, 15년째 독일을 이끄는 견인차 역할을 하고 있었다.

"하이마가 개발될 거라는 걸 총리가 알고 있었는지 모르고 있었는지는 신만이 알겠지만."

이반은 무심히 덧붙이고 돌아섰다. 그 모습을 보며 타우가가 말했다.

"하지만 총리가 모종의 커넥션을 통해 알고 있었다 해도…… 하이마가 개발된다고 인류가 뱀파이어를 받아들일 거라는 보장도 없었을 텐데요."

이반은 옷걸이에 걸쳐진 검은 트렌치코트를 꺼내 들었다.

"인생에 어느 정도 도박은 필요한 법이니까. 특히 밑바닥에서 꼭대기까지 커다란 도약을 준비하는 경우엔 더욱. 오히려 그게 유일한 타개책일 수도 있지."

그리고는 테이블에 놓인 휴대용 휴지 팩을 안주머니에 넣고 돌아보았다.

"타우가."

"예."

"지금부터 내가 하는 말을 잘 들어."

"이바노프 씨 말씀은 늘 잘 듣고 있습니다."

이반은 '흠' 소리를 내었다.

"렉스 녀석, 클리엔테스들은 하나같이 잘 들었단 말이지. 사람 고르는 재주가 있어."

타우가는 묵례했다.

"감사합니다."

"자, 그럼…… 구관이 명관이라는 말 알아?"

이해하지 못한 타우가는 살짝 고개를 젖혔다.

연하는 믿을 수 없어 하는 얼굴로 오로스코를 보았다.

"설마 시몬 뒤에 있는 다른 조력자는……."

오로스코는 어두운 얼굴로 고개를 끄덕였다.

"그러니까 그렇게 소리 소문 없이 감사가 시작되고, 추 씨에 대한 체포영장이 이례적으로 빠르게 나올 수 있었던 겁니다. 저희라고 그쪽에 커넥션이 없는 게 아닌데 뭔가 수상하다 싶었을 땐 이미 늦었더군요."

"하지만 시몬이 죽인 사람들은 모두 인간이었잖아요. 마드찰란 총리가 왜 자기들 편을……."

오로스코는 고개를 저었다.

"인간이라고 다 같은 편은 아니니까요. 오히려 기회를 틈 타 없애 버렸다고 하는 편이 맞겠죠. 거기에 로스도, 스테판도 이해관계가 맞았고요."

연하는 생각에 빠졌다. 시몬은 인간 권력자들이 한 명이라도 없을수록 자기가 올라갈 여지가 많기 때문에 그들을 없애고 싶어 하는 게 당연했다. 스테판은 자기 가족을 죽인 세력에게 복수했고. 하지만 대공은…….

"대공은 아니기 때문에 잘라냈군요."

연하는 결론을 내렸다. 오로스코는 고개를 끄덕였다.

"제 생각이지만, 대공은 처음부터 장기짝이었을 겁니다. 대공은 제어가 되지 않으니까요. 여태까진 그 녀석이 날뛰는 게 시선을 분산시키는데 도움이 돼서 내버려 둔 거죠. 그리고 이러니저러니 해도 SN은 녀석을 따르는 세력이니까, 잘 이용한 거죠."

하지만 이제는 기회비용이 더 커졌기 때문에 대공을 무대에서 퇴장시킨 것이다. 연하는 고개를 들었다.

"그래도 이해가 되지 않아요. 인간 쪽 전력이 약해지게 만든 총리의 의도가."

18

Comes the Tempest

호텔 창문 너머로 합동 장례식이 열릴 교회가 내다보였다. 조문객들이 하나둘 모여들고 있었다.

거대한 교회 주변으로 무장한 경찰들이 거의 벽을 치고 둘러서 있을 만큼 경비가 삼엄했다. 그리고 전 세계의 미디어에서 모여든 기자와 카메라맨들이 진을 치고 있어 현장은 묘한 긴장감이 흘렀다.

마드찰란은 창가에서 돌아섰다. 검은 양복을 반쯤 입은 모습이었다. 상의는 옷걸이에 반듯하게 걸려 있었다.

들고 있는 잔을 대리석 테이블에 내려놓는데 느낌이 이상했다. 돌아보자 방금까지 그가 서 있던 자리에 검은 옷을 입은 남자가 뒷짐을 지고 서 있었다. 신을 찬양하는 첨탑이 내다보이는 창 앞에 선 남자는 마치 도회적이고 근사한 남성의 모습으로 화한 사탄 같았다.

"당신은……."

마드찰란은 저도 모르게 신음처럼 말을 꺼냈다. 제 앞에 나타날 거라고 생각지도 못했기 때문이다. 그것도 혼자. 하지만 마드찰란은 금세 평정을 되찾았다.

"실제로 뵙는 건 처음이군요."

누구인지는, 당연히 한눈에 알아보았다.

"소리치지 않는군."

이반은 조용히 말했다. 창밖에서 들어오는 역광 때문에 그늘에 잠긴 붉은 눈이 이채를 품었다. 마드찰란은 빙긋이 웃었다.

"당신을 상대로 의미가 있겠습니까? 어떻게 들어오셨는지는 몰라도 말이죠. 이야기에서처럼 박쥐나 그림자로 변할 수도 없을 텐데. 혼자 오신 것은 뜻밖입니다만⋯⋯."

마드찰란은 살짝 고개를 숙였다.

"뵙게 되어 영광입니다."

"자네는."

이반은 거두절미하고 말했다.

"다음 세상으로 가고 싶은 건가?"

마드찰란은 고개를 저었다.

"조금 다릅니다. 다음 세상은 올 수밖에 없습니다. 그건 루아스들이 지배하는 세상이죠. 루아스들은 '뛰어난 소수'니까요."

"어디서 많이 들어본 소리 같은데. SN이 그런 식으로 말하지 않았나?"

비아냥거림이 아무렇지 않은지 마드찰란은 산뜻하게 웃었다.

"뛰어난 육체 능력을 가졌고, 인간의 언어를 사용할 줄 아는 데다, 영원히 사는 존재를 인간이 어떻게 이기겠습니까? 애초에 상대가 되지 않는 싸움이었죠. 루아스들도 이런 세상은 너무 낯설어서 추이를 지켜보느라 지금 상황이 지속될 수 있었는지는 모르겠지만, 추가 기우는 건 시간문제입니다."

"그래서?"

마드찰란은 갑자기 무언가 깨달은 표정이 되었다.

"그러고 보니 마실 것도 드리지 않았군요."

마드찰란은 돌아섰다. 그리고 벽에 있는 테이블로 가서 잔에 술을 따랐다. 태연히 등을 보이고서. 이반이 해칠 마음을 먹고 왔다면 등을 보이든 보이지 않든 의미가 없다고 아는 것 같았다.

마드찰란은 잔을 들고 이반에게 다가와 건넸다.

"버본이 아주 좋습니다."

이반은 받아 들고 한 모금 마셨다.

"좋군."

더는 술을 즐기지 않았지만 미각까지 잃은 건 아니었다.

마드찰란도 제 몫으로 따라온 걸 한 모금 마시고 다시 말했다.

"그래서 상황을 읽는 것 하나는 재빠른 자들이 다음 세상으로 갈 준비를 하기 시작했죠. 부동산 투기를 하고, 주식을 사고, 사업에 투자하는 것처럼요. 하지만 그들에겐 다음 세상으로 갈 자격이 없었습니다."

마드찰란의 눈에 심각하고 우울한 빛이 고였다.

"그들은 뿌리 깊은 기득권이죠. 노동자들을 착취해 부를 쌓은 공장주의 후손, 심각한 부작용이 있다는 걸 알면서도 약을 판매해 이윤을 거둔 제약회사의 후계자, 공금을 착복한 장관, 마약 카르텔을 운영하는 마피아, 무기상, 민간인들이 어떻게 되건 신경 쓰지 않고 부족끼리 싸움에 골몰한 군벌, 그리고 신의 이름으로 면죄부 따위를 판 금융가의 자손까지……. 그들이 루아스가 되어 영원히 다스리는 세상이라니, 얼마나 끔찍합니까?"

이반은 확신조로 말했다.

"형제단은 살생부였군. 처음부터."

함정을 쳐 놓고 사냥감들이 알아서 걸어 들어오길 기다린 것이다. '영원한 삶'처럼, 거절하기에는 너무나 달콤한 미끼를 걸어놓고.

이반은 창틀에 딱 한 모금 마신 버본을 내려놓고 마드찰란을 보았다.

"자네가 정의로운 행동을 하고 있다고 생각하나?"

"선은 무엇이고, 악은 무엇입니까?"

마드찰란은 기다린 것처럼 말했다.

"인간은 선하고 뱀파이어는 악합니까? 아니면 그 반대입니까? 그 문제에 저는 대답할 수 없습니다. 개인적으로는 선과 악은 학습화된 개념이라고 생각하지만, 제 생각이 그렇다는 거지, 그게 누구에게나 진실은 아닐 테니까요."

"교묘하군. 그러니까 자신의 정의로 타인을 판단하지 말라는 건가?"

마드찰란은 살짝 고개를 숙였다가 들었다.

"한 가지는 알아주시기 바랍니다. 저는 해야만 하는 일을 했다고. 도저히 그런 세상은 받아들일 수가 없었거든요. 다만……."

마드찰란은 한숨을 내쉬고 말했다.

"저로서도 당신을 끌어들이고 싶은 생각은 없었습니다. 모든 걸 버리고 떠나셨다고 생각했는데요."

이반은 어깨를 조금 으쓱였다.

"슬슬 평범한 샐러리맨의 즐거움을 알아가고 있는 중이어서, 특별히 자네들 노는 판에 끼고 싶은 생각은 없었어."

"그런데도…… 말이죠."

마드찰란이 중얼거리자 갑자기 반대쪽 벽 패널에 화면이 떴다. 이반의 눈 밑이 조금 움직였다. 멀리서 비춘, 낯익은 안전가옥이었다. 풀로 시야가 가려져 있는 곳에서 병력이 접근하고 있었다.

마드찰란은 조용한 눈으로 이반을 보았다.

"죄송합니다. 당신을 움직이지 못하게 하는 방법은 이것밖에 없기 때문에……. 해는 끼치지 않겠습니다."

그때 문이 열리고 양복을 입은 남자들이 들이닥쳐 순식간에 이반을 포위했다. 이반은 남자들 가운데서 마드찰란을 돌아보았다. 마드찰란은 손을 가볍게 맞잡고 말했다.

"저는 당신들의 적이 아닙니다. 오히려 충실한 종이며, 협력자죠. 인간의 일은 인간들끼리 끝내겠습니다. 그동안만 얌전히 있어주시면 감사드리겠습니다."

나라를 이루지 않고 사는 뱀파이어들은 통일된 왕이나 지도자가 없는 씨족 사회였지만 개중에서도 두드러지는 클랜들이 있었다. 그 클랜들을 처리한 것이 SN이었다. 그들에게 반대하는 클랜들은 배신자의 이름으로, 그들에게 찬성한 클랜들은 SN 내부로 흡수시켜서.

이바노프 클랜은 몇 남지 않은 '두드러지는 클랜'이었다. 아마 오늘까지는.

"가시죠."

남자들이 이반을 밖으로 안내했다. 이반은 저항하지 않고 밖으로 나섰다. 그런데 마침 이쪽으로 걸어오던 시몬이 멈칫했다. 그를 여기서 만나리라고는 생각지도 못한 얼굴이었다.

이반은 멈추지 않고 걸어갔다. 시몬은 석상처럼 굳어 서 있었다. 하지만 그가 옆으로 지나가는 순간, 그녀는 참지 못하고 돌아보았다.

"이바노프 씨."

이반은 돌아보았다. 그 눈에는 여전히 어떤 감정도 없었다. 분노나 노기, 심지어 경멸도. 저 눈을 볼 때마다 시몬은 자신이 아무것도 아닌 것 같은 기분을 지울 수가 없었다. 이렇게 당당한 모습으로 그를 마주 보고 있는데도.

예전처럼 그냥 지나갈 거라고 생각했는데 이번에 이반은 말했다.

"로스. 네가 내게 해야 할 건 사과였어. 단 한 마디라도."

시몬은 꾹 주먹을 쥐었다.

"시간을 돌린다 하더라도 저는 같은 선택을 할 겁니다."

"그러겠지, 너라면."

아무것도 기대하지 않았다는 투였다. 시몬은 더 오기가 들어 비웃음을 띠고 물었다.

"만약 사과를 했다면요? 그럼 절 받아주셨을 건가요?"

"아니."

이반은 그건 일고의 가치도 없다는 듯 잘랐다. 시몬은 거봐란 듯이 말하는 얼굴로 입을 열었다. 그런데 이반이 먼저 덧붙였다.

"하지만 네 이야기를 들어줬을 거야. 왜 그런 선택을 할 수밖에 없었는지. 어쨌든 너도 이바노프였으니까."

이반은 돌아섰다.

"한때나마."

시몬은 이반이 보이지 않게 될 때까지 꼼짝할 수 없었다. 하지만 이내 꾹 눈에 힘을 주었다.

이제 와서 흔들릴 줄 알고.

시몬은 숨을 길게 내쉬고 당당하게 고개를 들었다. 그리고 걸어가 마드찰란이 기다리고 있는 방으로 들어갔다.

"총리님."

마드찰란은 거울을 보며 넥타이를 매고 있었다. 그가 쳐다보는 거울에 묵례하는 시몬이 비쳤다. 마드찰란은 거울 너머로 그녀를 보며 말했다.

"푸거-들뢰크는 모임에 초대하지 않았더군."

"ISLE 측에서 접촉한 형제들은 배제할 수밖에 없었습니다. ISLE이 그들의 행적을 파악하고 있기 때문에 사라질 경우 바로 낌새를 눈치챌 위험이 있었습니다."

마드찰란은 넥타이를 가운데 자리에 정리하며 말했다.

"젊은 녀석이 오래된 가문을 물려받은 자존심이 너무 세서 말이야."

"말이 통하지 않는 남자는 아닙니다."

"그렇지. 잘 이야기해 보면 힘이 돼줄 테지."

그리고 정 수가 없을 시에는 그때 처리해도 늦지 않았다. 하지만 마드찰란은 우아하게 그런 이야기는 피해갔다.

시몬은 마지막으로 옷매무새를 정리하는 마드찰란의 뒷모습을 쳐다보았다.

그녀는 적어도 자신이 정당하지 않은 일을 하고 있다는 걸 숨길 생각은 없었다. 하물며 자신이 그렇게 믿도록 세뇌시킬 생각은 더욱이. 하지만 마드찰란에게는 선한 의도가 있었고, 스스로도 그렇다고 강하게 믿고 있었다. 독일 국민들 역시 마드찰란의 그런 점을 믿고 있을 것이다. 약자를 대변하며, 평화를 외치고, 공존의 가치를 설파하는. 그렇기에 15년째 그를 지지하고 있을 터.

'선한 목적이 있다면 선하지 않은 수단이 정당해지는 걸까.'

시몬은 궁금했다.

그때 마드찰란이 흘긋 돌아보고 물었다.

"바이러스는?"

시몬은 정신을 차리고 대답했다.

"시간은 좀 더 걸리겠지만 언젠가는 가능하게 될 겁니다."

"어느 정도 걸릴 것 같나?"

"이십 년…… 적어도 십 년은 필요합니다."

이미 손에 넣은 이바노프 혈통이 하나, 곧 손에 넣을 이바노프가 둘, 루아스 배아는 얼마든지 만들어낼 수 있었다. 설사 이바노프 혈통이 아니더라도 이제는 루아스 배아라는 게 존재한다는 사실을 알게 됐으니 다른 가임 혈통을 찾는 건 문제도 아니었다. 이제 모든 건 시간문제일 뿐이었다.

마드찰란은 거울 속에 있는 자신을, 건강하고 젊어 보이는 오십대의 남자를 보고 중얼거렸다.

"충분하겠군."

시몬은 다시 궁금해지지 않을 수 없었다. 이 남자가 가진 선한 목적이라는 것도, 진정으로 선한 것일지. 어쩌면 형제단은 결국 그에게 선택받지 못한 인간들이 아니었을지.

하지만 철학은 철학자들이 할 일이었다. 시몬은 더 이상 아무것도 궁금해하지 않을 셈이었다. 그녀는 오로지 위를 향해 갈 뿐이었다. 위로, 더 위로. 아무도 그녀를 내려다볼 수 없는 곳까지.

마드찰란은 창 너머를 보았다.

"그럼 가볼까. 우리 형제님들 가시는 길을 끝까지 잘 배웅해 줘야지."

"감염이 끝난 것 같군요. 목의 상처가 아물었습니다."

의사가 말했다. 침대 옆에 서 있는 연하는 규하를 보았다. 안색은 한결 편안해 보였지만 규하는 아직도 잠들어 있었다.

"왜 깨어나지 않을까요?"

연하가 걱정스럽게 묻자 의사는 고개를 저었다.

"애석하지만 저희도 성공한 감염에 대해서는 정보가 많이 없습니다. 실패한 감염이라면 수두룩하게 보았지만요."

"하지만 저도 이렇진 않았잖아요?"

"상사님은 나흘간 감염을 겪은 경우였죠. 그에 비하면 오히려 희망적이다 싶습니다만……."

결국은 의사도 알 수 없다는 말인지 말끝을 흐렸다. 침대 반대편에 앉아 있는 렉스는 규하의 손을 잡았다. 그 손에는 그녀가 총에 맞는 순간까지 쥐고 있던 예거 연대의 반지가 끼워져 있었다.

삐잉. 삐잉. 삐잉. 갑자기 경고가 울렸다. 다들 흠칫 돌아보았다.

"소장님! 상사님!"

동시에 문이 열리고 오로스코가 뛰어 들어왔다. 식사를 하는 중이었는지 입가에 스파게티 소스가 묻어 있었다. 오로스코는 손등으로 다급히 입가를 닦으면서 말했다.

"포위된 것 같습니다, 저희."

그렇다고 아무도 진심으로 놀라진 않았다. 어차피 예견된 일이었기 때문이다. 안전가옥이 들키는 건 시간 문제였다.

연하는 쓰게 웃었다.

"실장님께서 식사를 다 하실 때까지는 기다려 줬으면 좋았을 텐데요."

오로스코는 겨우 일을 끝내고 이제 식사하는 중이었던 것으로 보였기 때문이다.

오로스코는 난감해하듯이 웃었다.

"지금이 문제가 아니라 영원히 먹지 못하게 될까 봐 무섭습니다만. 어떡할까요?"

연하는 렉스를 보았다. 명색이 클리엔테스 서열로도, 계급으로도 그가 위였기 때문이다. 하지만 렉스는 오히려 그녀에게 물었다.

"어떡하고 싶습니까?"

연하는 규하를 돌아보았다. 왜인지 갑자기 그런 생각이 들었다. 마치 신 같다고.

아무리 불러도 대답하지 않는 신. 그들이 상식으로 여기는 논리를 따르지 않는 신. 그 알레고리……

쓸데없는 생각이겠지만.

연하는 버릇처럼 허리춤에 넣어둔 글록을 꺼내 탄창을 확인했다.

"싸워야죠."

거대한 인과관계의 폭풍 속에서 일개 개인인 그녀는 아무 일도 할 수 없지만, 총을 쏘는 것만은 할 수 있었다. 그렇다면 자신이 할 수 있는 일을 할 것이다.

"그럼 저희도 준비하겠습니다."

오로스코는 말하고 밖으로 뛰어나갔다. 렉스는 한쪽에 놓인 검을 들었다.

"소장님."

연하는 미간을 좁히고 불렀다. 아무리 겉보기에 멀쩡해 보이게 만들어준다 해도 하이마 오메가는 기적의 만병통치약이 아니었다. 아직 렉스의 속은 만신창이인 상태일 것이다.

"걱정 마세요. 이래봬도 괜히 천 년을 살아남은 건 아닙니다."

렉스는 방탄조끼를 들어 연하에게 내밀었다. 그녀는 새삼스러운 눈으로 방탄조끼를 보았다.

"모든 대원은 방탄복을 입지 않고 작전에 들어가면 징계…… 였죠?"

정말로 그 말을 들었던 게 까마득한 과거처럼 느껴졌다.

"잘 기억하는군요."

"국장님 직속 명령이니까요."

연하는 방탄조끼를 돌려 입었다.

"가죠."

종이 사방에 웅장한 진동을 퍼뜨렸다. 해 질 녘 아이들을 불러 모으는 어머니의 목소리처럼 영혼을 인도하는 소리였다.

경호원들이 둘러싼 채 천천히 달려온 차가 교회 앞에 멈추었다. 그리고 경호원이 차 문을 열자 마드찰란이 내렸다. 양옆으로 줄지어 늘어서 있는 의장대가 예의를 표하고, 미리 와서 기다리고 있던 참모진들이 그를 안내하기 시작했다.

시몬 역시 미리 도착해서 교회 계단 옆에 서 있었다. 그녀는 아직 공식 석상에서 총리를 에스코트할 위치는 되지 못했지만 저 자리, 그리고 그보다 더 높은 곳으로 가는 길은 탄탄대로였다.

햇빛은 맑고 공기는 차분했다. 이미 세상이 제 것인 것만 같아 쭉 둘러보는데 교회 입구 바로 옆에 서 있는 사람들 중 낯익은 얼굴이 눈에 띄었다. 챙이 넓은 검은 카플린을 쓴 스테판이었다. 몸매를 드러내는 검은 원피스를 입은 모습은 누가 봐도 장례식에 참석한 여성 손님으로밖에 보이지 않았다.

시몬은 미간을 찌푸렸다.

'저 녀석이 여긴 왜……'

조용해지기 전까지 당분간 숨어 있으라 당부했고, 떠나는 모습까지 보고 왔다. 그런데 미디어에 얼굴이 노출돼서 좋을 것 없는 녀석이 왜 굳이…….

"넌 눈이 멀었어. 욕망할 줄도 모르다가 욕망하는 법을 배우고 신세계를 본 것처럼. 그래서 남의 욕망이 뭔지는 알 생각조차 하지 않지."

왜 갑자기 대공이 한 얘기가 생각났는지는 알 수 없었다. 타인의 욕망……. 그녀가 여태 생각해 본 적 없는 것.

시몬은 스테판을 보았다. 마드찰란이 다가오는 모습을 지켜보고 있는 그는 무표정했다.

'저 녀석의 욕망은 뭐지?'

녀석은 무시무시한 복수의 화신이었다. 그리고 복수는 완성되었다. 제 가족을 죽인 대상의 배후인 형제단을 몰살함으로써. 더욱이 실제로 그 일을 행한 도구, 즉 SN을 와해하고 리더인 대공을 감옥에 집어넣었으니 이보다 더 멋지게 복수할 수 없을 정도였다. 그리고 스테판은 쓸모가 있으니까, 시몬은 그를 나쁘게 대할 생각도 없었다.

그런데 왜지? 떠나지 않은 이유는?

'배후······.'

시몬은 자신이 한 말을 곱씹었다. 그러고 보면 애초에 형제단이 활동할 수 있도록 터를 만든 사람은······.

시몬은 휙 고개를 돌렸다. 마드찰란은 경호원들에게 둘러싸여 이쪽으로 걸어오고 있었다. 장례식에 참석한 국가 원수답게 자못 침통하면서도 위엄을 잃지 않는 얼굴로.

시몬은 눈을 부릅떴다.

'마드찰란!'

"손을 내밀어주십시오."

이반은 순순히 팔을 내밀었다. 그러자 무장한 군인 둘이 그에게 중세의 철제 수갑처럼 두꺼운 수갑을 채웠다. 모양만 구식이지, 개량형 네오카르빈 소재였다. 그것도 이 정도 두께라면 루아스가 된 코끼리라도 붙잡아놓을 수 있을 것이다.

"가시죠."

양복을 입은 남자가 옆에서 말했다. 아마 국가정보원 소속일 것이다. 그런데 꽤나 긴장한 상태란 걸 알 수 있었다. 이반은 그를 보고 말했다.

"긴장하지 마십시오. 해치는 일은 없을 테니."

어느 쪽이 수갑을 차고 있는지 알 수 없는 말이었지만 정보원 요원은 말을 아꼈다.

군인들이 이반을 둘러싸고 수송기에 올랐다. 그를 현장에 두는 일은 불안했는지 가능한 한 빨리 이송시키려는 것 같았다.

"앉으십시오."

이반은 얌전히 요원이 지정해 준 의자에 앉았다. 램프도어가 닫히며 빛이 사그라졌다. 수송기가 상승하기 시작했다. 고래 배 속에 앉아 있는 것처럼 동체 전체로 전달되는 소리 가운데 묘한 정적이 감돌았다.

"왜 혼자 오셨습니까?"

한시도 눈을 떼지 않고 이반을 지켜보던 요원이 갑자기 물었다. 초조함을 참지 못하는 것처럼.

"아무리 당신이어도 전부 상대하실 수는 없을 텐데요. 저희도 옛날과는 달라서 충분히 대응력을 갖추었기 때문에……."

이반은 조용히 말했다.

"진정하시죠. 상대할 생각으로 온 게 아니니까요."

요원은 말을 멈추었다. 자기도 모르게 점차 흥분하고 있었음을 깨달은 것 같았다.

"예거들은 어디 있죠?"

요원은 한결 차분해진 어조로 물었다. 이반은 대답했다.

"있어야 할 곳에 있습니다."

"있어야 할 곳이 당신 옆이 아니라는 말씀이십니까?"

그 질문에는 대답하지 않았다. 하지만 요원은 결론 내렸는지 옆에 앉아 있는 군인에게 말했다.

"예거들을 쫓으라고 전하십시오. 야크트훈트 소장 쪽으로 간 것 같습니다."

이반은 요원을 조용한 시선으로 응시할 따름이었다. 요원은 입술을 한 번 훑고 다시 물었다.

"총리님을 암살할 의도로 오신 겁니까?"

"나는 총리를 만나러 온 게 아닙니다."

그 말에 요원은 미간을 찌푸렸다.

"총리님을 만나러 온 게 아니라고요?"

이반은 고개를 끄덕이고 말했다.

"사람 하나를 찾으러 왔습니다. 하지만 내가 올 줄 알았는지 절대 모습을 보이지 않더군요. 다 뒤집어엎으면서 찾자니 괜히 당신들만 자극할 것 같아서 말이죠. 총리 앞에 나타나면 올 거라고 생각했는데 그것도 아니더군요."

"그럼 찾는 사람이 누구입니까?"

"대답하는 게 어렵진 않습니다만 그 전에 수갑 좀 풀어주실 수 있겠습니까?"

요원은 지금 자신이 무슨 말을 들은 건지 의심스러워하는 얼굴이었다. 이반은 조금 웃었다.

"어차피 부술 거니까."

요원이 할 말을 찾지 못해 정적이 감돌고, 갑자기 우지끈 소리가 났다. 이반은 수갑을 털어내며 일어났다.

"국장 노릇을 해 보니 비품 하나도 돈이더군요."

요원과 군인들 모두 경악했다. 요원은 숨이 넘어갈 듯 외쳤다.

"바, 발포······!"

아니, 외치려는 순간이었다. 수송기가 급격하게 한쪽으로 기울었다. 다들 안전벨트를 하고 있어서 다른 쪽 벽에 굴러가 처박히는 일은 없었지만 이반을 겨눈 총구들은 전부 방향을 잃고 헤매었다.

"이런."

이반도 휘청거리며 벽에 걸쳐진 그물을 잡았다. 겨우 정신을 차린 요원은 다급하게 앞쪽을 보았다. 수송기가 방향을 틀고 있었다.

"이봐! 어딜······!"

조종사는 돌아보고 말했다.

"죄송합니다. 회항합니다."

이어서 이반을 보고 말했다.

"아슬아슬할 것 같습니다. 낙하산은······."

이반은 그물을 잡고 뒤쪽으로 가면서 말했다.

"낙하산을 타고 느긋하게 내려갈 시간이 없습니다. 열어주십시오."

경고등이 울리며 램프도어가 열리고, 바람이 밀어닥쳤다. 이반은 잠깐 뒤를 돌아보고, 얼이 빠져 있는 요원에게 말했다.

"제가 찾는 사람이 예상대로 장례식장에 나타났다고 하니 만나러 가봐야겠군요."

그러고는 빙긋 웃었다.

"수고하게 만들어서 미안합니다."

뭐야, 이 쓸데없는 매너는. 요원은 그렇게 말하는 것 같은 표정이었다. 하지만 곧 정신을 차리고 외쳤다.

"쏴!"

이반은 아래를 내려다보았다. 구름이 아래 있을 정도로 까마득한 높이였다. 절로 중얼거리게 되었다.

"이건 나한테도 좀 높은데."

이반은 고개를 한 번 옆으로 꺾었다가 원위치 했다.

"해 보는 수밖에 없겠지."

뒤에서 총성이 울렸다. 그 찰나에 이반은 다리에 반동을 주어 그대로 뛰어내렸다. 구름이 용솟음치듯이 단숨에 그를 훑고 머리 위로 멀어졌다. 지상이 성큼 다가오고 있었다.

"총리님!"

시몬은 외쳤다. 큰소리가 나자 경호원들 모두 바로 경계하며 총리를 보호하려는 몸짓을 취했다.

그때였다. 쾅. 총리의 경호원들 중 한 사람이 폭발했다. 사방은 순식간에 아수라장이 되었다. 사람들이 각자 사방으로 뛰고, 달려오고, 소리치고, 서로를 불렀다.

"총리님!"

시몬은 외쳤다. 연기가 가시자, 사람들이 엎치고 덮쳐 만들어낸 둥그런 반원형이 나타났다. 폭발을 맞은 방향으로 옷과 살갗이 탄 경호원들이 하나둘 일어났다. 그 아래로 마드찰란이 고개를 들었다. 놀랐는지 낯빛이 창백했지만 부상은 입지 않은 것 같았다. 반면 경호원들은 부상이 심각해 보였지만 모두 루아스여서 죽은 사람은 없는 듯했다.

"괜찮으십……."

한 경호원이 마드찰란에게 물으려는 순간이었다.

"경호원들 모두 물러서!"

경호팀장이 외치자 경호원들은 흠칫 서로를 보았다.

그랬다. 폭발한 경호원은 총리를 똑바로 보면서 터졌다. 지금 당장에라도 누가 더 폭발할지 알 수 없었다. 그렇다고 어디서 공격이 날아올지도 모르는데 모든 경호원들이 총리 곁을 비울 수도 없는 노릇이었다. 경호원들은 주춤거리며 물러섰다. 현장에 섬뜩한 긴장감이 감돌았다. 마치 러시안룰렛이 돌아가는 테이블처럼.

"총리님! 총리님, 괜찮으십니까?"

경호원들 사이로 시몬이 달려 들어갔다.

"잠깐, 물러서!"

경호원들이 시몬을 잡아 세우자 그녀는 당장 이를 드러내고 울부짖었다.

"내겐 폭탄 따위 없어! 보면 몰라!"

이바노프 혈통이 발하는 사자후에 경호원들은 흠칫 몸이 굳었다.

"그리고 너희들 따위보다 내가 배는 강해! 쓸모없는 것들!"

시몬은 경호원들을 밀치고 마드찰란에게로 달려가 그를 부축했다.

"총리님."

마드찰란은 시몬을 보았다.

"드무스티에."

시몬은 휙 교회 입구를 돌아보았다. 스테판은 여전히 거기 서 있었다. 무표정한 얼굴로. 시몬은 꾹 눈에 힘을 주었다.

"저 녀석을 잡아."

스테판 근처에 있는 경찰들이 달려들려는 순간이었다. 공기가 우짖었다. 시몬은 흠칫 위를 보았다. 하늘에서 무언가가 떨어지고 있었다. 아주 빠른 속도로. 하지만 깨달았을 때는 이미 늦었다. 물체는 운석이 떨어진 것 같은 굉음을 내며 광장에 내리꽂혔다.

연기와 함께 천지가 뒤흔들리고, 사람들이 비명을 외치며 혼비백산 달아났다. 안 그래도 아수라장이던 곳은 9.11 테러가 일어난 현장을 방불케 했다.

건물이 무너진 것처럼 부옇게 일어난 연기가 실제로 파스스 소리를 내며 가라앉기 시작했다. 하지만 아직도 연기와 잔해가 너무 짙어 아무것도 보이지 않았다.

후웅.

그때 머리 위로 무언가를 쫓는지 저공비행하는 전투기가 지나가며 거센 바람이 일었다. 거인이 숨을 분 듯이 연기가 훅 밀려났다. 그리고 연기를 떨쳐 내며, 검은 옷을 입은 남자가 나타났다. 마치 바람에 휘날리는 기다란 연기의 망토를 벗어내듯이.

이반은 그라운드제로처럼 원형으로 움푹 파인 자리에 홀로 서 있었다.

시몬은 눈을 부릅떴다.

'이바노프!'

이반은 폭심에서 걸어 나오며 미간을 찌푸리고 중얼거렸다.

"더럽게 아프군."

다리가 터질 것 같았다. 아무래도 강하하는 건 렉스가 한 수 위 같았는데, 착지할 때 무슨 노하우 같은 게 있는지 나중에 물어봐야 할 것 같았다.

그건 어쨌거나, 이반은 고개를 들었다. 이 난리에도 그 자리에서 꼼짝하지 않은 스테판이 자못 오만한 눈길로 내려다보고 있었다. 전 세계 방송국에서 나온 카메라들은 정신없이 그들을 찍기 시작했다.

"스테판."

이반이 말하자 스테판은 살짝 턱만 까딱여 인사했다.

"이바노프 씨."

이런 상황에서도 이반은 말하지 않을 수 없었다.

"네가 스테판이었다니, 등잔 밑이 어둡다는 게 이런 거겠지."

스테판은 한쪽 어깨를 으쓱였다.

"이바노프 씨는 절 만난 적이 없으니까요. 너무 탓하진 마세요."

이반은 필립이 죽고 아일을 떠난 이후 연하를 감염시키고 나서야 방랑을 마치고 ISLE로 돌아갔다. 그전에는 꽃에 대한 연구가 진행되면서 간간이 도움을 주기 위해 ISLE과 접촉해서 블란두스 박사는 몇 번 만났지만 연구팀의 가족까지 만날 기회는 갖지 못했다. MCTC로 들어간 렉스는 최대한 ISLE에 관여하는 일을 삼가왔기 때문에 마찬가지였다. 그래서 스테판, 즉 리웨이 파웰은 그들이 왔을 때도 떠나지 않았던 것이다. 둘이 자신을 알아보지 못하리란 확신이 있었기 때문에. 가끔씩 이반이 빤히 쳐다볼 때 긴장하긴 했지만.

스테판은 피식 웃었다.

"뭐, 그 유명한 이바노프 씨도 모르는 게 있구나 싶어 조금 고소하긴 했죠. 하지만 그만큼 모든 걸 바꿨으니까요. 걷는 법, 말투, 악센트, 심지어 식성까지."

그때 시몬은 경호원들에게 눈짓했다. 어서 이 틈을 타서…….

"움직이지 마세요."

바로 스테판이 말했다.

"한 걸음이라도 딛는 순간 제 몸속에 있는 게 터질 테니까. 아까 것과는 비교도 되지 않으니까 조심하세요."

시몬은 눈을 부릅떴다. 저 미치광이가 그걸 제 몸에 넣다니!

"우리에게 자연은 더 이상 공포와 경외를 주는 존재가 아니랍니다. 극
복하고, 이용해야 할 대상이죠."

"네 몸도 말이지?"

무전으로 들었던, 스테판이 대공과 나눈 대화를 기억해 낸 시몬은
입술을 깨물었다. 그때 눈치챘어야 했다. 오로지 복수를 위해 성전환수
술까지 한 이 미치광이가 제 몸을 더 이용하지 못할 리 없다고.

이반은 미간에 심각한 빛이 스몄다.

"내가 막을 수 있다는 거 알잖아."

"하지만 이번만큼은 이바노프 씨도 무사할 수 없을걸요."

스테판은 이반에게서 조금도 시선을 떼지 않았지만 사방을 인식하고
있었다.

폭발물이 있다는 소리를 들은 경찰들은 바리게이트를 물렸다. EOD
팀은 이미 출동해 있었지만 감히 다가오지 못하고 있었다. 그리고 저격
수들이 제 머리를 노리고 있다는 사실을 알 수 있었다. 뭐가 느껴져서라
기보다, 당연히. 생체 반응이 끊어지는 순간 폭탄이 터질지도 모르니까
당장 저격하지 않고 있을 뿐이었다.

교회 안으로 달아난 사람들은 뒷문으로 접근한 SWAT팀의 안내에
따라 빠져나갔다. 이쪽도 무고한 사상자를 내고 싶진 않으니 그건 오히
려 권장하는 바였다.

"원하는 게 뭐지?"

시몬이 물었다.

"이건."

스테판은 대답해 주는 것도 나쁘진 않겠다고 생각한 모양이었다. 똑바로 마드찰란을 보고 말했다.

"내가 하늘에 내거는 계약의 무지개입니다. 더러운 욕망을, 어떤 의도로도 정당화되지 않는 더러운 수단을 용서하지 않겠다는."

연하는 뒤집은 대리석 탁자 뒤에 몸을 숨기고 있었다. 임산부만 아니었더라도 좀 더 최전선으로 나갔겠지만 지금은 별수가 없었다. 옆에는 상의를 벗은 정장 위에 얇은 경량화 방탄조끼를 입은 오로스코가 권총을 잡고 무릎을 꿇고 있었다. 연하는 난감한 웃음을 짓고 말했다.

"취직하면서 이런 일까지 해야 한다고는 듣지 못했을 텐데 죄송해지네요."

"루아스들이 득실거리는 곳에 취직할 때부터 각오는 했습니다."

오로스코는 바깥 소리에 주의를 늦추지 않으며 대답했다. 그런 그를 보려니 연하는 난데없는 것이 궁금해졌다.

"ISLE에 취직한 이유가 있으세요?"

"둘째가 장애를 가지고 태어났습니다."

오로스코는 질문을 기다렸던 것처럼 대답했다. 아니면 워낙 자주 듣는 질문인 것 같았다.

"다섯 살을 넘기지 못할 거라고 했는데 어떤 약 덕분에 지금 열두 살입니다. 장애도 거의 회복됐고요."

연하는 왠지 알 것 같아서 고개를 끄덕였다.

"그 약이 가넥시에서 나왔군요."

"아뇨. 제노아틱스에서 나왔습니다."

연하는 무슨 말을 해야 할지 몰라 오로스코를 보았다. 그는 어깨를 으쓱였다.

"어쨌든 전통적인 대형 제약회사니까요. 그리고 약 자체가 루아스의 유전자 구조를 기반으로 하거든요. 그래서 생각했을 뿐입니다. 같이 사는 세상이 그리 나쁘지만은 않을 거라고. 적어도 저희 가족에겐 말이죠."

오로스코는 쓰게 웃었다.

"아버지가 된다는 건 그런 거거든요. 가족 외에 더 큰 걸 생각하긴 좀 벅찹니다."

"그것만으로도 대단하다고 생각해요, 누군가를 책임진다는 건."

연하는 제 배를 보았다가 다시 오로스코를 보고 쓰게 웃었다.

"전 아이에게 미안할 정도인걸요."

"상사님은 더 유난한 경우…… 라고 해두죠. 아무튼 그래도 좀 더 온순한 루아스들을 돕고 싶었습니다. 제 안에 남은 마지막 정의감이었다고 할까요. 그리고 애초에 저희 증조부님께서 아일 출신이니까요."

"ISLE이요?"

연하는 의아하게 오로스코를 보았다. ISLE이 그렇게 오래됐던가 생각하며.

"아뇨. 회사 말고…… 아, 모르시나 보군요. 예전에 이바노프 클랜이 지냈던 섬입니다."

"아, 섬 말이군요. 근데 원래 무인도였다고 하지 않았나요? 사람들이 있었어요?"

"이바노프 클랜이 갈 곳 없는 사람들을 섬에 거둬줬죠. 섬에 인구가 많아지면서 정부도 미심쩍은 눈으로 보고, 이바노프 씨가 떠나고 클랜이 와해되면서 주민들도 천천히 섬을 비우게 됐지만요."

연하는 놀랐다. 그런 이야기는 듣지 못했기 때문이다. 오로스코는 더 말했다.

"그래도 추 씨는 계속 아일 출신들을 추적해서 도와주셨죠. 지금도 주민의 후손이라면 ISLE에 무조건 취직할 수 있죠."

'이미 오래전부터 인간과 뱀파이어는 공존해 왔구나.'

연하는 문득 깨달았다. 그녀가 몰랐을 뿐이지, 그러한 노력은 물밑에서 계속되어 왔던 것이다. 어쩌면 그런 노력들이 있었기 때문에 인류와 루아스가 공존하는 상황이 생각보다 더 파괴적인 진통을 겪지 않고 연착륙할 수 있었던 건지도 모른다는 생각이 들었다.

아무도 가능할 거라고 믿지 않던 일을, 누군가는 계속 노력해 오고 있었다.

연하는 문을 보았다. 애초에 군사용으로 설계된 집이어서 단단한 차폐가 내려와 있었다. 그러고도 혹시 몰라 탁자, 옷장, 침대까지 엄폐물로 쌓아둔 상태였다. 하지만 아직 아무 소리도 들리지 않았다.

그들을 잡으러 온 부대는 MCTC일 것이다. 독일 총리 정도라면 충분히 MCTC에 협조를 요청할 수 있었고, 뱀파이어를 잡으러 오는 것은 MCTC일 수밖에 없었으니까.

마치 집이 거대한 사일런트 하우스같이 느껴졌다. 문자 그대로 고요했고, 훈련장 사일런트 하우스에서 수없이 같이 훈련한 MCTC 대원들과 싸우게 됐으니까.

갑자기 오로스코의 손목 밴드에 문자가 오는 소리가 울렸다.

"이런, 죄송합니다."

오로스코는 얼른 밴드를 보고 문자를 확인했다. 그런데 문자 내용을 본 얼굴이 심각해졌다.

"뉴스를 좀 봐야겠군요."

오로스코는 천장을 보고 말했다.

"음소거로 뉴스를 틀어줘."

패널에 화면이 떴다. 연하는 아무 생각 없이 돌아보고, 기함했다.

"세상에……!"

뉴스에 이반이 나오고 있었다. 멀리서 그를 비추는 카메라 앞으로 경찰들이 미친 듯이 달려갔다. 그리고 순식간에 사방으로 바리게이트를 치고 위치를 잡아 총구를 겨누었다. 기자는 상황을 보도하기 시작했다.

"전혀…… 예상하지 못한 행동을 하시는군요."

오로스코는 정말 놀란 듯이 중얼거렸다. 연하는 다급하게 일어섰다.

"가야 해요, 당장!"

연하가 정말 뛰쳐나가려는 태세기에 오로스코가 몸을 던져 그녀의 팔을 잡았다.

"진정……!"

오로스코는 거의 연하에게 끌려가면서 숨도 쉬지 않고 빠르게 말했다.

"지금 상황에선 갈 수도 없지만 만약 간다고 하더라도 시간 내에 닿으실 리가 없습니다. 분명히 이바노프 씨도 무슨 생각이 있으시기 때문에 가신 걸 겁니다."

"하지만 폭탄이 터지면!"

연하는 홱 돌아보았다. 눈에 눈물이 그렁그렁했다. 애써 참고 있던 불안이 터진 것 같았다.

오로스코는 몸을 끌어올리고 말했다.

"분명 무슨 수가 있으실 겁니다."

"무슨 수가 있어요? 크루즈에서도 거의 죽을 뻔했다고요!"

"그건……."

사실 은둔 생활을 하던 이반이 이만큼 눈에 띄는 행동을 했다면 그로서도 달리 방법이 없었다는 의미였다. MCTC에서의 권한은 정지됐고, ISLE은 감사에 발이 묶여 있었다. 그리고 연하를 포함한 그들은 인질로 붙잡히기 일보 직전이었다. 무슨 수가 있어서라기보다, 이반도 도박을 한 것이리라. 하지만 오로스코는 차마 연하에겐 그렇다고 말할 수가 없었다. 그런데 연하는 심각한 얼굴로 화면을 보면서 말했다.

"도박을 한 거라고요, 저건."

셀레나는 다리와 팔짱을 꼬고 의자에 앉아 있었다. 맞은편에 서 있는 검사 시보가 팔짱 낀 팔 위로 도드라진 가슴을 힐끔거리는 시선이 느껴졌다. 보형물 덩어리를 저렇게 열심히 쳐다보다니 갈 때 빼주고 갈까 싶어졌다. 정말 빼주면 산산이 부서진 남자의 로망 때문에 울어버릴지도 모르겠지만 말이다. 역시 같은 남자로서 이해하는 부분이라고 할까.

"장례식이 시작됐나요?"

셀레나가 묻자 맞은편에 앉아 있는 검사가 시선을 들었다.

"그런 것 같군요."

어쨌든 피의자 입장이긴 하지만 다국적 대기업을 이끄는 수장을 일개 범죄자처럼 대하진 않았다. 하지만 그 이상 정보를 얻긴 힘들 것 같았다.

'일이 어떻게 돼가고 있는지 알 수 없으니 걱정되는군.'

하지만 셀레나에겐 그의 싸움이 있었다. 감염과 싸우고 있는 규하에게도, 안전가옥에서 버티고 있는 연하와 렉스에게도, 스테판을 찾아 데려오기로 한 이반에게도 각자 싸움이 있듯이.

셀레나는 꼬고 있는 다리를 풀었다. 이번에 검사 시보는 그의 다리를 힐끔거렸다. 셀레나는 자신이 샤론 스톤이라도 된 것 같은 기분이었다.

워낙 잘 빠진 다리라는 건 인정하지만 아무래도 저 검사 시보는 한번쯤 울어야 정신을 차리지 싶었다. 아무튼 그건 나중에 처리할 일이고.

"검사님."

셀레나가 부르자 검사는 그를 보았다. 셀레나는 빙긋이 웃었다.

"그럼 우리도 시작해 볼까요?"

누가 검사 자리에 앉아 있는지 알 수 없는 말에 검사는 한쪽 눈썹을 추켜들었다.

운전을 하고 있는 비서는 흘긋 백미러를 보았다. 백미러에 비친 하인리히는 차창 밖을 보고 있었다. 장례식에 가는 길은 아니지만 검은 양복을 입었고, 깊은 생각에 잠긴 것처럼 보였다.

"정말 셀레나 추와 이야기한 대로 검찰에 증언하실 생각이십니까?"

비서가 눈치를 살피다가 묻자 하인리히는 돌아보지 않고 중얼거렸다.

"기분이 너무 불쾌해서 말이야."

감사가 시작될 거라는 걸 셀레나 추가 미리 알고 있었는지 모르고 있었는지는 신만이 알 것이다. 하지만 ISLE의 발을 묶어놨다고 시몬 쪽에서 안심하고 시선을 돌리고 있을 때를 셀레나 추는 오히려 기회로 삼았다.

지금 하인리히가 가는 곳은 셀레나 추가 구금되어 있는 곳이었다. 형제단에 관련된 모든 것을 증언하기 위해.

"이건…… ISLE에만 좋은 일이 아닐까요."

비서는 중얼거렸다. 하인리히는 백미러를 보았다.

"그렇겠지, 지금은."

철저히 농락당한 피해자 역할은 하겠지만 어쨌든 가담한 전적이 있으니 완전히 깨끗한 상태로는 빠져나갈 수 없을 것이다. 그럼에도 불구하고 손해를 감수하는 이유는…….

하인리히는 싸늘한 웃음을 지었다.

"하지만 자기가 호랑이라도 된 것처럼 제멋대로 짖어대는 여우는 정말 못 봐주겠거든."

[전화가 왔습니다.]

그때 차량 AI가 말했다.

"연결해."

비서가 대답했다.

[……금 당장 TV를 보셔야 할 것 같습니다.]

전화가 연결되기도 전에 말했는지 '지' 자가 잘린 채 말이 터져 나왔다. 뭐가 그리 급해서. 비서는 눈썹을 추켜들었다.

"뭐야?"

[난리도 아닙니다. 이바노프 국장이 하늘에서 떨어졌습니다. 폭탄 테러범은 블란두스 박사의 아들 스테판이고요. 성전환수술을 했답니다.]

비서는 대답하지 않았다. 도대체 무슨 소리인지 이해하지 못했기 때문이다.

"그게 무슨 소리야? 제대로 말해. 주인어른께서 듣고 계셔."

[사실 저도 잘 모르겠습니다. 다 너무 정신없이 일어나서. 하지만 아무래도…… 스테판 블란두스가 마드찰란 총리를 암살하려는 것 같고, 이바노프 국장은 그걸 막으려 하는 것 같습니다.]

백미러 너머 하인리히는 눈을 크게 떴다.

스테판은 이반을 보았다. 솔직히 말하면 다른 사람도 아니고 그가 이렇게 시선을 끄는 걸 감수하고 뛰어들 줄은 몰랐다. 태연한 체하고 있지만 하필 이반이 막으러 와서 난감한 차였다. 여러모로 해를 입히기 꺼림칙한 상대이기 때문이었다. 게다가 이반은 아무 무기도 지니지 않았다. 물론 무기가 없다고 싸우지 못하는 사람은 아니었으나 여차할 때 쓸 무기조차 가져오지 않는 이유는 어떻게든 자신을 설득해 볼 셈이리라.

그렇게 순진한 사람은 아니라고 생각했는데.

"당신도 모든 데 환멸을 느껴 떠났던 것 아니었습니까?"

스테판은 이것만은 물어보지 않을 수 없었다. 이반은 차분하게 대답했다.

"절이 싫으면 중이 떠나지만 가면서 절을 불태우진 않잖아."

스테판은 차가운 눈빛이 되었다.

"저는 절의 대들보를 갉아먹고 있는 벌레를 없애려는 겁니다."

확실히 스테판은 보여주고 있었다. 복수를 원하는 개인의 의지가 어디까지 해낼 수 있는지.

"스테판."

그때 마드찰란이 이렇게 있을 수는 없다고 생각했는지 끼어들었다.

"스테판이라고 했지? 자네처럼 젊은 사람이 어째서 이런 극단적인 선택을 했는지 모르겠지만 난……."

"당신과 할 이야기는 없습니다."

스테판은 더없이 싸늘하게 자르고는 이반을 돌아보았다. 그와만 이야기하겠다는 듯.

"더 하실 말씀이 있으십니까? 제가 좀 바빠서요."

그때 이반은 어떤 소리를 들었다.

이바노프 국장님. 들리십니까? 시간을 끌어주십시오.

그의 청력이 뛰어나다는 걸 이용해서 현장에 출동한 협상 전문가가 이야기하는 것 같았다. 역시 그 소리를 들은 시몬은 움찔하려는 얼굴을 애써 멈추었다. 하지만 스테판은 비웃는 얼굴이었다. 들리진 않아도 뭘 하고 있는지 다 안다는 듯이.

이반은 개의치 않고 말했다.

"블란두스의 이름을 더럽히게 될 거야."

스테판은 어깨를 으쓱였다.

"판단은 역사가 할 겁니다. 하지만 별로 영웅이 되고 싶은 생각은 없습니다. 제가 죽음으로써 더러운 수단에 대한 벌이 완성되는 거니까요."

진부한 말이지만 적어도 진흙탕을 청소하는 사람은 진흙탕에 발을 디뎌야 했다.

그런데 갑자기 스테판은 생각에 잠기는 얼굴이 되었다.

"모르겠습니다. 제가 좀 더 똑똑했다면 더 좋은 수를 생각해 냈을지도……. 슬프게 하고 싶은 생각은 없습니다. 비켜서세요."

카메라가 있어 일부러 이름은 언급하지 않았다. 하지만 이반은 누구를 의미하는지 알아들은 것 같았다.

"슬퍼할 거야. 네가 죽어도."

스테판은 움찔했다.

'알고—'

다리를 불태웠다고 하지만, 사실 여자의 몸도 환생했다 생각하면 그리 받아들이기 힘들지 않았다. 어쨌든 여성호르몬제라는 고마운 과학 덕분에 머리와 정신도 여성화되었으니까, 정말 괜찮은 남자를 만나면 그를 사랑하게 될지도 모르는 노릇이었다.

그래, 분명히 오래전에 여성화되었을 텐데…….

연하를 좋아한다고, 그렇게 생각했던 건 뇌 구조마저 뒤틀며 들이치는 인공 화학물질도 지우지 못한 자연의 마지막 찌꺼기였을지, 그냥 제게 숨어 있던 양성 성향이었을지, 답은 알 수 없었다. 이젠 아무래도 상관없는 문제지만.

스테판은 쓰게 웃었다.

"돌아갈 수가 없습니다. 다리를 불태웠거든요."

"다리를 불태웠다면 배를 타고서라도 돌아와."

이반은 말꼬투리를 잡듯이 말했다. 스테판은 물끄러미 그를 보았다.

"그런 말장난을 하는 분인 줄은 몰랐는데요."

이반은 웃지 않았다.

"진지하게 하는 말이야. 돌아와. 정말로 돌아올 수 없어지기 전에."

그러더니 갑자기 어딘가를 돌아보고 조금 소리 높여 말했다.

"좀 시끄러운데 조용히 해줄 수 있겠습니까? 말을 할 수가 없군요."

잠깐 침묵이 흘렀다. 이반은 좀 낫다는 듯이 다시 스테판을 보았다.

"얼마든지 다시 일어설 수 있잖아, 인간들은. 처음 뱀파이어가 되었을 때만 해도 이런 세상이 가능할 거라고 생각한 뱀파이어는 아무도 없었어. 날 포함해서. 하지만 인간과 뱀파이어가 공존하는 세상이 됐어. 이건 뱀파이어들이 한 일이 아니야."

뱀파이어들은 수천 년간 군것질거리 정도로 생각한 걸 인간들은 몇 년 만에 대량화해서 세계의 프레임 자체를 바꾸었다. 인류도 그만한 기술력이 있는 시대였기 때문에 가능한 일이었겠지만 애초에 뱀파이어들은 이만한 기술력을 쌓을 생각도 하지 못했다.

이반은 스테판을 똑바로 보았다.

"이런 세상을 만들 수 있으면서 왜 매듭을 잘라 버리는 식으로밖에 생각하지 않는 거야? 더는 그런 식으로 일은 해결되지 않아."

스테판은 실소를 지었다.

"당신에게 그런 말을 듣게 되다니 우습군요."

"모든 건 변하니까."

이반은 스테판이 그렇게 말할 걸 알았던 것처럼 말했다.

"살아 있는 한 변하지 않는 건 없어. 좋은 쪽으로든 나쁜 쪽으로든."

그 말을 들으며, 시몬은 이를 꽉 물었다.

"이바노프 씨를 존경해."

어느 날 필립은 말했다.

"힘을 가졌지만 함부로 힘을 쓰시지 않잖아. 이바노프 씨도 경험을 통해 배운 거라고 하지만……. 이바노프 씨가 악당이 되려고 마음먹었으면 정말 누구도 막을 수 없는 악당이 됐겠지. 이바노프 씨가 은둔하고 사는 건 오히려 모두를 위한 선택이었는지도 몰라."

이 화제가 나올 때면 필립은 말하고 나서 늘 이렇게 덧붙였다.

"그분의 클리엔테스가 될 수 있었던 건 정말 다시없을 행운이겠지."

그건 뜨겁고, 곧바른 존경심이었다. 시몬은 자신이 그 감정을 가질 수 있는 입장이 아니라는 사실을 미친 듯이 질투했다. 그녀는 누구보다 믿음직한 클리엔테스가 될 준비가 되어 있었다. 알렉스보다 강하고, 필립보다 믿고 따르며, 강연하보다 그를 사랑하는.
기회만 있었다면······.
그런데 회상 속에서 필립이 그녀를 돌아보고 웃었다.

"애나, 널 만난 것 다음으로 말이야."

그때 필립은 꼭 첫사랑을 고백하는 소년 같은 얼굴이었다.
아무도 사고였다는 말을 믿어주지 않았지만 시몬, 아니 애나는 정말 필립을 죽일 의도는 없었다. 적어도 의식적으로는. 무의식적으로 방해라고 생각했을 순 있으나 그 선량한 사람을 해치고 싶진 않았다. 아이도······ 낳아봤자 처치 곤란이었겠지만 분명 필립을 닮아 착하고 귀여운 아이였을 것이다.
그녀가 한때 가졌던 것, 잃은 것······.
"그러니까 돌아와."
이반은 스테판에게 말했다. 스테판은 씁쓸하게 생각했다.
'역시 난 나약하기 짝이 없구나.'
이렇게 저항에 부딪힐 때마다 흔들릴 줄 알았기 때문에 다리를 불태우고, 배를 불태우고, 헤엄쳐 돌아갈 수 있는 팔까지 잘라내고 앞으로 나아갈 수밖에 없었다.

어쨌든 미련이나 걱정은 없었다. 다음 세상은, 좀 더 괜찮은 곳일 테니까.

스테판은 웃었다.

"다음 세상을 부탁드립니다."

본능적으로 무언가 느낀 시몬은 당장 몸을 돌렸다. 시간이 느려지는 것 같았다. 마드찰란의 팽창한 두 눈에 공포와 삶에 대한 의지가 아로새겨져 있었다. 시몬은 그를 거의 끌어안다시피 보호했다.

총리를 살려야 했다. 그녀는 아직 방패가 필요했다, 더 위로 가기 위해 풍파를 막아줄 수 있는.

'난 왕이 될 거니까.'

그리고 어쩌면 이건 기회였다. 모두가 보는 앞에서 총리를 구하고, 단숨에 영웅적인 인물로 올라설 수 있는.

순간적으로 이반은 스테판과 시몬, 마드찰란을 보았다. 선택할 수 있다면 그는 당연히 스테판을 구할 것이다. 하지만 이건 선택의 문제가 아니었다. 죄지은 자가 신 앞에 서기 전에 먼저 서야 할 곳은, 지상의 법정이었다.

"미안하다고 전해줘……."

말을 끝맺기도 전이었다. 스테판은 웃는 모양 그대로 폭발했다.

알에서 태어나며 날개를 펼치는 새처럼, 불길이 터져 오르기 시작했다. 시몬은 숨을 멈추었다. 닥쳐 올 고통에 대비했다.

그런데 갑자기 앞에 이반이 나타났다. 시몬은 눈을 크게 떴다. 불길이 휘몰아치며 이를 드러내고 달려들고 있었다. 하지만 이반은 불길을 똑바로 보며 비키지 않았다.

'안 돼.'

시몬은 일어났다. 어떤 생각도 하지 않았다. 그저 본능이었다.

'필립. 만약 시간을 되돌릴 수 있어도 난 같은 선택을 할 거야.'

시몬은 손을 뻗었다.

'당신밖에 모르는 가정주부로 살다가 가긴 정말 싫거든.'

그냥 그건, 그녀가 아니었다. 애나 로스로 살다가 죽었다면 그 사실조차도 깨닫지 못했겠지만, 애나 로스는 애초에 그녀가 잘못 타고 태어난 껍질이었다.

'어리고 상냥한 당신의 아내는 시대가 강제로 부여한 내 역할일 뿐이었어. 그러니까 기다리지 마. 난 죽는 것도 당신을 위해서 하지 않는 여자니까.'

시몬은 이반을 잡으며 앞을 막아섰다. 이반은 눈이 날카로워졌다. 그는 시몬의 팔을 잡아 끌어당겨 그녀를 등 뒤로 감추었다. 동시에 사방에서 각자 다른 사복 차림을 한 예거들이 몰려들어 그들 앞을 막아섰다.

쿵, 쿠웅, 쿵.

그리고 저마다 들고 있는 바디벙커를 땅에 처박듯이 내려놓았다. 거의 수십 명에 가까운 예거들이 순식간에 빡빡한 밀집대형을 형성했다. 그럼에도 폭발 에너지를 막아내기에는 역부족인지 뒤로 밀리기 시작했다.

"밀어, 앞으로!"

폭풍 속에서 타우가가 외치는 소리가 울렸다. 아니, 타우가인지도 알 수 없었다. 곧 아무 소리도 들리지 않았다. 생물의 청력으로는 감당할 수 없는 거대한 소리가 모든 소음을 집어삼켰다.

쿠우우우, 우우우우.

괴물이 울부짖는 것 같은 소리뿐이었다.

사방이 조용해지는 데는 영원에 가까운 시간이 필요한 것 같았다. 하지만 주변에 휘몰아치는 에너지의 흐름이 결국은 잦아들기 시작했고, 천천히 모든 것이 가라앉았다.

프스스······.

옆에 새까맣게 그슬린 바닥에서 연기가 올라왔다.

시몬은 그늘 속에서 고개를 들었다. 이반이 그녀를 감싸고 있었다. 그는 다른 쪽을 보고 있었지만 숨결이 느껴질 정도로 거리가 가까웠다. 말문이— 막혔다. 그에게 이렇게 가까이 간 건 아일에서 지낸 세월을 포함해도 처음이었다.

바디벙커를 들고 있는 예거들의 몸에서 실제로 연기가 올라왔다. 그들이 첩첩이 겹쳐진 모양이 마치 성벽이나 고대 그리스 전사들이 짠 방진인 팔랑크스(밀집 장창보병대) 같았다.

"다친 사람이 있는지 확인해."

이반이 일어나 말하자 사방은 다시 시끄러워졌다. 여기저기서 달려오는 사람들, 대형을 풀고 각자 부상 정도를 확인하는 예거들, 카메라를 보고 바쁘게 소식을 쏟아내는 기자들······.

예거들 가운데서 타우가가 다가와 말했다.

"정말 구관이 명관이라고 할 수밖에 없군요. 팔랑크스가 통할 줄이야."

물론 현대 기술과 루아스의 육체 능력이 합쳐지지 않았다면 감히 가능하지 않은 일이었다. 타우가는 가죽 재킷이 반쯤 그을렸고 머리카락과 볼이 탔지만 딱히 부상이라고 할 만한 곳은 없어 보였다.

시몬은 그제야 천천히 일어섰다. 이반은 그녀를 돌아보았다. 그의 눈에는 여전히 어떤 감정도 없었다.

차라리 경멸이라도 있었더라면.

시몬은 떨리는 턱을 억누르기 위해 힘을 주고 말했다.

"당신을 위해 죽는 것도 하지 못하게 하시는군요."

"죽어서 증명하고자 하는 건 아무 의미가 없어."

돌아서는 등을, 시몬은 한참 쳐다보았다. 뒤늦게 흠칫 정신을 차리고 마드찰란에게로 달려갔다. 사람들이 그를 일으켜 주고 있었다. 시몬 대신 그를 보호했던 이는 예거 중 하나인 것 같았다.

"총리님, 괜찮으십니까?"

시몬은 사람들 사이를 파고들어 마드찰란을 부축하며 물었다. 하지만 마드찰란은 그녀의 손을 뿌리쳤다.

"총리님, 전……."

시몬은 말하려고 했지만 마드찰란은 아무 말 하지 않았다. 아직 카메라가 그들을 비추고 있기 때문이었다. 하지만 온화한 빛을 잃지 않는 눈동자 너머로 지나가는 건 깊은 경멸이었다. 너도 어쩔 수 없군, 하고 말하듯.

시몬은 숨을 삼켰다. 한순간 감정에 치우친 선택으로 공들여 쌓은 탑을 단번에 날려 버리다니.

"국장님."

저편으로 간 이반에게는 경찰들이 다가왔다. 카메라를 의식한 건지, 아니면 총리를 구한 걸 정상참작 해주는지 총을 겨누진 않았지만 뜻은 분명했다.

"수갑을 채워야겠습니까? 어차피 소용은 없어 보입니다만."

개중 팀장으로 보이는 경찰이 말했다. 하늘 위에서 무슨 일이 있었는지 들은 모양이었다. 이반은 차분하게 말했다.

"걱정 마십시오. 달아나지 않을 테니."

그 모습을 보며 시몬은 애써 마음을 다스렸다. 괜찮았다. 어차피 시간은 많으니까. 스테판을 잃긴 했지만 바이러스에 대한 자료도 모두 그대로 있고, 얼마든지 다시 시작할 수 있었다. 이번에는 마드찰란도, 대공도, 스테판도, 하인리히도 없지만…….

시몬은 멈칫했다. 뭔가 느낌이 이상했다. 왠지 속이 메슥거리는…….

배 속에서 뭔가 폭발한 것처럼 확 치밭히는 순간, 참을 새도 없었다. 시몬은 괴물이 태어나는 것처럼 입 밖으로 터져 나오는 것을 뿜고 말았다. 퍼져 오르는 핏물을 마드찰란은 그대로 뒤집어썼다.

경찰들을 따라가던 이반이 흠칫 돌아보았다. 사람들이 비명을 내질렀다. 이번에는 기자들조차 마이크나 카메라를 내팽개치고 달아나기 시작했다.

시몬은 떨면서 제 얼굴을 짚었다가 손을 보았다. 거의 검게 보이는 핏물이 흥건했다.

'말도 안 돼.'

루아스는 감기도 걸리지 않는 몸이었다. 지구상에 있는 거의 모든 바이러스에 면역이 있는…….

시몬은 한 번 더 핏물을 토해냈다. 핏물은 석유처럼 검고 걸쭉했다.

"이바노프 씨! 물러서십시오!"

루아스인 시몬이 감염 증상을 보인다는 데 예거들도 심상치 않다고 생각한 것 같았다. 하지만 이반은 움직이지 않았다. 드물게도 놀란 것처럼 시몬을 보고 있을 따름이었다.

"이바노프 씨!"

예거들은 처음으로 이반에게 물리력을 행사했다. 그를 감싸서 억지로 물러나게 한 것이다. 그 모습을 보며, 시몬은 무릎이 꺾여 꿇어앉았다.

'아니야. 난 바이러스를 맞은 적이 없…….'

시몬은 불현듯 깨달았다. 그 여자 CEO. 그녀에게 핏물을 뿜었던.

'설마 그때……!'

시몬은 몸을 떨었다. 마드찰란은 핏물을 뒤집어쓴 채 망연자실해 그녀를 쳐다보고 있었다. 하지만 시몬은 곧 그조차도 흐려져 갔다.

'안 돼. 난 아직 아무것도 증명하지 못했어.'

스테판의 웃음소리가 귓가에 울리는 것 같았다.

"당신이야말로 다음 세상으로 갈 자격이 없어."

마치 그렇게 말하듯이.

시몬은 부옇게 흐려진 시야로 저 멀리 예거들 사이에 서 있는 이반을 보았다. 그에게로 손을 뻗었다.

'나의 왕.'

그에게 사랑받고 싶었다. 그가 사랑할 만한 여자라는 것을, 증명하고 싶었다. 이 세계조차 발밑에 가져다놓을 수 있는 여자라는 것을. 하지만 그의 품속에서만큼은 사랑스러운 꽃이 될 거라고……. 그와 함께 다음 세상으로…….

'난……!'

시몬은 눈을 감았다. 하지만 그건 본인의 느낌이었을 뿐, 축 늘어진 그녀는 그대로 눈을 뜬 채였다. 핏줄이 터져 붉게 물든 흰자위와 홍채가 한껏 벌어진 붉은 눈동자, 흥건한 핏물은 어느 게 어느 것인지 구별되지 않았다.

이렇게 사람이 많은 현장인데도, 정적이 감돌았다.

그때 어느새 도착했는지 푸른 PPE[19]를 착용한 CDC[20] 대원들이 앞으로 테이프를 둘러치며 지나갔다.

"스테판이 데려갔군요."

이반 옆에 있는 예거가 중얼거렸다. 그리고 목에 걸고 있는 십자가를 들어 성호를 그었다. 이반은 그를 보았다가 테이프 너머를 보았다. CDC 대원들이 마드찰란을 처치하고 있었다. 그 옆에 죽어 있는 시몬 옆으로

---

19) 개인보호장비, Personal Protective Equipment
20) 질병통제예방센터, Center for Disease Control and Prevention

는 시신을 담는 가방을 내려놓았다. 스테판은, 수습할 만한 것조차 남아 있지 않았다.

"그 녀석, 가톨릭이었지."

이반은 중얼거리고 예거에게 손을 내밀었다. 그러자 예거가 십자가 목걸이를 벗어 건네주었다. 이반은 성호를 긋고 십자가를 이마에 대었다. 그리고 눈을 감은 채 한동안 묵념했다.

우연히 방향을 돌린 카메라가 그 모습을 잡았다. 흡혈귀가 십자가 목걸이를 걸고 있었다는 사실은, 아직도 그들을 신에게 버림받은 족속쯤으로 생각하던 많은 시청자들을 놀라게 했다. 더욱이 흡혈귀가 십자가로 성호를 긋고 묵념하는 모습은, 오랫동안 세간에 회자되었다.

연하는 꼼짝하지 않았다. 뉴스는 촬영된 장면을 느린 화면으로 다시 내보내면서 온갖 추측들을 쏟아내기 시작했다. 이반은 당분간 바깥출입도 제대로 할 수 없을 것이다.

갑자기 누군가가 어깨에 손을 얹었다. 연하는 흠칫 정신을 차렸다. 렉스가 그녀 앞에 한쪽 무릎을 꿇고 있었다. 검은 다른 손에 쥐고 있었다.

"소장님, 왜……"

연하는 얼떨떨했다. 렉스는 규하를 보호하기 위해 그녀와 함께 가장 안쪽 방에 위치해 있기로 했기 때문이다. 그런데 렉스 옆에 아까까지만 해도 못 보던 사람이 서 있었다. 익숙한 무장을 한…….

"소령님."

연하는 귀신이 나타났어도 이만큼 놀라진 않았을 것이다. 도영은 소총도 여전히 그대로 쥔 채 야간투시경만 위로 올리고 있었다. 주변으로 같은 차림을 한 낯익은 대원들이 서 있었다. 뒤로 엄폐물은 치워져 있었고, 문도 열려 있었다. 연하가 뉴스를 보는 사이에 들어온 것 같았다. 아니면 그들이 들어오는 소리도 듣지 못할 정도로 그녀가 정신이 팔려 있었다고 해야 할지.

"작전이 취소됐어."

도영은 말하고 대원들을 엄지손가락으로 가리켰다.

"아니면 내가 이 사람들 뒤통수를 후려쳐서라도 도망치게 만들 작정이었는데 말이야."

대원들은 야유했다.

"소령님, 진심이죠?"

"와, 남자다. 그거 계급장까지 걸어야 할 발언인데."

"신고해, 신고. 이런 것도 포상금 주나?"

연하는 미간을 찌푸렸다.

"내가 정말 테러리스트가 됐으면 어쩌려고? 사적인 감정으로 임무를 그르칠 작정이야?"

도영은 기가 막힌다는 얼굴이었다.

"야, 너 진짜……."

그 순간에 연하는 도영을 끌어안았다. 그리고 말했다.

"고마워."

도영은 반사적으로 연하의 어깨에 올린 제 손을 보았다. 체포하더라도 그들이 데려가야지만 정말 최악의 경우 뭘 해도 할 수 있었다. 그래서 일단은 누가 선수를 치기 전에 연하의 신병을 확보할 생각이었다. 정말 계급장을 걸지 말지는, 최악의 경우가 닥쳤을 때 생각하려고 했다. 어쨌든 위에서 까라면 까는 군인이라고는 하지만 머리가 없는 건 아니니까. 어느 편을 택할 건지 결단력 정도는 발휘할 수 있었다.

"떨어지세요."

렉스가 그들 사이에 칼집째 검을 집어넣으며 말했다. 연하에게서 떨어진 도영은 미간을 찌푸렸다.

"포옹 정도는 상관없잖습니까?"

"답은 드페르 소령이 알고 있겠죠."

"국장님 그렇게 쪼잔한 성격입니까?"

연하가 끼어들었다.

"리웨이는……."

갑자기 공기가 무거워졌다.

"녀석에겐 여러 가지 선택권이 있었어."

도영은 다소 차갑게 말했다.

"그래도 그걸 선택한 거야, 스스로 옳다고 선택한 걸. 난 그게 옳다고 생각하지 않아. 그게 전부야. 똑똑한 녀석이라 우리가 연민을 가지지 않을 것도 알았을 테니까."

가족을 잃은 건 도영 역시 마찬가지였다. 하지만 그는 복수하기로 선택하지 않았다. 같은 일이 일어나지 않도록 예방하는 쪽을 선택했다. 그게 정의로운 일이라고 생각했으니까. 리웨이는 녀석 나름대로 정의라고 생각하는 일을 택한 것이다.

연하는 꾹 무언가를 삼키는 것 같았다.

"이반에게 가야 해."

연하는 렉스를 돌아보았다.

"규하는……."

"다녀오세요."

렉스는 조용한 감정이 넘실거리는 얼굴로 말했다.

"제가 곁에 있을 테니까요."

"차를 돌려."

하인리히는 나직이 말했다.

"네?"

비서는 백미러를 보며 반문했다. 하인리히는 흘긋 그를 보았다.

"증언할 필요가 없어졌잖아."

"아, 네."

비서는 바로 차를 돌렸다.

하인리히는 창밖을 보았다. 손해를 감수하더라도 일단 끌어내릴 생각이었는데 그새 시몬은 불귀의 객이 되어버렸고, 보아하니 마드찰란도 오래가진 못할 것 같았다. 정치적 문제로든 건강상 문제로든.

하인리히는 중얼거렸다.

"연옥에 계신 선조들이 가문을 위해 열심히 기도해 주고 계신 모양이야. 가문에 위기가 올 때마다 이렇게 보란 듯이 살아나는 걸 보면."

창밖으로 도시가 스쳐 지나가고 있었다. 도시는 유난히 분주하고 소란스러웠다.

"푸거-들뢰크는 수 세기를 살아남았어."

백미러 너머로 비서와 시선이 마주치자, 하인리히는 비릿하게 웃었다.

"제왕들의 가문도, 그들을 쥐고 흔든 교황의 가문도, 심지어 주인 본인은 흡혈귀가 되어 아직 살아 있는 가문도 사라졌지만 말이야."

소식을 들었을 때, 셀레나는 검찰청 로비에 서 있었다. 구금 제한 시간이 끝났기 때문에 막 풀려난 참이었다.

셀레나는 꾹 눈을 감았다.

스테판.

"스테판이 중간에 마음을 바꾸더라도 대공 그 미치광이가 강제로 폭발하게 만들어놓지 않았을 리가 없는데……."

소식을 전해온 비서도 침통한 듯 중얼거렸다. 셀레나는 눈을 떴다.

"그래도 이바노프 씨는 스테판을 구하고 싶으셨던 걸 거예요."

조금만 더 시간이 있었더라면 구할 수도 있었을 것이다. 연하가 가연을 구했듯이.

비서는 한숨을 내쉬고 말했다.

"결국 푸거-들뢰크를 끌어내는 데는 실패했군요."

비서는 아쉽다는 감정을 숨기지 않았다. 한 희로애락의 결정체가 스러져 간 일보다 목적이 실패한 데 아쉬워하는 그를 탓할 수도 없었다.

"이번 일로 푸거-들뢰크를 무너뜨리기만 해도 적잖은 소득이라고 생각했는데……. 정말 하늘이 돌보는 것처럼 빠져나갔군요."

마치 진짜 면죄부를 손에 쥐고 있는 것처럼.

"주식도 형제단 사건이 터지기 직전에 모두 매각했더군요. 피해는커녕 오히려 차익을 어마어마하게 거뒀습니다. 질투가 날 정도로 말이죠."

셀레나는 정문 밖을 보았다. 지평선 너머로 해가 쓰러져 사방에 붉은 빛깔이 낭자했다. 마치 도시가 창에 찔려 피를 흘리며 죽어가고 있는 것 같았다. 하지만 그 뒤로 밤이 밀려오고 있었다. 도시는 밤의 세례를 받아 다시 살아날 것이다.

셀레나는 말했다.

"때가 오겠죠, 언젠가. 제 아무리 강력한 면죄부라도 효력이 다하는 날은 올 테니까."

검은 하이힐이 불빛이 하나둘 살아나는 도시를 향해 걷기 시작했다.

헬기가 활주로에 내려앉았다. 그리고 문이 열리기 무섭게 연하가 뛰어 내려왔다. 뒤에서 사람들이 만류했지만 그녀는 듣지 않았다.

"이반!"

안전가옥이 있는 곳과 시차가 달라 햇빛이 쏟아지는 활주로 끝에 이반이 서 있었다. 여전히 TV에 나왔던 그대로 트렌치코트 차림이었다. 바람이 그의 머리카락과 옷자락을 흩날렸다.

연하는 그를 향해 달리기 시작했다.

"조심……."

연하는 이반에게 온 힘을 다해 안겼고, 그 역시 강한 두 팔로 힘껏 그녀를 감싸 안았다. 두 사람은 한 치의 틈도 없이 맞닿았다.

"연하야."

귓가에 울리는 그의 목소리, 온기, 향기……. 연하는 꾹 눈을 감고, 물기 어린 목소리로 속삭였다.

"만났어요, 다시."

이반은 연하를 조금 떼어 마주 보았다. 그의 뒤로 햇빛이 내리쬤다.

"몇 번이고 다시 만날 거야."

이반이 연하의 눈에 글썽한 눈물을 손으로 훑어주는데 연하는 갑자기 어딘가에 생각이 닿은 듯 표정이 바뀌었다.

"아뇨. 다시 못 만날 뻔했어요. 대체 왜 그랬어요? 혼자…… 그것도 그렇게 높은 데서 뛰어내리고……."

이반은 물끄러미 연하를 보았다.

"이제 잔소리를 다 하네."

"총리도 혼자 만나러 갔다면서요? 옛날에도 이렇게 무모한 행동을 하고 다녔던 거죠? 이반은 혼내주는 사람이 없어서 그래요. 다시 이러면 정말 혼낼 거예요."

"좋은데. 혼내주는 사람이 있다는 거."

이반이 너무 선선히 웃어 연하는 말문이 막혔다.

"정말로 혼낼 거예요."

"응."

기껏 엄하게 말했지만 웃는 모양새가 정말 무섭다고 생각하는 것 같진 않았다.

"구하고 싶었어, 스테판."

이반의 눈이 슬퍼 보였다.

"마리에테가 죽었을 때, 그게 인간사라면 어쩔 수 없다고 생각했어.

인간은 늘 그렇게 죽고 죽이며 살아왔으니까. 또 같은 일을 반복할 뿐이라고……."

그 모든 흥망성쇠가 각자 노력하고 싸운 결과라는 걸 잊어버리고 있었다. 결과가 어떻든 간에.

뺨에 온기가 느껴졌다. 연하가 오히려 울 것 같은 얼굴로 이반의 뺨을 쓰다듬었다.

"지금도 이반이 최선을 다해 노력하고 싸운 결과라는 걸, 난 의심하지 않아요. 모든 걸 포기하고 떠났을 때도 마찬가지예요. 그때 이반으로서는 그게 최선의 선택이었을 테니까."

이반은 자신의 뺨을 쓰다듬는 손을 잡았다. 붉은 눈동자에 빛이 넘실거렸다. 연하는 그를 끌어안으며 속삭였다.

"그렇게 믿어요."

'리웨이, 난 널 위해 울지 않을 거야.'

연하는 햇빛이 잦아드는 활주로 저편을 보며 생각했다. 도와달라고 말하지도 않은 녀석이 뭐가 예쁘다고.

'네가 내게 해야 할 말은 하나였어. 도와달라고.'

연하는 자신을 감싸는 따스한 온기를 느끼며 눈을 감았다. 울지 않을 거라 했지만 꾹 내리 감은 눈꺼풀 사이로 물기가 비쳤다.

19

I Pray

푸른 법복을 입은 재판관들은 말없이 화면을 쳐다보고 있었다.

국제적으로 중범죄를 저지른 개인을 재판하는 국제형사재판소[21]의 재판장은 전통적인 재판장보다 모던한 공간이었다. 방음벽 같은 흰 벽에, 삼면에 길게 늘어선 책상 외에는 특별한 것이 없었다. 언뜻 보면 시청각 자료실 느낌이 나기도 했다.

반대편 벽 가운데 난 유리창 너머에는 대공이 앉아 있었다. 그는 국제형사재판소 교도소 전용의 미색 죄수복을 입고, 팔은 앉아 있는 탁자 아래로 내리고 있었다.

비인간 테러단체 'SN'을 운영했던 그에게 기소된 죄는 제노사이드, 전쟁 범죄, 인도에 반하는 죄, 침략 범죄, 국제형사재판소가 관할하는 4대 범죄 전부였다. 운 좋게 개중 한두 개 혐의가 인정되지 않는다 해도, 형량은 아주 무거울 것으로 보였다. 인간이라면 몇 번씩 되살아나야 겨우 형기를 채울 수 있을 것이다.

---

21) ICC, International Criminal Court

재판이 끝나고 재판관들이 퇴정하자 사람들도 웅성거리며 일어나기 시작했다. 창 안쪽에서는 무장한 군인들이 대공에게 다가갔다. 그리고 한 군인이 대공이 앉아 있는 전동 휠체어 같은 의자를 돌려 문을 빠져나가는 모습이 창 너머로 비쳤다.

군인들은 아무도 오가지 않는 복도를 지나 엘리베이터에 올라탔다. 그리고 1층에 닿자 건물 밖으로 통하는 문을 나섰다.

햇빛이 내리쫴, 대공은 시린 눈을 찡그렸다. 어느덧 여름이 지나고 가을이 한창이었다. 공기에선 서늘한 냄새가 났고, 가을 햇살은 따가웠다.

햇빛이 잦아들자 눈앞에, 꿈에서 현실로 돌아오듯 삭막한 풍경이 나타났다. 사방에 벽이 둘러진, 가운데 관제탑 같은 탑이 서 있는 네모난 콘크리트 정원에 검은 호송 차량들이 그를 기다리고 있었다. 군인은 전동 휠체어를 그쪽으로 밀고 갔다.

그때였다.

"잠깐."

대공이 말하며 얼핏 옆쪽을 보았다. 군인은 전동 휠체어를 멈추었다. 대공은 뒤를 돌아보고, 비릿한 웃음을 지었다.

"이반 이바노프."

좀 떨어진 뒤쪽에 서 있는 건 정장에 코트를 걸친 이반이었다. 제복을 입은 렉스는 늘 그렇듯 몇 걸음 뒤에 서 있었다.

"잠깐 괜찮겠습니까."

대공은 군인을 보고 말했다. 의외로 정중한 말투였다. 군인은 전동 휠체어를 두 남자 쪽으로 돌렸다.

대공은 두 팔과 허벅지, 허리, 가슴이 구속되어 있었다. 두 다리는 허벅지까지밖에 없어, 빈 죄수복 바지가 아래로 힘없이 늘어져 있었다.

이반이 조병창을 벗어나고 팔은 어떻게 붙잡아서 접합했지만 두 다리까지 붙일 시간은 부족했기 때문이다. 뒤이어 나타난 MCTC는 대공의 다리를 따로 가져가 버렸다. 갓 떨어진 사지는 저절로 접합할 수 있지만 떨어진 부위가 썩어버리면 아무리 루아스라도 돌이킬 방법이 없었다.

"마르코프는 착한 녀석이었어."

대공은 말했다.

"소 같은 녀석이어서 우직하게 주인 말만 들을 줄 알았지. 그렇게 생긴 주제에 농부의 아들이었으니까. 남색을 밝히던 변태 같은 귀족 새끼한테 학대당해 반 주검이 돼서 들판에 버려졌다가 되살아났는데 그 새끼를 그냥 깔끔하게 보내줬을 정도라고."

대공은 마르코프에 대해 생각하는 것 같았다. 처음으로 진지하고 차분해 보일 정도였다.

"아무리 많은 인간을 감염시켜도 단 한 놈도 살아 돌아오지 않았는데 마르코프는 내게 돌아온 처음이자 마지막 녀석이었지. 시몬의 패착은 나 같은 악당은 슬픔도 복수심도 없는 줄 알았다는 거야. 나도 인간이었는데 말이야, 그 지옥 같은 늪을 빠져나오기 전엔."

대공은 훗 웃었다.

"하지만 뭐, 시몬 녀석보다는 내가 낫겠지. 감옥에서 좀 썩는다고 죽는 몸도 아니고."

대공은 군인을 보고 말했다.

"갑시다."

군인은 다시 전동 휠체어를 돌렸다. 의자가 반쯤 돌아갔을 때, 이반이 나직이 말했다.

"쿠니스."

대공은 멈칫했다. 그리고 휙 돌아보았다. 이번엔 정말로 놀란 얼굴이었다.

"네가 내 이름을 어떻게……."

반사적으로 묻긴 했지만 이바노프가 제 이름을 안다는 사실이 의미하는 바는 바로 깨달았다. 대공, 쿠니스는 입술이 떨려왔다.

"가말이…… 살아 있는 거지?"

룩카의 청년 쿠니스는 제 쌍둥이 가말을 목 졸라 죽여 시신을 늪에 던졌다. 하지만 가말은 죽지 않았다. 적어도 늪의 X에 감염되기 전에는.

온갖 혼돈 속에서 허우적거리다 가말은 반쯤 사고로 녀석을 늪으로 끌어들였고, 선악을 구별하지 못하는 늪은 잉태했다. 이 세계의 악몽, 영원히 끝나지 않는 밤을.

"어디…… 어디, 어디 있어?"

쿠니스는 실제로 몸을 떨며 물었다.

[말해줄 리 없잖아.]

이반은 난생처음 듣는 언어로 대답했다. 라틴어도, 고대 그리스어도 아니었다.

"너……!"

쿠니스는 몸을 일으키려 했지만 구속구에서는 덜컹거리는 소리조차 나지 않았다. 그럼에도 군인들은 긴장하며 소총을 겨누었다.

창백하게 질린 청년을 응시하는 붉은 눈동자는 차가웠다.

[넌 바이러스를 이용해 다른 가말을 만들고 싶었겠지. 인간 중에 가말을 닮은 아이를 골라. 이번에는 영원히 떨어지지 않으려고. 하지만 쿠니스, 어떤 건 절대 되돌릴 수 없어.]

쿠니스는 파르르 떨었다.

[놔, 놔줘! 날 놔줘! 놔! 난 가야 해!]

실성한 것처럼 들썩이는 쿠니스를 내버려 두고, 이반은 돌아섰다.

[영원히 절망해 봐. 영원히 가질 수 없는 걸 갈망하면서.]

쿠니스의 눈이 팽창했다. 그렁거리는 눈에서 눈물이 흘러내렸다.

아아…….

울음이 울렸다.

아아아…… 아아……!

점차 오열이 커져 갔다. 하늘은 뻥 뚫려 있지만 사방이 막힌 공간을 울리며 멀리 퍼졌다. 이반은 콘크리트 길을 걸어, 나왔던 문으로 향했다.

"국장님."

문 앞을 지키고 있는 군인들이 거수경례하고 문을 열어주었다. 이반은 조금 웃었다.

"이젠 국장이 아닙니다만."

조사가 끝나고 이반은 대기 발령 상태가 풀려 국장직으로 복귀하는 일이 허락됐지만 MCTC에 사의를 표했다. 어차피 연하 곁으로 가기 위해 시작한 일이었고, 얼굴이 너무 알려져서 더는 국장직을 유지하기가 어렵겠다고 판단했기 때문이다. 원래 국장 정도 되면 매스컴에 얼굴이 많이 노출되지만 어지간한 연예인보다도 유명해진 지금으로서는 일단 한 걸음 물러나는 게 맞았다. 그가 세상에서 잊히기 전까진 또 많은 세월이 필요할 것 같았다.

군인은 무뚝뚝하게 고개를 끄덕이고 말했다.

"감사했습니다."

짧지만 많은 의미가 담긴 말이었다.

이반은 살짝 고개를 끄덕인 뒤 건물 안으로 들어갔다. 조용한 복도를 걸어가는 동안, 멀리서 어머니를 찾는 아이 같은 울음소리가 길게 따라왔다. 거의 그 소리가 들리지 않게 되었을 때, 뒤따라오던 렉스가 물었다.

"정말 가말이 어디 있는지 아십니까?"

이반은 렉스를 한심해하듯이 돌아보고 말했다.

"알 리가 없잖아. 찾지 않기로 약속했으니까."

렉스는 잠깐 가만히 있다가 말했다.

"강 상사도 모르는 눈치더군요."

"연하가 이것까지 나눠질 필요는 없으니까."

"강 상사는 달가워하지 않을 텐데요."

"알아. 그래도 지켜주고 싶은 건 남자의 본능이라고 할까."

이반은 진지했다.

"그러니까 옛날 사람 소리를 듣는 겁니다."

렉스가 말하자 이반은 코웃음을 쳤다.

"너한테는 듣고 싶지 않은 말이야."

렉스는 뒤를 한 번 보았다. 이제 소리는 들리지 않았다.

"하지만 가장 알아서는 안 되는 녀석이 알아버렸군요."

"어린애 같았다는 건 인정해. 좀 화가 나서 말이야."

녀석이 사탄의 입속에서 영원히 씹히는 것보다 더 고통스러워할 벌이라면 이것뿐이라고 알았기 때문이다. 가말이 살아 있다고 알면서도 결코 만나러 갈 수 없다는 현실 말이다.

"열차 테러 때 녀석이 강 상사의 뺨을 쳤던 것 때문에 말이죠?"

렉스가 알 만하다는 듯이 말하자 이반은 험악한 표정이 되었다.

"갈아먹어도 시원찮을 녀석이야."

어쨌든 이건 고작 연하의 뺨을 때렸기 때문에 한 복수였다는 의미였다. 원래는 상당히 다혈질인 사람이라는 걸 잊고 있었다. 나이가 들면서 차분해져서 그렇지, 옛날엔 한번 화가 나면 온 궁정 사람들이 다 뜯어말려도 화를 가라앉히기 힘들 정도였다고 들었다. 자신이 젊어서 요절할 거라는 걸 직감한 것처럼 다른 사람이라면 평생에 걸쳐 쓸 에너지를 전부 쓰는 느낌이었다고.

"뭐 해? 가자고."

이반은 이미 차 앞에 내려가 있었다.

'그러고 보면 알게 모르게 성질이 급한 편이었지.'

렉스는 생각했다. 사실 이반이 장례식장에 혼자 뛰어든 것도 보면, 옛날에도 병사들 사이에 섞여서 가장 먼저 적군의 성벽을 기어 올라가고는 했다는 이야기가 과장은 아닌 것 같았다.

"안 와?"

이반이 다시 재촉했다.

"갑니다."

렉스는 대답하고 낮은 계단을 내려갔다. 그들 뒤로 천칭을 형상화한 것 같은 현대적인 건물이 햇빛을 받아 하얗게 빛났다.

이반은 눈을 떴다. 가슴이 서늘한 느낌 때문이었다. 잘 때만 해도 품속에 있었던 연하가 보이지 않았다. 달빛이 내려앉은 매끄러운 시트 위에 그녀가 누웠던 흔적만이 크레이터처럼 남아 있었다. 어두운 창 너머바다는 고요했다.

이반은 이불을 걷고 일어나 방을 나섰다. 그리고 아래층으로 내려갔다. 사방이 유리창으로 된 집이라 연하가 어디 있는지는 소리를 듣지 않아도 바로 알 수 있었다. 품이 큰 티셔츠에 반바지를 입은 뒷모습이 테라스에 서 있었다.

연하는 기척을 느꼈는지 돌아보았다.

"깼어요?"

"왜 나와 있어?"

이반은 테라스로 나가며 물었다. 밤의 바닷바람은 사늘했다.

"잠깐 규하 좀 확인하고 왔어요."

연하는 애써 웃는 얼굴이었다.

규하는 여전히 깨어나지 않았다. 연구원까지 상주시켜 놓고 원인을 알아내려 하고 있지만 뚜렷한 이유를 찾지 못하는 채로 계속 시간은 흐르고 있었다.

"일단은 괜찮지 않을까 싶습니다. 생체 반응은 문제가 없으니까."

연구원은 그렇게 결론지었다. 이반은 그날 처음으로 연하가 남에게 화내는 모습을 보았다.

"그런 무책임한 말이 어디 있어요!"

연구원으로서도 최선을 다한 결과였기 때문에 결국은 받아들일 수밖에 없었지만 여러모로 속상했는지 연하는 울음을 터뜨리고 말았다.

일련의 일들을 겪으면서도 연하는 거의 우는 법이 없었다. 이반이 기억하기로도 규하가 과호흡을 일으켰을 때가 유일했다. 쌍둥이가 관련됐을 때만 우는 연하를 안고 달래며 그는 연민과 질투를 동시에 느껴야했다.

"이반. 감염은 선택의 문제라고 했죠."

연하는 바다를 보면서 말했다. 이반은 대답하지 않았다. 그녀가 하고 싶은 말이 따로 있는 걸 알았기 때문이다.

테라스 아래쪽 바위에 파도가 와 부딪혔다가 산산이 부서져 흩어졌다. 솟구친 바닷바람이 풀어둔 연하의 머리카락을 흩날렸다.

"제가 지금 여기에 서 있는 게 모두 우연의 산물인지, 무의식중에나마 제가 선택했기 때문인지는 모르겠어요."

연하는 이반을 보았다. 밤의 바다와 경계를 알 수 없는 검은 눈동자에 빛이 돌았다.

"하지만 중요한 건 전 지금 여기에 서 있고, 그러니까 바라게 됐어요.

새로운 세상을. 위로 갈 거예요. 내가 하는 말이 모두에게 닿도록."

"주저하지 마."

이반은 바로 말했다. 근래 연하가 어떤 생각을 깊이 하고 있다는 건 알고 있었다. 때때로 생각에 잠기는 옆모습을 보면서 이야기해 주기만을 기다렸다.

"어쨌든 시간은 충분하잖아."

연하는 한 걸음 이반에게 다가섰다. 등 뒤에서 바람이 불어 연하의 옷자락과 머리카락이 그에게 휘감겼다. 마치 바람이 그녀를 그에게 밀어주는 것 같았다.

이반은 연하의 머리카락을 귀 뒤로 쓸어 넘겨주고 아래쪽을 보았다. 품이 큰 티셔츠 아래로 배는 이미 꽤 볼록했다.

"그래도 아이는 낳아주는 거지?"

"당연하죠. 이 아이가 평범하게 살 수 있는 세상을 만들고 싶은 거니까요."

이반은 온기가 도는 눈으로 연하를 보았다. 볼을 쓸고, 뒷목을 감싸 입 맞추었다. 그녀는 따듯한 바닷바람처럼 불어오는 키스를 받아들였다.

연하는 이반의 손목을 쥐고 낮은 소리를 냈다. 점차 몸이 달아오르는 느낌이었다. 그러고 보니 규도 있고 이런저런 일 때문에 한동안 그와 사랑을 나누지 못한…….

"들어가서 하세요."

연하는 깜짝 놀라 돌아보았다. 렉스가 컵을 들고 막 거실을 지나 부엌으로 들어가고 있었다. 슬그머니 이반을 보니, 그는 '저 자식을.' 하고 말하는 것 같은 눈으로 그쪽을 보고 있었다. 그리고 이반은 연하를 보고 쓰게 웃었다.

"누군가와 같이 지내려고 지은 집이 아니라서 프라이버시가 전혀 지켜지질 않네."

연하도 난감한 웃음을 지었다. 규하를 떼어놓을 수 없으니 자연스레 렉스까지 같이 지내게 됐는데 집이 거의 통유리로 되어 있는 데다가 방음도 제대로 되지 않았다. 구조가 여러 사람이 사는 데 맞지 않는 건 물론이고.

"이사 가야겠어. 다 같이 살려면."

이반은 한숨을 내쉬고 말했다.

"괜찮아요?"

연하가 눈치를 살피며 묻자 이반은 테라스 난간에 양팔을 걸쳐 손을 맞잡고 그녀를 보았다.

"네가 강 선생하고 떨어져 살 거란 생각은 애초에 안 했어."

"규하도 이바노프니까요."

"그러게. 이렇게 쓰는 사람이 많아질 줄 알았으면 좀 공들여 지을 걸 그랬나. 우리 때는 성이란 게 없었어서."

이반은 정말 아쉬워하는 얼굴이었다. 연하는 조금 의외였다.

"성이 없었어요?"

"응. 아무개, 누구의 아들 정도였지."

성이란 것도 생각보다 당연한 개념은 아니었구나 생각하다가, 연하는 갑자기 떠올라 물었다.

"그러고 보니 이반 원래 이름은 뭐예요? 여태 모르네요."

"아아……."

이반은 고개를 기울이고 연하의 귓가에 속삭였다. 연하는 놀란 듯이 그를 보았다.

"어, 그 이름은……."

"맞아. 하필 같은 이름이야."

골난 아이처럼 뚱한 얼굴을 한 이반을 보며 연하는 웃었다. 그래서 본명을 쓰지 않는 거였구나.

"좋은 이름이니까요."

두 사람은 마주 보며 웃고는 갓 데이트를 시작한 어린 커플처럼 살짝 입 맞추었다. 반면 부엌 문가에 서 있는 렉스는 한숨을 삼켰다.

'저 두 사람은……'

렉스가 방으로 돌아가기 위해서는 다시 지나가야 한다는 걸 생각지도 못할 만큼 서로에게 빠져 있었다. 한동안 생사도 모른 채 헤어져 있어야 했으니 이해는 하지만 그가 여기서 계속 기다리는 것만 알아주면 좋을 것 같았다.

달빛이 테라스에 선 연인을 비추었다. 착시겠지만 순간 이반은 고대의 청동제 갑옷을, 연하는 고등학교 교복을 입은 것처럼 보였다.

아마 이건 다른 땅, 심지어 다른 시간대에 살던 두 남녀가 만난 것 같은 기적. 바다와, 시간과, 빛을 건너.

갑자기 이반이 이쪽을 보았다.

"왜 거기서 남 키스하는 걸 보고 있어? 이상한 취미가 생겼군."

렉스는 대답하기도 귀찮아서 손을 내젓고 거실을 지나 방으로 돌아왔다. 규하는 여전히 그 모습 그대로 누워 있었다. 산소마스크를 쓰고, 생명 유지 장치를 달고. 방 한쪽에는 그가 쓰는 침대가 있었다. 규칙적으로 반복되는 기계음을 들으며 잠드는 일에도 이제는 익숙해졌다.

렉스는 침대에 걸터앉아 규하의 머리카락을 쓸어 넘겼다.

기적이 있다면…….

렉스는 충동적으로 침대 아래로 내려가 무릎을 꿇었다. 그리고 침대 위에 손을 모으고 눈을 감았다. 인간일 때는 여덟 번 일과기도를 할 때만이 아니라 하루에도 수십 번씩 한 동작이었다. 하지만 거의 천 년 만에 하는 동작은 처음 하는 것처럼 낯설었다.

사실 렉스는 자신이 언제 처음 기도를 했는지도 기억나지 않았다. 신을 믿는 것이 너무나 당연한 시대에 태어났기 때문이다. 모르긴 몰라도 아마 말을 하기 전에 기도하는 법부터 배웠을 것이다.

아니, 어쩌면 기억나는 것 같기도 했다. 어린 그가 작은 손을 모으도록 도와주는 수도원장님의 손, 예배당의 작은 창문 틈 사이로 비쳐 드는 햇빛, 평화로운 공기, 영혼 깊숙한 곳에 진동처럼 울려오는 종소리…… 그리고 사방에 편재한 신의 존재가.

렉스는 눈을 뜨고 규하를 보며 나직이 말했다.

"제게 규하를 돌려주십시오."

규하는 눈을 떴다. 낮은 허밍 소리가 들렸다. 멍하니 옆을 보자 햇빛이 쏟아지는 창문 앞에 누군가가 서 있었다. 무색 원피스를 입은 여자였다. 뒤돌아선 채 화분에 물을 주고 있었다.

등을 덮을 만큼 긴 머리카락에 윤기가 흘렀다. 얼핏 보이는, 솜털이 반짝이는 둥그런 볼이 탐스러웠다. 그리고 배가 컸다. 아주.

'꿈이구나.'

규하는 몽롱하게 생각했다.

'벌써 배가 저렇게 불렀을 리 없으니까……'

밖에서 부르는 소리에 여자는 열려 있는 문 쪽을 돌아보았다. 그리고 뒤에서 지켜보는 시선이 있으리라고는 생각지도 못하고 문을 나섰다. 규하는 여자를 부르고 싶었지만 목소리가 나가지 않았다.

'정말 꿈인가 보네.'

그래서 눈을 감고 한동안 누워 있었다. 그런데 문 앞으로 또 누군가 지나가는 소리가 들렸다. 발소리로 봐서 몸집이 더 작은 여자 같았다. 규하는 다시 눈을 떴다. 그사이에 의식이 좀 맑아져서 햇빛으로 가득 찬 꿈의 공간 같던 방이 현실 세계의 것으로 보였다. 예술에 조예가 있는 현대 건축가가 디자인한 것 같은 모던한 방이었다. 창밖에는 무성한 나무밖에 보이지 않아서, 어디인지 알 수 없었다.

규하는 일어나 바닥에 발을 디뎠다. 뭔가 낯선 느낌이었지만 오랫동안 걷지 않은 약한 느낌은 들지 않았다.

규하는 밖으로 나섰다. 역시 모던한 긴 복도가 이어졌다. 복도 끝에 정면으로 전면 창이 활짝 열려 있고, 나무가 무성하다 못해 울창한 모습이 보였다.

"밥부터 먹어요."

연하의 목소리……

"응. 이것만 보고."

이반이 대답했다.

"어서요."

어쩐 일로 국장한테 엄한 소리를 다 내네, 규하는 생각하며 걸어갔다.

"참, 에밀리, 규하 방에 주전자를 놓고 왔는데……"

식탁 앞에 서 있는, 아까 방에서 본 여자가 돌아보았다. 그리고 여자의 눈이 천천히 커졌다. 그 여자가 연하라는 데 규하는 놀랐다. 남산만한 배도 그렇고, 저렇게 여성스러운 모습은 진짜 열아홉 살 이후로 처음이었다. 늘 후드에 추리닝바지만 입고 다니더니……

탁자에 앉아 있는 남자도 그녀를 보았다. 그 남자가 이반이라는 데 규하는 또 놀랐다.

"웬 금발……"

말하는데 연하가 울먹이며 달려왔다.

"규하야!"

두 사람은 서로를 꽉 끌어안았다. 12년 만에 다시 만났을 때처럼. 연하에게서 달콤한 냄새가 났다. 지금 생각하면 화약과 철이었던 것 같은 예전 냄새가 아니라.

"나 자세가 너무 웃기지 않아?"

커다란 배 때문에 엉덩이만 쏙 빠져 있는 우스꽝스러운 모습이라 규하는 말했다. 연하는 규하를 놓아주었다.

"너 정말, 일어나자마자."

규하는 연하의 배를 보았다.

"그럼 이거 진짜야? 배가 왜 이렇게 커?"

"일주일 뒤가 예정일이야."

규하는 깜짝 놀랐다.

"벌써 그렇게……?"

연하는 조금 심각해져 고개를 끄덕였다.

"감염은 이겼는데 이상하게 눈을 뜨지 않았어. 렉스 씨가 정말로…… 마음고생을 많이 했어."

마지막으로 본 일렁이는 붉은 눈을 생각하자 규하는 가슴이 미어졌다. 규하는 주변을 둘러보고 물었다.

"렉스는?"

"일. 어쨌든 네가 깨어나기 전까지 더 안전한 세상을 만들겠다고 SN의 잔당을 잡아들이는 데 그렇게 열심일 수가 없어. 이제 거의 슈니터[22]라고 불리는 것 같아."

뭔가 쓸데없이 지나친 열정을 불태우고 있구나 생각하는데 갑자기 연하가 한 말이 인식되었다.

"잠깐, 뭐라고? 감염을 이겼다고?"

연하는 고개를 끄덕였다.

"응. 느껴지지 않아?"

규하는 제 두 손을 보았다. 자신이…… 루아스라고?

"잘 모르겠어."

"차차 느껴질 겁니다."

연하 옆에 다가온 이반이 말했다.

---

22) 풀 베는 사람, 수확자, 독일어

"어쨌든 렉스가 수혈을 계속했기 때문에 특별히 일어나자마자 허기를 느끼진 못할 겁니다."

연하가 덧붙였다.

"아무래도 파트로네스한테 수혈을 받는 게 가장 좋으니까. 소장님이 주기적으로 해줬어. 거의 간 투석을 하는 환자처럼 말이야."

렉스가 그녀의 파트로네스……. 규하는 모든 게 너무 낯설었다. 특히 국장의 머리가.

규하는 이반을 위아래로 훑었다.

"웬 금발이에요? 갑자기 사춘기가 다시 왔어요?"

이반은 웃지도 않고 대답했다.

"원래 금발입니다."

그런데 낯설면서도 어디선가 본 느낌이라 생각하는데 이반이 덧붙였다.

"봤을 텐데요."

규하는 짧게 '아' 소리를 내었다. 그러고 보니 크루즈 폭발 사고 이후 염색 머리가 타버려서 그랬는지 이반은 내내 짧은 금발이었다. 그땐 너무 정신이 없어서 누가 어떤 개성적인 스타일을 하고 있었더라도 몰라봤겠지만 말이다.

그때 뒤로 발소리가 다가왔다. 아까 문 앞을 지나간 발소리였다. 어떻게 그런 걸 알 수 있는지는 모르겠지만, 그냥 알 수 있었다.

"어, 깨어나셨군요."

돌아보자 처음 보는 여자가 서 있었다. 사십대 초반쯤 돼 보였고, 예상대로 몸집이 작았다. 연하가 그녀를 가리키며 말했다.

"인사해. 요즘 우리를 도와주고 있는 에밀리야."

"처음 뵙겠습니다. 에밀리라고 해요."

에밀리라고 하기엔 너무 동양인이었지만 뭐, 이름이야 아무래도 좋았다.

"루아스…… 맞죠?"

규하는 에밀리의 가정부 같은 차림을 보고 혼란스러워하며 물었다. 에밀리는 가볍게 웃었다.

"군인 같은 건 적성에 맞질 않아서요."

하긴, 생각해 보면 모든 루아스가 군인 체질일 리는 없었다.

"어, 그럼 나도……?"

군인으로 전향해야 하는 건가 싶어 놀라는데 연하가 고개를 저었다.

"아니. 루아스도 대개 군과 관련되어 있는 지금보다 더 자유롭게 직업을 선택할 수 있게 될 거야. 시간은 좀 걸리겠지만. 그전까지는……."

"ISLE에 위장 취업이라도 시켜 드리죠."

이반이 말했다.

"그건 직권남용 아니에요?"

규하는 찡그리고 웃다가 갑자기 흠칫했다. ISLE이라고 하는 순간 깨달았다.

"가연이는?"

연하가 진정하라는 듯이 말했다.

"괜찮아. 무사해. 이미 퇴원해서 다시 학교에 다니고 있어."

이반이 연하의 머리를 쓰다듬었다.

"연하가 워낙 깔끔하게 꺼내서 말이죠."

연하는 쑥스러워했다. 그런 걸로 자랑스러워하지 말라고 해야 하나, 아니면 잘했다고 칭찬을 해줘야 하나 규하는 복잡한 심정이었다. 연하는 덧붙였다.

"주기적으로 PTSD(외상 후 스트레스 장애) 치료와 심리 상담도 받고 있어. 다행히 밝은 아이라서 잘 적응하고 있는 것 같아. 몇 번 네 병문안도 다녀갔고."

규하는 자신이 잠들어 있는 동안 많은 것들이 변하고, 정리된 것 같다고 생각했다. 그때 헬기 소리가 들려왔다. 규하는 복도 너머를 보았다. 그러고 보니 복도 반대편에도 공간이 있었는데 벽이 전면 창이어서 건너 풍경이 보였다. 집 크기와 구조가 어떻게 되는 건지, 지형을 따라 건물이 내려갔다 솟았다 하면서 저 멀리까지 이어졌다. 꼭 산중에 지은 천문대 같은 느낌이었다.

멀리 헬기장에 막 헬기가 내려서고 있었다.

"소장님 돌아오셨나 봐요."

에밀리가 말하고, 연하는 분연히 걸음을 돌렸다.

"어서 알려……."

"잠깐만."

갑자기 이반이 연하의 어깨를 잡았다. 연하는 의아해하며 돌아보았다.

"왜요?"

"좋은 생각이 있어."

렉스는 엘리베이터에서 내렸다. 소파에 앉아 있는 이반은 옆에 있는 연하의 어깨에 팔을 두른 채로 그를 돌아보았다.

"오늘도 열심히 수확하고 왔어?"

"예."

렉스는 바로 규하를 보러 가기 위해 마음이 급해 대충 대답하고 걸음을 옮겼다. 그런데 항상 반갑게 인사해 주는 연하가 정면을 본 채 꼼짝하지 않았다. 곱게 빗은 검은 머리카락이 어깨와 등에 넓게 펼쳐져 있었다. 언젠가 연하가 입은 모습을 본 꽃무늬 원피스가 머리카락 사이로 보였다.

"자는 겁니까?"

렉스가 의아해 묻자 이반은 다정한 눈으로 연하를 보았다.

"아니."

렉스는 더 의아해졌다.

"무슨 일이라도……."

그때 연하가 돌아보기 시작했다. 머리카락이 넘어가고, 볼이 보이고, 입술, 코, 눈……. 턱을 살짝 들고 눈매를 휘며, 꼭 연하처럼 웃었다.

"왔어요?"

렉스는 그녀를 응시하며 꼼짝도 하지 않았다. 그대로 굳어 소금기둥이 된 것처럼.

침묵이 흘렀다. 규하는 눈을 굴려 이반을 보았다. 이반도 그녀를 보았다. 그도 저 반응이 무슨 의미인지 모르는 것 같았다. 규하는 절레절레 고개를 저었다.

"역시 이런 장난이 통할 리가 없잖아요. 팔 치워요."

이반이 팔을 치우자 규하는 진저리를 치며 일어났다.

"팔을 두를 필요까진 없었잖아요? 닭살 돋아 죽는 줄 알았네."

딱히 좋아해 주길 바란 건 아니지만 이반이 팔을 둘렀을 때 이런 반응을 보이는 여자는 처음이었다. 역시 태생이 그의 처제인 모양이었다.

숨어 있던 연하가 복도에서 나왔다.

"어때, 잠깐이라도 속았어? 역시 금방 알았지?"

규하는 렉스에게 다가갔다.

"렉스, 나……."

어쩐지 그를 처음 보는 사람처럼 수줍어져 규하는 그녀답지 않게 귀 뒤로 머리카락을 쓸어 넘기며 우물쭈물했다. 그런데 렉스는 여전히 꼼짝하지 않았다. 눈도 깜빡이지 않았다. 규하는 미간을 찌푸렸다.

"렉스? 너 그건 무슨 반응……."

그런데 다가온 연하가 렉스를 유심히 보더니 깜짝 놀라 말했다.

"기절했는데, 선 채로?"

렉스는 눈을 떴다. 규하가 누웠던 침대에 그가 누워 있었다. 그리고 침대에 규하가 걸터앉아 그를 보고 있었다. 시간은 많이 지나지 않은 것 같았지만 규하는 옷을 갈아입었는지 청바지에 티셔츠 차림이었다.

규하는 그를 물끄러미 보며 말했다.

"루아스도 기절할 수 있구나."

렉스는 상체를 일으켜 앉았다. 혈압이 순간 심하게 내려갔는지 아직도 살짝 어지러워, 이마를 짚고 숨을 내쉬었다. 군복의 목 부근 단추는 누가 풀어두었는지 풀려 있었다.

"괜찮아?"

규하가 물어, 렉스는 그대로 시선만 돌려 그녀를 보았다. 규하는 신나는 일이라도 있는 것처럼 말했다.

"근데 어느 포인트에서 기절한 거야? 연하가 자랐다고 생각해서, 아니면 나랑 똑같아진 연하가 국장하고 사는 걸 봐야 한다고 생각해서, 아니면 내가 깨어난 걸 깨달아서, 그것도 아니면……."

렉스는 몇 개월간 잠든 모습만 본 규하가 눈을 뜨고 자신을 보고 있다는 사실에 정신이 아득해지고 말았다. 기쁨과 경이가 지나치면 거의 충격으로 다가온다는 걸, 그도 처음 알았다.

"언제 일어났어?"

렉스가 불쑥 물었다. 규하는 기가 막혔다.

"야, 너 말이 짧……."

"싫어?"

렉스는 말을 자르고 물었다. 이마를 짚은 채 물끄러미 보는 시선에 규하는 왠지 말문이 막혔다. 그새 어디서 뭘 먹고 왔는지 이 쓸데없는 남성미는 뭐란 말인가?

규하는 눈에 힘을 주었다.

"건방져졌어."

렉스는 물끄러미 규하를 보았다.

"내가 너보다 천 살은 많은데."

그건 그렇지만……. 오히려 연하남이 '너라고 부를게.'라고 한 것 같은 기분이었다. 건방지고, 같잖고, 그런데 왠지 모르게 짜릿하고……. 인간이 이렇게 복잡하다. 하지만 여기서 밀리면 계속 밀리게 될 거라는 확신이 들어, 규하는 심기일전했다.

"루아스가 된 후로는 치트키를 쓴 거나 마찬가지니까 인간일 때 나이로 해야……."

갑자기 렉스가 그녀의 얼굴을 붙잡아 키스했다. 명치를 훅 치는 것 같은 느낌이었다. 입술이 여러 번 부딪쳤다. 렉스는 한참 후에야 입술을 떼고 속삭였다.

"사랑해."

하필 이 타이밍에 그런 말을 하면 반말에 대해 이쪽이 다른 말을 할 수 없도록 계획적이라고밖에…….

규하는 사랑한다는 말을 들은 여자라고는 생각되지 않는 얼굴로 렉스를 노려보았다. 하지만 그는 다 알고 있는 것처럼 희미하게 웃고 있었다. 그녀가 너무 귀엽다는 듯이. 그 역시 천 년이라는 세월을 허투루 산건 아니었는지 능구렁이가 따로 없었다.

렉스가 다가왔다. 규하는 그를 안으며 눈을 감았다.

하지만 괜찮았다. 능구렁이라도, 사랑스러우니까.

이반과 연하는 문밖에서 그 모습을 지켜보고 있었다. 그러다가 이반이 연하의 어깨를 안고 말했다.

"가자. 둘만의 시간이 필요할 테니까."

연하는 웃고는 이반의 허리에 팔을 감고 걸음을 돌렸다. 아마 그때가 렉스에게도 이반이 천 년 만에 가장 쓸모 있는 순간이었으리라.

두 사람이 사라지는 뒤로, 창가에 날씬한 고양이 한 마리가 나타났다. 고양이는 앞다리를 쭉 뻗으며 기지개를 켰다. 그때 바람이 불어와 옆에 있는 화분에 꽃이 살랑거리자 호기심을 느끼는지 꽃에 코를 대고 냄새를 맡았다. 하지만 금세 호기심을 잃은 듯 이빨을 드러내며 늘어지게 하품했다. 그리고 화분 옆에 다리와 꼬리를 모으고 앉아 밖을 보았다.

우아한 짐승과 꽃이 햇빛 속에서 은빛 윤곽으로 빛났다.

에필로그

꼼지락거리는 작은 손이 이반의 얼굴을 감쌌다. 곡선을 그리는 입술을 지나 단단한 턱을 만지작거렸다. 그 느낌이 마음에 드는지 아기는 함박 웃었다. 아기를 담은 붉은 눈이 온화했다.

"히샤."

녹을 것 같은 목소리가 과연 이렇다고 해야 할지, 아이는 자신을 향한 애정을 아는 것 같았다. 제 아버지를 보는 작은 붉은 눈에도 웃음기가 가득했다. 이반은 팔다리를 휘적거리는 아이의 머리에 키스했다.

"아주 녹네, 녹아."

규하가 기가 막힌다는 듯이 말했다. 이반은 고개를 돌렸다. 규하는 테이블 건너에 앉아 있었다. 가벼운 여름 원피스 차림이었고, 뒤로는 한가로운 여름 휴양지 레스토랑의 풍경이 펼쳐졌다. 하얀 제복을 입은 웨이터들이 쟁반에 시원한 화이트 와인, 잘 여문 올리브, 색감이 화려한 음식들을 손님들에게 서비스했고, 손님들은 지중해의 눈부신 햇살을 온몸으로 즐기고 있었다.

펜스 너머 푸른 바다에는 물비늘이 반짝였다. 여름의 냄새는 진하고 평화로웠다.

"애만 보고 있을 셈이에요?"

규하는 거의 타박하듯 말했다. 그러자 그 옆에 하와이안 셔츠를 입고 앉아 책을 보고 있는 렉스가 무심하게 말했다.

"이천 년 만에 가진 첫 아이니까 이해해 줘야지."

이반은 제 무릎 위에서 떨어질 것처럼 몸을 휘젓는 히샤를 다시 안으며 미간을 찡그렸다.

"지금 나 은근히 돌려 까지 않았어?"

"기분 탓입니다."

렉스는 아직도 종종 이반이 자신을 기절하게 한 장난을 설계했다는 사실에 감정을 품은 것처럼 보였다. 이반은 어깨를 으쓱였다.

"동정으로 죽은 것보다야."

그제야 렉스는 책에서 시선을 떼고 이반을 보았다. 말문이 막힌 얼굴이었다.

"불가피했던 부분을 공격하다니 정정당당하지 못하시군요."

"원래 허를 찌르는 게 전략이라고 부르는 거거든."

이반이 지지 않고 말하자 규하는 고개를 내젓고 이반 품에 있는 히샤를 보았다.

"이바노프 가엔 제대로 된 남자가 없구나, 히샤. 너라도 제대로 된 남자가 되렴."

"무슨 소리야? 히샤는 안 클 거야."

이반 옆에 앉아 있는 연하가 두 남자를 웃는 얼굴로 보다가 거의 정색하고 말했다. 규하는 헛웃음을 토했다.

"병이 깊은 사람이 여기 하나 더 있네. 안 크긴? 조금만 지나도 걸걸한 목소리로 엄마, 나 여자친구가 생겼어요, 이럴걸."

규하는 걸걸한 목소리까지 흉내 냈다.

"말도 안 돼."

연하는 정말 끔찍한 걸 본 사람 같은 얼굴이 되더니, 히샤를 꼭 안고는 말했다.

"언제나 이렇게 작고 귀여울 거라고."

히샤는 제 엄마가 갑자기 왜 그러는지 어리둥절한 기색이었지만 곧 아무래도 좋은 것처럼 방긋 웃었다. 생김새는 이반을 빼다 박았지만 웃는 얼굴은 꼭 연하 같았다. 이반은 아내를 닮은 얼굴이 너무 귀여워서 젖살이 통통한 볼에 뽀뽀했다. 아이에게서는 시큼한 젖 냄새가 났다.

"아부."

히샤는 옹알이하며 제 아버지를 흉내 내듯 그에게 뽀뽀 비슷한 것을 했다. 이반은 짙은 웃음을 지었다.

"저렇게 좋을까."

규하는 졌다는 듯이 고개를 내저었다. 그때 히샤가 옹알이하면서 테이블 쪽으로 두 팔을 휘저었다. 그쪽으로 가고 싶다는 뜻인 것 같아 이반이 테이블에 올려주자 히샤는 테이블을 휘젓고 다니기 시작했다.

사실 걱정되는 부분이 없는 건 아니었지만 다행히 히샤는 평범한 인간 아이처럼 태어났다. 가임 혈통들도 기본적으로 인간이었을 때 임신 메커니즘을 그대로 가지고 있는지 히샤는 배 속에서 열 달을 꽉 채우고 세상을 향해 우렁찬 울음을 터뜨렸다. 다만…….

히샤는 쳐다보는 시선을 느낀 것처럼 그들을 돌아보았다.

타고난 붉은 눈.

진한 핏빛 눈동자는 아이에게 무언가 '다른' 혈통이 섞여 있다는 사실을 시사했다. 아이는 인간과 루아스의 혼혈이었다. 부모가 모두 루아스가 된 이후에 태어났음에도.

임신 중 검사로 그 사실을 알게 되고 셀레나는 감격을 받은 듯이 말했다.

"우리 안에 아직 인간이 남아 있다는 의미겠죠."

그 외에는 태어난 지 어딟 달 만에 독사 두 마리를 목 졸라 죽인 헤라클레스처럼 힘이 장사라는 점을 빼면 아직까지 크게 특이점은 발견되지 않았다.

규하는 다시 혼자 놀기 시작한 히샤를 보다가 말했다.

"하긴, 히샤는 이런 아기가 있을까 싶을 정도로 순한 편이지. 부모님이 보이지 않으면 보채는 건 여느 아기보다 더 심하지만."

연하는 할 말은 잃은 얼굴이었다.

"그건…… 다시 이야기하지 않기로 했잖아."

"내가 언제? 평생 할 거거든."

규하는 여봐란 듯이 말했다.

그러니까 이 일의 발단부터 이야기하자면, 어느 날 식사를 끝내고 같이 모여 앉아 차를 마시고 있을 때였다.

"그러고 보니 두 사람."

규하는 갑자기 생각나 말을 꺼냈다.

"결혼식 안 해?"

소파에 나란히 앉은 연하와 이반은 서로를 쳐다보았다. 이반의 무릎 위에는 그들 사랑의 결실인 히샤가 포동포동한 엉덩이를 올리고 앉아 있었지만 두 사람은 아직 결혼식을 치르지 않았다. 반은 장교가 되기로 결정한 연하가 진급 시험을 치르기 위해 온 정신을 쏟았기 때문이고, 반은……

"글쎄……. 굳이? 이반과 내가 부부라는 걸 누가 모르는 것도 아니고."

연하의 이런 미적지근한 태도 때문이었다. 하지만 규하는 다시 말하지 않을 수 없었다.

"하지만 결혼식이잖아? 여자라면 당연히 일생에 한 번쯤은 해 보고 싶은 거 아냐? 비혼주의자라면 또 모르겠지만······ 아니, 비혼주의자도 비혼 선언식 같은 걸 하는 판국에."

"남들 한다고 다 해야 하는 건 아니잖아."

연하는 대수롭지 않게 말했다. 애가 군인으로 살더니 어디서 이런 실용주의자 물이 들어왔나 싶어진 규하는 도움을 청하듯 이반을 보았다. 하지만 그는 어깨를 조금 으쓱일 뿐이었다.

"그건 무슨 반응이에요?"

규하는 눈썹을 추켜들고 물었다. 이반은 대답했다.

"연하 말에 동의하는 반응입니다."

뒤늦게 알았지만 이반은 꽤나 실용적인 사람으로, 인생의 상당 부분을 효율성과 실용성에 근거해서 판단했다. 원래 남자들이 그런 면이 있긴 하지만 특히 미신과 허례허식 따위에 흔들리지 않는 그 단호한 태도를 보면 규하는 오히려 자신이 속물같이 느껴질 때가 있었다.

규하는 미간을 찌푸렸다.

"하지만 난 이런 사실혼 관계는 용납할 수 없어."

"그러는 넌?"

연하가 물었다. 조금 우습지만 정작 규하 본인도 결혼식 같은 덴 미련이 없었다. 하지만 연하는 제대로 하길 바랐다. 딸을 시집보내는 어머니 같은 마음이라고 할까.

"할 거야."

그래서 규하는 뻗대듯이 말하고 말았다.

"해?"

금시초문인 이야기에 옆에 앉아 있는 렉스가 묻자 규하는 조용히 하라는 듯이 손을 들어 보이고 이바노프 부부에게 말했다.

"그러니까 하는 거지?"

그럼에도 연하와 이반은 뜨뜻미지근한 표정으로 대답하지 않았다. 그래, 규하는 백 보 양보해서 연하가 이러는 것까지는 이해할 수 있었다. 자기가 별로 내키지 않는다는데 어쩌겠는가. 하지만 이반이 이래서는 안 되는 것이다. 규하는 이반을 노려보았다.

"그쪽은 한 번 해 봤다 이거예요?"

이반은 멈칫했다.

"규하야, 그런 식으로 말하는 건⋯⋯."

오히려 연하가 말하는데 이반이 그녀를 돌아보았다. 떨어지지 않도록 그가 팔로 안고 있는 히샤가 '아우' 옹알이했다.

"하자."

이반은 단호하게 말했다. 아무래도 규하가 제대로 정곡을 찌른 모양이었다.

"네?"

연하가 놀라자 이반은 재차 말했다.

"하는 거야. 한 보름쯤 축제를 여는 건 어때?"

그에는 오히려 규하가 손을 내밀어야 했다.

"어이, 전하, 잠깐. 일반인들은 결혼식을 보름씩 하지 않는다고요."

그 후로는 이반이 더 열성적이 돼서 연하가 곤란해할 정도였다.

아무튼 그렇게 되어서, 얼마 전 그들은 결혼식을 올렸다. 결혼식은 예전에 이바노프 클랜이 모여 살았다는 섬 '아일'에서 가졌다.

그곳은 이제 아무도 살지 않는 무인도였다. 그리고 섬 한쪽은 폭격이라도 맞은 것처럼 움푹 파여 있었는데 한때 꽤 번성했던 마을이 있는 자리였다고 했다. 섬을 구경시켜 줄 때 이반은 마을의 흔적이라고는 남아 있지 않은 텅 빈 땅을 보며 말했다.

"모두가 떠나고 난 이곳으로 돌아왔었어. 유령처럼 떠날 수가 없었
지."

이반은 오랫동안 이곳에서 혼자 지냈다고 했다. 마침내 대공이 그를
자극하기 위해 폭탄을 던졌을 때에야 오히려 잘됐다 하고 섬을 떠날 수
있었다.

그렇게 말하는 이반은 특별히 쓸쓸하거나 슬퍼 보이지 않았지만 연하
는 조용히 그의 손을 잡았다. 이반은 말없이 웃고는 연하와 함께 돌아
섰다.

반면 섬 반대편에는 바닷가에 거대한 온실 같은 집 하나만 서 있었
다. 규하는 처음에는 집이 비효율적이라고 욕을 한 바가지 했지만 바다
에서 목욕하는 것 같은 욕조는 제법 운치가 있었다.

그렇게 날씨가 맑은 어느 날, 집 마당에 하얀 천막을 세우고 꽃으로
장식하고 음식을 차리고 음악을 틀었다.

"음악 좋네요."

셀레나가 지나가다가 말했다.

"그렇죠? 음악 리스트 밤새 짰어요."

규하는 자못 자랑스럽게 말했다. 셀레나는 가볍게 웃었다.

"강 선생님 정말 딸을 시집보내는 어머니 같네요."

규하는 피식 웃었다.

"누가 아니래요."

셀레나는 오늘도 완벽한 화장에 완벽한 차림이었다. 긴 머리카락을
한쪽으로 넘겨 세팅했고, 긴 소매에 슬릿이 들어간 하얀 정장 원피스를
입고 있었다. 그리고 안 그래도 큰 키에 하이힐을 신어 오늘도 빅토리아
시크릿 모델 뺨치는 '아름다운 거인' 느낌을 뿜었다.

나중에 알았지만 ISLE의 CEO가 원래 남자라는 건 그쪽 업계에선 이미 꽤 유명한 이야기였다. 셀레나도 특별히 숨기려고 하진 않았고 그런 건 금세 소문이 나기 마련이니까. 그냥, 뱀파이어도 함께 사는데 여장 남자 정도는 뭐 그러려니 하는 세상이…… 물론 되진 않았지만 셀레나는 딱히 신경 쓰지 않았다. 그래서 ISLE이랑 계약 안 할 거야? 그럼 말고. 이런 태도였다.

"좋은 날이네요, 정말."

셀레나는 식이 시작되기 전에 삼삼오오 모여 담소를 나누는 손님들을 둘러보며 말했다. 하늘은 맑았고, 사람들은 모두 행복해 보였다.

"예전에 떠날 때만 해도 다시 이곳이 이렇게 시끌벅적해질 거라고는 상상도 못했는데 말이죠."

셀레나는 새삼스럽게 중얼거렸다.

"오래 살다 보면 이런 날도 있고 저런 날도 있는 거죠."

"누가 아니래요."

셀레나와 규하는 서로를 보고 웃음을 터뜨렸다. 두 사람은 죽이 꽤 잘 맞았다.

"셀레나."

그때 다른 남자 손님들과 함께 있는 렉스가 이리 와보라는 듯 손짓했다.

"잠시만요."

셀레나는 말하고 남자 무리 쪽으로 갔고, 규하는 집으로 들어가 신부 대기실로 사용 중인 2층 방으로 갔다. 방에는 연하가 거의 준비를 끝내고 거울 앞에 서 있었다.

레이스가 기하학적으로 보일 만큼 섬세한 웨딩드레스 사이로 창을 넘어 들어온 햇빛이 반짝거렸다. 거의 왕관 같은 티아라를 쓰고 아래쪽을 내려다보고 있는 연하는 순간적으로 중세의 왕비를 연상케 했다.

"역시 잘 어울리네, 웨딩드레스."

규하가 말하자 연하는 옆에 서 있는 전신 거울을 보고 동의했다.

"정말. 잘 고른 것 같아."

사실 이 웨딩드레스를 고르는 데는 상당한 우여곡절이 있었다. 십여 년 넘게 여자다운 것과는 담을 쌓고 살아온 연하가 웨딩드레스를 선택하는 데서 결정 장애를 넘어선 멘탈 붕괴가 심하게 와서, 이반에게 골라달라고 하는 지경까지 갔던 것이다. 사실 그게 아니더라도 심미안적인 부분에서 연하는 이반을 따라갈 수 없었다. 역시 출신(?)은 속일 수 없는지 이반은 꽤 취향이 고급스러웠고 물건을 보는 안목도 남달랐다. 어쩐지 특별히 신경을 쓰는 것 같지 않은데도 옷을 잘 입는다 싶었다.

아무튼 '거적을 골라줘도 기쁘게 입겠다.'고, 요구하지도 않은 약속을 하는 연하 때문에 결국 이반이 고른 드레스는, 역시 연하에게 찰떡같이 어울렸다.

"아우."

그때 아기용 펜스 안에 있는 히샤가 제 엄마를 보면서 옹알이했다. 연하는 돌아보고 웃으며 아기용 턱시도를 입고 있는 히샤를 안아 들었다.

"히샤, 엄마 예뻐?"

히샤는 웃으며 옹알이했다. 대강 예쁘다는 의미인 것 같았다.

"히샤 침 묻겠다. 이리 줘."

규하가 말하자 연하는 히샤를 건네주며 말했다.

"응. 히샤 좀 부탁해. 밖에 이반 있으니까."

"그래. 히샤, 이모랑 가자."

히샤는 동의하는 것처럼 귀엽게 웃었다.

"어휴, 이렇게 귀여워서 정말 어느 여자가 널 데려갈지 걱정이다."

규하가 꼭 끌어안고 비비적거리자 히샤는 간지러운지 까르르 웃었다.

밖으로 나오자 신랑을 포함한 남자들은 한쪽 테이블에 앉아 샴페인을 마시고 있었다. 베스트맨인 렉스도, 타우가도, 얼마 전 소개받은 렉스의 다른 클리엔테스들도, 전부 남자들만 있는 곳에 그림이 조금 묘하긴 하지만 셀레나도. 결혼식 덕분에 간만에 다 모였다는 그들은 꽤나 즐거워 보였다. 셀레나가 저렇게 호탕하게 웃는 모습은 처음 보는 것 같다.

가운데 있는 이반은 전통적인 연미복보다는 연한 푸른색 정장에 가까운 차림이었다. 아무래도 야외 결혼식이다 보니 검은 연미복은 답답해 보일 것 같았기 때문이다. 샴페인을 들고 있는 그의 손목에는 푸른색과 검은색이 섞인, 연하 말에 의하면 터키의 특산 부적인 악마의 눈을 콘셉트로 했다는 실 팔찌가 매여 있었다.

이반은 샴페인을 마시다가 규하가 히샤를 안고 있는 모습을 발견했다. 그리고 집 2층 쪽을 보더니 샴페인을 내려놓고 일어나 천막을 나갔다. 그 뒤로, 규하는 히샤가 테이블보를 쥐고 끌어당기려고 해서 정신이 없는 상태였다.

규하는 그릇들을 올려놓은 테이블보가 움직이지 않도록 짚고 말했다.

"히샤, 안 돼. 물건들이 떨어지면 아야 해."

알다시피 태어난 지 얼마 안 된 녀석이 힘이 장사라 제 딴에는 가볍게 당긴다고 해도 죄다 쓰러지고 쏟아지는 대형 사고가 나기 일쑤였다. 그런데 호기심은 많아서 온갖 것들을 다 만져 보고 당겨보기 때문에 한시도 시선을 뗄 수가 없었다.

"아, 아우. 우우. 부아."

히샤는 소리도 다양하게 옹알이하면서 테이블보를 휘적휘적 흔들었다. 규하가 누르고 있는데도 테이블이 들썩거렸다.

"너 이 녀석, 이모랑 해보자는 거야?"

규하가 장난스럽게 엄포를 놓자 히샤는 알아들은 건지 만 건지 웃으며 박수를 쳤다. 그러다가 박수 소리가 신기한 것처럼 금세 거기에 호기심을 느끼고 박수를 칠 때마다 즐거워하며 웃었다.

　새로운 자연현상이라도 발견한 그리스 철학자처럼 그러고 있는 모습을 보니 규하는 피식 웃음이 났다. 꼭 어렸을 때 비 오는 걸 보고 하늘에서 물이 내린다는 사실 자체를 신기해하며 쳐다보고 있던 연하가 생각났기 때문이다. 히샤에게도 세상은 발견해야 할 경이로 가득한 곳인 것 같았다.

　그런데 갑자기 히샤가 무언가를 본 것처럼 멈칫했다.

　"부아."

　그러고는 어딘가로 팔을 휘적거렸다. 규하가 돌아보자 남자들이 있는 쪽이었다. 하지만 별다를 건 없어 보였다. 셀레나가 다른 클리엔테스의 어깨에 팔을 걸치고 말하고 있다는 점을 빼면.

　"왜 그래?"

　규하가 묻자 히샤는 울먹이기 시작했다.

　"아부. 아부."

　이반을 찾는 것 같았다. 그제야 규하는 이반이 보이지 않는다는 사실을 깨달았다. 참고로, 발단부터 이야기하느라 좀 돌아오긴 했지만 이게 이 결혼식 이야기를 꺼낸 이유였다. 이때 히샤가 울기 시작하는 바람에 규하가 이반과 연하를 찾을 수밖에 없어졌기 때문이다.

　"이반 어디 갔어?"

　다가가 묻자 렉스를 포함해 남자들이 돌아보았다. 그 사이에서 렉스가 물었다.

　"집 안으로 가던데. 왜? 히샤 때문에?"

　"응."

　"도련님, 저한테 오실래요?"

　셀레나가 손을 뻗었지만 히샤는 칭얼거리면서 손길을 거부했다. 평소에는 강도가 가자고 해도 갈 것처럼 누구에게나 잘 안겨 있지만 지금은 메리포핀스도 이 불덩어리를 달랠 순 없을 것이다.

"안 돼. 이미 불났어."

규하는 히샤를 안고 얼른 2층으로 갔다. 그런데 자동문이 열리고 드러난 방에는 아무도 없었다. 규하는 몸을 젖히고 복도 너머로 지나가는 에밀리에게 물었다.

"에밀리, 언하 어디 갔어요?"

"안에 안 계세요?"

에밀리는 오히려 되물었다. 그 말을 알아들은 것처럼 히샤가 울음을 터뜨렸다.

"응, 착하지, 착하지. 울지 마."

규하는 히샤를 흔들며 얼렀다. 물론 히샤는 더 크게 울었다. 규하는 다시 에밀리에게 물었다.

"이반은요?"

"이바노프 씨도 못 봤는데……."

에밀리는 곤란해했다. 둘이 새삼스럽게 사랑의 도피를 했을 리도 없고 대체 어딜 간 건가 싶어서 규하는 주변을 둘러보았다. 그런데 갑자기 히샤가 어디론가 가려는 것처럼 팔을 휘저으며 울었다. 워낙 난리를 쳐서 떨어뜨릴 뻔했던 규하는 히샤를 고쳐 안고 물었다.

"히샤, 왜 그래? 응? 그쪽에 뭐가 있어?"

히샤가 자꾸만 가려고 하는 쪽은 바다였다.

'저쪽은…….'

규하는 설마 싶어져 계단을 내려가 복도를 건너갔다. 그리고 밖으로 나가 길을 돌아가면 보이는, 집과는 좀 떨어진 식물원으로 갔다. 식물원 내부에 있는, 집처럼 사방이 유리지만 이국적인 식물이 가득 차 있어 안이 들여다보이지 않는 온실은 자동문이 잠겨 있었다. 규하는 온실 안쪽에 귀를 기울였다. 하지만 히샤가 우는 소리가 너무 세서 소리가 잘 들리지 않았다.

규하는 문을 두드렸다.

"혹시 안에 있어요?"

갑자기 문이 열리고, 이반이 나왔다. 안에서 뭘 하고 있었는지 당장 알 수 있을 정도로 눈이 새빨갛게 짙어져 있었다. 그리고 차림이 엉망이었다. 기껏 차려입은 정장이 다 풀어 헤쳐져 맨가슴이 보였고, 바지도 잠그다 말았다. 평소였다면 예의상 고개라도 돌려줬겠지만 규하는 히샤가 하도 울어서 그럴 정신도 없었다. 그런 걸 본다고 새삼 부끄러워할 짬도 아니고.

이반은 뭔가를 방해받은 남자 특유의 약간 짜증 난 표정으로 물었다.

"어떻게 찾았습니까?"

이래 봬도 이 집은 전부 방음 처리가 되어 있어서 루아스들도 소리를 엿들을 수 없었다. 식물원은 떨어져 있기도 하고. 하지만 히샤는 부모를 찾아내는 식스센스라도 있는 모양이었다.

규하는 히샤를 내밀었다.

"디텍터요."

"히샤."

그제야 이반은 표정을 바꾸고 아들을 받아 안았다. 그리고 얼굴을 붉힌 채 우는 아이의 머리에 입을 맞추었다. 하지만 히샤는 문밖에서 마냥 기다리는 시간이 서러웠는지 제 아버지에게 안겨서도 울음을 멈추지 않았다.

"남의 소중한 아들을 디텍터 취급하지 마십시오."

이반은 노려보며 말하고 히샤를 안고 안으로 들어갔다. 규하는 흘긋 안을 보았다. 연하는 안쪽에 놓여 있는, 무늬가 화려한 카펫을 깔아놓은 단상 같은 곳에 앉아 있었는데 머리는 봉두난발에 겨우 드레스를 추스른 차림이었다. 풍성한 드레스가 흐트러져 있어 그게 꼭, 나중에 풀어

보라고 예쁘게 포장해 놓은 선물을 누군가가 조급증이 나서 당장 풀어 본 것 같은 느낌이었다.

"이리 줘요."

연하가 이반에게서 히샤를 받아 들자 히샤는 설움을 토하듯이 더 크게 울었다.

"미안해. 울지 마."

연하는 정말 미안해하며 아이를 꼭 안았다. 규하는 기가 막혀, 매무새를 정리하는 이반을 보고 말했다.

"안 그래도 그 소중한 아들을 두고 뭐 하는 짓이에요? 그것도 숨어서."

이반은 한숨을 내쉬고, 전혀 단어를 고르지 않고 말했다.

"히샤가 떨어지려고 하지 않아서 욕구불만입니다."

안 그래도 오늘 결혼하는 새신랑치고 약간 날카로운 느낌이다 싶었더니 그런 사정이 있었던 모양이다.

"이반."

연하가 그런 말은 하지 말라는 듯 엄하게 불렀다. 규하는 그런 연하를 물끄러미 보며 말했다.

"못 이기는 척하지만 실은 너도 좋아하면서 왔을 거면서."

연하는 정곡이 찔린 얼굴이었다. 이반은 그랬냐는 듯이 연하를 보았다. 연하는 얼굴을 붉힌 채 할 말을 찾지 못하고 우물거리더니, 겨우 울음을 멈춘 아들을 꼭 안고 사과했다.

"히샤, 미안해. 엄마가 잘못 했어."

"하여간 그새를 못 참고……."

규하는 다시 생각해도 기가 막혀 중얼거렸다. 연하는 그때 생각이 났는지 볼이 붉었다. 이반은 딴청을 피웠고. 하여간 생각보다 의뭉스러운 사람이었다.

"뭐가요?"

그때 셀레나가 옆에 와 물었다. 모두 돌아보았다. 셀레나는 역시 이런 날씨에도 화장과 옷차림 모두 완벽해서 촬영을 나온 모델 같았다. 하얀 레이스 원피스를 입은 여자 아기를 안고 있지만 않았더라면.

"아, 하현이 추파춥스 첫 경험."

규하는 제 딸을 가리키며 말했다. 히샤와 쌍둥이 같은 하현은 작은 손에 제 주먹만 한 추파춥스를 쥐고 있었다. 셀레나는 곤란한 듯이 웃었다.

"미안해요. 아가씨가 너무 사달라고 졸라서 안 사줄 수가 없었어요."

규하는 절레절레 고개를 저었다.

"괜찮아. 얼마나 졸랐을지 안 봐도 뻔해."

"아바."

하현은 제법 명확한 발음으로 말하면서 렉스 쪽으로 팔을 저었다. 말이 나와서 말이지만, 히샤가 태어나고 생겨서 한 살 차이지만 히샤는 말이 느린 반면 하현은 놀라울 정도로 말이 빨랐다. 그래서 규하는 '역시 내 아가리의 후계자답다.' 하고 농담 한 마디 했다가, 입 좀 조심하라며 연하에게 팔을 맞고 말았다.

참고로 결혼식에서 히샤가 울고불고 할 당시에 하현은 방에서 낮잠을 자고 있었다. 그나마 다행이었다. 하현은 히샤보다 더 고집쟁이여서 한 번 울면 좀처럼 울음을 그치지 않았기 때문이다.

"아빠한테 올 거야?"

렉스는 지금 그를 처음 보는 사람이 있다면 늘 그렇게 웃는 사람이라고 착각할 만한 미소를 지으며 말하고는 하현을 받아 제 무릎 위에 앉혔다. 하현은 거기에 딱 자리를 잡고 앉아서 사탕을 먹는 데 정신이 없었다.

"맛있어?"

규하가 물끄러미 보다가 묻자 하현은 고개를 끄덕끄덕했다.

"엄마도 좀 줄래?"

하현은 고개를 설레설레 저었다.

"왜, 엄마도 좀 줘."

규하가 심술기가 동해 말하자 하현은 맛있는 걸 계속 먹어야 하는지 엄마에게 주는 착한 딸이 돼야 하는지 가치관의 혼란까지 느끼는 얼굴이었다. 그러더니 해결 방안을 생각해 낸 것 같았다. 불쑥 셀레나에게 추파춥스를 내밀었다. 셀레나는 조금 놀라는 얼굴이었다.

"저요?"

하현은 먹으라는 듯이 짧은 팔을 쭉 폈다. 셀레나는 어쩔 수 없이 추파춥스를 물었다. 그러자 하현은 일을 처리했다는 것처럼 바로 주의를 돌려서 히샤처럼 테이블 위에 흥미를 보였다. 규하는 기가 막혀 말했다.

"누가 엄마야?"

"제가 아닌 건 분명하죠."

셀레나는 다리를 꼬고 의자 등받이에 기대고는 추파춥스를 먹었다. 애정 콘테스트에서 승리한 자가 지을 만한 의기양양한 얼굴이었다.

연하는 그 모습을 웃는 눈으로 보다가 갑자기 생각나서 이반에게 물었다.

"그러고 보니 이반, 원래 이쪽에서 태어났다고 했죠? 어느 도시에서 태어났어요?"

이반은 테이블 위에서 자신에게 쏟아져오는 히샤를 받아 안으며 대답했다.

"펠라."[23]

"그럼 그리스 사람이네요?"

"따지자면 그렇지."

연하는 히샤의 코끝을 살짝 쓰다듬고 말했다.

---

23) 고대 마케도니아 왕국의 수도

"우리 히샤가 반은 그리스 사람이었네."

히샤는 뭐가 뭔지도 모르고 마냥 좋다고 웃었다. 부모는 그런 아이가 사랑스럽다는 시선을 숨기지 않았다.

히샤는 바다 쪽으로 몸을 휘적거렸다.

"왜? 바다 볼래?"

이반은 히샤를 안고 바다 쪽으로 걸어갔다.

"아, 이반, 조심해요. 히샤 토할 수도……."

연하가 가제손수건을 들고 급히 따라갔다. 규하는 그 모습을 보다가 맞은편에 앉은 두 남자를 돌아보고 물었다.

"아직도 모르고 있는 거 맞지? 이반이 인간일 때 누구였는지."

셀레나는 추파춥스를 빼내 들고 말했다.

"확실히요."

규하는 기가 막혔다. 안 그래도 이반이 금발을 한 모습이 왜 이렇게 낯익나 했다. 처음에는 크루즈 폭발 사고 이후에 봤다고 생각하고 넘어갔지만 그게 아니었다. 책에서 본 적 있었다. 정확하게는, 책에 나온 모자이크 고대 벽화에서.

사실 떠올렸다는 게 신기할 정도로 실물과 벽화는 닮지 않았다. 하지만 느낌이랄지, 언뜻 옆모습을 볼 때 그 모습이 섬광처럼 왔다 갔다.

규하와 렉스, 셀레나는 저 멀리 세 사람을 보았다. 남자와 여자, 그리고 아기. 가족.

렉스가 먼저 시선을 돌리고 말했다.

"아무래도 상관없겠지. 그 사람으로서의 시간은 인간으로서 죽었을 때 끝난 거니까. 그 이후 이야기는 모두 전설일 뿐이지."

규하는 어깨를 으쓱였다. 사실 인간이었을 때 어떤 인물이었는지 따위가 중요한 건 아니었다. 어디 보물이라도 묻어났다면 모를까 이반도 갑자기 요절해서, 아니, 요절한 걸로 됐다고 해야겠지만 어쨌든 그럴 시간은 없었다는 것 같았다.

하지만 이반도 딱히 숨길 생각이라기보다 연하가 알아서 눈치채기 전에는 굳이 말하지 않는 것 같았다. 그저 연하가 그를 그냥 '이반'이라는 아무개 남자로 여겨주는 걸 좋아하는 것 같았다. 그리고 연하도 정말 눈치가 바가지인 게, 본명까지 말해줬는데도 눈치채지 못했다고 하니까.

그때 누가 부른 것 같아 렉스는 돌아보았다. 그의 시선을 느꼈는지 연하는 이반을 가리키며 웃었다.

"아, 그쪽 말고요."

렉스는 다시 고개를 돌렸고, 규하는 남은 모히또를 마시다가 무슨 생각이 난 듯 말했다.

"참, 그럼 그 전설은 사실인 셈이네."

"무슨 전설?"

렉스가 물었다. 규하는 저 멀리 가족을 보았다. 이반이 바다 너머를 가리키자 손짓을 따라간 아기의 눈이 호기심으로 반짝였다. 오래전 제 아버지가 모험을 떠난 길을 보고 있는 것 같았다.

규하는 피식 웃고 말했다.

"그 사람이 종사들과 함께 불로불사의 과일이 열리는 동방의 지상낙원을 여행했다는 전설 말이야."

〈The End〉

외전

Reunion

이반이 막 거실로 통하는 낮은 계단을 내려오는데 규하가 연하에게 쇼핑백을 건네주고 있었다. 돌아선 규하는 그를 발견하고 알은체했다.

"왔어요?"

이반이 고개를 끄덕이자 규하는 그를 지나 자기 집으로 통하는 복도 너머로 사라졌다. 연하는 히샤를 안은 채로 물었다.

"다녀왔어요?"

히샤는 입안에 침을 가득 머금고 '아부' 옹알이하면서 이반에게 가려는 듯이 팔을 휘적거렸다.

"응. 이리 줘."

이반이 히샤를 받아 안자 연하가 물었다.

"자료 조사는 어떻게 됐어요?"

"대충 끝난 것 같아."

국장직을 그만둔 이반은 글을 쓰기 시작했다. 안 그래도 은둔 생활을 하면서 틈틈이 써오던 글이 있었기 때문이다. 한동안 바빠서 손대지 못하고 있었는데 이 기회에 완성해 보려는 참이었다. 글이 완성되면 보여주겠다고 해서, 연하는 그때까지 얌전히 기다리는 중이었다.

"사람들이 알아봐요?"

연하는 테이블에 널려 있는 히샤의 물건들을 치우면서 물었다. 이반은 제 발치에 떨어져 있는 장난감을 주워 연하에게 건네주고 대답했다.

"몇몇은."

세상을 발칵 뒤집었던 형제단 사건은 채 이 년도 지나지 않았지만 생각보다 사건은 빨리 사람들의 기억에서 잊히고 있는 것 같았다. 그만큼 다른 일들이 끊이지 않고 일어나는 바쁘고 복잡한 세상이어서 그렇겠지만 오히려 그들로서는 다행이었다. 한동안 이반은 바깥출입도 제대로 할 수 없을 정도였으니까. 어쨌든 요즘에도 밖에 나갈 때는 지금처럼 푸른 컬러 렌즈에 안경을 끼는 식으로 살짝 변장을 해야 하긴 했다.

"강 선생은 무슨 일이야?"

이반은 침이 흥건한 히샤의 입을 닦아주며 물었다.

"아, 고등학교 동창회를 한대요."

연하는 탁자에 놓인 카드를 들어 보여주었다.

-동창 여러분들을 초대합니다.

"규하도 한 번도 안 갔었는데 이번에는 가려나 봐요."

어차피 자신은 갈 수 없었고 갈 생각도 한 적 없었기 때문에 연하는 별생각이 없는 것 같았다.

"넌?"

이반은 물었다.

"저 뭐요?"

"안 가려고?"

"가도 되는 거예요?"

연하는 정말 조금 놀란 것 같았다. 이반은 난감해하는 웃음을 지었다.

"누구한테 허락을 구하는 거야?"

"아니……."

연하는 무슨 말을 해야 할지 모르는 얼굴로 말끝을 흐렸다. 어쨌든 인간으로서는 오랫동안 죽은 사람으로 살았기 때문에 이반은 연하가 이렇게 생각하는 것도 이해되긴 했지만 말했다.

"이제 죽은 사람이어야 하는 것도 아니니까 특별히 상관없지 않나 싶은데."

"그것도, 그러네요."

미처 생각지도 못했던 옵션이어서 연하는 잠깐 생각에 빠진 얼굴이었다. 이반은 그의 손가락을 깨무는 히샤와 장난치면서 기다렸다. 곧 연하는 고개를 들고 말했다.

"그래도 전 가지 않는 편이 좋을 것 같아요."

규하라면 모를까, 동창들이 열아홉 얼굴 그대로 멈춰 버린 자신을 보면 루아스라는 사실을 바로 알 것이다. 루아스인 걸 안다고 큰 문제가 있는 건 아니지만 그냥…… 어떻게 반응할지 생각하면 연하는 마음이 좀 복잡했다.

그녀가 그렇다고 하니 이반은 특별히 반론하지 않고 규하가 건네주고 간 쇼핑백을 보았다.

"근데 이건 뭐야?"

"교복이요. 버리지 않고 가지고 있었나 봐요. 안 그래도 이사 올 때 발견하고 주려고 했었는데 바로 하현이 생기고 이래서 잊고 있었대요. 이번에 동창회 카드 받고 생각났다더라고요."

이반은 쇼핑백 안에 가지런히 접혀 있는 교복을 내려다보았다. 그리고 다시 연하를 보고 말했다.

"입어봐."

"네?"

연하는 잠깐 놀랐다가 그가 농담하는 게 아니라는 사실을 깨달은 것 같았다.

"에이, 이 나이에 무슨 교복이에요."

이반은 연하를 물끄러미 보았다.

"농담이지?"

연하는 난감해하는 웃음을 지었다.

"기분이란 게 있잖아요. 아무리 얼굴은 같아도."

미끼 역할을 할 때 교복을 입었던 건 그냥 일이려니 했을 뿐이다. 하지만 지금은 결혼하고 애까지 낳은 데다…….

"에밀리."

이반은 마침 빨래 바구니를 들고 지나가는 에밀리에게 히샤를 건네주면서 말했다.

"잠깐 히샤 좀 봐줘."

"네. 도련님, 에밀리한테 오세요."

연하가 계속 일을 하고 있기 때문에 에밀리와 있는 시간이 많은 히샤는 오히려 좋아하며 에밀리에게 안겼다. 꼭 부모 중 한 사람은 시야 안에 있어야 하는 버릇도 많이 고쳐져서, 이제는 둘 다 한시름 놓을 수 있었다.

에밀리는 히샤를 안고 집 안쪽으로 사라졌다. 이반은 쇼핑백을 들어 연하에게 건네주며 빙긋이 웃었다.

"보고 싶어."

연하는 볼을 긁적였다. 그가 이렇게 말하면 거절하기 힘들었다.

연하는 드레스룸 밖으로 고개를 내밀었다.

"웃으면 안 돼요."

편한 차림으로 갈아입고 의자에 앉아 있는 이반은 돌아보았다.

"웃을 게 있어?"

"그냥 왠지……."

연하는 무릎까지 오는 짧은 치마가 어색한 것처럼 매만지며 밖으로 나왔다.

교복은 특별히 눈에 띄는 디자인은 아니었다. 베이지 체크 무늬 치마에 남색 조끼, 붉은 넥타이, 남색 상의였다. 미끼 역할을 할 때 입었던 교복은 가장에 가까워서 아무렇지 않았는데 이건 너무 현실적인 느낌이라고 해야 할까……. 그녀가 진짜 입고 다녔던 교복이어서 오히려 부끄러웠다.

"이리 와."

이반은 손짓했다. 연하가 다가오자 그녀를 위아래로 보더니 웃었다.

"예쁘네."

연하는 못내 쑥스러운 것처럼 볼을 붉적였다.

"이제 됐죠?"

그러고는 다시 옷을 갈아입으러 가기 위해 돌아서는 것을, 이반이 손목을 잡아 끌어 내려 무릎에 앉게 했다.

"뭐가 그렇게 급해?"

그러고는 그녀가 일어나지 못하게 하려는 것처럼 허리를 안고서 말했다.

"잘 어울리는데."

"규하가 보면 나이 먹고 뭐 하는 짓이냐고 할 것 같은데요."

연하는 문이 잘 잠겨 있는지 확인하는 것처럼 문 쪽을 눈짓했다.

"잘 잠갔어."

그 말에 안도하긴 하지만 연하는 멋쩍은지 괜히 양발을 달랑거렸다.

그녀 말마따나 결혼하고 애까지 있는 데다 군 생활을 한 기간으로는 어지간한 영관급(소령, 중령, 대령)에게도 밀리지 않지만 저쪽 거울에 비친 모습은 영락없이 수줍어하는 여고생이었다.

이반은 물었다.

"학교생활은 즐거웠어?"

연하는 순순히 대답했다.

"즐거웠어요."

"뭐가 제일 즐거웠어?"

"다요. 지금 생각하면 공부하는 것도 즐거웠고, 수학여행이나 반 애들이랑 다 같이 규하가 출전한 수영 대회 응원 간 것도 즐거웠어요."

연하는 말하면서 버릇처럼 두 다리를 올려 양반다리를 하다가 치마를 입고 있다는 걸 깨닫고는 다시 발을 내렸다. 그런데 영 불편한지 다시 한 다리를 올렸다. 그러면서 꿈지럭대는 통에 엉덩이뼈가 눌려서 이반이 작게 '아' 하고 소리를 내자 연하는 얼른 자세를 고치며 돌아보았다.

"아, 미안해요."

이반은 연하에게 키스했다. 갑작스러운 키스였지만 연하는 자연스럽게 받아들였다. 입술을 떼자 연하는 짙어진 눈빛으로 그의 얼굴을 쓰다듬었다. 모습은 영락없는 고등학생이어도 확실히 눈빛이라든가 동작, 표정이 열아홉 소녀 같지는 않았다. 연하 스스로 그걸 알고 있기 때문에 바로 '이 나이에'라는 말이 나왔을 것이다.

연하는 갑자기 묘한 표정으로 이반을 보았다.

"……이반, 손이 좀 이상한 데 들어오고 있지 않아요?"

이반은 웃음기가 짙어지는 눈으로 몸을 기울였다.

"지금 널 건드리면 너무 범죄 같을까?"

"네? 무슨 생각을…… 이반!"

갑자기 자동문이 열려 연하는 깜짝 놀라 문을 돌아보았다. 처음에는 문 앞에 아무도 서 있지 않아 의아했는데 아래에 스스로 기어온 것 같은 히샤가 엎드려 있었다.

"바?"

히샤는 부모가 하는 양을 궁금해하는 것처럼 고개를 젖혔다.

"도련님, 언제 거기까지 가셨……."

바로 에밀리가 달려오는 소리가 들리고, 막 히샤에게로 몸을 숙이던 그녀는 방 안 풍경을 보고는 놀란 표정을 지었다.

"어머, 죄송해요."

연하는 이반을 원망하듯이 보았다.

"문 잠갔다면서요?"

이반은 빙긋이 웃었다.

"미안."

이반은 연하의 볼에 뽀뽀하고는 일어나 문으로 가서 히샤를 안아 들었다.

"하여간 엄마, 아빠 방해하는 데는 뭐가 있구나, 이 녀석."

"바아."

히샤는 또 좋다고 웃을 따름이었지만.

이반은 에밀리에게 물었다.

"에밀리, 히샤 밥 먹었어?"

"아뇨, 아직 안 드셨어요."

이반은 히샤를 안고 부엌 쪽으로 가고, 에밀리는 연하를 돌아보았다.

"연하 씨, 너무 잘 어울리셔서 깜짝 놀랐어요."

그러더니 에밀리는 당연한 이야기를 했다고 생각했는지 웃었다. 연하는 난감해하는 웃음을 지었다.

"규하한텐 말하지 말아주세요. 주책 떤다고 한 소리 들을 것 같아요."

연하는 돌아서서 교복을 벗기 시작했다. 막 조끼를 벗는데 거울에 시선이 닿았다. 확실히 제가 봐도 교복을 입은 모습이 전혀 위화감이 없었다. 그런데도 왜 이렇게 어색하게 느껴지는지…….

"마."

갑자기 히샤가 다시 기어서 문 앞에 나타났다. 뒤이어 나타난 이반이 방으로 기어 들어가는 히샤를 내려다보며 말했다.

"이 녀석 기어서 마라톤도 뛰겠어. 왜 이렇게 빨라?"

연하는 웃음을 터뜨리고 말았다.

"이리 와, 히샤."

히샤는 엄마가 자신을 찾는다고 기뻤는지 함박웃음을 지으며 뒤뚱뒤뚱 기어왔다. 연하는 발치까지 온 히샤를 안아 들었다. 아이의 통통한 볼에 뽀뽀하자 우유 냄새가 났다.

연하는 왜 교복이 그토록 어색하게 느껴졌는지 이제 알 것 같았다. 아이를 안은 자신과 교복은 어울리지 않았기 때문이다. 히샤를 안고 있지 않을 때도 뼛속까지 박힌 '자신은 엄마'라는 인식이 어색하고 데면데면한 느낌을 주었던 것이다.

연하는 히샤를 보고 웃었다.

"엄마랑 밥 먹을까?"

묻자 히샤는 팔다리를 저으며 좋아했다. 말이 조금 느려서 걱정이긴 하지만 이렇게 건강하고 밝은데 어떤가 싶었다.

"역시 우리 전하, 통이 크시네."

테이블 앞에 서 있는 규하는 정말 감탄한 것 같았다. 이반은 웃는 얼굴이었다. 그들이 앉은 자리만 제외하고 레스토랑은 텅 비어 있었다. 하지만 오늘도 운영을 한다는 건 분명한 것이, 테이블은 모두 세팅이 되어 있었고 직원들도 각자 자리를 잡고 있었기 때문이다.

이반이 평범한 레스토랑에서 열릴 예정이었던 동창회 장소를 이 5성급 호텔의 행사장으로 업그레이드 해주었던 것이다. 그들도 모르는 새에 총동창회에 연락해서 익명으로 기부했던 모양이다.

"그 전하라고 부르는 것 좀 안 했으면 좋겠는데."

이반은 여전히 웃는 얼굴로 말했다.

"왜요, 틀린 말도……."

규하는 말하면서 이반을 보았다가 그가 진심이라고 알았는지 더 토를 달지 않았다.

"알았어요. 하지만 이것도 일종의 일반인 코스프레인 거 알죠?"

"다녀와."

이반 맞은편에 앉아 있는 연하가 웃으며 말했다. 규하는 연하를 보고 무슨 말인가 하고 싶어 하는 기색이었지만 그냥 돌아섰다.

"다녀올게."

규하가 레스토랑을 나서고, 연하는 이반을 보았다.

"이렇게까지 해줄 필요는 없었는데요."

"내가 안 했어도 렉스 녀석이 했을 거야. 공처가 티를 못 내서 안달인 녀석이니까."

안 그래도 렉스는 정말 헌신적인 남편이었다. 제 두 여자─규하와 하현─를 위해서라면 하늘의 별이라도 따다 줄 기세였다. 하지만 그는 오늘 군사위원회에 일이 있어서 자리를 비운 상태였다. 나중에 시간이 되면 합류하겠다고 했는데 최근 일이 바빠 그럴 가능성은 낮아 보였다.

연하는 창 너머를 보았다. 높은 곳에서 내려다보는, 밤의 서울이 타오르는 풍경은 아름다웠다.

하필 동창회가 그녀도 비번인 날이어서 어쩌다 보니 여기까지 와 있었다. 이반은 산책 겸. 행사장 위층에 있는 이 레스토랑까지 통째로 빌려서 돈이 좀 들어간 산책이긴 했지만 아무튼 그가 프리랜서가 된 이후로 시간이 자유로워져서 이렇게 같이 다닐 수 있는 점은 좋았다. 오히려 시간은 매일 출근해야 하는 연하가 부족한 편이었다.

그때 동창회가 열리는 1층 행사장에서 서로 안부를 묻는 소리와 웃음소리가 올라왔다. 반갑다, 얼마만이냐, 잘 사냐……. 오랜 시간이 지나 동창들의 목소리를 일일이 구별할 순 없었지만 다들 행복한 것 같아 연하는 조금 웃었다.

"다들 즐거워 보이네."

이반도 말했다. VIP 입구를 이용해 레스토랑으로 바로 들어왔기 때문에 오늘 그는 굳이 컬러 렌즈를 착용하지 않고 붉은 눈을 드러낸 상태였다.

연하는 이반을 보고 물었다.

"이반은 학교에 다니지 않고 스승님께 배웠다고 했죠?"

"그랬지."

안 그래도 이반이 쓰는 글은 그 스승님에 대한 것이었다. 이 기회에 스승님의 작품을 집대성해 보고 싶다고 했다. 꽤 유명한 철학자였다는 것 같은데 이반은 역시 정확히 누구인지 말해주진 않았다. 글이 완성되면 알 수 있을 거라고 할 뿐이었다.

다만 글이 생각보다 진행 속도가 느린 이유는, 원래 아일 섬의 아카이브에는 그 스승님이 쓴 모든 저작이 보관되어 있었는데 애나 로스가 일으킨 방화로 대개 소실되어 버렸기 때문이다. 그래서 이반도 전해 내려오는 자료를 참고할 수밖에 없어서, 요즘도 종종 자료를 찾으러 돌아다니고는 했다.

그런 생각을 하고 있는데 이반이 갑자기 말했다.

"이 몸이 되고 나서 스승님을 뵈러 간 적 있어."

"그랬어요?"

연하는 조금 의외여서 되물었다. 이반은 고개를 끄덕였다.

"긴 시간이 지났지만 그때까지도 난 내가 뭐가 됐는지 알아낼 수 없

484　꽃의 짐승

었고, 오랫동안 혼자였거든. 터놓고 이야기할 수 있는 사람이 간절했던 것 같아."

그때 이반은 마음이 깊이 병들어 있었고 아무도 믿지 않았다. 그렇기에 스승을 찾아가는 일도 뒤늦게야 결심할 수 있었다. 스승에게까지 정체 모를 괴물 취급을 당하게 되면 그조차 버티지 못할 것 같았기 때문이다.

군대를 이끌고, 미지의 땅을 정복하고, 제 의견에 동의하지 않는 자들을 제압하는 일은 오히려 쉬웠다. 하지만 세상 무엇도 자신과 같지 않다는 뼈에 사무치는 이질감, 괴물적인 본성에 대한 괴로움, 오만하여 네메시스 여신의 분노를 사 이런 몸이 되었다는 죄책감이 마구 뒤섞인 감정은 떨쳐 내기가 쉽지 않았다.

그럼에도 결국 스승에게 찾아가자고 결심할 정도로, 그때 이반은 간절했다. 어쨌든 당대 최고의 현자 중 하나로 이름이 높았던 스승이라면 그에게 길을 알려줄지도 모른다는 생각이 들었기 때문이다.

이반은 연하를 보고 말했다.

"말년에 스승님은 어떤 외딴 섬에 살고 계셨지. 내가 죽고 그분을 시기하던 세력에게 쫓겨난 후 그분도 아주 많은 일을 겪었으니까. 병으로 죽어가고 계셨어."

연하는 미간에 심각한 빛이 고였다. 이반은 아내가 그런 얼굴을 하고 싶게 하진 않았지만 어쨌든 그녀도 어린아이가 아니니까 현실을 직시할 수는 있어야 한다고 생각했다. 그래서 계속 말했다.

"내가 너무 늦었던 거지. 그런데 숨을 거두기 직전에 날 보셨어."

침대에 누운 스승은 당장에라도 숨을 거둘 것 같았다. 하지만 어둠 속에서 이반은 아무 말도 하지 않고 기다렸다. 이미 저승으로 내려가는 계단에 한 발을 걸치고 있는 스승이 그를 볼 수 있다고는 생각하지 않았다. 본다 하더라도 알아볼 수 없었을 것이다.

일단 그의 키가 지나치게 커졌기 때문이다. 고대인들은 생각보다 평균 신장이 작지 않았기 때문에 중세 때처럼 거인 취급을 당할 정도는 아니었지만 현대인 기준으로도 큰 편에 속하는 키였다. 그래서 도저히 인간일 때와 같은 사람으로 보기 힘들었다. 그리고 감정이 모두 탈색되어 표정을 잃은 얼굴은 밀랍으로 빚은 듯이 보였을 것이다.

그런데 스승은 백내장 환자처럼 흐려진 눈으로 이쪽을 보았다. 그리고 메마른 입술을 달싹였다.

"전하."

지금 생각하면 스승이 정말 제자를 알아봐서, 아니면 먼저 간 제자가 하데스의 세계에서 자신을 데리러 왔다고 생각해서, 그것도 아니면 단순히 죽음의 문턱에서 제자가 생각나서 불렀는지는 알 수 없었다. 하지만 그때는 이반에게 정말로 간절한 대답이었다. 이런 생물이 되었어도 그가 아직 그라는 인정.

이반은 숨을 거둔 스승의 손을 붙잡고, 그날 처음으로 어린아이처럼 울었다. 인간이었을 때 그는 제 감정에 솔직한 편이었고 때로는 미성숙한 아이처럼 감정을 밖으로 마음껏 뿜어냈다. 그래서 웃는 데도 우는 데도 딱히 거리낌이 없었다. 하지만 스승이 가는 길을 제대로 배웅하지 못한 후회가 섞여 그렇게 새로 태어나는 아이처럼 울었던 건 처음이자 마지막이었다.

이반은 똑바로 연하를 보았다.

"너도 알고 있을 테니 돌려 말하지 않을게. 곧 네 인간 친구들은 하나도 남아 있지 않을 거야."

연하는 반사적으로 입을 열었지만 아무 말도 할 수 없었다.

알고 있었지만, 애써 생각하지 않으려고 했다. 도영이나 팀원들, 심지어 청사 앞 카페 여직원까지, 그들이 하나도 살아 있지 않다니 그냥 상상이 되지 않았기 때문이다. 그리고 이반만 아니라 규하까지 곁에 남았는데 인간 친구들에 대해서도 뭔가 바라는 건 너무 욕심 같아서……

이반은 연하가 무슨 생각을 하는지 아는 것처럼 조금 웃었다.

"그러니까 그들이 살아 있을 때 만나두는 편이 좋다고, 내 생각은 그래."

"강연하."

그때 레스토랑 입구에서 규하가 부르는 소리가 들렸다.

"강규하!"

"규하야!"

동창들은 거의 버선발로 뛰어나와 규하를 반겼다.

"너 살아 있긴 했구나."

"진짜 죽은 줄 알았다. 어떻게 동창회에 한 번을 안 나와?"

규하는 웃었다. 이런저런 일이 있었지만 어쨌든 그리운 얼굴들이었다.

"다들 잘 지냈어?"

규하는 웃으며 물었다.

동창들은 규하가 루아스라고는 생각지 못하는 눈치였다. 워낙 티가 나지 않기도 하지만 아예 그럴 거라고 생각조차 못 하는 것 같았다. 어쨌든 보려고 하는 대로 보이는 법이니까. 혹시 눈치챌까 걱정했지만 너무 긴장할 필요는 없을 것 같았다.

"근데 너 키가 좀 컸나?"

이렇게 묻는 동창도 있었지만 딱히 의심해서라기보다 순수한 의문인 것 같았다.

"그래, 뒤늦게 성장판이 열일 하더라. 아무튼 들어가자."

대답하고 다 같이 안으로 들어가자 금빛이 번쩍거리는 공간 가운데 뷔페가 준비돼 있었다. 얼핏 봐도 음식 가짓수가 상당했고, 프로페셔널

해 보이는 요리사들이 직접 음식을 손님들에게 챙겨주고 있었다. 동창들은 이게 웬 호사냐 싶으면서도 역시 고기도 먹어본 놈이 먹는다고 얼떨떨한 얼굴들이었다.

"기부한 사람이 누구인지는 몰라도 진짜 대박 아니냐?"

남자 동창 지민이 말했다.

"실컷 먹어. 정말 할 수만 있다면 락앤락에다 담아가고 싶다."

그렇게 말하고는 지민은 제 배가 락앤락 통이라도 된 것 같은 기세로 접시에 음식을 담기 시작했다. 규하는 피식 웃고 음식을 담아 테이블로 갔다. 이미 자리에 있는 동창들이 그녀를 반겼다. 또 한참 이런저런 말로 회포를 풀며 즐겁게 식사하는데 한 동창이 생각났다는 듯이 물었다.

"그러고 보니 규하 넌 수영 그만두고 뭐 하고 살아?"

"고등학교 선생이야. 지금은 휴직 중이지만."

규하는 여전히 휴직 상태였다. 아직 하현이 어려서 엄마 손이 필요하기 때문이기도 했지만 루아스로서 어떤 방향으로 나아가야 할지 정하지 못했기 때문이다. 군인이 되지 않을 거라는 점 하나는 확실하지만.

"뭐? 네가?"

그런데 둘러앉은 동창들은 대놓고 놀라는 눈치였다.

"강규하가 선생이라고? 야, 네 학생들은 무슨 죄⋯⋯."

고등학생 때 티격태격하면서 지냈던 지민이 세월이 무색하게 짓궂게 말했다. 규하는 웃고는 말했다.

"까분다. 한동안 너무 안 맞고 지냈지?"

"하여간 깡패 강규하, 여전해."

지민이 장난스럽게 말하고 나자 한 동창이 긴가민가하며 중얼거렸다.

"그러고 보니 연하가 선생님이 되고 싶어 하지 않았나?"

그녀는 아무 생각 없이, 단순히 기억나서 한 말이었을 것이다. 그런데 정적이 찾아왔다. 모두 애써 생각하지 않으려 했던 것이 갑자기 테이블 위에 턱 하니 올려놓아진 듯이.

"연하도 있었더라면……."

누군가가 중얼거리자 분위기가 숙연해졌다. 마치 동창회가 아니라 추모식인 것처럼.

'하여간 내가 이래서 동창회에 오지 않았던 건데.'

규하는 씁쓸하게 생각했다. 꼭 연하가 죽어 없어진 사람처럼—물론 그때는 그게 사실이었지만— 연하를 추모하는 자리에 앉아 있고 싶지 않았기 때문이다. 그러면 정말 연하가 죽었다고 인정해야 할 것만 같아서.

규하는 침울해져 있는 동창들을 하나하나 훑었다.

"나 잠깐만."

그리고 벌떡 일어나 행사장을 나갔다. 그러자 동창들은 처음 이야기를 꺼낸 친구를 원망하는 눈빛으로 보았다.

"하여간 넌 왜 그런 이야기를 해서."

"누가 따라가 봐야 하는 거 아냐?"

동창들이 웅성거리는 소리를 뒤로하고 규하는 계단을 올라갔다. 경호원들을 지나 레스토랑으로 들어가자, 텅 빈 레스토랑에 단둘이 마주보고 앉은 이반과 연하는 뭔가 진지한 이야기를 하는 중인 것 같았다.

"강연하."

규하가 부르자 연하는 놀라서 그녀를 돌아보았다.

"규하야."

규하는 테이블로 다가가자마자 내던지듯이 말했다.

"기억을 잃었었다고 해. 사고로 루아스가 됐는데 기억이 안 나서 돌아오지 못하고 있었다고. 그런데 얼마 전에 기억을 되찾았다고. 아침 막장 드라마 같긴 하지만 그렇다는데 어쩔 거야?"

"뭐? 하지만……."

규하가 팔목을 잡고 끌어서, 연하는 얼결에 일어났다. 그리고 주저하며 이반을 돌아보았다. 이게 정말 괜찮을지 묻듯이. 이반은 연하에게 웃어주었다. 괜찮다는 듯이.

"다녀와."

연하는 규하에게 끌려 홀린 듯이 계단을 내려갔다. 행사장으로 들어가자 동창들이 웅성이며 다가오며 물었다.

"규하야, 괜찮아?"

"어디 좀 앉을래?"

"근데 뒤에는 누구……."

규하는 한 걸음 비켜섰다. 동창들은 의아해하며 연하를 보았다가…….

"연하……?"

"어, 어떻게……."

그러고는 정적이 감돌았다. 당연하지만 동창들은 섣불리 어떻게 반응해야 할지 모르는 것 같았다. 한참 후에야, 어색한 표정을 한 연하에게서 시선을 떼지 못하고 한 마디씩 중얼거렸다.

"누가 내 뺨 좀 쳐 줘봐. 나 연하 귀신이 보여."

"다음엔 나도 쳐 줘. 나도 보이거든."

"너도 보여?"

규하는 기가 차 말했다.

"귀신 아냐. 연하 맞아."

장례식까지 한 사람이 멀쩡히 살아 있으니 이해하지 못하는 바는 아니지만 이렇게 진지하게 귀신 타령을 할 줄은 몰랐다.

"살아 있었……?"

한 동창이 겨우 말했다. 그때 다른 동창이 무슨 생각이 난 듯이 설마 하며 연하를 위아래로 훑었다.

"혹시 연하 너……."

다른 동창들은 너무 놀라서 연하가 어린 얼굴을 하고 있다는 사실도 깨닫지 못하고 있었지만 그는 좀 더 빨리 정신을 차린 것 같았다.

"오랜만이야."

마침내 연하는 말했다. 그리고 다음에 어떤 말을 해야 할지 모르는 것처럼 주저하더니 머쓱하게 웃었다.

"어…… 루아스는 처음이지?"

다들 눈을 부릅떴다. 누구도 깰 수 없을 것 같은 정적이 흐르는데, 규하가 연하의 머리에 살짝 꿀밤을 먹였다.

"으이구, 맹꽁이야. 인사를 해도 그게 뭐냐."

"진짜 세상사 요지경이다. 연하 네가 뱀, 아니, 루아스라니."

한 동창이 말하자 다른 동창이 질세라 거들었다.

"진짜 심장 멎는 줄 알았어. 안 그래도 요즘 기가 좀 허하다 싶었는데 드디어 헛것이 보이는구나 싶고."

"그래서 기억은 언제 되찾은 거야?"

한꺼번에 쏟아지는 질문을 감당하기 힘들어 연하는 난감한 웃음을 지었다. 옆에 있는 규하가 손을 내밀고 말했다.

"워, 다들 진정해. 번호표 뽑아줘야겠어?"

동창 몇몇은 저 멀찍이서 지켜볼 뿐이었지만 대체로 그다지 두려워하지 않고 가까이 와 연하에게 이것저것 물었다. 형제단 사건 이후 오히려 루아스가 더 공론화됐기 때문에 다들 호기심을 가지고 있었던 것 같았다. 신기한 건 고등학생 때 연하와 친했던 아이들은 좀 더 쉽게 받아들였고, 아닌 아이들은 여전히 거리감이 있다는 사실이었다.

어쨌든 연하는 이렇게 다들 만날 수 있다는 사실이 꿈같았다.

"강연하."

그때 낯익은 목소리가 들려 연하는 고개를 돌렸다. 어딘지 어색해하는 얼굴로 다가온 남자는 성엽이었다. 미소가 눈부신 김성엽. 어른이 되었지만 그는 여전히 여자들에게 인기가 많을 것 같은 훈훈한 미남이었고, 레몬 향이 나는 상큼한 미소도 그대로였다. 다만 이젠 표백한 칼라가 눈부신 교복이 아닌 정장을 입고 있을 뿐이었다.

성엽은 연하를 보며 뭐라고 해야 할지 주저하더니 멋쩍은 웃음을 지었다.

"진짜 기분이 이상하다. 널 보니까 나도 열아홉 살 때로 돌아간 것 같아."

연하는 조금 웃었다. 돌이켜보면 성엽이 그녀의 첫사랑이었다. 규하는 '그런 인간 레몬은 똥도 안 쌀 것 같아서 부담스럽다.'고 했지만.

"너도 아직 그대로네."

연하는 진심으로 그렇게 생각해서 말했다.

"야, 네가 그렇게 말하면……."

성엽은 기가 찬 듯이 말하다가 물었다.

"그럼 너도 서른세 살이라고 봐도 되는 거야?"

"봐도 되는 게 아니라 그냥 서른세 살인걸."

연하가 대답하자 성엽은 머쓱하게 웃었다.

"뱀파이어 나이는 어떻게 되는지 몰라서. 혹시 뭔가 다르게 새는 방법이 있나 하고……."

"그냥 똑같아."

"그럼 아직 미성년자거나 그런 건 아니지?"

성엽은 조금 조심스럽게 물었다. 연하는 웃으며 고개를 끄덕였다.

"그렇지."

사실 이미 애까지 있다고 하면 어떤 얼굴을 할지 궁금했다.

규하나 연하나 결혼 여부에 대해서는 말하지 않았다. 말하는 순간 어디서 만났는지, 남편들은 뭐 하는 사람들인지 아주 긴 이야기를 하지 않으면 안 될 것 같았기 때문이다. 특히 연하는 이반이 워낙 유명하다

보니 귀찮은 일을 피하기 위해서라도 더더욱 숨겨야 할 필요가 있었다.

"그렇구나."

성엽은 그제야 레몬 향을 뿜으며 웃더니 말했다.

"혹시 그때 기억나? 우리 수학여행 갔을 때……."

넘어진 그녀에게 그가 연고와 반창고를 사다줬던 일이 기억나지 않을 리 없어, 연하는 웃었다.

기다리는 동안 글을 작업하고 있던 이반은 옆에 놓인 유리잔을 쳐다보았다. 물이 반쯤 남은 투명한 유리잔은 조명빛을 받아 서늘하게 빛났다. 그는 거기에 비치는 자신을 보며 중얼거렸다.

"이런 전개는 생각 못 했는데."

그때 뒤로 기척이 다가왔다.

"외로워 보이시는군요."

돌아보자 제복을 입고 있는 렉스가 레스토랑으로 들어오고 있었다. 일이 끝나자마자 바로 이쪽으로 온 것 같았다. 이반은 등받이에 등을 기대며 말했다.

"일찍 왔군."

"일찍 끝났습니다."

"일찍 끝낸 건 아니고?"

맞은편에 앉은 렉스는 연하가 없는 빈자리를 보고는 물었다.

"강 소위도 참석한 겁니까?"

"그렇게 됐어."

이반이 대답하자 렉스는 알 만하다는 듯이 말했다.

"하긴, 인간 친구들은 만날 수 있을 때 만나두는 게 좋죠."

렉스는 루아스가 되자마자 만날 친구들이 아예 남아 있지 않던 케이스였기 때문에 오히려 그 마음을 잘 이해하는 것 같았다.

그런데 렉스는 아래쪽에서 들리는 소리를 듣더니 말했다.

"강 소위도 첫사랑은 있었군요."

이반은 미간을 약간 좁히고 있을 뿐 대답하지 않았다. 그러자 렉스는 오히려 의외라는 듯이 그를 보았다.

"풋사랑이었을 텐데요. 그것도 마음에 들지 않으십니까?"

"넌 괜찮을 것처럼 말하는군."

렉스는 조금 어깨를 으쓱였다.

"그렇진 않겠지만 규하가 소중히 여기는 추억은 하나라도 많을수록 다행이니까요."

이반은 창밖을 보았다.

"나도 내가 이렇게 속이 좁을 줄은 몰랐어."

렉스는 아내를 향한 제 마음의 강도가 누군가에게 조금이라도 뒤진다고 생각하진 않았지만 확실히 이쪽은 거의 병 수준이랄까……. 하지만 이천 년 만에 하는 첫사랑이니까 이해해 줘야 할 것 같았다. 혼인한 적이 있다고 사랑한 적이 있다는 건 아니니까. 오히려 그런 면에서는 첫사랑이나마 해 본 연하가 앞서 있다고 할 수 있을 것이다.

화장실을 다녀온 성엽은 다시 행사장으로 들어갔다. 연하는 그가 화장실을 가기 전에 앉아 있던 자리에 그대로 있었다. 어느새 규하가 와서 같이 앉아 있을 뿐이었다. 성엽은 아까 앉았던 자리에 앉으며 말했다.

"위층에 뭔가 군대 관련 행사가 있나 봐. 군인들이 돌아다니네."

"군인?"

규하는 반문하고는 연하를 보았다. 힘은 살아온 세월에 비례해서 규하는 아직 청력 반경이 그리 넓지 않기 때문이다. 연하는 입모양으로 '렉스'라고 말했다.

렉스가 와 있다고 생각하자 규하는 당장에라도 그를 만나러 가고 싶어 엉덩이가 들썩거리는 것 같았다. 렉스가 공처가 티를 못내 안달이라고 하지만, 사실 규하 쪽도 만만치 않았다. 규하는 거의 '렉스 빠' 수준이었으니까.

ㄱ때 지민이 성엽을 뒤에서 툭 치며 나타났다.

"김성엽 너 이 자식, 이쪽 자리에서 아예 일어날 생각을 안 하는구먼?"

"아니야, 인마."

성엽은 조금 정색했지만 지민은 전혀 설득되지 않았다.

"아니기는. 아예 본드로 엉덩이를 붙여놨네."

지민은 짓궂게 말하고 연하를 보았다.

"연하, 너 술은 마셔?"

대답은 규하가 했다.

"몸이 안 늙는 거지, 나이를 안 먹는 건 아니거든?"

지민은 연하와 규하에게 손가락 총을 쏘았다.

"딱 좋아. 그럼 이제 슬슬 2차 가야지?"

"아, 그건 무리. 우리는 여기서 빠져야 할 것 같아."

규하가 말하자 지민은 바로 '어허' 소리를 냈다.

"가정 있는 애들이야 어쩔 수 없지만 솔로들끼리 이러면 쓰나. 또 죽은 줄 알았던 사람이 살아 돌아온 경사스러운 날인데……."

"그 경사스러운 날 내 주사에 한번 당해볼래? 나 요즘 주사 있다."

뚜렷한 목적의식이 있는 규하는 망가지는 것조차 불사했다.

"또 보자. 시간은 얼마든지 있잖아."

규하는 말하고 일어났다. 그렇게까지 얘기하니 동창들은 더 잡지 못했다. 둘은 아쉬워하는 동창들과 한참이나 작별 인사를 한 뒤에야 행사장을 나섰다. 그리고 막 로비로 들어서는데 뒤에서 부르는 소리가 들렸다.

"연하야."

돌아보자 성엽이 다가왔다. 규하는 연하를 흘긋 보더니 알 만하다는 듯이 찡그린 웃음을 짓고는 먼저 몇 걸음 앞서갔다. 연하는 성엽을 마주 보았다.

"가자고."

이반은 갑자기 자리에서 일어났다. 렉스도 따라 일어났다. 그들이 입구로 다가가자 직원이 코트를 가져다주었다. 그런데 코트를 받아 들고 나서 렉스는 이반을 의아하게 볼 수밖에 없었다.

"어디 가십니까?"

바로 호텔 밖으로 통하는 전용 통로가 있는데도 이반은 정문 쪽으로 가고 있었다. 돌아보지도 않고 말하고.

"이쪽으로 갈 거야."

"사람들 눈에 띌 텐데요."

이반은 대답하지 않고 계단으로 걸어갔다. 렉스는 작게 한숨을 쉬고는 따라갔다. 대기하고 있던 예거들이 그 뒤를 따랐다.

"왜?"

연하가 묻자 성엽은 쑥스러워하며 물었다.

"전화번호 물어봐도 돼?"

옛날이라면 그가 정말 순수하게 전화번호를 물어본다고 생각했을 것이다. 연하는 웃고는 말했다.

"미안해."

성엽은 이렇게 단호하게 거절당할 거라고 생각하지 못해 잠깐 말문이 막혔다.

"혹시 같이하는 사람이 있는……."

"너희를 만날 수 있어서 너무 행복했어. 영원히 잊지 못할 거야."

영원히……. 연하는 그렇게 말했을 뿐이지만 성엽은 갑자기 절대 건

널 수 없는 강이 그들 사이에 생겨난 느낌이었다.

그때 두 사람은 알지 못했지만 계단을 내려오던 이반은 계단이 꺾이는 곳에 그대로 멈춰 서 있었다. 그를 따라오다가 역시 멈춰 선 렉스가 뭘 걱정한 거냐는 듯이 흘긋 시선을 던지자 이반은 한숨을 내쉬고는 계단을 마저 내려가기 시작했다.

"가볼게."

"어…… 응. 잘 가."

연하가 하도 단호해서 성엽은 얼결에 대답했다. 그러자 연하는 기다리고 있던 규하와 함께 정문으로 걸어갔다. 뒤에 남은 성엽은 뒷머리를 긁적였다.

'거절당할 줄은 몰랐는데.'

그때 규칙적이고 묵직한 발소리들이 들려왔다. 한 무리의 남자들이 이쪽으로 걸어오고 있었다. 대개 군인인 듯 남색 제복을 입고 있었고, 특히 두 번째로 걸어오는 금발 군인은 가슴에 휘장이 화려했다. 그들 선두에 걸어오는 남자는 검은 코트 안에 차이나 칼라 셔츠를 입은 평상복 차림이었지만 어쩐지 그가 가장 윗사람으로 보였다.

그런데 성엽을 포함해 사람들이 모두 말을 잊고 멈춰 서 있었던 이유는, 남자들 대부분이 붉은 눈동자를 가지고 있었기 때문이다. 순간 시간이 느려진 것 같았다. 마치 남자들이 이 공간의 시간과 공기를 지배하는 것처럼, 그들이 옆으로 지나가는 것마저 느린 그림처럼 느껴졌다.

선두에 가는 무심한 붉은 눈동자가 성엽을 훑고 스쳐 갔다.

남자들이 문을 나서자 두 여자가 돌아보았다. 규하는 고등학생 때도 본 적 없는 것 같은 함박웃음을 지으며 두 번째로 간 금발 남자에게 손을 뻗었다. 남자는 자연스럽게 그녀의 손을 잡았다. 그리고 둘은 같이 먼저 계단을 내려가, 앞에 들어온 차에 올랐다.

연하는 선두에 간 남자를 올려다보고, 연한 미소를 지었다. 무어라 형용할 수 없을 만큼 애정이 가득한 미소를.

뒷모습이어서 얼굴은 보이지 않지만 남자도 연하를 보고 웃는 것 같았다. 이어서 두 사람은 계단을 내려가 차에 올랐다. 이내 차문이 닫히고 차는 매끄럽게 빠져나갔다.

'그랬구나.'

성엽은 불현듯 깨달았다.

외모가 멈춰 있다고 연하의 삶까지 멈춰 있는 건 아니었다. 그녀는 살아가고 있었다. 과거는 돌아보지 않고.

예상치 않게 열아홉 그대로 멈춰 있는 연하를 보고 성엽은 자신 역시 열아홉으로 돌아간 것 같은 착각에 빠졌다. 그 시절 세상에는 많은 사건 사고가 있었고 떠들썩했지만 그래도 그에겐 인생에서 가장 마음이 편할 때였다. 아무것도 책임지지 않아도 됐기 때문일 것이다. 제자리에서 최선을 다해 살아가는 일이 얼마나 어려운지, 최근 운영하는 스타트업이 어려워지면서 여러모로 깨닫고 있었다. 그래서 뜻하지 않게 연하를 보고 강한 회귀본능을 느꼈던 것 같았다.

하지만 이제 연하는 어딘가 우유부단해 보이는 아이가 아니었고, 단순한 호감이나 설렘이 아닌 더 깊고 짙은 감정이 담긴 시선은 성엽 그를 향한 것이 아니었다.

'사무실에 가봐야겠군.'

성엽은 길게 숨을 내쉬고 돌아섰다. 뒤로 차는 멀리 멀어지고 있었다.

작가 후기

　　이반이 인간이었을 때 이름은 일부러 밝히지 않았습니다. 워낙 유명한 인물이라 다들 아실 거라고 생각하지만, 에필로그에서 렉스가 말한 대로 이후 이야기는 모두 전설일 뿐이기 때문입니다. 그 인물이나 이반에 대해 각자 생각하시는 이미지가 있을 테니 굳이 이름까지는 밝히지 않는 편이 나을 것 같았습니다. 하지만 만약 눈치채셨다면 왜 연하가 본명을 물어봤을 때 이반이 뚱하게 '하필 같은 이름이야.'라고 했는지, 에필로그 끝에서 렉스가 자신을 부르는 줄 알고 돌아봤는지 아실 거라 생각합니다. 혹시 정말 모르겠다 하시면 참고 도서 목록 아래쪽에 어떤 인물의 전기가 있는지 보시면 알 수 있는데, 물론 본인이 생각하는 이미지만 갖고 있겠다 하신다면 보지 않으셔도 무방합니다.

처음 이 글을 구상하게 된 계기가, 거대한 제국을 세웠지만 전장에서 얻은 말라리아로 사망했다고 알려진 그 인물이 실은 모기가 아니라 흡혈귀에게 물린 거라면 어떨까 하는 상상에서였습니다. 그리고 모기가 원래 피 대신 식물성 수액을 먹는다는 사실에 착안해서 '피 대신 꽃을 먹고 사는 뱀파이어'라는 설정을 떠올렸습니다. 또, 예전에 매트 리들리의 "게놈"이라는 책에서 마지막 공통조상에 대해 읽고 뱀파이어의 기원을 설명하는 설정으로 사용될 수 있겠다고 생각해 둔 것이 덧붙여져서 틀이 만들어졌습니다. 이 글에서는 뱀파이어를 신화나 마법이 아니라 과학적으로 말이 될 법한 존재로 해석해 보려고 노력했습니다.

제목 '꽃의 짐승'은 중의적인 의미입니다. 꽃을 먹고 사는 뱀파이어들을 의미하기도 하고, 꽃처럼 약한 인간들을 의미하기도 합니다. 그리고 약한 인간이 꽃을, 강한 뱀파이어가 짐승을, 다른 면에서 강한 인간이 짐승을, 뱀파이어가 꽃을 의미하기도, 또 흔히 상대를 꽃이나 짐승으로 묘사하는 로맨스적 측면에서 꽃과 짐승이 성별에 관계없이 주인공들에게 서로를 의미합니다. 그런 점이 전해졌다면 좋겠습니다.

마지막으로, 맨 처음에 연하가 고등학생으로 위장을 하고 유리 너머에 앉아 있는 장면은 빔 벤더스 감독의 명작 "파리, 텍사스"(1984)의 오마주입니다. 영화에서처럼 이쪽에서는 들여다볼 수 없는 어두운 유리 건너에 여자가 모르는 진실이 있는 느낌과, 영화의 대표적인 이미지라고 할 만한 해당 장면에서의 제인 헨더슨(나스타샤 킨스키)의, 제 개인적인 생각에 연하보다 더 도발적이지만 이 세상 여인이 아닌 것처럼 몽환적인 이미지를 상상하며 감히 오마주 해 보았습니다.

모든 글이 그렇지만 이 년 내내 붙들고 있었던 글을 보내주자니 시원섭섭합니

다. 하지만 읽으시는 동안이나마 즐거우셨다면 더없이 기쁠 것 같습니다. 다음은 히샤와 하현의 이야기 "비스트, 블루 블러드"입니다. 이번에는 나하쉬 때처럼 오래 걸리지 않을 것 같습니다. 곧 다시 찾아뵙겠습니다. 감사합니다.

2019년, 조례진 드림

참고 자료

☾ 참고 도서

김환기, 양욱, 「워너비 검은 베레」, 플래닛미디어(2014)

마크 오언, 케빈 모러, 「노 이지 데이(NO EASY DAY)」, 이동훈, 길찾기(2013)

아베 긴야, 「중세를 여행하는 사람들」, 오정환, 한길사(2007)

양욱, 「그림자 전사, 세계의 특수부대」, 플래닛미디어(2009)

양욱, 「네이비 실, 그들은 누구인가」, 플래닛미디어(2010)

양욱, 유용원 외, 「무기바이블 1」, 플래닛미디어(2012)

유용원, 남도현 외, 「무기바이블 2」, 플래닛미디어(2013)

오나미 아츠시, 「도해 특수부대」, 오광웅, 에이케이커뮤니케이션즈(2015)

우에다 신, 모리 모토사다, 「컴뱃바이블3」, 홍희범, 길찾기(2012)

아리아노스, 「알렉산드로스 원정기」, 박우정, 글항아리(2017)

제임스 롬, 「알렉산드로스 제국의 눈물」, 전영목, 섬섬(2015)

플루타르코스, 「플루타르코스 영웅전」, 천병희, 숲(2010)

피터 괴체, 「위험한 제약회사(거대 제약회사들의 살인적인 조직범죄)」, 윤소

Darwin, C. R., *The Origin of Species by Means of Natural Selection, or the preservation of favoured races in the struggle for life*, London: John Murray, 1859.

ⓒ 참고 사이트

"마니교", 위키피디아, https:ko.wikipedia.org/wiki/%EB%A7%88%EB%8B%88%EA%B5%90, 2019년 3월 6일 확인함

"Sea people", Encyclopedia Britannica, https://www.britannica.com/search?query=Sea+people, 2019년 3월 6일 확인함

"Anti-Semitic Massacre Kills 800 jews in Worms", New Historian, https://www.newhistorian.com/anti-semitic-massacre-kills-800-jews-worms/6502/, 2019년 3월 6일 확인함

"Operation Inherent Resolve, Targeted Operations to Defeat ISIS", U.S. Department of Defense, https://dod.defense.gov/OIR/, 2019년 3월 6일 확인함

"Disease, not conflict, ended the reign of Alexander the Great", The Independent on Sunday, http://www.alexanderstomb.com/main/deathofalexander/IoS6on7Aug05b.JPG, 2019년 3월 6일 확인함

ⓒ 참고 사전

국립국어원 표준국어대사전, http://stdweb2.korean.go.kr/main.jsp

위키피디아, https://ko.wikipedia.org/wiki/

Encyclopedia Britannica, https://www.britannica.com/

◑ 참고 논문

윤병선, 유승권, *"역분화줄기세포의 연구현황과 임상적용을 위한 과제"* (J Korean Med Assoc 2001 May; 54(5): 502-510, 2011)